Neumann, Albert Con.

Therapie der chronischen Krankheiten

Neumann, Albert Constantin

Therapie der chronischen Krankheiten

Inktank publishing, 2018

www.inktank-publishing.com

ISBN/EAN: 9783747758397

THERAPIE

DER

CHRONISCHEN KRANKHEITEN

VOM

HEILORGANISCHEN STANDPUNKTE.

VON

DR. A. C. NEUMANN.

MIT 131 IN DEN TEXT EINGEDRUCKTEN HOLZSCHNITTEN UND EINER TAFEL ABBILDUNGEN.

LEIPZIG, 1857.
A. FÖRSTNERSCHE BUCHHANDLUNG.
(ARTHUR FELIX.)

VORREDE.

Die erste Auflage dieses Buches erschien im Jahre 1852, und enthielt 1) eine allgemeine Muskelwirkungs-, 2) eine Bewegungslehre und 3) eine heilgymnastische Therapie einiger Krankheiten. — Im Jahre 1855 gab ich die erste Abtheilung des Buches, ausführlicher bearbeitet, unter dem Titel heraus: „Das Muskelleben des Menschen in Beziehung auf Heilgymnastik und Turnen. Berlin bei Schröder.“ Im Jahre 1856 folgte die zweite Abtheilung des Buches, ausführlicher bearbeitet, unter dem Titel: „Lehrbuch der Leibesübung des Menschen in Bezug auf Heilorganik, Turnen und Diätetik. II Bände. Berlin bei Schröder.“

In dieser zweiten Auflage des Buches ist daher zunächst nur die dritte Abtheilung der früheren Auflage als Therapie der chronischen Krankheiten bearbeitet worden. Dieselbe hat sich in der Reihe der Jahre so ausgedehnt und so vervollkommnet, dass sie ein besonderes Werk mit Bequemlichkeit füllt, zumal schon durch die heilorganischen und diätetischen Recepte, deren gegen 300 hier gegeben werden mussten.

Möchte dieses Buch, obwohl dasselbe nur einen kleinen Theil der heilorganischen Therapeutik und Diätetik darlegt, doch als die erste Schrift dieser Art eine günstige Aufnahme beim Publicum finden; und möchte es mir dadurch gelungen sein, das Studium der Heilorganik zu verbreiten und fester zu begründen.

Berlin, im August 1857.

Der Verfasser.

INHALTS-VERZEICHNISS.

---

heiten" benannt. — Zeigt dagegen das Pathologische keine bestimmte Folge von Erscheinungen, ist dasselbe vielmehr längere Zeit in derselben oder doch nicht in einer nach bekannter Weise wechselnden Gestalt verharrend: so belegen wir einen solchen Erscheinungs-Complex mit dem Namen „chronische Krankheit."

§. 3. Genau genommen bleibt die Beschreibung einer Krankheit oder ein Krankheitsbild stets nur das eines Symptomen-Complexes. Man kann daher auch sagen: in sofern dieser nach einer bestimmten und bekannten Norm sich ändert, andere Symptome gesetzmässig zu den früheren hinzutreten und wieder verschwinden, ist er eine acute Krankheit. Sind die Symptome überhaupt mehr verharrend, ist der Wechsel in denselben unbestimmt und nicht so genau vorauszusehen, so ist eine chronische Krankheit vorhanden.

§. 4. Auch die Diagnose der Krankheit ist und bleibt bis jetzt eigentlich nur Erkennung von Symptomen-Gruppen. Die Verbesserung der physikalischen und chemischen Hülfsmittel der Neuzeit, um eine genauere Diagnose der Krankheiten zu ermöglichen, hat die feineren (materiellen) Symptome der Krankheit erkennen lassen; sie hat also den Symptomen-Complex der einzelnen Krankheiten grösser und mannigfaltiger gemacht. Ist man aber darum dem Wesen der Krankheiten, dem tief verborgenen, näher gekommen? Die Aerzte der Neuzeit, mit der Feinheit und Mannigfaltigkeit ihrer diagnostischen Hülfsmittel sich brüstend, haben grösstentheils versäumt, die subjective Sinnesbeobachtung durch die Kraft ihres Geistes mehr objectiv zu machen, und überhaupt physikalische, chemische und speciell mikroscopische Symptome auf den Werth zurückzuführen, den dieselben für das eigentliche Wesen der Krankheit nur haben können. Sie fürchteten in den Fehler früherer Zeiten zu verfallen, wo die Aerzte viel mangelhafter die Specialitäten der Symptome zu erkennen vermochten, dafür aber viel geistreicher, wenn auch öfters hypothetisch, combinirten. In der Neuzeit ist die genauere Beobachtung der einzelnen Symptome unbestreitbar gestiegen; aber ob die Erkennung des Wesens der Krankheit dadurch mehr gefördert, oder sogar gegen die frühere Zeit mehr verdunkelt wurde? Dies scheint mir die Frage, die in mancher Hinsicht wohl zum Nachtheil der Jetztzeit beantwortet werden muss.

§. 5. So hat sich z. B. das Wesen der Entzündung durch die neuzeitige Darlegung von Symptomen immer mehr in Nebel aufgelöst, und ist kaum mehr erkennbar, ja vielen Aerzten der

Neuzeit vollkommen entschwunden. Und doch ist es bestimmt allein nur durch geistige Combination der Symptomenreihen zu erfassen.

§. 6. Hinc illae lacrymae der Neuzeit, dass keine Behandlungsweise zu der Diagnose der Krankheiten oder eigentlich der weitschichtigen Symptomen-Complexe passen wolle. Man sieht auch hier die jetzige Oberherrschaft des Materialismus und Sensualismus, während wahre Physiologie und wahre Pathologie noch immer, und zwar trotz, ja, man könnte sagen, um so mehr der Beobachter und der Beobachtungen erscheinen, um so mehr in die Ferne gerückt wird.

§. 7. Die Heilung eines Krankheits-Organismus (acuter Krankheit) kann, wenn nicht besondere Störungen auftreten, nach ihrem regelmässigen Sichdarleben, d. h. von selbst erfolgen. Alle angewandten Mittel, selbst wenn sie nicht störend auf den regelmässigen Verlauf der Krankheit wirken, können nur Beschwichtigung einzelner Symptome bringen. Wirken sie aber störend der Art, so werden sie um so eher eine chronische Krankheit (eine bleibende Störung, hervorgehend und zurückbleibend nach Ablauf des Krankheits-Organismus) zurücklassen.

§. 8. Ausser den chronischen, nach Krankheits-Organismen zurückbleibenden Störungen (wie locale Haut-Entzündung, Drüsen-Verbildung nach Scharlach, Milz-Hypertrophie nach Intermittens u. s. w.) giebt es auch allmälig sich entwickelnde Störungen, die keinen regelmässigen, mit Bestimmtheit vorherzusagenden Verlauf haben, mit Krankheits-Organismen wieder verbunden sein können, und, unvollkommen ausgebildet, dem Physiologischen sich nähern; Zustände, die bisher kaum zu den Krankheiten gerechnet wurden, wie z. B. zu geringer, peripherischer Blutumlauf, durch die Symptome der kalten Hände oder Füsse sich anzeigend, u. s. w.

§. 9. Die Heilmethoden der Krankheiten theilen sich, je nach der Zeit ihrer Anwendung in prophylaktische oder Vorbeugungs-Heilmethoden, und in curative oder eigentliche Heilmethoden; oder sie zerfallen in radicale und palliative, je nachdem sie gründlich oder nur einigermassen die Herstellung der Gesundheit herbeiführen. Wichtiger ist jedoch die Eintheilung der Heilmethoden nach ihrer Wirksamkeit in diätetische oder Heilmethoden erster, und in pathologische oder Heilmethoden zweiter Instanz. Die diätetischen werden nur Verfahrungsarten anwenden, die den physiologischen Gesetzen des Körpers homogen sind, und nicht einen pathologischen

Zustand, der erst in zweiter Instanz heilend wirken kann, in ihm hervorbringen. Hieher gehört: die Heilorganik (bisher unpassender Weise Heilgymnastik genannt [§. 18]), die Homöopathie (wenn man sie als eine durch Nichtsthun wirkende Heilmethode annimmt), die Cur mit reinen Nahrungsmitteln, wie die des Wechselfiebers durch starke Fleischbrühe, der Chlorose durch nahrhafte Diät, der Phthisis durch Milchgenuss und Landaufenthalt u. s. w.

§. 10. Zu den pathologischen oder Heilmethoden zweiter Instanz, die erst einen pathologischen Zustand künstlich hervorbringen, der nun auf das Pathologische der Krankheit heilend einwirkt, gehört: die gewöhnliche allopathische Behandlungsweise mit einschneidenden Medicamenten, namentlich mit Brech- und Purgirmitteln, mit ätzenden, umstimmenden Arzneien, wie Jod, Quecksilber u. s. w.; die chirurgischen Operationen; die Maschinencur der Verkrümmungen des Rückgrats; die Hydropathie und Electrisirungsmethode; die strengen Diät-Curmethoden, als die Hungercur, und hieher also auch die streng durchgeführte Homöopathie.

Solche Curmethoden bringen natürlich leicht Crisen hervor, nicht aber jene in erster Instanz heilende, die nur durch Lysis heilen können. Daher das langsame, nie sprungweise und nur allmälige Heilen der Heilorganik.

§. 11. Einen Beweis über den Werth oder Unwerth einer Heilmethode zu führen, ist schwerer, als man denken sollte. Das nichtärztliche und grösstentheils auch das ärztliche Publikum richtet sich in seinem Urtheil nach den Curerfolgen. Und doch kann Nichts unsicherer, Nichts trügerischer sein, als dieses. Die Krankheiten sind, wie erwähnt, nichts weiter, als Symptomen-Complexe, die bei den Aerzten und Laien den Namen von einem oder mehreren hervorragenden Symptomen führen. Die Krankheiten werden also geheilt erscheinen, wenn ihre vorragenden Symptome gewichen sind. Ob aber wirklich der ganze Körper des Patienten dem Bilde absoluter Gesundheit dann entspricht, wer kann dieses, selbst ausgerüstet mit den vollkommneren Untersuchungs-Instrumenten und Methoden der Neuzeit behaupten?

§. 12. Die absolute Gesundheit ist überhaupt ein Zustand, der den wenigsten Menschen, und diesen wenigen nur auf Augenblicke zu Theil werden dürfte. Sofort wird wieder Abweichung von der Gesundheit, und somit wenigstens Kränklichsein, wenn nicht wirkliche Krankheit entstehen, indem dieses schon Beschäftigung und Lebensweise der meisten Menschen mit sich bringt.

Kann also der frühere Patient, der nach dem Schwinden einiger Symptome ein Gesunder genannt wird, diesen Namen beanspruchen? Meistentheils nicht. Wie leicht also kann er sich sogar selbst täuschen (wenn er nicht absichtlich etwas verheimlicht), wenn es darauf ankommt, zu sagen, ob er durch eine bestimmte Heilmethode hergestellt sei, oder nicht? Sein Ausspruch ist also entweder absichtlich falsch, oder doch zweifelhaft im höchsten Grade.

§. 13. Nicht minder sind es die Aussagen der Angehörigen der Patienten, die sich auch täuschen können, und den, der wirklich noch Patient ist, für einen Gesunden halten. Auch giebt es zufriedene und unzufriedene Patienten, sowie deren Angehörige. Während ein Kranker, wenn nur ein Hauptsymptom seines früheren Leidens geschwunden ist, voll Freuden sich für gesund hält, und dieses aller Welt mittheilt, wird der andere, dessen ganze Krankheit geheilt wurde, dennoch die angewandte Curmethode nicht rühmen, weil er nämlich dem Bilde der absoluten Gesundheit doch noch nicht entspricht, und daher noch viel zu klagen hat. Aehnlich ist es mit den Aussagen der leicht oder schwer zufrieden zu stellenden Angehörigen des Kranken.

§. 14. Was die Aussage des Arztes über den Erfolg der Heilmethode, die er anwandte, betrifft, so kann diese jedenfalls die richtigste sein. Wohl verstanden: sie kann es sein, sie ist es aber selten, weil der Arzt gar zu viel Interesse hat, der von ihm angewandten Heilmethode gute Erfolge nachzurühmen; und er daher absichtlich, oder auch selbst getäuscht, die Erfolge besser darstellt, als sie wirklich sind. Auch nimmt dieses das nichtärztliche Publikum ziemlich allgemein an, und sucht daher den Ausspruch des Arztes meistentheils durch den des hergestellten Patienten erst zu beglaubigen.

§. 15. Will man daher bei der Prüfung des Werthes einer Heilmethode vor Täuschung sich möglichst bewahren, so bleibt nur der eine Weg, die Curerfolge nach physiologischen Principien sich zu deuten.

Von allen Curmethoden gewährt diesen Prüfstein rein und ungeschwächt nur allein die Heilorganik. Dieselbe ist jedoch leider nicht mehr ohne besonderes anatomisches, physiologisches und pathologisches Studium zu verstehen, weshalb mancher Arzt nicht ein Beförderer derselben, noch ihrer Erklärungsweise ist; und lieber auf der breitgetretenen, aber so unsicheren Strasse der Empirie anderer Curmethoden sich bewegt.

§. 16. So alt, wie das Menschengeschlecht ist, so alt ist auch die **Heilorganik**. Es giebt kaum ein Volk weder älterer Zeit, noch jetzt, wo nicht das Bestreben sich kund gegeben, die Gebrechen des Menschenleibes auf die naturgemässeste Weise durch Einwirkung der eigenen Kräfte oder die eines zweiten Menschen zu heilen. Daher finden sich Curen durch Streichen, Kneten, Ziehen der Menschen, an ihren eigenen Gliedern oder an denen anderer vorgenommen, bei allen Nationen. Diese Curen, die also Organe des menschlichen Gliedbaues durch Organe desselben Menschen oder durch die eines andern zu heilen suchten, müssen, so roh sie auch ausgeführt werden mochten, und so wenig ihnen eine Erkenntniss der leiblichen Verhältnisse des menschlichen Organismus zum Grunde zu liegen pflegte, doch, da sie im Gegensatz zu den Curen durch Arzneimittel oder durch chirurgische Operationen standen, als die erste und roheste Anwendung der **Heilorganik** oder **Organ-Heilung** begrüsst werden.

§. 17. Obwohl nun aber die berühmten, griechischen und römischen Aerzte des Alterthums, wie Hippokrates, Galenus, Asklepiades, Celsus, die Kunst der Leibesübung auch zu Heilzwecken empfahlen; und obwohl ihnen im Mittelalter, und noch mehr in der Neuzeit, viele Aerzte und Physiologen, wie Mercurialis, Sydenham, Fuller, Tissot, Londe, Koch u. s. w. in diesen Empfehlungen folgten: so war es doch zuerst der schwedische Akademiker und Director des Central-Instituts für Gymnastik in Stockholm, **Peter Ling**, welcher ein System der Leibesübungen als Anwendung zur Heilung von Krankheiten aufstellte, auf Anatomie und Physiologie stricte zu stützen suchte, und deshalb als Begründer der wissenschaftlichen, natur- und vernunftgemässen Heilorganik zu betrachten ist, und wohl je länger immer mehr als solcher anerkannt werden wird.

§. 18. Darum sind aber doch seine Ansichten über Heilung der Krankheiten durch Leibesübung, auf seine anatomischen, physiologischen und pathologischen Kenntnisse gegründet, für die Jetztzeit grösstentheils ganz veraltet, oder doch nur mit Verbesserung und Veränderung, je nach den Begriffen der Neuzeit, zu gebrauchen. Sogar der schwedische, von ihm gewählte Name für sein Heilungssystem von Leibesübungen, welcher genau übersetzt „medicinische Gymnastik", kürzer nach seinem treuesten Schüler **Rothstein** „**Heilgymnastik**" heisst, ist durch **Heilorganik** passender zu benennen, wie auch die folgende Schrift hoffentlich vielfach bestätigen wird.

§. 19. Was die Literatur der Heilorganik betrifft, so ist dieselbe noch gar klein und unbedeutend, dagegen die Schriftenkunde derselben um so grösser. Denn der Werke, die die Heilorganik ausbilden und fördern wollen, giebt es nur sehr wenige, der Schriften aber, die über Heilorganik in kürzeren oder längeren Aufsätzen, und zwar durchweg mit grosser Oberflächlichkeit, ja sogar wohl öfters mit Absicht der Art sprechen, giebt es eine grosse Zahl. Zusammenstellungen der gymnastischen Literatur finden sich: 1) in dem früher auch von mir redigirten Athenaeum für rationelle Gymnastik. Bd. I, S. 11; 2) in dem Bericht über die neuere Heilgymnastik von Dr. H. E. Richter. Erster Artikel, S. 1; und 3) in den neuen Jahrbüchern für die Turnkunst. Bd. II, Heft 4, S. 357 (als Fortsetzung des Literaturberichts über Turnschriften im „Turner", Jahrgang 1849 und 1851). — Zwei Werke des Verfassers, auf die zunächst in der folgenden Schrift öfters verwiesen werden wird, mögen hier noch mit ausführlichem Titel angeführt werden: 1) Das Muskelleben des Menschen in Beziehung auf Heilgymnastik und Turnen. Berlin 1855, bei Schröder. gr. 8. geh. Preis 1 Thlr. 10 Sgr.; und 2) Lehrbuch der Leibesübung des Menschen in Beziehung auf Heilorganik, Turnen und Diätetik. 2 Bände mit 131 in den Text eingedruckten Holzschnitten. Berlin 1856, bei Schröder. gr. 8. geh. Preis 3 Thlr. 10 Sgr. Das erste dieser Werke wird in der folgenden Schrift kürzer: „Muskelleben", das letztere: „Lehrbuch der Leibesübung" genannt werden.

§. 20. Die folgende Schrift soll nun zunächst eine Darstellung der Heilorganik oder Heilgymnastik in ihrer Anwendung zur Heilung chronischer Krankheiten geben. Diese Darstellung wird in zwei Theile, die das Allgemeine und Besondere dieser Therapie umfassen, zerfallen. Weder der erstere, noch der letztere Theil kann aber auf Vollständigkeit rechnen, sondern wird als ein schwacher Versuch nur anzusehen sein, in diesem noch so wenig angebauten Gebiete wenigstens so weit vorzuschreiten, als die heilorganische Praxis und Casuistik dazu bisher Gelegenheit geboten hat. Den Verfasser ermuthigt einigermaassen der bekannte Spruch: „in magnis voluisse sat est", da er sich gestehen muss, nur einen sehr kleinen Theil dieses grossen Gebietes zu kennen und darlegen zu können. Es wird also, genau angegeben, die folgende Schrift sich in zwei Abschnitte theilen, deren erster

die allgemeine Therapie der chronischen Krankheiten vom heilorganischen Standpunkte, und deren zweiter

die besondere Therapie der chronischen Krankheiten vom heilorganischen Standpunkte
enthalten wird.

In einem Anhange soll noch ein Abriss der Odlehre namentlich in Beziehung auf Heilorganik, sowie eine kurze Körperstellungs- und Bewegungslehre gegeben werden.

I. ABSCHNITT.

Allgemeine Therapie der chronischen Krankheiten vom heilorganischen Standpunkte.

I. ABSCHNITT.

Allgemeine Therapie der chronischen Krankheiten vom heilorganischen Standpunkte.

Die organische Bewegung und die Muskelbewegung.

§. 21. Die Bewegung ist der organischen Masse eigenthümlich schon als Bildungsvorgang. Es kann sich nichts bilden, selbst nicht einmal der bisher noch unpassenderweise als unorganisch betrachtete Crystall, ohne dass nicht Bewegung stattfände. In den niedrigsten Thieren fehlen wie Nerven, so auch besondere Bewegungsorgane, indem Perception und Bewegung der organischen Masse, sobald sie sich bildet, auch innewohnt, ja ohne beides dieselbe nicht als solche gedacht werden kann. Im Thiere von zusammengesetzterer Organisation, und um so mehr im Menschen sind, so wie Nerven, so wie Blutgefässe (im niedrigsten Thiere findet durch Zellen-Endosmose und Exosmose die ganze Bildung statt), so auch besondere Bewegungsorgane, die Knochen (passive) und die Muskeln (active) vorhanden und nöthig, um das Zuführen der Säfte zu den Bildungsstätten zu erleichtern, ja überhaupt möglich zu machen.

§. 22. Die durch die Muskeln bewirkte Bewegung im Raume muss mit den Bildungs-Vorgängen, also mit Neu- und Rückbildung, im innigsten Zusammenhange stehen, ja kann ohne Bildungs-Veränderung gar nicht verstanden werden.[1]) Der organischen Masse ist

1) Es ist hieraus z. B. klar, weshalb Paralyse, also Bewegungsabnahme der Muskelfaser, mit Abnahme der Bildung, also mit Atrophie, immer verbunden sein muss.

aber, wie erwähnt, Bewegung ohne Muskelfasern eigenthümlich. So wie nun im menschlichen Körper Perception ohne Nerven neben Sensation durch Nerven vorhanden ist, so auch Bewegung ohne Muskelfasern neben Bewegung (willkürliche und unwillkürliche) durch Muskelfasern. Es wohnt daher in gewissem Grade Bewegung auch den sehnigen Geweben der Muskeln, ja allen organischen Geweben überhaupt, und daher auch dem Knochengewebe (organische Elasticität) bei.

§. 23. Es ist deshalb nicht die Frage aufzuwerfen (wie dies bisher immer geschah): hat Muskelbewegung Einfluss auf Bildungsleben? Nein, im Gegentheil, es muss die Frage aufgeworfen werden: wie kommt es, dass wir die durch die Muskelbewegung hervorgebrachte, ungemein grosse Einwirkung auf Bildungsleben nicht zu jeder Zeit deutlicher wahrnehmen? Wie kommt es, dass auch nur einen Augenblick, namentlich Physiologen, an dieser Einwirkung zweifeln konnten? Die Antwort liegt zum Theil in der zur Gewohnheit gewordenen, stetigen und daher nicht mehr wahrgenommenen Einwirkung der activen Bewegungen des gewöhnlichen Lebens. (Mehr hierüber siehe in des Verf. Werken: Das Muskelleben, und Lehrbuch der Leibesübung.)

§. 24. Hier sei nur kurz folgender Umstand erwähnt. Das mangelhafte Verlangen nach Speisen oder Getränken, besonders das letztere, ist oft in wenigen Minuten hervorgerufen durch eine starke Körperbewegung. Es kann dieses nicht anders geschehen, als durch bedeutende und schnell vor sich gehende Veränderungen im Bildungsleben, deren Ursache die Muskelbewegung, verbunden mit der organischen Bewegung überhaupt, ist. Es müssen also namentlich die wässerigen Stoffe im Körper schnell verringert werden, indem die Exhalation von Wasserdunst durch die Lungen und die Haut, oder im atmosphärischen und individuellen Capillargefässnetze erhöht wird, und zugleich schnell eine grosse Menge flüssigen Leibes (parenchymatöse Bildungsflüssigkeit und Blut) in starren Leib (gegliederten, sich entwickelnden Leib) übergeht.

§. 25. Die Physiologen und Pathologen haben an die der organischen Masse als lebend überhaupt inwohnende Bewegung kaum gedacht, und daher das Muskelsystem nur zur Sphäre des zur Entwickelung des Weltbewusstseins bestimmten Lebens, oder zur animalen gerechnet. Es gehört aber eben so gut zur vegetativen Lebenssphäre, da es zur Bildung und Umänderung des Blutes so viel beiträgt; ein Umstand, der von den Physiologen kaum berührt wurde, und der doch eine so grosse Ausdehnung hat, wie eben die Heilorganik lehrt. Auch selbst die Entwickelungsgeschichte des menschlichen Embryo giebt Zeugniss für die erwähnte Ansicht. Das Liegen des Gefässblattes zwischen serösem (woraus die Bewegungsorgane hervorgehen) und Schleimblatt (woraus die dem vegetativen Leben dienenden Organe sich bilden) deutet schon darauf hin, dass dem Muskelsystem ein Einfluss auf das Gefässsystem angeboren sein müsse.

§. 26. Diese Betrachtungen mögen genügen, um den Einfluss der Muskelbewegung und also auch der Leibesübung auf den menschlichen Organismus und dessen Symptome im Allgemeinen ausser Zweifel zu setzen. Die speciellere Darlegung dieses Einflusses, so wie das Wesen der Leibesübung überhaupt, seine Eintheilung als Körperstellung, als active, duplicirte und passive Bewegung, seine Anwendung als Heilorganik, als Turnen und diätetische Gymnastik, muss als bekannt vorausgesetzt werden, da diese Schrift sich nur zunächst mit der Therapie der chronischen Krankheiten, vom heilorganischen Standpunkte betrachtet, beschäftigen soll. Denn so wie ein Lehrbuch der (medicamentösen) Therapie nicht die einzelnen Medicamente nach ihrer Zubereitung beschreibt, sondern dieses den Schriften über Materia medica überlässt, so wird auch hier aus meinen Schriften, namentlich aus meinem „Muskelleben" und meinem „Lehrbuch der Leibesübung", eine Kenntniss der Leibesübungsformen und speciell der heilorganischen vorausgesetzt. Nur zur Erinnerung und um dem Gedächtnisse der geneigten Leser zu Hülfe zu kommen, wird in dem Anhange zu dieser Schrift ein kurzer Abriss jener Gegenstände noch gegeben werden. — Ehe wir nun zur genaueren Betrachtung der allgemeinen Principien, welche die Heilorganik bei ihrer Anwendung auf erkrankte menschliche Organismen befolgt, übergehen, ist es nöthig, die pathologischen und zum Theil physiologischen Grundformen des Erkrankens hier noch durchzugehen, und sie so zu ordnen, wie dieses für die heilorganische Behandlungsweise erfordert wird.

Grundformen des Pathologischen.

Retraction und Relaxation.

§. 27. Die thierische Zelle, die den menschlichen Leib bildet, besteht aus Membran und Inhalt. Erstere ist contractil (organisch elastisch); ihre Zusammenziehung und Ausdehnung geht unter Stoffabgabe und Stoffaufnahme von statten, wodurch der Inhalt der Zelle Veränderungen erleidet, die mit der Stoffumbildung, der dritten Eigenschaft der Zelle,[1]) im innigsten Zusammenhange stehen. Eine im richtigen Verhältnisse sich befindende Stoffeinnahme und Ausgabe erhält die Zelle in ihrem gehörigen Tonus, also gesund.[2]) — Durch zu starke und zu lange dauernde Zusammendrückung, so wie durch zu starke und zu lange dauernde Ausdehnung wird die Zellenmembran ihrer Contractilität verlustig gehen, damit aber wird zugleich im ersten Falle die Stoffeinnahme unverhältnissmässig verringert, die Stoffabgabe unverhältnissmässig vermehrt werden; im zweiten Falle wird dies auf umgekehrte Weise geschehen. Hiemit aber werden zwei pathologische Grundverhältnisse der Zelle gegeben sein. Denn bei der Zusammendrückung wird die Zellenmembran nebst Inhalt in einen verkleinerten, zusammengeschrumpften, verdickten, verhärteten, bei der Ausdehnung in einen vergrösserten, ausgedehnten, verdünnten, erweichten Zustand gerathen. Ersterer wird Retraction, letzterer Relaxation genannt.[3])

§. 28. Alle organischen Gewebe entstehen und bestehen aus Zellen, die als solche während des ganzen Lebens verbleiben, z. B. Blutkörperchen, Epithelien, Drüsenparenchymzellen, Ganglienkugeln u. s. w. Oder aber die Zellen werden mehr oder weniger metamorphosirt, und bilden so die höheren Elementartheile, z. B. Bindegewebs-, elastische Fasern, Nervenröhren, quergestreifte Muskelfasern u. s. w., die wiederum nach bestimmten Gesetzen zu organischen, z. B. Knorpel-, Knochen-, Nervengeweben u. s. w. zusam-

1) Kölliker, Handbuch der Geweblehre S. 27.

2) Die Stoffumbildung wird das Eigenthümliche der Zellen, je nachdem sie Fett, Galle, Drüsensecret u. s. w. nach ihrem Standorte im Organismus enthalten müssen, geben.

3) Diese Zustände werden durch äussere (z. B. Bandagen) oder innere in dem Organismus liegende drückende und dehnende Kräfte, z. B. Contractionen der Muskelfasern, anschwellende Aneurysmen und Tumoren überhaupt, oder durch zu starke oder zu geringe Zu- oder Abfuhr von Bildungsstoff, durch unpassende, untaugliche Nahrung, oder auch durch mangelnde oder zu starke Innervation (Od) u. s. w. hervorgebracht. Ihre entfernten Ursachen können also sehr verschiedene sein, ihre Erscheinung in den Zellen ist aber nur immer zweifach und durchaus nur als Retraction und Relaxation aufzufassen. Wedl (Grundzüge der pathologischen Histologie. Wien, 1854. §. 66) nimmt auch zwei krankhafte Zustände der Zellen an, die er Hypertrophie und Atrophie oder Involution der Zelle nennt.

mentreten, und so die zusammengesetzten Organe bilden. — Auch in ihrer Metamorphosirung behalten die Zellen die Eigenschaft der Contractilität und der damit verbundenen Stoffaufnahme und Stoffabgabe, also auch der möglichen pathologischen Umgestaltung unter der Form der Retraction und Relaxation bei. Diese Eigenschaften theilen sie natürlich auch den Geweben und Organen mit, die sie zusammensetzen, und die also auch nur unter diesen zwei Formen erkranken können.

§. 29. Es kann nun kommen, dass die selbständigen Zellen eines Organs allein retrahirt oder relaxirt werden; es kann dieses mit den metamorphosirten Zellen geschehen, so dass also mehr oder weniger Gewebe eines Organs auf eine oder die andere Weise erkranken; ja es kann kommen, dass in einem Gewebe eines Organs Retraction, in einem andern desselben Organs Relaxation, in einem dritten wieder Retraction u. s. w. eintritt[1]), und dass sich auf solche Weise die mannigfaltigsten Verhältnisse in den zusammengesetzten Organen ausbilden, und zwar um so mannigfacher, als die Zellen, die die Gewebe bilden, schon nach ihrem Standorte im Organismus einen verschiedenen Inhalt haben, z. B. fetthaltige, proteïnreiche, serumhaltige, Hämatin, Bilin, Pepsin, Schleim, Pigment führende sind.

§. 30. Auf solche Weise gehen aus den zwei einfachen Formen der Retraction und Relaxation die so vielfachen, nach Form, Structur und chemischer Mischung verschiedenen, pathologischen Bildungen hervor, die jetzt schon zu Tausenden von den Anatomen und Pathologen aufgefunden, untersucht und beschrieben sind, jedoch immer mehr und mehr in verschiedene, durchaus von einander unabhängig dastehende Species zerfielen, eben weil sie nur nach Form, Structur und chemischer Mischung aufgefasst wurden. Anatomen, Pathologen und Aerzte scheinen daher nach und nach ziemlich in Verlegenheit versetzt zu sein, weil in der immer grösser werdenden Masse des pathologischen Materials jeder Zusammenhang mehr und mehr schwindet, statt sich zu finden. Die Therapie der pathologischen Processe wird aber dadurch nicht nur nicht gefördert, sondern im Gegentheil mehr und mehr zum Nihilismus geführt. — Es ist nun aber klar, dass alle diese so verschieden erscheinenden, pathologischen Bildungen auf Retraction und Relaxation, die beiden Urtypen der Zellenerkrankung schon deshalb zurück-

1) Wedl, a. a. O. S. 36 und 75.

zuführen sind, weil eben sie nichts anderes als erkrankte Zellen-Convolute, die ihre Natur auch im Erkrankungsprocess nicht verläugnen können, darstellen.

§. 31. Es kommt nun, wie man sieht, alles darauf an, die bekannten und benannten pathologischen Processe mit ihren verschiedenen Gestaltungen, je nach den verschiedenen Geweben und Organen, unter die Formen der Zellen-Retraction und Relaxation nur einzureihen. — Wer die physiologischen Wirkungen der activen, duplicirten und passiven Bewegungsformen der Heilorganik gehörig erfasst hat, der wird auch gestehen, dass die eben gewonnene Einsicht in die pathologischen Processe allein einen Schlüssel zur Erkenntniss der Einwirkung der Heilorganik in dieselben abgiebt. Er wird einsehen, dass, je mehr es möglich werden wird, pathologische Processe auf jene beiden einfachen Grundverhältnisse zurückzuführen, und während des Lebens schon der Art in allen Geweben genau zu diagnosticiren, eine um so grössere Gewissheit die Heilorganik (und auch wohl jede andere Curmethode) in ihrer Anwendung erlangen muss. Daher ist aber auch klar, dass die gewöhnliche Diagnose der Krankheiten, auch mittelst der physikalischen Untersuchungsmethode, und auch noch so exact gewonnen, wenn sie wie gewöhnlich nur die Form und Structur, in seltenen Fällen die chemische Mischung des Pathologischen darlegt, zwar von hohem Interesse für die Heilorganik sein muss, jedoch noch immer, um ganz brauchbar zu werden, etwas zuzusetzen verlangt. Denn es muss der auf solche Weise gewonnene Befund immer auf Retractions- oder Relaxations-Zustand der Gewebe zurückgeführt werden. Hat hierzu die physikalisch-exacte Diagnose nicht verholfen, so ist sie für die Heilorganik nicht ausreichend (§. 68).

§. 32. Bei einigen pathologischen Processen unterliegt eine Rückführung auf Retraction und Relaxation keiner Schwierigkeit, ja es ist durch den allgemeinen Gebrauch schon geschehen, so z. B. bei der Muskelretraction und Relaxation, bei andern dürfte es nach dem jetzigen Stande der Histo- und Pathologie schwieriger sein.

Die Muskelretraction und Relaxation ist die wichtigste für die Heilorganik, und spielt überhaupt eine Rolle bei allen chronisch-pathologischen Processen entweder primär oder secundär, weshalb es nöthig ist, dieselbe etwas genauer zu betrachten.

§. 33. Die medicinische Erfahrung hat ergeben, dass es einen dem Contractions-Zustande des animalen Muskels ähnlichen giebt, der bleibend ist und nicht durch die Ermüdung des Muskels aufgehoben wird, überhaupt nicht mehr der Willkür gehorcht. Man nennt denselben, wenn er sehr stark ausgebildet ist, Contractur oder Retraction. Man beobachtet aber auch einen, diesem deutlich entgegengesetzten, in dem nämlich die Muscular-Expansion sich als bleibend zeigt, und auf den ebenfalls die Willkür nicht mehr reagirt; man nennt ihn Lähmung, Acinesis, Motilitäts-Paralyse oder Paralyse schlechtweg. Endlich beobachtet man aber auch Uebergangszustände der beiden erwähnten, in denen zwar bald die stetige Contraction, bald die stetige Expansion des Muskelgewebes vorhanden ist, die Willkür aber doch noch einigen Einfluss auf beide Zustände äussert. Man nennt einen solchen Uebergangszustand mit Contraction: übermässige Kräftigkeit, anfangende Contractur; mit Expansion: Schwäche, anfangende Lähmung, Paresis des Muskels. Die pathologische Anatomie weist nach, dass sowohl Paralyse, als auch lange bestehende Retraction zur Atrophie des Muskels führt, ja sogar eine Umgestaltung seiner Fasern in Fett- und Sehnengewebe hervorbringen kann[1]); ein Vorgang, der sich aus der in beiden Fällen nicht möglichen Uebung des Muskels, und also Herabsetzung der Ernährung seines Gewebes, schon allein als natürliche Folge ergiebt.

§. 34. Wenn nämlich ein animaler Muskel sich willkürlich oder in Folge eines einwirkenden Reizes contrahirt, so wird nach einiger Zeit, wenn der Willen oder der Reiz, der die Contraction hervorrief, fortwirkt, doch die Contraction nachlassen, der Muskel erschlaffen und damit zugleich die dadurch gesetzte Lageveränderung des Gliedes wieder aufgehoben werden; wenn der Antagonist des contrahirten Muskels gesund und kräftig ist, oder mechanische Verhältnisse nicht hindernd wirken, und die Lageveränderung des Gliedes bleibend machen.

§. 35. Diese letzteren können auch allein die Ursache sein, um den Ursprungs- und Ansatzpunkt eines Muskels gegenseitig zu nähern, und also eine Art Contractions-Zustand hervorzubringen, ohne dass es dabei der willkürlichen Contraction wirklich bedürfte. Solche mechanische Verhältnisse liegen nun theils in den übrigen Gliedern und der eigenen Schwere des ganzen Organismus, theils in Aussendingen, z. B. bewegunghemmenden Bandagen, Maschinen, Krücken u. s. w.; und ihre Einwirkung täglich stundenlang mit län-

1) Müller, Handbuch der Physiologie des Menschen. 3. Auflage, Bd. II. S. 82. Bock, Handbuch der pathologischen Anatomie. Leipzig, 1847. S. 471.

geren Unterbrechungen, und um so schneller in beständiger Fortdauer angewandt, bringt einen starren, rigiden und knorpelartigen Zustand des Gewebes aller der Muskeln hervor, deren Ursprungs- und Ansatzpunkt durch die Lage des Gliedes genähert ist.

§. 36. Dieser Zustand erhielt schon lange den besonderen Namen Retraction, da die meisten Aerzte sehr wohl fühlten, dass er von der gewöhnlichen Muskel-Contraction gar sehr verschieden sei; obschon dadurch doch bis auf die Neuzeit nicht verhindert wurde, dass doch noch manche Aerzte, und selbst sehr berühmte, eine Aehnlichkeit, ja Gleichheit zwischen beiden Zuständen finden, und die Retraction nur als eine bleibend gewordene Contraction darstellen wollten. Dieses Bleibendwerden erklärten sie dann gewöhnlich durch einen Krampfzustand; und sahen dabei nicht ein, dass auch dieser bestimmt nicht jahrelang in einem lebenden und oft erträglich gesund sich befindenden Organismus bestehen könne, ohne eben dessen Wohlsein bestimmt zu Grunde zu richten, weil Krampf und übermässiger Innervations-Verbrauch doch stets identisch sind.

§. 37. Da man Retraction der Muskeln mit Gelenkleiden, Knochenbrüchen und anderen pathischen Zuständen der naheliegenden Organe häufig verbunden vorfand, so glaubte man, dass Retraction ohne einen besonderen pathischen Zustand namentlich der Muskel-Nerven nicht bestehen könne, und man übersah dabei, dass ohne alle sonstigen pathischen Zustände nur durch hemmende Aussendinge sehr häufig Retraction hervorgebracht wird. Man übersah, dass sowohl der klonische, als auch der tonische Krampfzustand eines Muskels sich in nichts von starker Muskel-Contraction unterscheidet, während der Retraction, besonders wenn sie stark ausgebildet ist, folgende eigenthümliche Zeichen zugehören.

§. 38. Wenn bei der willkürlichen und krampfhaften Muskel-Contraction einzelne Theile des Muskelbauches über das Niveau der Haut hervortreten, und als harte Erhöhungen zu fühlen sind, so ist dagegen bei der Muskel-Retraction dieses niemals der Fall. Denn selbst wenn dieselbe übermässig zugenommen hat, und dadurch der Ursprungs- und Ansatzpunkt des Muskels vielleicht um die Hälfte einander genähert werden, so erscheint höchstens die ganze Hautfläche zwischen beiden Punkten, wie durch eine darunter gespannte Schnur gleichmässig in die Höhe gehoben, niemals aber bergartig in einzelnen Theilen. Was dagegen die Sehne betrifft, so tritt dieselbe bei dem geringsten Retractionszustand und bei noch stärkerer

Anspannung (um auf mechanische Weise die Verkrümmungen des Gliedes auszugleichen) sofort gegen das Niveau der Haut stark hervor, während die gesund beschaffene Sehne bei der grösstmöglichsten Contraction immer in der Tiefe der Weichtheile verbleibt, und nie die äusseren Hautdecken hervordrückend berührt; ja sogar um so weniger, je mehr äussere Gewalt die durch die Contraction genäherten Gliedtheile von einander zu entfernen sucht. Es ist dieser verschiedene Zustand an der Achillessehne bei gewöhnlicher Contraction und im Pferde- und Klumpfusse am besten zu studiren.

§. 39. Ferner unterscheidet sich die Retraction von der Contraction durch das bei jener verminderte Volumen des Muskels und seiner Sehne, während bei dieser nur eine veränderte Vertheilung der Muskel- und Sehnenmassen eintritt, und daher auch die hier und da hervortretende bauchige Ausbiegung der Haut nöthig macht. Es ist ein Schwinden der Masse, eine Atrophirung stets und von Anfang an mit der Retraction so genau verbunden, dass es wirklich auffallend erscheint, wie dieses Verhältniss erst in neuerer Zeit die pathologische Anatomie aufdecken musste, da doch die Beobachtung im lebenden Organismus dieses schon deutlich herausstellt. — Deshalb darf es aber auch gar nicht Wunder nehmen, dass mit der zunehmenden Retraction eine Umgestaltung der Muskelfibern in Sehnen- und Fettgewebe eintritt, wie dieses ebenfalls erst die pathologische Anatomie zur Verwunderung vieler Aerzte nachweisen musste, da dieses doch aus dem gleichmässig mit dem geringsten Retractionszustande eintretenden atrophischen Zustande natürlich hervorgeht.

§. 40. Behalten wir nämlich das mechanische Moment bei der Retraction stets gegenwärtig, so wird es uns auch nicht schwer werden, uns ein deutliches Bild ihrer organischen Entstehung zu entwerfen.

Sobald nämlich der Ansatz- und Ursprungspunkt eines Muskels auf mechânische Weise genähert werden, so wird zwar nicht das reine Muskelgewebe, das bei der Contraction nur dem Willen gehorcht, wohl aber das Sehnen- und elastische Gewebe in und um den Muskel contrahirt, d. h. zusammengefaltet werden, und in diesem Zustande verbleiben, so lange die Näherung der Ansatz- und Ursprungspunkte des Muskels besteht. Mit der Zusammenfaltung wird die Exosmose und Endosmose in den einzelnen Zellen des Sehnengewebes nicht mehr regelmässig von Statten gehen; und, da

2*

durch die Zusammendrückung namentlich die Exosmose stärker als die Endosmose werden muss, werden die Zellen allmälig verkümmern, und somit die Rigidität und Härte des Gewebes, das sie darstellen, vermehrt werden. — Dauert der Zustand der Retraction jahrelang, so wird nur das Sehnengewebe als Umhüllung übrig bleiben, während das reine Muskelgewebe gänzlich verschwunden ist. Zugleich mit der veränderten Endosmose und Exosmose wird auch der Strom des Blutes in den arteriellen Reisern eine Verminderung erlangen, und zwar theils mechanisch, weil das Lumen der Gefässe verringert bleibt, theils dynamisch, weil die Exosmose aus dem arteriellen Blut in die parenchymatöse Bildungsflüssigkeit gehemmt sein muss, da in den verkümmerten Zellen kein Raum zur Aufnahme vorhanden ist. Mit der Verminderung des arteriellen Stromes wird die Innervation in den motorischen Muskelnerven gleichmässig vermindert werden, weil bekanntlich nur unter gehörigem Zuflusse arteriellen Blutes die Nerven-Function normal von Statten geht; vielleicht auch zugleich, weil das Sehnengewebe des Neurilems in Retraction verfällt. Da aber wegen des gehinderten gewöhnlichen Ueberganges aus Contractions- in Expansionszustand und umgekehrt, die Innervation nicht verbraucht wird: so muss zwar nicht ein paralytischer, der Innervation vollkommen unfähiger Zustand der Muskelnerven, aber doch eine mehr und mehr verringerte Agilität derselben eintreten. Ja, es ist selbst denkbar, dass mit dem gänzlichen Schwinden des Muskel- auch das Nervengewebe gleichmässig verändert werde, und dann vollkommen zu Grunde gehen könne. Doch scheint dieses nur sehr selten zu geschehen, indem sonst die spastischen Zustände nicht zu erklären wären, welche in stark und lange retrahirten Muskeln doch öfter noch auftreten, und die beweisen, dass also in solchen das Gewebe der motorischen Nerven nicht ganz verändert ist.

§. 41. Gleichmässig wie der Muskel in Retraction, so tritt sein Antagonist in einen stetig expandirten Zustand. Dieser hat zwar Aehnlichkeit mit der wirklichen Muskel-Paralyse, allein doch in den meisten Fällen nicht so bedeutende, dass er Paralyse oder auch nur Parese genannt werden könnte, und muss also mit Muskel-Relaxation bezeichnet werden.

Wenn man die mechanische Ursache der Retraction richtig gewürdigt hat, so wird man einsehen, dass die auch auf mechanische Weise hervorgebrachte Relaxation des Gegenfüsslers mit Ausdehnung des Sehnen- und elastischen Gewebes in und um den Muskel und mit übermässiger Expansion des reinen Muskelgewebes einhergehen, und daher besonders beim Beginne von Paralyse und selbst von Parese gar sehr verschieden sein werde. Auch hier müssen nämlich die Ernährungsverhältnisse des Sehnen- und Muskelgewebes verändert sein, dabei aber besonders im Anfange die motorischen Nerven beinahe vollkommen normal beschaffen sich finden. Litt nämlich bei der Retraction die Endosmose und Exosmose der Zellen durch übermässige Zusammenpressung, so wird sie hier durch übermässige Ausdehnung leiden, und daher, indem durch die vermehrte Endosmose und die gehemmte Exosmose die Zellen anschwellen, das Sehnengewebe nicht rigide und hart, sondern erweicht und schlaff werden. Der Zufluss des arteriellen Blutes wird auch hier wie bei der Retraction allmälig sich vermindern. War aber dort die Exosmose wegen der Zusammendrückung der arteriellen Reiser geringer, so wird sie hier wegen der gehemmten Exosmose aus den Zellen und der Ueberfüllung derselben mit Plasma ebenfalls geringer werden. Die Innervations-Zustände der motorischen Nerven können anfangs wegen Ueberfüllung der Zellen mit Bildungsstoff wohl sehr wenig leiden, und es wird daher ein langer Zeitraum und ein Uebermass der Relaxation nöthig sein, ehe in ihnen auch nur ein der Parese ähnlicher Zustand eintritt, und in vollkommene Paralyse werden sie vielleicht niemals verfallen. Denn dieser Zustand könnte doch nur erst dann eintreten, wenn das Muskelgewebe verschwunden, und das sehnige zu Fett oder fibroidem Gewebe gänzlich degenerirt wäre, und also zugleich das Nervengewebe auch eine ähnliche Umgestaltung erlitten hätte.

§. 42. Die primären Retractions- und Relaxationszustände der Muskeln aus mechanischer Ursache habe ich einer so ausführlichen Besprechung unterworfen, weil sie es sind, die als schon zum Theil bekannte pathologische Zustände den besten Anknüpfungspunkt für die weiteren pathologischen Auseinandersetzungen geben, theils weil darauf die heilorganische Cur der Vertebral-Curvaturen, namentlich der Scoliose, beruht, und nur aus Verkennen dieser Verhältnisse in neuester Zeit die sonderbarsten Ansichten über diese Krankheit zu Tage gefördert sind.

§. 43. Die geschilderten Muskelretractions- und Relaxationsverhältnisse sind solche, wie sie bei muscularen Verkrümmungen der Extremitäten und der Wirbelsäule aufzutreten pflegen, und daher in ihrem Erscheinen so ausgeprägt, dass dieselben durch das anatomische Messer mehr oder weniger nachgewiesen werden können, und daher als vorhanden von allen pathologischen Anatomen wohl erkannt werden dürften (§. 32).

§. 44. Es giebt nun aber auch viel geringfügigere Muskelretractions- und Relaxationsverhältnisse, die auch jahrelang bestehen können, und die doch kaum das anatomische Messer nachweisen dürfte, welche aber darum doch vorhanden sind, wie eben die heilorganische Praxis genugsam lehrt. — Bei den Curvaturen des menschlichen Körpers, besonders bei denen der Wirbelsäule, bildet sich das Retractions- und Relaxationsverhältniss der beiderseitigen Antagonisten primär aus, und aus demselben folgt ein ähnliches, aber schwächeres des Sehnen- und elastischen Gewebes in den den retrahirten und relaxirten Muskeln nahe gelegenen Ligamenten, Synovialhäuten, Knorpeln, Knochen (von der Knochenhaut ausgehend), Venen, Arterien, Scheiden der Nerven und endlich selbst der zusammengesetzten visceralen Organe (bei Wirbelsäul-Verkrümmungen, also namentlich der Lungen, des Herzens, des Darmkanals, der Leber, der Nieren u. s. w.). Auf solche Weise werden alle diese Organe gar sehr in ihren Form- und topischen Verhältnissen verändert, aber nicht leicht wirklich pathologische Structur-Veränderungen in ihnen herbeigeführt.[1]) Da nämlich in allen diesen Theilen nicht primär, sondern secundär, von den muscularen Organen als zuerst ergriffenen nur fortgepflanzt, der Retractions- und Relaxationszustand auftritt, so ist die Immunität derselben von wirklich pathologischen Processen trotz ihrer grossen Form- und Lagenveränderung nicht wunderbar (§. 184 fgd.).

§. 45. Tritt dagegen in umgekehrter Weise ein Retractions- oder Relaxationszustand des Sehnen- und elastischen Gewebes mit anderen pathologischen Producten primär in visceralen Organen auf (das Lungen-Emphysem ist ein Beispiel des Relaxations-, die tuberculöse Lungen-Phthise eins des Retractionszustandes): so folgt ein Retractions- oder Relaxationszustand auch in nahe gelegenen Muskeln, Knochen, Knorpeln, Ligamenten, Gefässen, Nerven u. s. w., allein selbst bei jahrelangem Bestehen der visceralen Krankheit doch nur in viel geringerem und weniger ausgeprägtem Grade, als bei Curvaturen. Leider ist es geschehen, dass selbst zum Beispiel bei den Lungen- und Herzkrankheiten trotz der genauen Untersuchung

1) Shaw, über die Verkrümmungen, welchen das Rückgrat und die Knochen der Brust unterworfen sind. Aus dem Englischen, im 7. Bande der chirurgischen Handbibliothek. Weimar, 1825. S. 49, 50, 64, 65, 84, 85, 86.

des Thorax von auscultirenden und percutirenden Aerzten, doch dieses Verhältniss übersehen wurde; ein Verhältniss, auf das die heilorganische Praxis stets hinweist, und das sie mir daher zunächst gelehrt hat. — Zwar wird man einwenden, dass die percutirenden Aerzte nicht so sehr die Inspection des Brustkasten vernachlässigt hätten, dass sie nicht z. B. gefunden, bei Lungenemphysem sei der Thorax fassartig ausgedehnt u. s. w. — Darum aber haben sie doch, wenigstens so weit mir die Literatur bekannt ist, nirgend ausgesprochen, dass dieses in der Relaxation des sehnigen und elastigen Gewebes begründet sei, die eben von den visceralen Brustorganen sich auf die äusseren Thorax-Regionen verbreitet habe; und dass dieses wieder mit dem Zustande der Muskeln bei den Curvaturen durchaus ein und derselbe, nur graduell verschiedener sei (§. 68 und §. 184 fgd.).

§. 46. Es ist eine solche Erscheinung in der rationellen Medicin um so weniger zu bewundern, da ja in neuerer Zeit trotz aller (oder man möchte beinahe sagen wegen aller) microskopischen Forschungen selbst bei den Curvaturen der Wirbelsäule man, wer weiss nicht, auf welche causale Verhältnisse gerathen ist; und sich immer mehr von der allein richtigen Ansicht entfernt hat, dass drei Viertheile der Vertebral-Curvaturen nur eben in einem aus mechanischen Verhältnissen hervorgehenden Retractions- und Relaxationszustande verschiedener Rumpfmuskeln bedingt sei. Doch wir werden hierauf noch in der speciellen heilorganischen Behandlung der Wirbelsäul-Curvaturen zurückkommen.

§. 47. Sowie in der Brust-, so auch in der Kopf- und Unterleibshöhle finden sich Retractionen und Relaxationen des sehnigen und elastischen Gewebes, welche in ihrem Anfange durch das anatomische Messer kaum nachgewiesen, doch die Ursache sind der mannigfaltigsten Störungen der Gesundheit. Schreiten sie in ihrer Ausbildung vor, so tragen sie zur Umgestaltung der Structur der visceralen Organe dieser Höhlungen gar sehr viel (wenn öfter nicht alles) bei, werden nun durch das anatomische Messer, durch microskopische Forschung überhaupt, aufgefunden, sind aber bisher auf ihr causales Verhältniss nicht zurückgeführt worden. Dieses aber konnte kaum geschehen, weil eben allen diesen gelehrten, mit dem Studium der chronischen Krankheiten beschäftigten, ihres Strebens wegen so ehrenwerthen und grossen Aerzten die wahre Lehrmeisterin in dem Labyrinthe dieser Uebel, die heilorganische Praxis, mangelte.

§. 48. Von der Zahl der mit andern Namen benannten pathologischen Processe lassen sich noch folgende unter den Namen der Retraction und Relaxation leicht einreihen. So besteht, wie erwähnt, Lungenemphysem und Bronchectasie in Retraction des sehnigen Gewebes der Lungen; Bronchialcatarrh in Relaxation der Drüsenparenchymzellen der Schleimhaut der Bronchien, Tuberculose in Retraction der Zellen verschiedener Gewebe, namentlich der Drüsen; höchste Stufe der Retraction des sehnigen Gewebes der Lungen ist Verkreidung der Lungentuberkeln; Vereiterung derselben ein Uebergang der retrahirten Zellen in Relaxation, und daher häufig stellenweise mit Emphysem der Lungen verbunden. — Atrophie im Allgemeinen besteht in Retraction der Zellen sämmtlicher Gewebe eines Organs, Hypertrophie ebenso in Relaxation derselben. Congestion, Stase, Entzündung, Vereiterung geht aus stärker und stärker werdender Relaxation der Blutkörperchen und der Zellen der Gefässhäute namentlich der venösen Capillaren, so wie des Neurilems der vasomotorischen und vasosensiblen Nerven hervor. Die Verhärtung, Hepatisation ist ein Rückgang zur Retraction derselben Zellen. — Der neuralgische Schmerz hat sein causales Moment in Relaxation der Zellen des Neurilems der sensiblen Nerven; die Anaesthesie meistentheils in Retraction derselben Zellen. — Alle reine Blutkrankheiten gehen aus Retraction und Relaxation der Blutkörperchen hervor, Meläna geht namentlich aus Relaxation, Chlorose aus Retraction, die Brigthsche Krankheit der Nieren aus Relaxation der Epitheliumzellen der Nierenkelche, zur Verfettung derselben führend u. s. w. hervor (§. 32).

Alle pathologischen Processe der Art gedeutet, finden in den heilorganischen Bewegungsformen die passenden Heilmittel und werden zugleich auf solche Weise als Retractions- oder Relaxationsverhältnisse erwiesen.[1])

---

1) Von einem allgemeineren Standpunkte aus könnte man sagen, dass die Retraction und Relaxation der Zellen und Gewebe gestörte antagonistische und synergische (Muscular-) Gefäss-Zustände sind, dass denselben wieder Störungen der odpolaren Strömungen des menschlichen Gliedbaues zu Grunde liegen, und dass die heilorganischen Uebungen, insofern sie aus der Hand des Gymnasten in den Körper des Patienten Od-Ueberströmungen herbeiführen, natürlich die hauptsächlichsten Heilmittel dieser Zustände sein müssen. Es wird bestimmt die Zeit kommen, wo die jetzt so getadelte Odlehre auch für den Pathologen die wichtigsten Aufschlüsse über die nächste Ursache aller Erkrankungen abgeben wird. (Siehe Anhang.)

Capillarität, Venosität, Arteriellität.

§. 49. Da es feststeht, dass im Capillarsystem die Umänderung des arteriellen Blutes in venöses stattfindet, so ist auch klar, dass ein Theil der Capillaren, und zwar der an die Arterien angrenzende, noch arterielles, ein anderer Theil, der unmittelbar in die Venen übergeht, venöses Blut enthalten wird. Den ersten wird man also als arterielle, den zweiten als venöse Capillaren bezeichnen können. Theils wegen der bald stattfindenden Ausdehnung, bald Zusammendrückung der Capillarschlingen; Vorgänge, die in einer äusseren Gewalt, die die Gewebe des Organismus dehnt oder zusammendrückt, oder in einer inneren, im Organismus befindlichen, z. B. in Muskel-Contractionen, liegen kann; theils wegen des hierdurch oder an sich bald stärkeren, bald schwächeren Zuflusses des arteriellen und Abflusses des venösen Blutes wird der arterielle oder venöse Theil des Capillarsystems bald ein grösserer, bald ein geringerer sein. Man muss daher nicht glauben, dass ein bestimmtes Stück einer Capillare stets arteriell, noch auch stets venöse sei, sondern es wird hierin eine grosse Abwechselung und Veränderung stattfinden.

§. 50. Mit der steigenden oder sich verringernden Ernährung eines Körpertheils wird eine Steigerung oder Verminderung des zuströmenden Bluts verknüpft sein, und daher das Capillarsystem mehr oder weniger gefüllt werden. Das erstere wird meistentheils mit Neubildung von Capillaren oder Wiedereröffnung von alten, längere Zeit verschlossenen Haargefässen; die geringere Füllung mit Verschliessung (Verödung) von Capillarschlingen verknüpft sein müssen. Es ist daher anzunehmen, dass bei vielen pathologischen Zuständen eine grosse Veränderung in der Zahl der Capillarschlingen eines Gliedes eintritt, und dass namentlich an den peripherischen, von dem Centrum (dem Herzen) entfernt liegenden Organen dieser Wechsel am grössten sein werde, einigermassen aber überall stattfinde. Bei beginnender Relaxation der Zellen ist auch Neubildung von Capillaren, bei beginnender Retraction Verödung von Capillaren anzunehmen. Die bald wechselnde Vergrösserung oder Verengerung der Organe, daher auch der Zustand der Hyperämie und Anämie in den Geweben, der Stauung in dem Capillarsystem überhaupt, lässt sich nur verbunden mit Vermehrung oder Verminderung der Zahl der Capillaren eines solchen Theils denken.[1]) Es ist ferner anzunehmen, dass für den normalen Zustand eines Organs, eines Gliedes, auch eine bestimmte Zahl von Capillaren vorhanden sein müsse, und dass die Schwankungen und Abweichungen vom gesunden Zustande zu einem mehr und mehr kränkelnden, den man zuletzt wirklich krank nennt, hauptsächlich auch durch übermässige Vermehrung oder Verminderung der Zahl der Capillarschlingen ausgedrückt sein werde, und zwar je nachdem diesem kranken Zustande Zellen-Relaxation oder Zellen-Retraction zu Grunde liegt.

Auch ist anzunehmen, dass durch die bestimmte und relativ gleiche Zahl der Capillaren in den beiden Hälften eines Gliedes der Antagonismus der Musculatur und des dort gelegenen Gefässsystems begründet sei.

§. 51. Die Venosität der Pathologen, oder die hypothetisch angenommene Stockung und Ueberfüllung der Gefässe mit venösem Blute ist ein pathologischer Vorgang, dürfte meistentheils nur in den grösseren Venen, mit Veränderung der Venenwände, nicht aber in den venösen Capillaren stattfinden, und fällt daher mit Varicosität wohl grösstentheils in Eins zusammen.[2]) Die venösen Capillaren (abgesehen davon, dass dieselben für manchen Pathologen gar nicht existiren) können nämlich nicht mit venösem Blute dauernd überfüllt sein, ohne zu grösseren varicösen Venen mit Verdickung ihrer Wände zu werden, und also aufzuhören, venöse Capillaren zu sein. Auch könnte man sich wohl denken, dass, wie schon angegeben, die Zahl der Capillaren eines Gliedes dauernd vermehrt, und dass darin eine grössere Masse des venösen Blutes dauernd Platz fände. Es würde dieser Zustand auf gestörten Antagonismus des venösen Gefässsystem zurückzuführen sein.

Venosität im heilorganischen Sinne dagegen ist ein physiologischer Vorgang, und daher nur momentane Ueberfüllung mit venösem Blute, welche sehr wohl auch in den Capillaren stattfinden kann. Sie geht vorüber, ohne irgend bleibende Störung in der Oekonomie des Organismus hervorzubringen, und hinterlässt nur für einige Zeit eine Erhöhung der Resorptionsfähigkeit der Venen.

§. 52. Ebenso ist es mit der Arteriellität im heilorganischen Sinne, die auch als physiologischer Vorgang nur mo-

1) Nicht wie Wedl a. a. O. S. 34 meint, mit Anhäufung und Zunahme von rothen und weissen Blutkörperchen auf Rechnung des verdrängten Blutplasmas.

2) Wedl, a. a. O. S. 28 ff.

mentan stattfindet. Sie besteht in einem stärkeren Zuflusse des arteriellen Blutes zu den arteriellen Capillaren, die dadurch kaum stärker anschwellen, sondern, nur länger ausgedehnt der arteriellen Blutsäule freieren Spielraum geben, so dass in ihnen das arterielle Blut schneller vorwärts strömt. Damit aber wird vermehrte Neubildung überhaupt und von Capillarschlingen im Besonderen verknüpft sein. — Die Arteriellität im Sinne der pathologischen Anatomie, oder eine Ueberfüllung mit arteriellem Blut in den arteriellen Capillaren, und zwar als dauernd angenommen, fällt mit der Entzündung mehr oder weniger doch zusammen, kann nicht anders als mit Umbildung, Verwachsung der Arterien verknüpft sein, und ist daher nur wieder ein besonderer Name für eine Sache, die aber als etwas Besonderes, von der Entzündung Verschiedenes, nicht existiren dürfte.

§. 53. Das Durchströmtsein der Capillaren von Blut wird, wie erwähnt, als momentaner, vorübergehender Act gedacht, physiologisch; als bleibender und daher auch in der grösseren Anzahl der Capillaren begründeter Vorgang pathologisch sein. Die Venosität und Arteriellität, oder die venöse (arterielle) Natur, Wesenheit und Zustand einer Körperstellung oder heilorganischen Bewegung bezieht sich, so lange der durch dieselbe erregte Zustand vorübergehend, also physiologisch ist, stets auf die Capillaren und deren Ueberfüllt- oder mehr Entleertsein von einer der beiden Blutarten. Treten durch gleichartige Körperstellung und gleichartige Bewegung zwei gleichblütige (arterielle oder venöse) Zustände auf, die den ganzen Körper einnehmen, so werden sie sich gegenseitig in ihrer Wirkung schwächen; wenn sie eben physiologisch bleiben und nicht pathologisch werden. Ein Uebertritt z. B. des grösseren Theils des Blutes in die ausgedehnten venösen Capillaren, und ein Venöswerden also eines Theils des Blutes muss pathologisch werden und an Cyanose grenzen, oder in dieselbe übergehen. Umgekehrt wird ein Uebertritt des grösseren Theils des Blutes in die arteriellen Capillaren den pathologischen Zustand der Entzündung zu Wege bringen. Sollen also Körperstellungen und Bewegungen, die den ganzen Körper ergreifen, einer Natur und doch physiologisch noch sein, so werden sie die Venosität oder Arteriellität nicht zu stark ausbilden können. — Finden dagegen Verschiedenheiten der Natur der Bewegung und der Körperstellung statt, so kann das nun für die Capillaren mehr getheilte Blut in dem arteriellen, so wie dem venösen Abschnitt des Capillarsystems stärker angestaut werden, ohne auf die ganze Masse des Blutes und dessen Functionen zu störend einzuwirken, und daher pathologische Zustände durchaus erregen zu müssen.

Das therapeutische Gebiet der Heilorganik.

§. 54. Die Gymnastik, oder die regelrechte, kunstgemässe Leibesübung mit ihren drei Strahlungen der Heilorganik, der turnerischen und diätetischen Leibesübung hat es mit kranken, kränkelnden oder doch dem Bilde der Gesundheit sich nur mehr nähernden Menschen zu thun. Das Turnen ist mehr für sogenannte gesunde Menschen von mittlerem Lebensalter, die Heilorganik für Kranke, die Diätetik für Kränkelnde der meisten Lebensalter. — Die Heilung durch regelrechte Leibesübung ist immer eine Heilung erster Instanz (§. 9), daher für die meisten Krankheiten eine sehr langsame. Sie tritt grösstentheils ohne Krisis, nur durch Lysis oder allmälige Resolution, ohne absichtlich herbeigeführte Verschlimmerung ein. Daher schützt aber auch die heilorganische Cur vor Recidiven mehr, als jede andere therapeutische Methode.

§. 55. An sich genommen hat die Heilorganik, weil sie eine physiologische Curmethode ist, bei ihrer Anwendung in Krankheitsprocessen keine Contraindicationen, aber wohl solche, die aus der praktischen Unmöglichkeit der Ausführung der Curmethode hervorgehen. So entsteht eine Contraindication, indem der Erfolg (wegen der schnellen gefahrvollen Zunahme des Krankheits-Organismus) zu langsam eintritt. Die vitale Indication wird durch die heilorganische Curmethode kaum zu erfüllen sein. Daher für peracute Krankheiten, wie für Cholera, gelbes Fieber, Pest u. s. w. die Heilorganik sich nie eignen wird.

§. 56. Aber auch bei acuten Krankheiten überhaupt dürfte die Heilorganik nicht indicirt sein, weil dieselben eben Krankheits-Organismen vorstellen, die sich an dem Gliedbau des Menschen darleben, von einem höheren Standpunkte betrachtet, physiologisch sind, und daher in Bezug auf ihr Ende mit Gewissheit prognosticirt werden können. Genau genommen dürfte wohl nicht alle Anwendung der Heilorganik bei diesen acuten, pathologischen Processen zurückzuweisen sein, jedoch natürlich nur um eben palliativ einzelne Symptome derselben zu beschwichtigen. Das eigentliche Gebiet der Heilorganik bleiben die chronischen Krankheiten. Aber auch von diesen werden noch mehrere nicht für heilorganische Behandlungsweise passen, und zwar wegen individueller Verhältnisse des Kranken mehr, als wegen seines Uebels.

§. 57. Der Patient kann nämlich erstens entweder zu jugendlich, oder zu sehr im Alter vorgerückt sein. In beiden Fällen wird er aus Unverstand (der sehr alte, weil er eben wieder zum Kinde geworden ist) nicht begreifen, und leisten können, was man bei der heilorganischen Behandlung von ihm fordern muss. Es werden daher Kinder unter vier Jahren und sehr alte Leute als heilorganische Patienten auszuschliessen sein. Zwar hat man, namentlich bei Kindern, versucht, nur durch passive Bewegungen heilorganisch zu verfahren. Allein theils sind diese Bewegungen gewöhnlich nicht ausreichend zur Cur, theils wird auch bei ihnen, wenn sie ordentlich ausgeführt werden sollen, vollkommen ruhiges Verhalten des Patienten verlangt, was öfters bei unvernünftigen Kindern nicht zu erzwingen ist. — Dass ein hohes Alter an sich die heilorganische Cur nicht verbietet, ist durch die Erfahrung erwiesen, da wenigstens eine 84jährige, noch rüstige Dame bei mir mehrere Monate die Cur gebrauchte, 60- und selbst 70jährige aber in grösserer Zahl an der Cur mit Erfolg Theil nahmen.

§. 58. Zweitens kann die heilorganische Cur unmöglich, wenigstens in ganzer Ausdehnung, auszuführen sein, wenn der Patient das Bette hütet, oder wenn er bei jeder Berührung so bedeutende Schmerzen empfindet, dass er durchaus vollkommene Ruhe beobachten muss. In solchem Falle würde wenigstens die heilorganische Behandlung nur auf die passiven Bewegungen beschränkt bleiben, die natürlich nicht Heilung, wohl aber palliative Beschwichtigung der Schmerzen bringen könnten. In sofern dürften selbst, wie schon erwähnt, eine Menge acuter Krankheitsfälle geringe und einigermassen vortheilhafte Anwendung passiver Bewegungen gestatten.

§. 59. Nichtärzte und wohl auch Aerzte finden zuweilen eine Contraindication der heilorganischen Behandlung in sogenannter Schwäche des Patienten. Oefters geht diese Annahme aus der Ansicht hervor, dass die Heilorganik ein kraftraubendes Turnen sei. Im Allgemeinen darf man wohl annehmen, dass Schwäche des Patienten keine absolute, sondern nur relative Contraindication der heilorganischen Behandlung sei; indem dadurch schwächere Bewegungsformen in halbliegender Stellung u. s. w. indicirt werden, bis durch diese die Kraft des Patienten erstarkt ist, und er zu stärkeren und schwereren Bewegungen vorschreiten kann. Man darf annehmen, dass bei im Alter vorgeschrittenen Patienten überhaupt die Heilorganik in ihren schwieriger auszuführenden Bewegungsformen stets mit Vorsicht anzuwenden ist; und dass daher das Alter eine Contraindication für schwierig auszuführende Bewegungsformen eigentlich enthält. Ob Reconvalescenten nach schweren Krankheiten Heilorganik anwenden sollen oder nicht, ist eine Frage, die im Allgemeinen jedenfalls bejaht werden muss. Nur könnte man auch hier annehmen, dass die Auswahl der Bewegungsformen durchaus eine sehr sorgsame, und dass namentlich die Steigerung derselben eine sehr langsame sein muss.

§. 60. Sollen nun specieller die chronischen Krankheiten angegeben werden, die der heilorganischen Behandlung mit Erfolg unterworfen werden können, so ist es nöthig, die verschiedenen Curzwecke, die man dabei erreichen will, näher in's Auge zu fassen, und namentlich den prophylaktischen, den eigentlich radical curirenden und den palliativen. — Was zuerst das Gebiet der Prophylaxis betrifft, so dürfte die Heilorganik in dieser Hinsicht weit höher als irgend eine andere Heilmethode stehen, und namentlich selbst den bösartigsten und hereditär so häufig auftretenden Krankheiten dadurch vorgebeugt werden können. Zu diesen würde vor Allem Carcinom und Lungenschwindsucht zu rechnen sein. Namentlich in Hinsicht der letzteren Krankheit sind dem Verf. mehrere dafür sprechende Beispiele vorgekommen. — In Hinsicht des Carcinom hat der Verf. noch nicht so deutlich beweisende Fälle aufzuzählen, doch glaubt er, dass, da die Heilorganik eine deutlich verschönernde und verjüngende Wirkung auf jeden Menschen (nach dem Alter natürlich quantitativ verschieden) äussert; und da selbst das hereditäre Krebsübel mit der Decrepidität meistentheils im Zusammenhange steht, dass durch die Auf- und selbst Abhaltung des letzteren Zustandes auch das mit ihm auftretende Uebel abgehalten werden könne.

§. 61. Noch andere Uebel, die überhaupt in der Constitution liegen, und daher, wenn diese nicht verändert und verbessert wird, bestimmt früher oder später auftreten, als z. B. Scropheln, Neuralgien, gichtische und rheumatische Uebel, Verkrümmungen namentlich des Rückgrats, Geisteskrankheiten u. s. w., dürften in der Heilorganik ein bestimmtes, prophylaktisches Mittel finden. — Ueberhaupt könnte durch sie es möglich werden, was mit der Vorbeugung gegen lebenzerstörende Krankheiten innig verknüpft ist, das Menschengeschlecht im Ganzen zu verschönern, zu verjüngen und wahrhaft zu erstarken.

In Hinsicht der Verjüngung ist es nach den Principien Schultz-Schultzenstein's [1]) klar, dass eine Methode wie die Heilorganik, die die Neubildung und ebenso die Rückbildung nebst Abstossung der Mauserschlacken durch bestimmte Bewegungsformen zu steigern vermag, auch den auf diesen Processen beruhenden Verjüngungsact des Organismus überhaupt befördern muss.

§. 62. Was aber die Verschönerungskraft der Heilorganik betrifft, so liegt diese schon darin, dass der gesunde, lebenskräftige Mensch immer mehr dem Bilde der wahren Schönheit entspricht, als der kranke, und dass daher eine Methode, die die wahre leibliche und geistige Gesundheit in allen Organen herzustellen vermag, auch die schönere Form des menschlichen Organismus geben wird. In dieser Hinsicht habe ich aus meiner Praxis eine grössere Anzahl von Fällen aufzuzählen, in denen namentlich junge, durch Krankheit hässlich gewordene, eine schlechte Körperhaltung, keine Grazie habende Mädchen in kurzer Zeit total umgestaltet und dauernd verschönert wurden.

§. 63. Die Heilorganik als radical-curirende umfasst nun theils solche Uebel, in denen sie zunächst und allein angewandt, die ganze Heilung bewirkt, und solche, in denen sie nur unterstützt, und daher mit Medicamenten, mit Brunnen-Curen alternirend angewandt werden kann. Zu den Krankheiten ersterer Classe gehören: Scoliosen; Brüche (Hernien); Leibesverstopfung; periodischer Kopfschmerz; Veitstanz; Paralysen aus noch nicht vollkommen erloschener motorischer Innervation; gestörte und verödete Capillarität in Händen und Füssen (kalte Hände und Füsse); Retractionen und Relaxationen in Aponeurosen, Ligamenten und Synovialhäuten (veralteter Rheumatismus); Zahnschmerzen von cariösen Zähnen herrührend; Recidive nach veralteten oberflächlich-verheilten Fussgeschwüren; Magenschwäche namentlich mit Störungen der Innervation im Solargeflecht verknüpft u. s. w.

§. 64. Zu den chronischen Krankheiten, bei denen die heilorganische Cur zwar sehr heilend wirkt, bei denen aber auch Medicamente, Brunnen- oder Kaltwassercuren abwechselnd gebraucht werden können, ja zuweilen sogar müssen, gehören: Scropheln,

1) Die Verjüngung des menschlichen Lebens etc. 2. Aufl. Berlin, 1850. S. 39 ff.

Lungensucht, Asthma, Bleichsucht, Hysterie und Hypochondrie, Diarrhoe, ziemlich alle chronisch-entzündliche Zustände, Verkrümmungen (mit Ausnahme der Scoliosen), bei denen namentlich die Tenotomie als vorbereitendes Curmittel anzuwenden ist u. s. w.

In palliativer Hinsicht ist die Heilorganik ein wichtiges Mittel, um den Eintritt der Altersschwäche möglichst lange hinauszuschieben, und das drohende Gespenst, den Schlagfluss, mehr auf die äusserste Grenze des Lebens hinzubannen.

§. 65. Im Allgemeinen kann man noch sagen, dass in der Heilorganik auch für den Gesündesten (denn in Wahrheit giebt es keinen absolut-gesunden Menschen) noch ein Heilmittel liegt, und dass sie in dieser Hinsicht dem Gebrauche der Medicamente, der Brunnen- und Kaltwassercuren gar weit vorzuziehen ist. Braucht z. B. ein gesunder Mensch, um etwa noch stärker zu werden, Eisen oder China, so wird er in gar vielen Fällen nicht stärker, sondern schwächer, ja krank werden. Geht ein gesunder Mensch, um seine Gesundheit noch zu conserviren, zum Gebrauche der Wässer und Bäder nach Carlsbad oder irgend einem anderen Brunnenorte (vielleicht mit Ausnahme des Seebades), so wird er bestimmt nicht gesünder, sondern krank werden.

§. 66. Selbst die Kaltwassercur bringt, wer wollte es leugnen, in vielen Krankheitsfällen, namentlich selbst in acuten, dauernde Heilung, das aber leistet sie nicht, dass sie den gesunden Menschen noch gesünder mache, dass sie namentlich abhärte und alle Organe zur regen Thätigkeit anfeuere. Dieses aber leistet die Heilorganik, und in sofern ist sie die universellste Curmethode, die für jeden, auch den gesündesten Menschen noch gute Früchte tragen kann, und die Keiner zum Nachtheil, Jeder mit Vortheil, rationell angewandt, brauchen wird und kann.

Heilorganische Diagnose.

§. 67. Vor Beginn der heilorganischen Behandlung müssen die chronischen Krankheitsprocesse so erforscht, diagnosticirt und demgemäss benannt werden, wie dieses unter wissenschaftlichen und rationellen Aerzten überhaupt Gebrauch ist. Es wird daher namentlich das Stethoskop, das Plessi-, Spiro- und Manometer bei den Krankheiten der Brustorgane, und noch andere, namentlich Längenmasse, bei den Verkrümmungen zu Rathe gezogen; es wird der Puls, die Auswurfstoffe und Secretionen überhaupt, sowie der Habitus des Kranken nicht unbeobachtet gelassen; und auch auf die Aussagen des Patienten über schmerzhafte Empfindungen, über Wohl- oder Wehbefinden u. s. w. grosses Gewicht gelegt. Es werden Inspectionen der Augen, der Ohren, der Nase, des Mundes durch Augen- und Ohrspiegel, durch Ohrcatheter u. s. w. vorgenommen, wo es nöthig scheint; es werden die Sexual-Organe, das Rectum, wo es der Krankheitsfall gebietet, untersucht u. s. w.

§. 68. Zu allem diesem, wie es bei dem mit Medicamenten oder auf andere Weise heilenden Arzte Gebrauch ist, kommt aber bei dem mit heilorganischen Bewegungsformen heilenden noch hinzu: eine bei weitem genauere Diagnose des Zustandes der Knochen, Bänder und Muskeln; und namentlich der in diesen Organen bestehenden und auf alle übrigen, selbst die tief verborgensten übertragenen Retractions- und Relaxationszustände (§. 45).[1] Die mit Electricität heilenden Aerzte der Neuzeit haben zwar auf die Untersuchung der Muskelcontractionen, namentlich bei Lähmungszuständen mehr Fleiss verwandt, als dieses früher von den Aerzten überhaupt zu geschehen pflegte; da aber auch ihnen die Kenntniss der duplicirten und passiven Bewegungen fehlte; oder da diese doch von ihnen vernachlässigt wurden, sie aber ihre Untersuchung nur auf active Muskelbewegungen stützten, und pathologische durch Electrisirung nur hervorzurufen vermochten: so steht ihre Auffassung der Muskelwirkung der der heilorganischen Aerzte bei weitem nach, und ist überhaupt mehr eine pathologische.

§. 69. Wer nicht duplicirte Bewegungen am entblössten Menschenleibe beobachtet hat, der kann sich kaum denken, dass man dadurch die meisten Muskeln viel stärker, abgegrenzter und überhaupt auf andere Weise, als durch active Bewegungen oder durch Electrisirung, hervortreten machen kann. Er wird daher auch kaum sich denken können, dass in den duplicirten Bewegungen ein diagnostisches Hülfsmittel gegeben sei, das nicht nur über den Zustand der Muskeln, sondern auch über den der anliegenden Organe, die nur durch Bindegewebe und überhaupt Ligamente, Gefässe, Nerven u. s. w. mit den darüber liegenden Muskeln in Verbindung stehen, Aufschluss zu geben vermag.

1) Richter (zweiter Artikel des Berichts über die neuere Heilgymnastik. S. 45) macht auch auf die diagnostische Wichtigkeit der activen, passiven und duplicirten Bewegungen aufmerksam.

§. 70. Nun sind aber mehrere Krankheiten durch Retractions- und Relaxationszustand sowohl der Muskeln als anderer Organe so deutlich bezeichnet, dass deshalb ihre Diagnose durch Anwendung von Muskelbewegungen, und namentlich von duplicirten gewonnen, einen besonderen Grad von Sicherheit und therapeutischem Werth erhalten muss. Auch ist auf solche Weise sofort das nöthige Heilmittel, die Classe der heilorganischen Bewegungsformen gegeben. Zu Krankheitsprocessen dieser Art gehören besonders: Verkrümmungen des Rückgrats, namentlich Scoliosen; Lungen-Emphysem und Lungen-Tuberculose; Leibesverstopfung und Diarrhoe u. s. w.

§. 71. Trotz den durch Leichen-Sectionen von den pathologischen Anatomen nachgewiesenen, dem Anschein nach so mannigfaltigen Veränderungen der organischen Masse in diesen Krankheiten, sind doch die feineren Retractions- und Relaxationsverhältnisse der Muskeln und anderer Organe in denselben theils nicht gefunden, theils falsch gedeutet worden, während die heilorganischen Hülfsmittel erst dieselben gehörig nachweisen mussten (§. 45 u. §. 192).

Natürlich war dieses nur eben durch duplicirte Bewegungen, das grosse Hülfsmittel der Diagnose, das nur den heilorganischen Aerzten, und selbst diesen öfters auch nur unvollkommen bekannt ist, zu erreichen. Hier ist ein Punkt, wie so mancher andere in der Heilorganik, welcher an jeden wissenschaftlichen Arzt, der die Krankheiten seiner Patienten gründlich diagnosticiren will, die Forderung stellt, die Heilorganik, diese noch allgemein als Specialität betrachtete Curmethode, gründlich zu studiren, auch wenn er sie sonst nicht anwenden will.

§. 72. Bis jetzt braucht die Heilorganik zur Bezeichnung der Krankheitsprocesse dieselben Namen, wie die mit Medicamenten heilenden Aerzte. Die aus pathologisch-anatomischen Leichenanschauungen hervorgegangenen Benennungen der Neuzeit liebt sie natürlich weniger, weil dieselben meistentheils länger als die gewöhnlichen Namen sind, darum aber das Wesen des Uebels doch auch nur anatomisch-symptomatisch bezeichnen. Die Heilorganik braucht daher selbst die Namen einzelner Symptome zur Bezeichnung ganzer Symptomen-Complexe, oder sogenannter Krankheiten, wenn dieselben einmal in Gebrauch sind, und hascht überhaupt nicht nach neuen Namen, da das Wesen einer Krankheit zu bezeichnen, wenn es dem in das Innere der Natur nur schwer hineinschauenden Menschen gelingen sollte, doch nur in wortreicher Definition, nicht mit kurzem Namen möglich sein würde.

§. 73. Daher werden in dem zweiten Abschnitt dieser Schrift, der die specielle Therapie einzelner chronischen Krankheiten behandelt, die gebräuchlichen Namen der Krankheiten gewählt, und nur wo es besonders nöthig erscheint, genauere Beschreibungen des Krankheitsverlaufes denselben beigefügt werden. Namentlich solche Krankheiten, wie die Scoliosen [die erst durch die heilorganische Diagnose richtiger erkannt wurden, während früher die falschesten und rohesten Vorstellungen davon selbst unter den wissenschaftlichen Aerzten und Chirurgen herrschten] werden hier eine besondere, ausführliche Beschreibung erfordern, während bei anderen Krankheiten, durch die gebräuchlichen Namen allein schon genugsam bezeichnet, dieses viel weniger nöthig sein dürfte.

Heilorganische Curmethoden.

§. 74. Im Allgemeinen und wenn man auch auf die prophylaktische und palliative, nicht blos radicale, also überhaupt auch selbst auf eine unvollkommene Cur der chronischen Krankheiten Rücksicht nehmen will, und wenn man nur allgemein von der Anwendung der Leibesübungen zu diesem Zwecke spricht: könnte man die heilorganischen Curmethoden eintheilen: in eine speciell heilorganische, eine turnerische und eine diätetische. Bei der ersteren werden die Leibesübungen so speciell angewendet, dass sie auf die einzelnen Organe einzuwirken und deren Selbsterregung zu steigern vermögen. Da dabei die Organe durch die ihnen inwohnende Kraft sich selbst wiederherstellen; und da dabei ihnen nicht Aeusseres, dem menschlichen Körper mehr oder weniger Fremdes, wie bei anderen Curarten, z. B. Medicamente, Electricität, Wasser, sondern nur Od geboten wird: so kann diese Curart allein den Namen einer Organheilung oder einer heilorganischen mit Recht beanspruchen.

§. 75. Diese, bisher heilgymnastische genannt, ist bis jetzt noch von wenigen Aerzten angewendet worden, und kann überhaupt noch bedeutend mehr ausgebildet werden, als wie sie es jetzt schon ist. Was als dieser Curart angehörig, gewöhnlich in den der Heilgymnastik geöffneten Anstalten in Europa gegeben wurde, war grösstentheils nur der turnerischen, kaum der diätetischen Curart zuzu-

3*

rechnen. Man glaubte nämlich, und man glaubt auch jetzt noch häufig, dass nur Leibesübungen, starke, allgemeine, also turnerische nöthig wären, um den Körper des Menschen gesund zu erhalten, d. h. eine prophylaktische Cur der Krankheiten einzuleiten. Daher hat man dem Turnen, so wenig auch dasselbe die anatomische und physiologische Forschung als Basis anerkannte, doch und selbst bei der rohesten Betriebsart, eine gesund machende Kraft zugeschrieben.

§. 76. Es liegt dieser Ansicht etwas Wahres zum Grunde, und sie hat Geltung für möglichst gesunde Menschen, wo es nur darauf ankommt, dass der Umsatz, der Stoffwechsel des Körpers befördert werde; dass namentlich Blut verbraucht und neue Zufuhr davon dem Körper gegeben werde. In dieser Hinsicht haben die Diätetiker auch recht, welche jede, selbst die planloseste Muskelbewegung, wie sie der wilde Knabe in Wald und Feld etwa ausführt, als ein gesundmachendes Agens betrachten. Wird das Turnen auf anatomischer und physiologischer Basis betrieben, so nähert sich dasselbe der Heilorganik mehr oder weniger, und dann kann man um so mehr von einer turnerischen Curmethode sprechen.

§. 77. Die diätetisch-gymnastische Curmethode wird ebenfalls der speciell-heilorganischen sich gar sehr nähern, und nur in sofern sich von ihr unterscheiden, als sie nur solche Bewegungsformen wählt, die ein Mensch womöglich allein ohne Unterstützung Anderer auszuführen vermag, während dagegen von der Heilorganik grösstentheils solche Bewegungsformen gebraucht werden, wobei ausser dem Patienten ein, zwei und selbst mehrere Menschen thätig sein müssen.

Die diätetische Curmethode wirkt natürlich grösstentheils prophylaktisch, oder nur einzelne, namentlich schmerzhafte Symptome beschwichtigend. In dem zweiten Abschnitt bei der Cur der einzelnen chronischen Krankheiten werden daher neben den heilorganischen Recepten sich auch diätetische finden, aber nicht besondere turnerische, weil diese mit diätetischen oder heilorganischen gleichlautend sein würden.

(In Bezug auf die Eintheilung der Leibesübungen des Menschen in heilorganische, turnerische und diätetische siehe des Verf. Schrift: Lehrbuch der Leibesübung. Bd. 1, S. 3 fgd.)

Die speciell-heilorganische Curmethode.

§. 78. Dieselbe lässt sich nach viererlei Eintheilungsgründen in viele Unterarten abtheilen, und zwar: 1) nach den speciell dabei gebrauchten Bewegungsformen: in die Haltungs-, die active, die passive, die duplicirte und die aus diesen Bewegungsformen gemischte Curart; 2) nach den dabei zunächst in Thätigkeit gesetzten Körpertheilen: in die Halbkörper-Curart, und zwar die obere, die untere und die der Glieder; die Localisirungs-, sowie die antagonistische und synergische Curart; 3) nach dem vorliegenden pathologischen Processe, gegen den sie zunächst angewandt wird, in die Retractions- und Relaxations-Curart; und 4) nach dem dadurch zunächst ins Leben gerufenen physiologischen Effecte: in die rückbildende, neubildende, ableitende, und zwar sowohl arteriell wie venös ableitende; und in die nervenstärkende oder Od-Curart. — Alle diese verschiedenen Curarten werden natürlich selten allein, sondern meistentheils mit einander verbunden angewandt, so dass gewöhnlich jedes heilorganische Kranken-Recept nach den Principien mehrerer Curarten zusammengesetzt zu werden pflegt. Dennoch ist es nöthig und nützlich, die Curarten, eine jede gesondert, zu betrachten; und ihre Ausführung, sowie ihre gesonderte Wirkung darzulegen, indem nur auf solche Weise eine Einsicht in den rationellen Betrieb der heilorganischen Cur überhaupt gewonnen werden kann.

I. Die Haltungs-Curart.

§. 79. Die Haltungs-Curart besteht, wie ihr Name schon besagt, aus activen Stellungen oder Haltungen, in sofern dieselben allein gebraucht werden. Sie sind nämlich mit den activen Halbbewegungen (§. 82), sowie mit den duplicirten stets verbunden, und es ist in sofern die active (§. 82) und duplicirte Curart (§. 88) eigentlich schon immer eine aus Bewegungen und Haltungen gemischte. In sofern man aber auch Haltungen ganz allein als heilorganische Mittel gebraucht, in sofern kann man von einer Haltungs-Curart sprechen.

§. 80. Die Haltungen zerfallen in Spann- und Stemmhaltungen ihrer physiologischen Wirkung nach, und sind in sofern neu- oder rückbildend. Es giebt aber auch gemischte, die einzelne Glieder in Stemm- und andere in Spannhaltung versetzen. Zum Beispiel: „L. str. smm. r. kl. bg. sp. sth., Ha." führt die ganze linke Körperhälfte und auch einen Theil der rechten (den unteren) in Resorptions-, die rechte obere und namentlich den rechten Klafterarm in Neubildungszustand. — Der Form nach werden die Haltungen in Körper-Haltungen (die mit dem Namen: „Steh-, Knie-, Sitz-, Lieg-, Häng-Haltung" bezeichnet werden), und in Glieder-Haltungen, die die Stellung der einzelnen Glieder angeben (z. B. Streck, Stoss, Fall, Kopfbeug u. s. w.), getheilt. Die physiologische Wirkung der einzelnen Haltungen ist in meinem „Lehrbuch der Leibesübung, Bd. I" angegeben, worauf ich verweise. Ausserdem ist jedoch als allgemeines Gesetz, dem die physiologische Wirkung unterliegt, und zwar sowohl für die Bewegungen (Lehrbuch der Leibesübung Bd. II. S. 91) als für die Haltungen das Localisirungsgesetz (§. 103) als bestimmend anzunehmen. Es kommt nämlich bei jeder Haltung darauf an, ob der Körper einen längeren oder kürzeren Hebel dadurch bildet. Bei letzterem ist die physiologische Wirkung in Bezug auf die Oberfläche des Körpers eine localere, in Bezug auf das Innere eine tiefer eindringende. Umgekehrt verhält es sich, wenn der Körper einen längeren Hebel darstellt. Daher ist die Steh-, die Lieg-, die Häng-Haltung an sich oberflächlicher und allgemeiner wirkend, die Knie- und noch mehr die Sitz-Haltung localer und tiefer eindringend. Ebenso ist von Arm-Stellungen die Streck-, Klafter-, Stern-, Reck-, Sprech-Haltung allgemeiner wirkend, nicht allein für die Arme, sondern auch für den anliegenden Rumpf, als die Ruh-, Heb-, Flug-, Wehrklafter- und Wehrreck-Haltung. Diese sind aber noch nicht so local wirkend, als die Wehr- und Ruheckhaltung. Aehnlich ist es bei den Bein-, Kopf- und Rumpfhaltungen. Bei den zusammengesetzten Stellungen herrscht dieses Gesetz ebenfalls, und so ist z. B. die „Str. schu. sth., Ha." sehr allgemein aber oberflächlich, die „Wr. k. kmm. 2 spu. hb. lgd., Ha." sehr local aber tief wirkend.

§. 81. Die Haltungs-Curart ist als eine vorbereitende, um den Patienten an die genauere Ausführung der activen und duplicirten Bewegungen zu gewöhnen, zunächst zu gebrauchen. Ausserdem wirkt sie besonders in den reinen Spann-Haltungen ausgleichend für den ganzen Blutumlauf, und ist daher als diätetische Curart besonders zu verwerthen. Zur Heilung tiefer eingehender, pathologischer Verhältnisse kann sie nicht dienen. Sie hat aber den Vortheil, grösstentheils vom Patienten allein ausgeführt, ja mittelst eines grossen Spiegels selbst bei der Ausführung vom Patienten allein controlirt werden zu können.

2. Die active Curart.

§. 82. Die active Curart gebraucht nur active Halbbewegungen in festen Stellungen ausgeführt, nicht Ganzbewegungen, und noch viel weniger schnelle, unregelmässig ausgeführte active Bewegungen. Die activen Halbbewegungen, oder die harmonischen, langsamen, bei fester Haltung des Körpers vorgenommenen, nach einer Richtung hingehenden Bewegungen einzelner Glieder bewirken stets eine doppelseitige Muskel-Action, nur einer Seite con- anderer Seite excentrisch; oder einer Seite rück- anderer Seite neubildend. Dieselben werden gewöhnlich 3 bis 6 Mal wiederholt, was eben auf die Weise geschieht, dass das zu bewegende Glied in die Lage, von der die active Halbbewegung ausging, unter Nachlass der festen Haltung zurückgebracht wird. Zum Beispiel: „Spr. sp. sth., act. 2 A. sw. afw. Ftg." wird auf die Weise wiederholt: dass, nachdem die Arme seitswärts aufwärts bis zur Streckstellung unter fester Haltung des übrigen Körpers gebracht worden sind, sie nun schnell, bei lässiger und sogar bedeutend veränderter Körperstellung, in die Sprechstellung zurückgebracht werden, um von dort nach einer Pause, und nachdem die feste Haltung wieder vollkommen eingenommen ist, denselben Weg seitwärts und aufwärts nochmals zurückzulegen. (Siehe des Verf. Lehrbuch der Leibesübung Bd. II. S. 15. fgd.)

§. 83. Es schien mir nöthig zu sein, die Ausführung einer activen Halbbewegung so genau zu beschreiben, um der Verwechselung derselben mit der activen Ganzbewegung (die in derselben festen Körperhaltung denselben Bewegungsweg hin und zurück durchmisst), sowie mit schnellen unregelmässigen Bewegungen ohne Körperhaltung, wie sie in den Spiess- und Rothstein'schen Freiübungen gebraucht werden, vorzubeugen. Active Ganzbewegungen und noch weniger schnelle, und daher mehr oder weniger unregelmässige werden in der Heilorganik nie gebraucht, was wohl zu beachten ist, und (trotz der genauen, in meinem Lehrbuch der Leibesübung Bd. II. S. 16 gegebenen Beschreibung) doch öfters nicht genug beachtet wurde.

§. 84. Die activen Halbbewegungen können nun a) als Muskel-Längsfaser-Bewegungen (Beugungen oder Streckungen), b) als Muskel-Spiralfaser-Bewegungen (Drehungen nach einer Seite hin), c) als Muskel-Sternfaser-Bewegungen (halbe oder ganze Rollungen), und d) als Muskel-Flächenfaser-Bewegungen (Beugungen oder Streckungen in verschiedenen Ebenen) ausgeführt, und daher als Cur-Unterarten der activen Curart angesehen werden. Beispiele für diese Bewegungen, auch mit a—d bezeichnet, und demgemäss den unter diesen Buchstaben aufgeführten activen Bewegungsarten entsprechend, sind: a) Rk. hc. sp. stzd., act. 2 A. Strg. (4 M.); b) Str. so. f. inw. sth., act. B. asw. Dh. (3 M. mit jedem Beine), (r. w., r. f. inw., r. B. asw. Dh.); c) Rk. sp. sth., act. 2 A. Kl. Str. Hb. Ro. (4 M.); d) H. ng. sp. knd., act. Bf. Rc. Bu. (i. v. E.), (im Ganzen 6 M.), zgl. 2 Ur. Sch. Fag. — Alle Bewegungen in verschiedenen Ebenen (i. v. E.) bestehen immer aus Bewegungen, die in drei verschiedenen Richtungen stattfinden, im Ganzen einen rechten Winkel umschliessen, und daher in den beiden äusseren Richtungen von der mittleren um 45 Grad abweichen (§. 91). Es können deshalb zunächst nur Längsfaser-Muskel-Bewegungen auf diese Weise ausgeführt werden; allenfalls, obwohl viel seltener, Drehungen; gar nicht Rollungen.

§. 85. Die activen Längsfaser-Bewegungen wirken im Ganzen allgemeiner, aber oberflächlicher; die Dreh- und Rollbewegungen localer, aber tiefer; die Bewegungen in verschiedenen Ebenen zugleich allgemein und auch tief. Bei der summarisch-physiologischen Wirkung der activen Halbbewegung kommt ausser der doppelten Muskel-Gruppen-Wirkung auch noch die der damit verbundenen festen Haltung der übrigen Glieder in Betracht. (Mehr hierüber: Lehrbuch der Leibesübung Bd. II. S. 1 fgd.) Im Allgemeinen kann man sagen, dass eine Stemmhaltung des Körpers die dabei stattfindende active Halbbewegung eines Gliedes in ihrer neubildenden Wirkung erhöht, in ihrer rückbildenden schwächt. Aehnlich, aber nicht an Intensität gleich, findet dieses Verhältniss bei Spannhaltung statt, indem dieselbe durch die zugleich stattfindende Activbewegung eines Gliedes mehr oder weniger in Stemmhaltung sich verwandelt.

§. 86. Die active Curart giebt, in Vergleich mit der duplicirten, immer mehr eine allgemeine Wirkung, und zugleich eine den gewöhnlichen und naturgemässen Muskelbewegungen des alltäglichen Lebens sich anschliessende. Die activen Halbbewegungen sind in ihrer Ausführung nur bestimmter, und mehr zu berechnen, als die des täglichen Lebens. Will der heilorganische Arzt den Patienten an geregeltere Bewegungen des Gliedbaues gewöhnen, ihm mehr Herrschaft über dieselben geben, dadurch aber zugleich den Blutumlauf, namentlich den peripherischen und subcutanen, mehr regeln, die Innervations- (Od-) Strömungen in den motorischen Nervenbahnen mehr in Thätigkeit setzen, und durch dieses alles mehr allgemein, aber nicht local umändernd und umstimmend wirken: so muss er die active Curart wählen.

§. 87. Wegen ihrer so sehr allgemeinen und local so sehr geringen Wirkung ist es um so mehr nöthig, dass sie der Vorschrift gemäss ausgeführt werde, wofern nicht jeder Erfolg verloren gehen oder wenigstens ein ganz unbestimmter erhalten werden soll. Sie empfiehlt sich daher bei Formfehlern, als z. B. bei Scoliosen, nicht aber, um in ihnen tief eingreifende Wirkungen hervorzubringen, wohl aber, um die gestörte Harmonie der antagonistischen Muskelgruppen überhaupt, und auch selbst dann wenigstens einigermassen herzustellen, wenn der Formfehler sich nicht gänzlich heben lässt. Die active Curart ist daher gleichsam ein Corrigens der zu tief einschneidenden und umändernden, duplicirten. Auch empfiehlt sie sich, weil sie zum grösseren Theil allein vom Patienten ausgeführt werden kann, und er also dabei meistentheils keiner Hülfe weiter bedarf. Daher ist sie zunächst auch als diätetische zu gebrauchen.

3. Die duplicirte Curart.

§. 88. Die duplicirte Curart zerfällt je nach den verschiedenen Arten der duplicirten Bewegungsformen zuerst in zwei durch ihre physiologische Wirkung durchaus geschiedene Curarten, die duplicirt con- und die duplicirt excentrische, erstere auf heilorganischen Recepten mit (G. W.) bezeichnet und rückbildend wirkend; diese mit (P. W.) bezeichnet und neubildend wirkend. Es werden dadurch einzelne Muskelhälften allein in Thätigkeit gesetzt. Hierin liegt schon der grosse Unterschied der duplicirten und activen Curart, indem dort immer doppelseitige und hier einseitige Muskelhälften in Thätigkeit treten. Wird dieselbe Muskelhälfte erst duplicirt con- und dann duplicirt excentrisch oder umgekehrt in Thätigkeit gesetzt, werden wechselnd die eine und dann die andere Muskelhälfte, sei es beide concentrisch, sei es beide excentrisch; oder die eine con- die andere excentrisch in Thätigkeit gesetzt (s. Lehrbuch der Leibesübung Bd. II. S. 47 fgd.): so entstehen die verschiedenen Unterarten der duplicirten Curart. Dieselben haben, wenn sie, obwohl doppelt angewandt, doch dieselbe Muskelhälfte betreffen, immer den physiologischen Effect, den die letztere der Bewegungsformen angiebt. Bei der Ausführung müssen diese Bewegungen ohne Pause die eine in die andere übergehen, weshalb sie auf heilorganischen Recepten, durch einen langen Bindestrich verbunden, bezeichnet werden. Zum Beispiel: H. so. sth., B. Wch. Rc. Z. (P. W.) u. V. Z. (G. W.); oder H. sg. sth., B. Wch. V. Z. (G. W.) u. Rc. Z. (P. W.) Die erstere Bewegungsform ergiebt für die vordere Hälfte der Beinmuskeln einen concentrischen, die letztere für dieselbe Hälfte einen excentrischen Erfolg.

§. 89. Werden duplicirte Bewegungen der Art angewandt, dass sie zwei verschiedene Muskelhälften desselben Gliedes betreffen: so kommt es darauf an, ob sie gleicher Natur sind (d. h. con- oder excentrisch), oder verschiedener (d. h. die eine con-, die andere excentrisch). Im ersteren Falle wird daraus für das ganze Glied ein und dieselbe physiologische Wirkung, entweder con- oder excentrisch entstehen; im zweiten Falle natürlich für die eine Hälfte eine con-, für die andere eine excentrische Wirkung. Zum Beispiel, erster Fall: H. so. (sg.) sth., B. Wch. Rc. Z. (G. W.) u. B. V. Z. (G. W.), zgl. so. F. Fag.; oder: H. so. (sg.) sth., B. Wch. Rc. Z. (P. W.) u. V. Z. (P. W.), zgl. so. F. Fag. Zweiter Fall: H. so. sth., B. Wch. Rc. Z. (G. W.) u. (P. W.), zgl. so. F. Fag.

§. 90. Natürlich auch bei der duplicirten Curart entstehen, wie bei der activen, Unterarten, je nachdem a) Muskel-Längsfaser-Bewegungen (dup. Beugungen und Streckungen); oder b) Muskel-Spiralfaser-Bewegungen (dup. Drehungen); oder c) Muskel-Sternfaser-Bewegungen (dup. Rollungen); oder d) Muskel-Flächenfaser-Bewegungen (dup. Beugungen oder Streckungen in verschiedenen Ebenen) angewandt werden. Zum Beispiel: a) Hb. rk. hb. lgd., A. Wch. Strg. (G. W.) u. Bu. (G. W.), zgl. rk. Hd. Fag.; b) Hb. kl. w. schu. sch. lh. sth., Wch. Rf. V. Dh. (G. W.) u. Rc. Dh. (G. W.), zgl. kl. Hd. Fag. (r. kl., r. w.); c) Rk. schu. stzd., Wch. 2 A. Kl. Str. Hb. Ro. (G. W.) u. (P. W.), zgl. 2 Hd. Fag. u. Kn. Rn. Dü.; d) Str. e. ng. hc. sp. stzd., Rf. Rc. Bu. (G. W.), (i. v. E.), zgl. str. Hd. u. K. Fag.

§. 91. Die Ausführung dieser Bewegungsformen ist aus meinen früheren Schriften, und namentlich aus meinem „Lehrbuch der Leibesübung“ bekannt, und nur in Hinsicht der Bewegungsform (i. v. E.) glaube ich noch wie bei der ähnlichen activen (§. 84) erwähnen zu müssen, dass durch dieselbe, duplicirt ausgeführt, eine grössere Muskelfläche in Thätigkeit gesetzt wird. Dieses geschieht aber der Art, dass der mittlere Theil derselben, durch alle drei Bewegungen entweder im Ganzen, oder als Hälfte in Thätigkeit tritt, während die beiden nach aussen liegenden Theile der Muskelfläche nur durch die nach aussen (in Bezug auf die Richtung der mittleren Bewegung) gehenden Bewegungen in Thätigkeit gesetzt werden. Es bringt daher die Ausführungsweise (i. v. E.) eine starke, tief eingreifende und doch in Hinsicht der ganzen Bewegungsform mehrmals wechselnde Einwirkung auf die Muskeln und die darunter liegenden Organe hervor.

§. 92. Die duplicirten Längsfaser-Bewegungen wirken allgemeiner, aber oberflächlicher; die Dreh- und Rollbewegungen localer, aber tiefer; die Bewegungen in verschiedenen Ebenen, wie erwähnt, allgemein und auch tief. Bei der Gesammtwirkung einer duplicirten Bewegung muss die der damit verbundenen Haltung der übrigen an der duplicirten Bewegung nicht Theil nehmenden Körperglieder mit in Rechnung kommen. Da nun durch die Duplicirtbewegung jede Spann- in eine Stemmhaltung verwandelt, die Stemmhaltung, die es an sich schon ist, aber noch verstärkt wird: so muss die duplicirt-excentrische Bewegung im Allgemeinen durch die Haltung in ihrer Wirkung mehr erhöht, die duplicirt-concentrische mehr geschwächt werden. Man kann daher im Durchschnitt die neubildenden Duplicirtbewegungen als kräftiger wirkend, denn die rückbildenden annehmen. (S. Lehrbuch der Leibesübung Bd. II. S. 54 fgde.)

§. 93. Die duplicirte Curart im Allgemeinen ist stets eine mehr, man möchte sagen verletzende und alterirende, als die active. Sie theilt willkürlich die Muskelgruppen anders, und setzt sie getheilt in Thätigkeit, als wie dieses durch die active Curart geschehen kann. Daher steht die duplicirte Heilmethode auf der Grenze des Physiologischen, und nähert sich schon dem Pathologischen, indem sie mit Hülfe des Gymnasten bestimmend und umändernd in die willkürlichen Muskelbewegungen des Patienten eingreift. Wo es aber bei pathologischen Verhältnissen darauf ankommt, eben eingreifend zu wirken, da ist die duplicirte Curart der activen natürlich gar sehr vorzuziehen. Nur Unkunde in der Zusammensetzung, der Steigerung und in der zweckmässigen Ausführung der duplicirten Curart konnte gymnastische Schriftsteller bewegen, die active an eingreifender Wirkung der duplicirten gleich zu setzen, ja derselben selbst vorzuziehen.

§. 94. Auch zum Localisiren der Bewegungswirkung passt die duplicirte Curart besser, als die active, die sie an Bestimmtheit des Erfolges weit übertrifft. Denn die doppelseitige, verschiedene Wirkung der bei den activen Halbbewegungen stattfindenden Muskelthätigkeiten, vermischt mit dem physiologischen Effecte der festen Körperhaltung der übrigen Glieder, giebt immer ein mehr unsicheres, summarisches Resultat, als die ganz bestimmte einhälftige, duplicirte Bewegung, verbunden mit der ganz bestimmten Passivität der antagonistischen Muskelhälfte, und der stets auch bestimmten Stemmhaltung der übrigen Körpertheile.

§. 95. Durch die unter verschiedenem Widerstande hin und her gehenden, duplicirten Bewegungen kann eine bestimmte einseitige Muskelgruppe in allen ihren Geweben so stark und so durchweg erregt werden, dass auch hiermit die activen Halbbewegungen natürlich keinen Vergleich aushalten. Ein Uebelstand der duplicirten Curart ist jedoch, dass sie immer mehrere Menschen, und sogar sehr kundige erfordert, so dass dadurch ihrer allgemeinen Verbreitung, ihrem Eindringen in das Volk grosse Hindernisse gesetzt sind.

4. Die passive Curart.

§. 96. Die passive Curart besteht aus zwei sehr verschiedenen Classen von Bewegungen, nämlich theils aus solchen, die in ähnlicher Form auch activ oder duplicirt ausgeführt werden können, den gewöhnlichen Passivbewegungen; theils aus solchen, die eben nur als Passivbewegungen gebraucht, daher auch Rein-Passiv-Bewegungen genannt werden. Zu der ersten Classe gehören: die passiven Rollungen, Beugungen, Streckungen, Drehungen; zu der letzteren: die Streichungen, Hackungen, Klopfungen, Erschütterungen u. s. w. Die ersteren Bewegungsarten können zufolge ihrer verschiedenen Ausführungsweise neubildend oder rückbildend wirken, doch ist die erstere Wirkung vorherrschend. Die reinen Passivbewegungen sind durchaus, und zunächst Nervenbewegungen, die den Innervations- (Od-) Strom momentan hemmen, um ihn hinterher mehr zu befördern. Nur wenige derselben, wie die Knetung, die Walkung, die Sägung, sind den übrigen Passivbewegungen in physiologischer Hinsicht mehr anzureihen.

§. 97. Auch bei der Ermittelung der physiologischen Wirkung der Passivbewegung ist die der Stellung der übrigen Körpertheile in Anschlag zu bringen. Dieselbe kann nun sowohl eine passive, als active oder eine Haltung sein. Daher ist die Beurtheilung nicht eine leichte, sondern eine sehr schwierige, und deshalb auch bei den Passivbewegungen in der Ausführung die grösste Umsicht und Gewissenhaftigkeit anzuwenden dringend nöthig.

§. 98. Die passive Curart ist in Hinsicht der localen Einwirkung auf kleine Organe eine sehr wichtige, durch keine andere zu ersetzende. So ist es z. B. nur möglich, auf die Gelenkbänder, überhaupt den Synovialapparat durch passive Rollungen, verbunden mit Ziehungen, zu wirken (zum Beispiel: sr. hh. lgd., 2 A. Ro., zgl. 2 Hd. Z. u. 2 Ach. Fag.); so ist es nur möglich, durch Punktirungen auf ein Auge, ein Ohr, auf eine Herzhälfte, ja selbst auf eine Herzkammer, auf einen Leberlappen u. s. w. zu wirken. Durch Nervendrückungen ist es möglich, sogar einen einzelnen Nervenstamm der heilorganischen Einwirkung allein auszusetzen. — Trotz dessen aber bleibt die passive Curart ohne active oder duplicirte doch nur eine sehr unvollkommene. Es ist dieses zu bedauern, da sie bei kleinen, unverständigen Kindern, bei bettlägerigen Kranken, überhaupt in acuten Krankheitsfällen, so z. B. bei der Cholera, im Typhus, nur allein angewandt werden kann. An Heilungen, die durch die passive Curart allein herbeigeführt sein sollen, kann ich nur dann glauben, wenn die geheilten Uebel sehr localer Art waren und einen sehr langsamen Verlauf hatten; so dass die passiven Bewegungen Monate, ja Jahre lang angewendet werden konnten. Keine Cholera, kein Typhus wird durch passive Bewegungen zu heilen sein, ja wie aus Obigem (§. 55) erhellt, sich überhaupt für eine ausgedehnte heilorganische Behandlung nicht eignen. Es ist ein vollkommener, sehr tadelnswerther Missgriff und ein vollkommenes Verkennen der Principien der Heilorganik, wenn man solche Krankheiten in das Gebiet derselben ziehen will.

5. Die gemischte Curart.

§. 99. Die aus Haltungen, activen Halbbewegungen, Duplicirt- und Passivbewegungen gemischte und auf das Mannigfaltigste zusammengesetzte Curart ist diejenige, die in den meisten Fällen der heilorganischen Behandlung in Gebrauch kommt. Die duplicirten Bewegungen bleiben dabei meistentheils die vorherrschenden, und bilden etwa die eine Hälfte der Bewegungsformen des heilorganischen Receptes, während die andere die Passiv-, die Activbewegungen und die reinen Haltungen zusammen ausmachen. — Genau genommen ist nur allein die Haltungs-Curart eine nicht gemischte, aber schon die active aus activen Halbbewegungen und Haltungen, die duplicirte aus duplicirten Bewegungen und Haltungen bestehend, eine gemischte. Hier sind nun noch besonders zu erwähnen die Verbindungen der duplicirten Bewegungen mit Rein-Passiv-Bewegungen und Haltungen (§. 105 und 113). Jede derartige Bewegungsform besteht also schon immer aus dreierlei physiologischen Effecten. Es ist daher nicht zu verwundern, wenn diese Bewegungsformen an Wirkung die am meisten eindringenden und überhaupt kräftigsten aller heilorganischen Bewegungsformen sind. Ausserdem aber wird auch eine Steigerung ihrer Wirkung darin liegen, je nachdem die duplicirte Muskelgruppe und die Passivbewegung z. B. die Hackung, Klatschung entfernter oder näher zu einander treten; und daher zuletzt die Passivbewegung gerade auf das Centrum der duplicirt-erregten Muskelgruppe applicirt wird.

---

§. 100. Wir kommen nun zu den Curarten, die sich nach den zunächst in Thätigkeit gesetzten Körpertheilen oder grösseren Muskelgruppen unterscheiden. Hiebei ist zu besprechen: a) die Halbkörpercur, die sich noch theilt aa) in die der oberen, bb) die der unteren Körperhälfte, und cc) die der Glieder; b) die Localisirungs-Curart; und c) die antagonistische und synergische Curart.

6. Die Halbkörper-Curart.

§. 101. Bei der Halbkörper-Curart werden nur solche Bewegungen, seien es active Halbbewegungen, seien es duplicirte oder passive gewählt, die einen bestimmten Theil des Körpers allein in Thätigkeit setzen. Die obere oder die der oberen Hälfte des Körpers (bestehend aus Arm-, Kopf- und Rumpfbewegungen, die letzteren aber zunächst in Sitz-, Halbsitz-, Kurzsitz-, Langsitz-,

Halblieg-Haltung vorgenommen) ist von besonderer Wichtigkeit, und muss zuweilen in einem heilorganischen Recepte durchaus vorherrschend sein. Sie wird als solche besonders bei pathologischen Zuständen gebraucht, die in einem übermässigen Zuströmen der Säfte nach den unteren Körpertheilen bestehen, also in Diarrhoen, starken Menstruations- und Hämorrhoidalflüssen u. s. w. Bei solchen Zuständen würde sonst jede heilorganische Behandlung contraindicirt sein; nur mit Hülfe der streng durchgeführten oberen Halbkörper-Cur ist es möglich, auch an solchen Uebeln leidende Patienten heilorganisch mit dem grössten Vortheil zu behandeln.

§. 102. Die untere Halbkörper-Cur, sowie die Glieder-Cur, die erstere aus Bewegungen der Beine und des Rumpfes in Steh-, Sitz-, Lieg-, Knie-, Hänghaltung; die letztere aus Bewegungen eines Armes, eines Beines, des Kopfes allein bestehend, kommt nicht leicht in einem heilorganischen Recepte, ohne mehr oder weniger mit Bewegungen anderer Körpertheile verbunden zu sein, in Anwendung. Gewöhnlich pflegen die Hälfte der Bewegungen, die abwechselnd interponirt werden, doch anderer Art zu sein. — Die untere Halbkörper-Cur ist besonders von Wichtigkeit, wo es darauf ankommt, die Säfte zum Unterleibe zu bringen, Secretionen zu erregen, Stuhlverstopfung zu heben, die Verdauung zu stärken, den peripherischen Blutumlauf in den Beinen und namentlich den Füssen herzustellen, Menstruations-, Hämorrhoidalfluss hervorzurufen u. s. w. Die Glieder-Cur empfiehlt sich bei pathologisch-localen Zuständen eines Armes, eines Beines, des Kopfes u. s. w.

7. Die Localisirungs-Curart.

§. 103. Die Localisirungs-Cur besteht darin, dass man bei Wahl der Haltungen und Bewegungen mit dem oberflächlicher und allgemeiner wirkenden beginnt, und zu den localer und tiefer wirkenden allmälig vorschreitet. Die Bewegungen sind besonders nach dem Localisirungsgesetze (Lehrbuch der Leibesübung Bd. II. S. 91), oder je nachdem der ganze Körper oder einzelne Glieder dabei einen längeren oder kürzeren Hebel bilden, auszuwählen. Hat man z. B. zuerst eine: Spr. schu. sch. lh. sth., Wch. 2 A. sw. afw. Füg. (G. W.) u. (P. W.), zgl. 2 Hd. Fag. machen lassen, so geht man darauf zu einer: Spr. schu. knd., Wch. 2 A. sw. afw. Füg. (G. W.) u. (P. W.), zgl. 2 Hd. Fag.; dann zu einer: Spr.

schu. stzd., Wch. 2 A. sw. afw. Füg. (G. W.) u. (P. W.), zgl. 2 Hd. Fag.; dann zu einer: Spr. ng. schu. stzd., 2 A. Wch. sw. afw. Füg. (G. W.) u. (P. W), zgl. 2 Hd. Fag.; dann zu einer: Wr. schu. sch. Bi. sth., Wch. 2 Or. u. Ur. A. Strg. (G. W.) und (P. W.), zgl. 2 Hd. Fag.; dann zu einer: Wr. schu. sch. Bi. sth., Wch. 2 Or. A. sw. afw. Füg. (G. W.) u. (P. W.), zgl. 2 Ebg. Fag.; dann zu einer: Wr. schu. knd., Wch. 2 Or. u. Ur. Strg. (G. W.) u. (P. W.), zgl. 2 Hd. Fag. u. 2 Ur. Sch. Fag.; dann zu einer: Wr. schu. knd., Wch. 2 Or. A. sw. afw. Füg. (G. W.) u. (P. W.), zgl. 2 Ebg. Fag., u. 2 Ur. Sch. Fag. u. s. w. über.

§. 104. Für gewöhnlich schreitet man also in den heilorganischen Recepten von den allgemeineren also Bewegungen von längerem, zu den localeren also Bewegungen von kürzerem Hebelarme vor. Dauert die Cur eines Patienten längere Zeit, und gebraucht er viele heilorganische Recepte, so pflegt man auch wieder vom Anfange oder mit den allgemeineren Bewegungen anzufangen, und nochmals den Weg zu den localeren und localsten zurückzulegen.

§. 105. Zu der Localisirungs-Curart gehören auch noch die mit rein passiven Bewegungen verbundenen, duplicirten; zum Beispiel: H. fa. bg. sth., Or. Sch. Bü. (G. W.), zgl. Kn. u. Kz. Fag., zgl. Utb. Kla. (m. l. Hd.); oder: Rk. hb. lgd., 2 A. Wch. Kl. Str. Hb. Ro. (G. W.) u. (P. W.), zgl. 2 Hd. Fag., zgl. Br. Mitte abw. Hack. (m. r. Hd.) Hierdurch kann die stärkste Einwirkung der Bewegung auf den Theil (der duplicirt-erregten Muskelfaser-Gruppe), der gerade von der Hackung, Punktirung u. s. w. betroffen wird, localisirt werden (§. 99 und 113).

§. 106. Man sieht ein, dass durch die Localisirungs-Curart in die Halbkörper- oder Glieder-Curart grosse Abwechselung gebracht, und ihre Einwirkung noch bedeutend erhöht werden kann. — Zur Localisirungs-Curart eignen sich besonders die duplicirten und auch die reinen Passivbewegungen, weniger die activen Halbbewegungen, und am wenigsten die gewöhnlichen Passivbewegungen. Bei den Doppelgliedern, den Armen, den Beinen, findet schon eine Localisirung der Wirkung statt, wenn zuerst beide Arme oder beide Beine zu gleicher Zeit eine Bewegung machen, und darauf ein Arm, ein Bein, und dann der andere. Man ersieht hieraus, dass auch bei der Localisirungs-Curart es der Varianten und Nüancen gar viele giebt, und dass in der passenden Steigerung der Bewegungsformen oft der ganze Curerfolg begründet ist.

8. Die antagonistische und synergische Curart.

§. 107. Diese Curart besteht aus solchen Bewegungsformen, die zunächst den Antagonismus und die Synergie der Muskelgruppen zu erregen und zu stärken vermögen. In meinem Werke: „Das Muskelleben des Menschen in Beziehung auf Heilgymnastik und Turnen. S. 67 fgde.“ habe ich schon auseinander gesetzt, dass der localere Antagonismus in eine allgemeinere Synergie der Muskelgruppen sich auflöst, indem Muskelgruppen, die immer nur antagonistisch wirkten, niemals aber synergisch eine allgemeinere Bewegung auszuführen vermöchten, am Menschenleibe sich nicht finden. Deshalb ist auch klar, dass die antagonistische Curart immer zugleich eine allgemeinere, synergische ist. Hieher gehören nun die Beugungen und Streckungen, die Aufwärts- und Abwärtsführungen, die Auswärts- und Einwärtsdrehungen der Arme und deren Theile, wie der Ober-, Unterarme, der Hand; die Beugungen und Streckungen, die Hebungen und Senkungen, die Auswärts- und Einwärtsdrehungen der Beine und ihrer Theile; die Vor- und Rück-, die Schief-Vor- und Rück- und die Seitbeugungen des Kopfs; die Vor- und Rück- und Wechseldrehungen ebendesselben; die Vor- und Rück-, die Schiefvor- und Rück- und die Seitbeugungen des Rumpfes; die Vor- und Rückneigungen ebendesselben; die Hüft-Vor- und Rückbeugungen, die Rumpf- und Hüft-Vor- und Rückdrehungen.

§. 108. Diese Bewegungen können nur duplicirt ausgeführt werden, nicht aber activ, da sie dann zu Ganzbewegungen werden würden, die, wie erwähnt (§. 82 und 110), von der heilorganischen Cur ausgeschlossen sind. Duplicirte antagonistische Bewegungen können nun aber auch durch wechselnden Widerstand gebildet, und dabei ein Antagonismus oder eine Synergie zwischen den Muskelfasern und den sehnigen Geweben der Muskeln hervorgerufen werden. (Siehe Lehrbuch der Leibesübung Bd. II. S. 46 fgde.) Solche Bewegungen sind zum Beispiel: Str. r. sf. stzd., Wch. Rf. L. S. Bu. (G. W.) u. (P. W.), zgl. 2 Hd. Fag.; oder: H. fa. so. hc. sth., B. Wch. Rc. Z. (G. W.) u. (P. W.), zgl. so. F. Fag.; oder: H. fa. k. bg. schu. sth., Wch. K. V. Bu. (G. W.) u. (P. W.), zgl. K. u. Ach. Fag.; oder: Spr. schu. sch. lh. sth., Wch. 2 A. sw. afw. Füg. (G. W.) u. (P. W.), zgl. 2 Hd. Fag. Hieher sind aber nicht zu rechnen solche duplicirte Wechselbewegungen, die dieselbe Muskelgruppe betreffen; zum Beispiel: Rh. fl. hc. sp. stzd., Wch. Rf. V. Ngg. (G. W.) u. Rc. Ngg. (P. W.), zgl. 2 Ebg. Fag.

§. 109. Man braucht auch duplicirte, antagonistische Doppelbewegungen, die sowohl auf den Antagonismus der Muskelfasern, wie den der sehnigen Gewebe wirken. Einfache antagonistische Bewegungen sind nämlich z. B. folgende: Ö. fa. hc. zh. fa. sg. (so.) sth., B. Wch. V. Z. (G. W.) u. Rc. Z. (G. W.), zgl. so. (sg.) F. Fag.; oder: Rk. (kl.) schn. sch. lh. sth., Wch. 2 A. Strg. (P. W.) u. Bu. (P. W.), zgl. 2 Hd. Fag., u. 2 Hf. Fag. Antagonistische, duplicirte Doppelbewegungen sind dagegen: Rh. sf. hc. sp. stzd., Wch. Rf. S. Bu. (G. W.) u. (P. W.), zgl. 2 Ebg. Fag. [r. sf., L. S. Bu. (G. W.) u. (P. W.)]; oder: Hb. kl. w. sp. sch. lh. sth., Wch. Rf. V. Dh. (G. W.) u. (P. W.), zgl. kl. Hd. Fag., u. 2 Hf. Fag. (r. kl., r. w.)

§. 110. Die activen Halbbewegungen könnte man auch antagonistische Bewegungen nennen, da sie einerseits die Muskelfasern, andererseits die sehnigen Gewebe der Muskeln in Thätigkeit setzen, und daher mit den duplicirten Bewegungen derselben Form aber bei wechselndem Widerstande Aehnlichkeit haben. Zum Beispiel: H. fa. sg. sth., B. Wch. V. Z. (G. W.) u. (P. W.), zgl. sg. F. Fag. ist ähnlich der: H. fa. sg. sth., act. B. V. Z. Natürlich aber bei weitem nicht derselben gleich. Dieses ist der Grund, dass man zwar duplicirte antagonistische Doppelbewegungen, aber nicht die activen Ganzbewegungen (§. 108), die eben den Doppelbewegungen ähnlich sein würden, gebrauchen kann. Es findet nämlich, abgesehen von andern Umständen, hiebei doch der Unterschied statt, dass bei der activen Ganzbewegung zu gleicher Zeit die antagonistischen Muskelhälften in Thätigkeit treten, bei der duplicirten Doppelbewegung aber erst hintereinander. Deshalb heben die Ganzbewegungen in der Verschiedenheit der physiologischen Wirkung sich mehr oder weniger wieder auf, und es bleibt höchstens eine allgemeine Bluterregung. (Mehr hierüber: Lehrbuch der Leibesübung Bd. II. S. 9 fgde., u. S. 16 fgde.)

9. Die Retractions- und Relaxations-Curart.

§. 111. Zufolge des oben (§. 27 fgde.) Auseinandergesetzten, dass alle pathologischen Processe sich auf Retraction und Relaxation der Zellen, und der daraus zusammengesetzten Gewebe zurückführen lassen, liegt es auf der Hand, dass die Retractions- und Relaxations-Curart eine sehr allgemeine und gebräuchliche sein wird. Denn nicht nur die Deviationen des Rückgrats, wie allgemein das ärztliche und nichtärztliche Publicum annimmt, sondern jede andere Krankheit, und namentlich die Nachkrankheiten der Krankheitsorganismen sind ohne Retractions- und Relaxationszustände nicht denkbar. So ist namentlich Lungen-Tuberculose und Lungen-Emphysem, ersteres auf Retraction, dieses auf Relaxation begründet. Eine heilorganische Cur dieser pathologischen Processe kann nicht gelingen, wenn nicht der Arzt diese pathogenetischen Verhältnisse vollkommen erfasst hat.

§. 112. Die duplicirt-excentrischen Bewegungsformen sind nun bestimmte Heilmittel der Retractions-, die duplicirt-concentrischen der Relaxationszustände; weshalb auch durch diese Bewegungsformen am bestimmtesten die Retractionen und Relaxationen nachgewiesen werden können. Verstärkt werden diese Bewegungen auf verschiedene Weise. Einmal dadurch, dass man auf das antagonistische Verhältniss zugleich Rücksicht nimmt, indem der Retraction einer Muskelfaser-Gruppe die Relaxation einer anderen (mit der ersteren antagonistisch verbundenen) stets entsprechen wird. Zum Beispiel: statt nur gegen die Retraction der Brustmuskeln durch [Rk. hc. sp. stzd., 2 A. Strg. (P. W.), zgl. 2 Hd. Fag. u. Kn. Rn. Dü.] zu wirken, wendet man [Rk. hc. sp. stzd., 2 A. Strg. (P. W.) u. (G. W.), zgl. 2 Hd. Fag. u. Kn. Rn. Dü.] an; und wirkt auf solche Weise sogleich auch gegen die Relaxation der antagonistischen Schultermuskeln. Eine andere Verstärkungsweise der duplicirten Relaxation- und Retraction-widrigen Bewegungen besteht darin, dass man dieselbe Muskelfasergruppe zuerst noch stärker dem pathologischen Zustande, an dem sie leidet, zu nähern sucht, und darauf erst die dem Zustande widersprechende Bewegungsform folgen lässt. Zum Beispiel, um den Retractionszustand der vorderen Oberschenkel-Muskel-Längsfasergruppe zu heben, wendet man: [H. fa. bg. sth., Or. Sch. Bu. (G. W.) u. Strg. (P. W.), zgl. Kn. u. Kz. Fag.] an; eine Bewegungsform, deren erste Hälfte alle jene Fasern in Concentricität versetzt, woraus sie aber ohne Pause in die dienliche Excentricität übergehen. In der Continuität der beiden Bewegungshälften liegt die Erhöhung der physiologischen Wirkung der letzteren Hälfte. (S. Lehrbuch der Leibesübung Bd. II. S. 50, und Muskelleben S. 154.)

§. 113. Eine andere Verstärkungsweise der Retractions- und Relaxations-Curart besteht in der Verbindung von duplicirten Bewegungen mit rein passiven, und namentlich mit Punktirungen, Hackungen, Klatschungen, Klopfungen, Knetungen, Walkungen,

4 *

Streichungen, Nervendrückungen u. s. w. Wird diese Zusammensetzung der Art gewählt, dass die duplicirte Muskelfasergruppe von dem Orte der Applicirung der rein-passiven Bewegung sehr entfernt liegt: so geschieht die Verstärkung der physiologischen Wirkung nur in sofern, als dieselbe überhaupt über einen grösseren Theil des Körpers ausgedehnt wird. Hieher gehören die Bewegungsformen, in denen die rein-passive Bewegung auf das zunächst leidende Organ applicirt wird, welches z. B. im Kopfe sich befinden soll, während die duplicirte Bewegung eine der Füsse, der Unterschenkel, oder höchstens der ganzen Beine ist. Auf solche Weise wird das Blut- und Nervensystem des ganzen oder doch des grösseren Theils des Körpers zu Hülfe gerufen, um durch seine Verbindung mit den Blutgefässen und Nerven des leidenden Organs heilend zu wirken. Solche Bewegungen sind zum Beispiel: Hb. lgd., B. Er. (G. W.) u. Sen. (P. W.), zgl. F. Fag., zgl. K. ls. Hak. (m. l. Hd.); oder: H. fa. so. f. inw. sth., B. Wch. asw. Dh. (G. W.) u. (P. W.), zgl. F. Fag., zgl. 2 Ag. Pug. (r. so., r. F. inw., r. F. Fag.)

§. 114. Fällt dagegen bei solchen zusammengesetzten Bewegungsformen der Ort der duplicirten Muskelgruppe mit der Applicationsstelle der Passivbewegung zusammen, so geschieht eine Localisirung der physiologischen Wirkung (§. 99 und 105), mit localer Steigerung derselben. Solche Bewegungen sind zum Beispiel: K. sf. rf. b. hb. lgd., K. Wch. S. Bu. (P. W.) u. (G. W.), zgl. K. q. Hak. (von einem Ohr zum andern m. l. Hd.), zgl. K. Fag. u. 2 Ach. Fag. [k. r. sf., K. L. S. Bu. (P. W.) u. K. R. S. Bu. (G. W.)]; oder: Vw. lgd., R. Ur. Sch. Wch. Bu. (G. W.) u. (P. W.), zgl. F. Fag., zgl. R. Tibial-N. Dü. (m. r. Hd. in der rechten Kniekehle).

§. 115. Auch active Halbbewegungen, ja die gewöhnlichen Passivbewegungen allein können einigermassen zur Ausführung der Retractions- und Relaxations-Curart dienen. Die activen Halbbewegungen sind stets als solche zu betrachten, die nicht auf die Retraction oder Relaxation einer Muskelgruppe gesondert, sondern stets, wenn auf die Retraction der einen, auf die Relaxation der andern, antagonistisch damit verbundenen, Muskelgruppe wirken werden; und daher um so genauer ausgewählt sein wollen. Die gewöhnlichen Passivbewegungen, wie z. B. passive Rollungen, passive Beugungen und Streckungen der Glieder zugleich mit Ziehungen in einer Richtung und Nachlass in der andern können allenfalls bei Retractionen der Gelenkapparate gebraucht werden. Beispiele von activen Halbbewegungen sind: Rk. sch. lh. sth., act. 2 A. Strg. (i. v. E.) (im Ganzen 9 M.); oder: Str. so. he. sth., act. B. Rc. Z. (3 M. mit jedem Beine). Erstere Bewegung wirkt auf die Retraction der Brust- und Relaxation der Schultermuskeln; die letztere auf die Retraction der vorderen Bein- und Relaxation der hinteren Beinmuskeln. Bei allen activen Halbbewegungen ist aber auf das Genaueste der Modus der Ausführung zu beachten, damit sie nicht Ganzbewegungen und noch weniger unregelmässige und schnelle werden. (S. Lehrbuch der Leibesübung Bd. II, S. 16.) — Als Beispiel passiver Bewegungen kann man anführen: Sr. hb. lgd., ps. 2 A. Ro., zgl. Z., zgl. 2 Hd. Fag. Die Stellung ist hiebei schon eine solche, dass bei Retractionen des Gelenkapparates des Schultergelenks eine Dehnung der unteren und vorderen Bänder dieses Gelenks stattfinden wird, die durch die mit Ziehung verbundene Rollung einigermassen verstärkt werden kann. Natürlich wird solchen Passivbewegungen einige Unsicherheit des Erfolgs immer nicht abzusprechen sein.

§. 116. So wie nun die duplicirten und activen Bewegungen auf die Retractionen und Relaxationen der Muskeln wirken, so auch auf die der darunter liegenden und in den Körperhöhlungen selbst tief verborgenen Organe; wenn dieselben, wie oben §. 26 fgde. auseinander gesetzt wurde, von Retractionen oder Relaxationen, sei es primär, sei es secundär, ergriffen wurden. Dass die ersteren pathologischen Processe, zu denen namentlich die meisten Verkrümmungen des Rückgrats zu gehören pflegen, für die heilorganische Behandlung sich eignen, war schon längst von dem ärztlichen und auch nichtärztlichen Publicum entschieden. Dagegen aber können selbst Aerzte oft noch schwer begreifen, dass den sogenannten innern, chronischen Uebeln meistentheils auch Retractionen und Relaxationen zum Grunde liegen, und dass sie schon deshalb für die heilorganische Behandlung sich auch eignen (§. 477 fgde.).

§. 117. Zu den nach dem physiologischen Processe, den sie hervorbringen, eingetheilten Curarten, die nun noch zu besprechen sind, rechnet man: 1) die rückbildende, 2) die neubildende, 3) die ableitende Curmethode. Die letztere zerfällt noch in eine arteriell- und eine venös-ableitende. 4) gehört hieher die nervenstärkende oder Od-Curart.

10. Die neubildende Curart.

§. 118. Die neubildende Curmethode nennt man auch die arterielle. Denn sie besteht ihrem eigentlichen Wesen nach darin, dass der arterielle Theil der Capillaren dabei stärker wie gewöhnlich mit Blut erfüllt, ja dass selbst derselbe auf Kosten des venösen verlängert und vergrössert wird. Hiemit ist ein vermehrter Austritt von Plasma ins Gewebe, und hiemit eine Beförderung der Neubildung verbunden, weil nur in dem arteriellen Theile des Capillarsystems diese Processe stattfinden. Zur arteriellen Curmethode gehören nun die Spannhaltungen, die duplicirt-excentrischen, bestimmte passive und bestimmte active Bewegungen.

§. 119. Die Spannhaltungen für sich allein ohne Bewegungen einzelner Glieder gebraucht, sind ihrem physiologischen Effecte nach durchaus neubildend; jedoch immer so allgemein, dass, wo es darauf ankommt, speciell auf ein Organ der Art einzuwirken, die Spannhaltungen allein sich als unzureichend erweisen. — Was die duplicirt-excentrischen Bewegungen einzelner Glieder betrifft, so sind dieselben dagegen um so stärker und specieller neubildend, obwohl die damit verbundene Körperhaltung der übrigen Glieder stets, und wäre sie vor Eintritt der Bewegung die reinste Spannhaltung, in eine Stemmhaltung verwandelt wird. Ist dieselbe schon eine Stemmhaltung an sich oder vor dem Eintritt der Gliederbewegung, so wird sie durch dieselbe in ihrer resorbirenden Wirkung noch erhöht. Hiemit ist aber wieder antagonistisch auch eine Erhöhung der neubildenden Wirkung der duplicirt-excentrischen Gliederbewegung verbunden. Momentan und kurze Zeit angewandt, ist die duplicirt-excentrische Bewegung eines Gliedes (eines Organs) eine solche, die für einen Augenblick das arterielle Blut stärker dorthin strömen macht; längere Zeit aber oder Wochen und Monate lang täglich einige Male wiederholt, wird dadurch eine Vermehrung der Capillarschlingen, eine Neubildung arterieller Capillarwege hervorgebracht, und somit dauernd die Euphorie eines Organs gehoben werden. Beispiele solcher Bewegungen sind: 1) Hb. spr. sp. sth., A. sw. afw. Füg. (P. W.), zgl. spr. Hd. Fag.; 2) Spr. str. sp. sch. Ih. sth., A. sw. afw. Füg. (P. W.), zgl. spr. Hd. Fag., zgl. str. Hd. Nr. Dü.; 3) Spr. snn. sp. sth., A. sw. afw. Füg. (P. W.), zgl. spr. Hd. Fag.; 4) Snn. kl. so. hc. sth., B. Rc. Z. (P. W.), zgl. so. F. Fag., u. kl. Hd. Nr. Dü.; 5) Str. smm. spr. bg. sp. sth., A. sw. afw. Füg. (P. W.), zgl. spr. Hd. Fag.; 6) Str. smm. str. bg. so.

sth., B. Re. Z. (P. W.), zgl. str. Hd. Nr. Dil., u. so. F. Fag. Bei diesen Beispielen sind von 1 bis 6 die Haltungen des übrigen Körpers immer stärker und stärker ausgebildete Stemmhaltungen, und die damit verbundenen duplicirt-excentrischen Bewegungen immer stärker und stärker arteriell oder neubildend für das bewegte Glied (den Arm, das Bein) wirkende.

§. 120. Die reinen Passivbewegungen, wie die Punktirungen, Hackungen, Klatschungen, Klopfungen, Streichungen, Nervendrückungen u. s. w. werden selten allein, sondern gewöhnlich in Verbindung mit duplicirt-excentrischen Bewegungen (§. 113) und der Art angewandt, dass der Ort ihrer Application in den Bereich der duplicirt-excentrisch-erregten Muskelfasergruppe fällt. Auf solche Weise wird eine Erhöhung der neubildenden Wirkung der Bewegung und zugleich eine Localisirung derselben zu Wege gebracht. Werden Rein-Passivbewegungen allein, nicht aber in Verbindung mit duplicirt-excentrischen gebraucht, so müssen natürlich die organischen Gewebe, die sie betreffen, durch die Körperstellung wenigstens gedehnt sein. Zum Beispiel: Str. bg. h. vw. lgd., Ha., zgl. 2 Ur. Sch. rs. Fag., zgl. Ru. ls. q. abw. Hak. (m. l. Hd.) Beispiele der Verbindungen sind: So. hb. lgd., B. Scn. (P. W.), zgl. so. F. Fag., zgl. Uth. Kla. (m. l. Hd.); oder: K. sf. rf. b. hb. lgd., K. S. Bu. (P. W.), zgl. K. Fag., 2 Ach. Fag., u. Hs. S. abw. Hak. [k. r. sf., K. L. S. Bu., R. Hs. S. Hak. (m. l. Hd.)]

§. 121. Die Neubildung in sehnigen, aponeurotischen Häuten, und namentlich in den Ligamenten der Gelenke und dem Synovial, apparate, wird zunächst und am bestimmtesten durch passive Rollungen, Spannungen, Ziehungen bewirkt, so dass auch derartige Bewegungen zur neubildenden Curmethode gerechnet werden können. Zum Beispiel: Sr. hb. lgd., 2 A. ps. Ro., zgl. Z., zgl. 2 Hd. u. 2 Ach. Fag.

§. 122. Die activen Halbbewegungen können natürlich nur mit der einen Hälfte neubildend sein. Sie müssen daher so eingerichtet werden, dass sie mit ihrer excentrischen Hälfte die Organe umfassen, in denen die Neubildung gerade erregt werden soll. Ihre Wirkung kann durch die Körperstellung gehoben oder geschwächt werden, je nachdem dieselbe eine Stemm- oder Spannhaltung ist, nach den Principien, die bei den Duplicirt-Bewegungen (§. 119) schon auseinander gesetzt wurden. Dem tief eingreifenden Effecte dieser kommen sie aber darum doch noch lange nicht gleich. Beispiele solcher activen Halbbewegungen sind: Rk. fl. lg. stzd., act.

2 A. Strg. (4 M.), zgl. 2 Ur. Sch. rs. Fag.; oder: Str. rf. 2 so. hc. lgd., act. 2. B. Sen. (4 M.), zgl. 2 Hd. Fag.; oder: H. smm. bg. so. stb., act. B. Sen. (3 M. mit jedem Beine). Im ersteren Beispiele wird die Neubildung den vorderen Theil des Brustkastens, also Pectoralmuskeln, Lungen, Herz, im zweiten und dritten Beispiele die vordere Hälfte des Unterleibes und der Beine umfassen. Natürlich ist dabei nöthig, dass die feste Körperhaltung bei Wiederholung der Bewegung verlassen werde, und erst mit dieser wieder eintrete. (S. Lehrbuch der Leibesübung Bd. II. S. 16.) Die erste und zweite Bewegung, da sie mit einer Spannhaltung, also einer arteriell-wirkenden, verbunden ist, wird schwächer an neubildender Wirkung überhaupt sein, als die dritte, die mit einer Stemmhaltung, einer venös-wirkenden, und daher die Neubildung der Bewegung erhebenden verbunden ist.

§. 123. Die neubildende Curmethode braucht man zur Kräftigung und Wiederherstellung atrophischer Organe; paralysirter Nerven; retrahirter, sehniger Häute; bei anämischen, ödematösen, hydropischen Zuständen; daher überhaupt bei folgenden speciellen Krankheiten: bei Paralysen, sowohl centralen, als peripherischen; bei Dispositio apoplectica; bei Amaurose; Ohrensausen; bei Schwindel, Gedächtnissschwäche; bei Veitstanz, krampfhaften Beschwerden, überhaupt bei Epilepsie; bei Lungenphthise, selbst tuberculöser; bei Herzatrophie, bei Herzpalpitationen aus diesem Zustande; bei Chlorose, Scrophulose; bei Verdauungsbeschwerde, Leibesverstopfung, Atrophie der Unterleibsorgane; bei Paralyse der Harnblase; bei Impotenz, bei Sterilität; bei zögernder Menstruation junger Mädchen; bei Scoliose; Pes varus und valgus u. s. w. Diese Curart darf in den erwähnten Krankheiten, aber selten im Beginne der heilorganischen Behandlung angewandt werden, vielmehr erst im Verlaufe und besonders nachdem die rückbildende Curart schon vorhergegangen ist. Ueberhaupt darf sie in einem heilorganischen Recepte nicht zu sehr vorherrschen. Man kann sie auch eine Secretion befördernde oder Hitze machende Curart nennen.

II. Die rückbildende Curart.

§. 124. Die rückbildende, venöse oder resorbirende Curart besteht ihrem eigentlichen Wesen nach in einer Beförderung des Rückflusses des Blutes aus dem venösen Theile des Capillarsystems, und dauernd angewandt in einer Vermehrung der

Spannkraft dieser Gefässe, daher in einer dauernden Verringerung des Lumens derselben. Hiedurch muss das Aufsaugungs- oder Resorptionsvermögen derselben gesteigert werden. Zur venösen Curmethode gehören nun: die Stemmhaltungen; die duplicirt-concentrischen; bestimmte, passive Bewegungen; sowie bestimmte, active Halbbewegungen.

§. 125. Die Stemmhaltungen sind stets und bleiben stets, auch wenn sie mit duplicirt-ex- oder concentrischen Bewegungen verbunden werden, rückbildend; ja werden es hiedurch noch mehr. Ausserdem verwandeln sich aber auch alle Spannhaltungen, selbst die reinsten, wie die freistehenden, durch Bewegungen, die damit verbunden werden, in schwächere oder stärkere Stemmhaltungen. Man kann daher die allein gebrauchten Stemmhaltungen, sowie alle activen Körperstellungen mit Bewegungen als zur rückbildenden Curmethode gehörend ansehen.

§. 126. Die duplicirt-concentrischen Bewegungen wirken rückbildend, und gehören daher zur rückbildenden Curmethode. Bei ihnen findet jedoch ein umgekehrtes Verhältniss wie bei den duplicirt-excentrischen Bewegungen (§. 119) statt, so dass also je mehr die damit verbundene Körperstellung sich der freien Spannhaltung nähert, und von der Stemmhaltung entfernt, um so mehr die Wirkung der duplicirt-concentrischen Bewegung erhöht wird; im entgegengesetzten Falle aber bei der stärksten Stemmhaltung sich trotz dieser oder eigentlich durch diese vermindert. Es ergiebt sich nämlich leicht aus dem Gesetze der Synergie und des Antagonismus, dass gleichwirkende Körperhaltung und Gliederbewegung sich schwächen, ungleiche sich stärken müssen. Zum Beispiel: H. fa. k. kmm. schu. sth., K. Rc. Bu. (G. W.), zgl. K. u. Ach. Fag. wirkt stärker resorbirend auf den Kopf, und namentlich den Hinterkopf, als: H. smm. k. kmm. rf. bg. schu. sth., K. Rc. Bu. (G. W.) Dagegen ist bei der letzteren Bewegung die resorbirende Wirkung für den ganzen Körper grösser, bei der ersteren geringer.

§. 127. Die reinen Passivbewegungen, wie die Punktirungen, Hackungen, Klatschungen, Klopfungen, Streichungen, Nervendrückungen u. s. w. werden selten allein, sondern meistentheils in Verbindung mit duplicirt-concentrischen Bewegungen und der Art angewandt, dass der Ort ihrer Application in den Bereich der duplicirt-concentrisch erregten Muskelfasergruppe fällt. Auf solche Weise wird eine Erhöhung der rückbildenden Wirkung der Bewegung, und zugleich eine Localisirung derselben zu Wege gebracht (§. 113). Werden Rein-Passivbewegungen allein, nicht aber mit duplicirt-concentrischen verbunden, gebraucht: so müssen natürlich die organischen Gewebe, die sie betreffen, durch die Körperstellung wenigstens im erschlafften, nicht gedehnten Zustande sein. Zum Beispiel: Hk. hb. lgd., Solargfl. N. Dü. (m. ngn. Hd.) Beispiele der Verbindung sind: Rh. w. tf. ug. schu. sch. gg. sth., Rf. Wch. Dh. (G. W.), zgl. 2 Ebg. Fag., u. Rn. ls. afw. Hak. (m. r. Hd.); oder: Hb. spr. hb. lgd., A. Wch. vw. afw. Füg. (G. W.) u. vw. abw. Füg. (G. W.), zgl. spr. Hd. Fag. u. Br. Hä. afw. Kla. (r. spr., L. Br. Hä. Kla., m. l. Hd.)

§. 128. Die Rückbildung in Ligamenten, Gelenkapparaten u. s. w. lässt sich nur unvollkommen durch passive Bewegungen, z. B. Rollungen, bewirken, weil dieselben immer mit Ziehungen müssen verbunden sein, wenn sie regelmässig ausgeführt werden sollen; ein Umstand, der ihre neubildende Wirkung immer vorherrschend macht. Allenfalls könnten Knetungen und Walkungen, in passiver Körperstellung vorgenommen, hieher gerechnet werden, obwohl auch sie mehr oder weniger, und wenn auch sehr local, ziehend und dehnend wirken werden, so dass ihre rückbildende Wirkung nur sehr getrübt zum Vorschein kommen wird.

§. 129. Die activen Halbbewegungen dagegen gehören wenigstens zur Hälfte stets zur rückbildenden Curart. Sie müssen für diesen Zweck der Art angestellt werden, dass sie mit ihrer concentrischen Hälfte die Organe umfassen, in denen die Rückbildung erregt werden soll. Ihre Wirkung kann durch die Körperstellung der übrigen nicht an der Bewegung Theil nehmenden Glieder erhöht, oder geschwächt werden, je nachdem dieselbe eine Spann- oder Stemmhaltung ist, nach den Principien, die bei den Duplicirtbewegungen schon auseinandergesetzt wurden. Diesen kommen jedoch die Halb-Activbewegungen an tief eingreifendem Effecte durchaus nicht gleich, was schon in den odischen Gesetzen und Polaritäten liegt, die der Gymnast dem Patienten dabei bietet. (S. Anhang.) Beispiele solcher activen Halbbewegungen sind: Hb. lgd., act. B. Er. (3 M. mit jedem Beine); oder: Str. smm. bg. sth., act. B. Er. (3 M. mit jedem Beine.) In beiden Beispielen wird die vordere Bein- und Unterleibshälfte in Rückbildung versetzt; jedoch ist an sich diese Wirkung im ersteren Beispiele eine stärkere, als im zweiten, weil in jenem eine Spannhaltung des übrigen Körpers [also eine neubildende, in Bezug auf die Bewegung ungleich wirkende], im zweiten eine Stemmhaltung [also eine rückbildende, mit der Bewegung gleichwirkende] vorhanden ist.

§. 130. Die rückbildende Curmethode findet eine sehr weite Anwendung in den meisten chronischen Krankheiten, wo mehr oder weniger zuerst die Rückbildung der krankhaften Producte zu erregen ist. Besonders im Beginne der heilorganischen Cur pflegt den meisten Patienten die rückbildende Curart besser als die neubildende zuzusagen. Selbst auch später kann die rückbildende immer noch Anwendung neben der neubildenden finden. Denn die letztere allein angewandt, und also in einem oder mehreren hinter einander von einem Patienten gebrauchten heilorganischen Recepten allein verordnet, pflegt immer nicht sehr zuzusagen. — Besonders und zunächst wird die rückbildende Curart bei Hypertrophie aller Organe; bei Spasmen; bei Neuralgien; bei chronischen Entzündungen; bei übermässigen Absonderungen, also bei chronischem Schnupfen, Husten, bei habitueller Diarrhoe, bei starkem und öfterem Menstruationsflusse u. s. w. anzuwenden sein. — Die rückbildende Curart kann man auch eine Secretion hemmende und Kälte machende Curart nennen.

12. Die ableitende Curart.

§. 131. Die ableitende oder derivatorische Curart zerfällt in eine arteriell- und venös-ableitende, in sofern dabei arteriell oder venös wirkende Bewegungsformen angewandt werden. Die derivatorische Curmethode, welche Säfte, sei es Blut, sei es Lymphe, sei es überhaupt parenchymatöse Bildungsflüssigkeit, wirklich aus dem Körper entfernt, und dadurch Organen den Ueberfluss der Säfte entzieht, gehört nur der medicamentösen, chirurgischen und andern Curmethoden an, und kommt in dieser Art in heilorganischer Praxis nie vor. Aber auch selbst eine solche derivatorische Curmethode, die Säfte dauernd in einem Körpertheile, einem Organe anhäuft, und dadurch einen benachbarten Körpertheil, ein benachbartes Organ davon dauernd befreit, kommt in diesem speciell genommenen Sinne in der heilorganischen Behandlung auch nicht vor. Wir wissen nämlich, dass bei den activen und duplicirten Bewegungen, sobald sie ordentlich ausgeführt werden, der an der Bewegung nicht Theil habende Körper doch in einer festen Haltung verharren muss; so dass also stets der ganze menschliche Organismus an der physiologischen Wirkung der Bewegung oder Haltung Theil nimmt. Die Vorstellung daher, dass, wenn man ein kleines, entferntes Glied bewege, man das Blut dadurch dahin ziehen, und aus den andern in Passivität verharrenden Gliedern und Organen gleichsam auspumpen könne: diese Vorstellung ist für die langsam und harmonisch ausgeführten activen und duplicirten Bewegungen durchaus eine irrige.

§. 132. Nur für die wenigen Passivbewegungen in Passivstellungen applicirt, dürfte eine solche Vorstellung allenfalls passend sein. Da nun aber diese Bewegungsformen auf das Blut- und überhaupt Säftesystem gerade nur sehr wenig einwirken; die Rein-Passivbewegungen, der Art gebraucht, grösstentheils nur auf die Nervenmasse zunächst einen Einfluss haben: so verliert die speciell ableitende heilorganische Curart hiernach immer mehr an Terrain. Es war die Annahme, dass im Gegentheil diese Methode ein sehr grosses Gebiet habe, gerade eine, die aus rein mechanischer, nicht organischer Auffassung des Lebensprocesses hervorging; und daher unter den Aerzten, die sich nicht näher mit Heilorganik beschäftigten, viel Anklang fand. Dennoch kann sie vor einer genauen Erforschungsweise der physiologischen Wirkung nicht bestehen, und muss daher in Hinsicht der duplicirten und activen Halbbewegungen folgender geläuterten Ansicht Platz machen.

§. 133. Es ist schon erwähnt worden, dass besonders bei den Duplicirt- und einigermassen auch bei den activen Halbbewegungen die arterielle oder venöse Wirkung der Körperstellung die gleiche oder ungleiche Wirkung des duplicirt oder activ bewegten Gliedes erhöhen oder schwächen muss. Hiernach wird man die arteriell oder venös ableitende Bewegung in Bezug auf einen angrenzenden oder mehr entfernten Körpertheil beurtheilen können. Es wird also bei den Bewegungen viel weniger darauf ankommen, dass das bewegte Glied von dem Organe, das vom Säfteüberfluss durch die Bewegung befreit werden soll, entfernt sei, als dass das Organ durch die Körperstellung in eine entgegengesetzte oder überhaupt passende physiologische Wirkung gebracht werde, damit das bewegte Glied speciell für das venöse oder arterielle Blut ableitend wirken könne; und zwar dadurch, dass es selbst in seinen Geweben arterielle oder venöse Anfüllung des Capillarsystems erregt.

§. 134. In sofern bei den arteriell wirkenden, duplicirt-excentrischen (und activen Halb-) Bewegungen, und bei der damit verbundenen stärkeren oder schwächeren Stemmhaltung der Gegensatz der Arteriellität des bewegten Gliedes und der Venosität des übrigen Körpers leichter und bestimmter hervorzurufen ist; und in sofern arterielle Anfüllung des entfernten, bewegten Gliedes, und

Venosität oder verstärkte venöse Resorption in dem Organe, das an Vollsäftigkeit leidet, eine doppelseitige Herabsetzung (venöse und arterielle) der Säftemasse in demselben hervorbringen muss: in sofern ist die arteriell-ableitende Curmethode (zumal durch speciell wirkende duplicirt-excentrische Bewegungen bei starken Stemmhaltungen bewirkt) die vorwaltend ableitende.

§. 135. Die venös-ableitende Curmethode, selbst durch duplicirt-concentrische Bewegungen bei freien Spannhaltungen des Körpers ausgeführt, bringt doch nur einen geringen Gegensatz der schwächeren Arteriellität des vollsäftigen Organs, und der stärkeren Venosität des bewegten Gliedes hervor. Da nun überhaupt hier es zunächst auf Erregung von Resorption ankommt, und hierdurch nur allein eine Verminderung der Säftemasse des Organs bewirkt werden kann: so wird es hiebei zweckmässiger sein, die Erregung eines Gegensatzes aufzugeben, und nur auf stärkere allgemeine Körperresorption hinzuwirken. Diese aber wird durch duplicirt-concentrische Bewegung des vollsäftigen Organs selbst, bei Stemmhaltung des übrigen Körpers am stärksten hervorgerufen werden.

§. 136. Als Beispiel wollen wir eine Plethora der Kopforgane annehmen, für welche 1) arteriell ableitend wirken: Hb. lgd., Ur. Sch. Wch. Bu. (P. W.) u. Strg. (P. W.), zgl. Kn. u. F. Fag.; oder: H. fa. so. (sg.) sth., B. Weh. Re. Z. (P. W.) u. V. Z. (P. W.), zgl. so. (sg.) F. Fag.; oder: Str. smm. bg. so. sth., B. Sen. (P. W.) (i. v. E.), zgl. so. F. Fag.; oder: H. smm. bg. sb. sth., B. sw. Sen. (P. W.), zgl. sb. F. Fag., zgl. K. ls. u. q. Hak. (m. l. Hd.) — Beispiele 2) venöser Ableitung für die Kopforgane sind: Hb. lgd., B. Er. (G. W.), zgl. F. Fag.; oder: H. hb. lgd., B. Er. (G. W.) (i. v. E.), zgl. F. Fag. u. 2 Hd. Nr. Dü.; oder: H. spr. he. sp. stzd., A. sw. afw. Füg. (G. W.), zgl. spr. Hd. Fag., zgl. h. hd. Nr. Dü.; oder: H. smm. k. kmm. rf. bg. schu. sth., K. Re. Bu. (G. W.), zgl. Hrk. u. Ach. Fag. — Sowohl die arteriell, wie venös wirkenden, als Beispiele angeführten Bewegungsformen sind demgemäss geordnet, dass sie von der schwächeren zur stärkeren Wirksamkeit vorschreiten.

§. 137. Die ableitende Curart wird beim Beginn der heilorganischen Behandlung eines Kranken, und dann überhaupt gebraucht, wenn das leidende Organ in einem so starken, chronisch entzündlichen oder überhaupt hyperämischen Zustande befindlich; oder wenn es neuralgisch so afficirt ist, dass es nicht passend erscheinen dürfte, dasselbe unmittelbar in Bewegung zu setzen. Alsdann wählt man namentlich die arteriell-ableitenden Bewegungsformen, oder die schwächeren der venös-ableitenden. Jedoch haben natürlich andere Curmaximen dabei immer mitzusprechen, so dass von der grob materiell aufgefassten, auspumpenden Curart, wie sie die Kindheit der Heilorganik und namentlich auch selbst die Schüler Ling's noch annahmen, nicht die Rede weiter sein kann.

13. Die nervenstärkende oder speciell odische Curart.

§. 138. Da das Nervensystem mehr oder weniger alle organischen Vorgänge vermittelt, so musste dasselbe auch bei den bisher erwähnten Curmethoden stets in seiner Innervationsströmung als motorische, sensible, sensuelle, vasomotorische und vasosensible u. s. w. gefördert werden. Man kann daher in weiterem Sinne jede heilorganische Curmethode, in sofern sie einen pathologischen Process zu heben sucht, eine nervenstärkende nennen.

§. 139. Das Od ist als Biod mit der Innervation so innig verbunden, und wir wissen so viel mehr von der Wesenheit des Biod, als von der Innervation (der Nervenkraft an sich, wohl verstanden noch zu unterscheiden von der mikroskopischen Kenntniss der Nerven), dass man, wie überall bei Anwendung der Heilorganik, von einer Innervations-, so auch überall von einer odischen, oder biodischen Curart sprechen kann. Ausserdem aber darf man noch eine besondere nervenstärkende, Innervations-, oder biodische Curart annehmen, zu der zunächst gehören werden: die rein-passiven Bewegungen, als die Erschütterungen, Nervendrückungen, Klatschungen, Hackungen, Klopfungen, Schlagungen u. s. w., bei denen das Biod eine die Wirkung durchaus bestimmende Rolle spielt. Im weiteren Sinne gehören aber auch noch dazu: die duplicirten Bewegungen, in sofern das Biod zweier Menschen dabei zusammentrifft, und dadurch soretische und nemetische Anstauungen und Verladungen von Biod erfolgen. Auch die activen Halbbewegungen, da sie Muskelwirkungen eines Menschen sind, und darum für diesen wenigstens die Odströmungen erhöhen, können allgemein, und wie oben (§. 138) erwähnt, allenfalls auch zu der odischen Curmethode gerechnet werden. (Siehe Anhang über die Odlehre Reichenbach's.)

Die heilorganische Praxis im Allgemeinen.

§. 140. Nachdem im Allgemeinen die Principien der heilorganischen Cur aufgestellt sind, ist es nun noch nöthig, in Hinsicht der praktischen Ausführung derselben, im Allgemeinen zu besprechen: 1) die Anfertigung des heilorganischen Recepts; 2) die Anstellung der Gymnasten; 3) die Einrichtung eines Cursaals; 4) die Curstunde; so wie 5) die Verhältnisse des Patienten in und ausser derselben.

I. Das heilorganische Recept.

§. 141. Da die Vorschrift des medicamentösen Arztes, die den Apotheker anweist, bestimmte Medicamente zum Gebrauche für den Patienten zuzubereiten, Recept heisst, so hat man der Vorschrift des heilorganischen Arztes, welche den Gymnasten anweist, bestimmte Bewegungsformen mit dem Patienten durchzuüben, den gleichen Namen gegeben. Auch die Form desselben ist übereinstimmend mit dem medicamentösen Recepte, indem man die 10—12 Bewegungen, die gewöhnlich als tägliches Pensum vom Patienten durchgeübt werden müssen, auf ein einige Zoll breites und handlanges Papierblatt zu schreiben pflegt. Ehe aber ein solches Recept aufgesetzt werden kann, muss der Patient nach der Methode, die unter heilorganischer Diagnose §. 67 fgd. angegeben ist, und die im Uebrigen der gewöhnlichen Untersuchungsart wissenschaftlicher Aerzte folgt, nur dass noch dabei die Erforschung der Retractions- und Relaxationszustände der Muskeln und übrigen Organe hinzukommt, untersucht werden. Ist der Patient ein solcher, der erst in die heilorganische Behandlung eintritt, und soll daher das erste Recept für ihn aufgesetzt werden: so muss die ärztliche Untersuchung natürlich mit um so grösserer Sorgsamkeit und in um so grösserer Ausdehnung geschehen. Allein auch später, wenn, wie es gebräuchlich und nöthig ist, nach Verlauf von 3—4 Wochen ein neues heilorganisches Recept aufgesetzt werden soll, muss eine erneuete Untersuchung des Patienten in Hinsicht seines Krankheitszustandes überhaupt und speciell der während der heilorganischen Cur eingetretenen Veränderungen desselben vorgenommen werden, ehe das zweite oder eins der folgenden heilorganischen Recepte aufgesetzt werden kann.

§. 142. Bei sehr geschwächten Patienten, bei denen das erste Recept gewöhnlich nur wenige und sehr schwach wirkende Bewegungsformen enthalten muss, damit es nicht zu sehr angreife, pflegt man wohl, sobald der Patient das Auffallende und Frappante der Cur überwunden hat, ein neues Recept, und dieses daher öfters schon nach 8 oder 14 Tagen ohne oder nach erneueter Untersuchung des Patienten aufzusetzen.

§. 143. Was das Formelle des Recepts betrifft, so setzt man als Ueberschrift desselben gewöhnlich eine römische Zahl, I, II, III u. s. w., oder 1te, 2te, 3te Behandlung, um zu wissen, das wievielste Recept des Kranken das ist, welches er gegenwärtig braucht; und während des Verlaufes seiner Curzeit gebraucht hat. Ferner schreibt man den Namen des Kranken und des Ortes der Ausstellung, so wie den Tag des beginnenden Gebrauchs des Recepts als Ueberschrift daneben. Nun folgen die verordneten Bewegungsnamen, die man mit 1, 2, 3 u. s. w. numerirt, damit sich Gymnasten und auch die Patienten selbst danach richten, und wenigstens die Zahl der Bewegungen, die sie gemacht haben, im Gedächtnisse behalten können. — Da es theils sehr viel Zeit und Raum erfordern, theils die Uebersicht nicht erleichtern, ja sogar bedeutend erschweren würde, wenn man alle Bewegungen, die dem Patienten verordnet werden, mit ihren langen Namen auf dem Recepte vollkommen ausgeschrieben hinsetzen wollte: so hat man seit dem Beginne der Heilorganik Abbreviaturen erdacht, die jetzt nun wohl ziemlich allgemein zur Receptschrift verwandt werden. Ein alphabetisch geordnetes Verzeichniss derselben, da ihre Zahl schon ziemlich bedeutend ist, findet sich, wie bei meinen anderen Schriften, so auch bei dieser, am Schlusse.

§. 144. Ein Recept, welches nur solche Bewegungen enthält, die der Patient allein, ohne Unterstützung von Gymnasten, üben kann, und das daher nur aus Haltungen oder activen Halbbewegungen zusammengesetzt ist, nennt man auch wohl ein diätetisches. Es ist dieses von einem turnerischen Uebungszettel jetzt noch gar sehr verschieden, wie z. B. aus einer Vergleichung der in Rothstein's gymnastischen Freiübungen II. Aufl., S. 132 fgd., enthaltenen Uebungszetteln, mit den im zweiten Abschnitt dieser Schrift aufgeführten diätetischen Recepten ersichtlich sein wird.

Doch ist zu hoffen, dass, je mehr das Turnen auf wissenschaftlicher Basis ausgebildet werden wird, um so mehr die turnerischen Uebungszettel den diätetischen Recepten sich nähern werden.

Beispiele von heilorganischen und diätetischen Recepten finden sich, wie erwähnt, in grosser Menge im II. Abschnitt dieser Schrift, daher hier darauf verwiesen wird.

§. 145. Diese Beispiele werden auch die beste Anweisung geben, wie heilorganische oder diätetische Recepte in den verschiedenen chronischen Krankheiten passend angefertigt werden müssen. Ausserdem geht dieses auch zum grösseren Theil aus den Principien, die bei den verschiedenen Curarten entwickelt wurden, schon hervor. Daher werden hier nur noch allgemeine Regeln aufgestellt werden, die einigermassen für die Mehrzahl der Recepte als Norm dienen, obschon sie durch den speciellen Fall oft eine bedeutende Abänderung erfahren, und überhaupt nicht als durchweg geltend betrachtet werden können.

§. 146. Erste Regel. Wo es irgend angeht, setzt man die schwächer wirkenden Bewegungsformen zu Anfange, die stärker wirkenden in die Mitte und wieder schwächer wirkende am Ende des Recepts.

Zweite Regel. Bei dem heilorganischen Recepte setzt man active Halbbewegungen zum Anfange, reine Haltungen ohne Bewegungen am Ende, und duplicirte in die Mitte.

Dritte Regel. Beim Anfange der heilorganischen Cur muss jedes Recept, ob es ein heilorganisches oder diätetisches ist, immer mehr schwächer als stärker wirkende Bewegungsformen enthalten. Dagegen zieht man die kräftiger wirkenden nach und nach mehr in Gebrauch, je nachdem der Kranke einen längeren Curplan zurückgelegt hat, und überhaupt stärker geworden ist; auch an schwieriger auszuführende Bewegungen sich mehr gewöhnt hat.

Vierte Regel. Man wechselt mit Bewegungen der verschiedenen Körpertheile so mannigfaltig wie nur möglich ab, und bringt, wenn der Krankheitsfall nicht einzelne Gliederbewegungen besonders verbietet, Kopf-, Rumpf-, Bein- und Armbewegungen in bunter Reihenfolge im Recepte an. Mit einer Beinbewegung beginnt man besonders gern das Recept.

§. 147. Fünfte Regel. Mit den Körperstellungen wechselt man bei den meisten Recepten viel weniger, weil die Localisirungscurmethode dieses theils verbietet, theils eben die zu wählenden Stellungen mehr vorschreibt. Die halbliegenden empfehlen sich besonders bei schwächlichen Patienten. Die diätetischen Recepte enthalten gewöhnlich mehr Stehstellungen, weil diese von einem Patienten allein gewöhnlich am leichtesten auszuführen, und durch ihn auch am besten zu controliren sind.

Sechste Regel. Man wechselt bei den activen und duplicirten Bewegungen mit längs-, spiral-, stern- und flächenfaserigen Bewegungsformen ab. Doch ist anzunehmen, dass die stern- und flächenfaserigen Bewegungsformen mehr für die späteren, die längs- und spiralfaserigen mehr für die ersten Recepte, die ein Patient durchübt, anzuwenden sind.

Siebente Regel. Entweder enthält das neue Recept keine Bewegungsform, die in dem früheren war, oder einzelne besonders zusagende und sehr beliebte, um deren Beibehaltung der Patient den Arzt ersucht, werden auch in das neue Recept mit herübergenommen; und zwar entweder unverändert, oder doch in anderer Körperstellung durchzuüben.

§. 148. Achte Regel. Alle 4 Wochen pflegt man mit den Recepten zu wechseln. Sind durch die vorherrschende Curart bestimmte Gliederbewegungen einmal vorgeschrieben, so wechselt man in dem neuen Recepte wenigstens mit den Körperstellungen. Dieses gebietet schon die Localisirungscurart an sich; und dann gewährt es den Vortheil, dass dadurch neue Muskelgruppen gebildet, und somit neue Systeme von Capillarschlingen und Nervenröhren in Thätigkeit gesetzt werden.

Neunte Regel. In den ersten heilorganischen Recepten, die ein Patient braucht, wendet man weniger Bewegungen an, die Verbindungen von Duplicirt- und Rein-Passivbewegungen sind, späterhin mehrere. Jedoch enthält nicht leicht ein Recept mehr, als vier dergleichen.

2. Der Cursaal.

§. 149. Ist der Patient in Hinsicht seines Leidens vom Arzte gehörig untersucht, und nun hienach ein heilorganisches Recept aufgesetzt worden: so kommt es darauf an, dasselbe mit dem Patienten pünktlich durchzuüben. Die Räumlichkeit, in der dieses geschieht, und die Vorrichtungen, die dieselbe haben muss, wenn das Recept gehörig ausgeführt werden soll, nennt man im Allgemeinen einen Cursaal. Ist die Zahl der Patienten 30, 40 und mehrere, die zu gleicher Stunde und an demselben Orte die Cur gebrauchen, so muss die Räumlichkeit natürlich ein wirklicher Saal, und zwar von möglichst grossen Dimensionen sein. Bei einer geringeren Zahl von Patienten kann aber auch eine Stube oder mehrere durch Flügelthüren verbundene Zimmer zu diesem Zwecke ausreichend sein.

§. 150. Bei einer grösseren Anzahl von Patienten, die zu gleicher Zeit die heilorganische Cur gebrauchen, ist es auch nöthig, dass der Arzt und Dirigent des Cursaals womöglich neben demselben gleich seine Wohnung habe. Sind aber nur wenige Patienten, z. B. zwei, drei, höchstens vier, die zusammen die Cur gebrauchen, und ist nur ein tüchtiger ausgelernter Gymnast zur Stelle: so ist es allenfalls auch gestattet, dass der Arzt entfernter vom Cursaale wohne, ja, dass er selbst in einer anderen Stadt, als worin der Cursaal liegt, seinen Wohnsitz habe. Natürlich muss in solchem Falle der Arzt wenigstens alle 4 Wochen oder auch öfterer eine Reise nach dem Orte des Cursaals unternehmen, um die Patienten von neuem zu untersuchen, und demgemäss die neuen Recepte aufzusetzen. Auch durch Briefe lässt sich allenfalls eine heilorganische Cur leiten. Jedoch ist hiebei nöthig, theils dass der Patient, der sie gebrauchen will, wenigstens längere Zeit vorher in einem ordentlich eingerichteten Cursaale die Cur kennen gelernt habe; theils dass in seiner Wohnung ein Cursaal einigermaassen eingerichtet sei; theils endlich, dass der Patient durch Schriften, die er besitzt, in der richtigen Beurtheilung der ihm zugesendeten Recepte unterstützt werde.

§. 151. Soll nun aber ein Cursaal für die gleichzeitigen Uebungen vieler Patienten wirklich eingerichtet werden, dann ist besonders noch folgendes dabei zu beachten.

§. 152. Die Grösse, die für einen solchen Saal nöthig ist, wird sich nicht im Allgemeinen bestimmen lassen, da je nachdem mehr Patienten denselben besuchen, er natürlich auch eine bedeutendere Ausdehnung haben muss. Doch dürfte wohl anzunehmen sein, dass selbst für wenige Patienten immer schon ein grösserer Saal nöthig ist, theils wegen der Menge der Geräthschaften, die sämmtlich in demselben auch bei wenigen Patienten vorhanden sein müssen, theils weil noch ein Raum übrig bleiben muss, der den Patienten mit einiger Bequemlichkeit auf- und niederzugehen gestattet. Es ist daher im Allgemeinen auch anzunehmen, dass für einen solchen Saal die Form eines nicht zu sehr gedehnten Oblongum eine bessere sei, als die eines vollkommenen Vierecks. Dass derselbe wo möglich im zweiten Stockwerke gelegen sei, oder doch so hohe Fenster habe, dass von aussen nicht der Neugierige hinein zu sehen vermöge, ist besonders bei dem Reize, den die gymnastischen Curstunden der weiblichen Patienten für neugierige Herren zu haben pflegen, sehr nöthig. — Wegen der leicht eintretenden

5*

Ueberfüllung eines solchen Saales mit Patienten, wegen der stärkeren Respiration und Haut-Perspiration derselben während der heilorganischen Bewegungen ist eine grössere Höhe desselben, so wie auch passende Ventilation in den Fenstern oder sonst wo angebracht, so dass sie frische Luft und doch keinen Zugwind auf den Fussboden des Saales, und also auf die Patienten und Gymnasten gehe, dringend nöthig. Im Winter trägt die Heizung, wenn sie durch Oefen geschieht, deren Feuerraum sich im Innern des Saales öffnet, schon zur Luftreinigung viel bei. — Eiserne Oefen mit längeren Röhren eignen sich besser als Kachelöfen für einen solchen Saal, weil durch erstere es möglich ist, schnell einen grösseren Raum zu erwärmen, und auch durch stetes Nachfeuern ihn für Stunden warm zu erhalten, was bei einem solchen Saale, der gewöhnlich nur während einiger Stunden des Tages im Gebrauche ist, doch nur verlangt wird. — Die Beleuchtung, wenn dieselbe während der Wintermonate und an kurzen Tagen nöthig wird, geschieht am zweckmässigsten durch eine oder mehrere an der Decke aufgehängte Lampen oder durch Kronleuchter. Im Winter ist es für die Patienten besonders angenehm, wenn der Saal nicht nach aussen gleich auf die Strasse, oder auch nur in einen ungeheizten Hausflur, vielmehr erst in ein Vorzimmer mündet, in dem Vorrichtungen sind, um die Mäntel, Paletots, Kopfbedeckungen, Stöcke, Degen u. s. w. unter der Obhut eines Thürhüters zu lassen. Wegen der Sommerhitze ist es zu wünschen, dass der Saal zumal in den Morgenstunden nicht zu sehr den Sonnenstrahlen ausgesetzt sei, und im Nothfall, dass dieselben durch dichte Vorhänge abgehalten werden können. Wegen der Einwirkung des Erdods auf die Patienten, und wegen der deshalb nöthig werdenden Stellung der Patienten mit dem Rücken, oder dem Kopfende (im Liegen) nach Norden ist es zu wünschen, dass die Wände des Saales genau nach den Weltgegenden gerichtet seien, so wie dass d i e Wand, welche die meisten oder alle Fenster enthält, gerade gegen Norden gelegen sei. — Besonders bei einer grösseren Anzahl von Patienten, und wenn auch Damen den Cursaal besuchen, ist es unumgänglich nöthig, dass an denselben ein oder mehrere kleinere Zimmer stossen, die als Aus- und Ankleidezimmer gebraucht werden können, und mit allerlei Bequemlichkeiten und Toilettengegenständen, als Spiegel, Waschtischen und dergleichen versehen sind.

§. 153. Der Cursaal muss ausser den zum eigentlichen Betriebe der Heilorganik nöthigen Geräthschaften einen oder mehrere in der Mitte oder an den Seitenwänden stehende Tische enthalten, auf denen die gymnastischen Recepte der Patienten, die zur Curstunde sich gerade eingefunden haben, ausgebreitet liegen; einen besonderen, der die Wasser-Trinkgefässe enthält; und ein Schreibepult mit den nöthigen Utensilien, um heilorganische Recepte nach Erfordern zu verändern, allenfalls auch neue schreiben zu können. Dasselbe muss auch mit verschliessbaren Schubladen versehen sein, um Turniquets, Nervenpressen und andere kleine Geräthschaften der Heilorganik sicher zu verwahren. — Die Geräthschaften, die für den Betrieb der Heilorganik unentbehrlich sind, dürften nun folgende sein.

§. 154. 1. Das Klappgestell oder die Klappe (Fig. 1). Dasselbe besteht aus einem niedrigen sophaartigen, aus Holz gefertigten Gestelle, an dem der grössere Theil der Sitzfläche aufzuklappen ist. Diese Klappe sowohl, wie der übrige Theil des Sitzbrettes, ist mit einem Polster bedeckt, welches nicht zu dick, auch in der Richtung der Charniere der Klappe eingenäht sein muss, damit es sich hier bequem einbiegen lasse. Ein Ueberzug von dunklem Zeuge, nämentlich dem sogenannten Rosshaartuche, ist ein nothwendiges Requisit, wenn das Polstergestell immer in sauberem Zu-

Fig. 1.

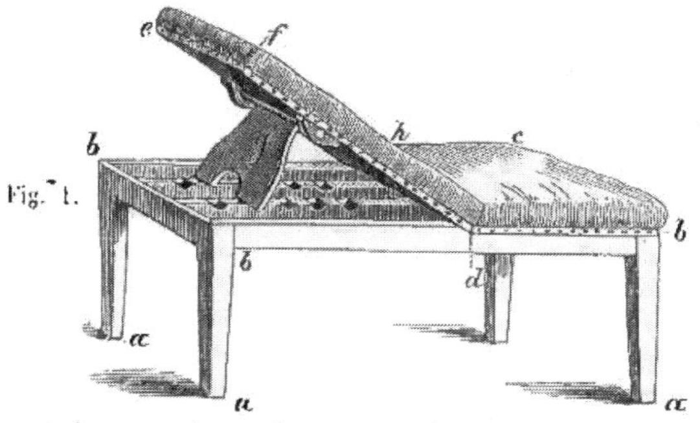

stande erhalten werden soll. — Auf der Klappe werden die Halb-Lieg- und Kniestellungen besonders und beinahe allein vorgenommen. Ausserdem wird sie auch zu Spalt-Sitz-, Lang-Sitz-, Fall-Sitz-, Vorwärts-, Rückwärts-Lieg-Stellungen ausnahmsweise gebraucht.[1])

1) Erklärung der Buchstaben der Figur 1. c b d f c das Polster; d b c h das feste Sitzbrett, 2 Fuss von h bis d lang; d f e die bewegliche und in der Figur aufgestellte Klappe, von d bis f $2\frac{1}{2}$ Fuss lang; g die Stütze der Klappe, welche in Vertiefungen zweier Längsbretter greift, und dadurch das hohe oder mehr liegende Stehen der Klappe bewirkt; h a, b a die Füsse des Klappgestelles, mit dem Polster 16 Zoll lang; b d b die lange Kante des Klappgestelles, $4\frac{1}{2}$ Fuss lang.

— Aeltere Damen lieben dieses Gestell, da es niedrig ist und sehr bequem sich besteigen lässt, gar sehr, auch erleichtert es bei langen Röcken die Ausführung der Bewegungen, indem eine Patientin, wenn sie an der schmalen Kante desselben sitzt, sehr wohl spaltsitzend sein und die Füsse auf dem festen Boden des Cursaales stützen kann, ohne ein besonderes Zerren an den Röcken hervorzubringen.

§. 155. 2. **Der Divan oder das hohe Polstergestell** (Fig. 2). Dasselbe ist ein sophaartiges, hohes, hölzernes Gestell, mit Fussbrettern und steigbügelartigen Riemen zum Befestigen der Füsse des darauf sitzenden Patienten. Ein Polster befindet sich auf der Oberfläche des Gestelles, das ebenfalls vollkommen befestigt sein kann. — Durch die mit seitlichen Leisten und mit Steigbügelriemen versehenen Fussbretter wird bei vielen Bewegungen, die die Patien-

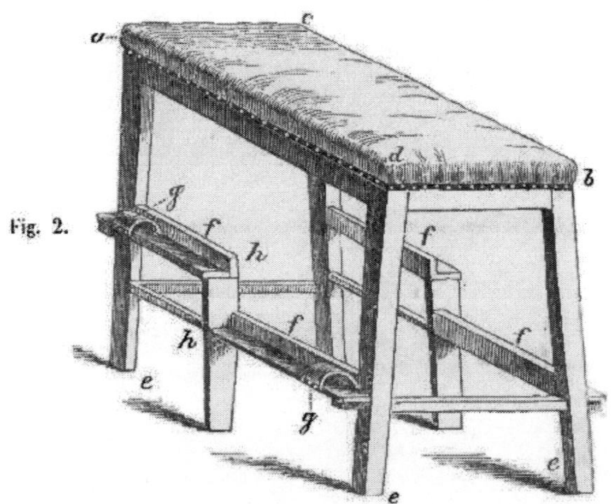

Fig. 2.

ten auf dem Divan unternehmen, der Beistand der blos haltenden Gymnasten mehr oder weniger überflüssig gemacht, indem durch solche Vorrichtungen der Patient schon allein seine Beine befestigen und unverrückt erhalten kann.[1])

---

1) Erklärung der Buchstaben in Figur 2. acbd das Polster: be, de, ae die Füsse des Divans, 2 Fuss 11 Zoll lang; hg, hg Fussbretter mit (g) Steigbügelriemen; f, f Seitenbretter der Fussbretter, um das Verschieben der Füsse nach der Seite zu hindern. Dieselben sind in verschiedener Höhe angebracht, um für kleinere und grössere Patienten mit kürzeren und längeren Unterschenkeln bequem zu sein.

Auf dem Divan werden die Spalt-Sitz-, Spalt-Fall-Sitz-, Lang-Sitz-, Vorwärts-Bein-Lieg- und Rumpf-Lieg-Stellungen besonders ausgeführt, nicht leicht aber knieende oder halbliegende. — Sowohl vom Divan als der Klappe müssen zwei bis drei Stück im Cursaale vorräthig sein, sobald die Zahl der Patienten auch nur bis auf 10 bis 12 steigt.

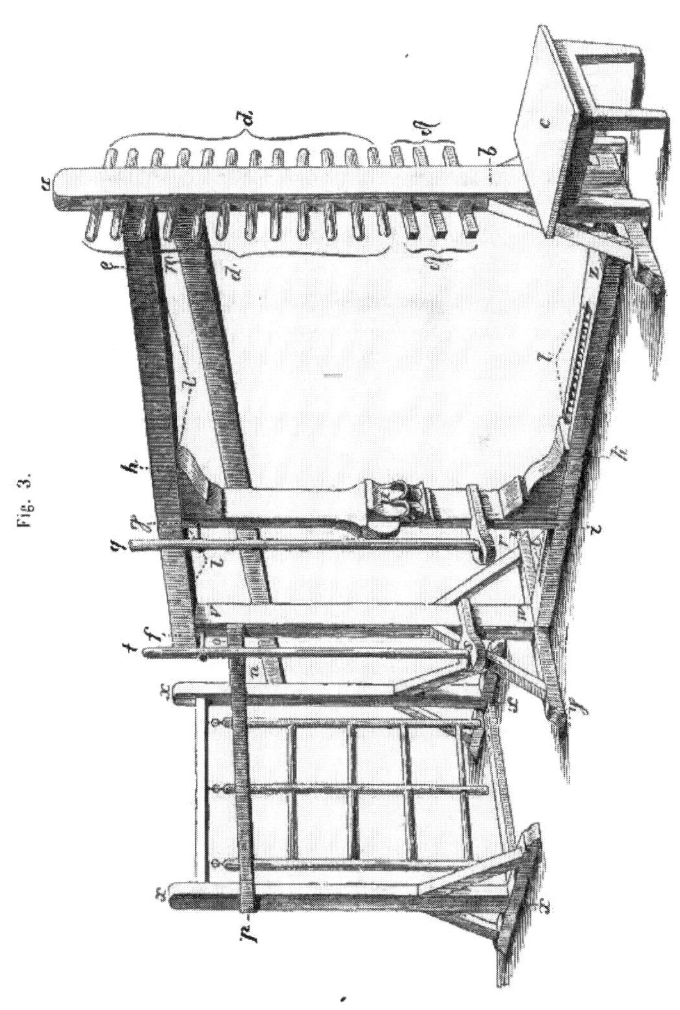

Fig. 3.

§. 156. 3. Das Spann-, das Stanggestell, der Sprossenmast, die Doppelleiter und der Hängebaum können, wie Fig. 3 zeigt, mit einander verbunden werden, und nehmen dann einen geringeren Raum ein. Der Sprossenmast (der Mast, Mastbaum, Sprossenpfahl des Spanngestells) a b, hat Sprossen (d d), die abgerundet und polirt sind, damit sie ohne Unbequemlichkeit von der Hand des Uebenden gefasst werden können, und andere (δ δ), gewöhnlich die drei untersten, die kantig und mehr abgeplattet sind, so dass der Fuss des Uebenden bequem darauf gestellt werden kann. Durch den angestellten kleinen Stuhl (c) wird das Hinaufsteigen des Uebenden auf diese Sprossen erleichtert.

Der Sprossenmast bildet zugleich einen Theil des Spanngestells, dessen zweiter beweglicher Pfahl mit g h i k, und dessen dritter Pfahl mit v w bezeichnet ist. Der obere (f e) und untere (w z) Querbalken verbinden die drei Pfähle des Spanngestells. In den Querbalken sind gezähnte eiserne Streifen (l) eingelassen, auf denen sich der bewegliche Pfahl (g h i k) bewegen kann. Derselbe ist nämlich so eingerichtet, dass am oberen und unteren Ende Eisenstäbe durch gespannte Stahlfedern stets hervorgetrieben werden, die in die Zähne der Streifen fassen. Es ist zugleich ein Messinggriff an der, in der Zeichnung nicht sichtbaren Seite des beweglichen Pfostens angebracht, durch dessen Umdrehung die Stahlfedern ausser Thätigkeit gesetzt, und die Eisenstäbe in das Innere des Pfahls hineingezogen werden, derselbe mithin beweglich gemacht wird. Lässt man den Messinggriff los, so treiben die Stahlfedern die Eisenstäbe wieder hervor, und der Pfahl steht fest. An der in der Figur sichtbaren Seite des Pfostens findet sich eine Vertiefung im Holze und zwei schleifenartige starke Riemen (n) angebracht, damit der Uebende, wenn er im Spanngestell Lieg-Stellungen ausführt, dort seine Füsse hineinbringen könne.

An dem beweglichen Pfahle des Spanngestells, so wie an dem dritten Pfahle desselben sind zwei dünne, runde, polirte Stangen (t s und q r) der Art angebracht, dass sie einige Zolle abstehen und daher mit Bequemlichkeit durch die Hände des Uebenden an jedem Punkte ergriffen werden können. Diese Stangen bilden das Stanggestell, welches natürlich auf diese Weise ebenso beweglich wie das Spanngestell ist, und weiter oder näher zusammengebracht werden kann.

Die bewegliche Doppelleiter (x x x x) nebst ihrem Gestelle ist durch die beiden Hängebäume (m n und o p) mit den Pfählen des Stanggestells verbunden. Der lange Hängebaum (m n) wird besonders gebraucht, um den hängenden Gang daran auszuführen; weshalb er auch eine schräge, abschüssige Lage hat. — Ergreift der Uebende die Sprossen der Doppelleiter, um z. B. die Stern-Stemm-Lieg-Haltung auszuführen, so stemmt er seine Füsse gegen den Querbalken y y. — Der ganze in Fig. 3 dargestellte Apparat muss durch lange, tief in die Dielen des Zimmerbodens greifende Schrauben gehörig befestigt sein. Der Stuhl (c) ist ohne weiteren Zusammenhang mit dem Gestell, so dass man ihn nur fortzunehmen braucht, um eine vollkommen freie Seite des Sprossenmastes zu haben.

§. 157. 4. Der Wolm (Fig. 4) ist ähnlich einem festen Geländer, an das der Patient bei den Kreuz-Lehn-, Bauch-Gegen-, Tief-Neig-Stellungen sich stützt, und das daher die Höhe von 2 bis

Fig. 4.

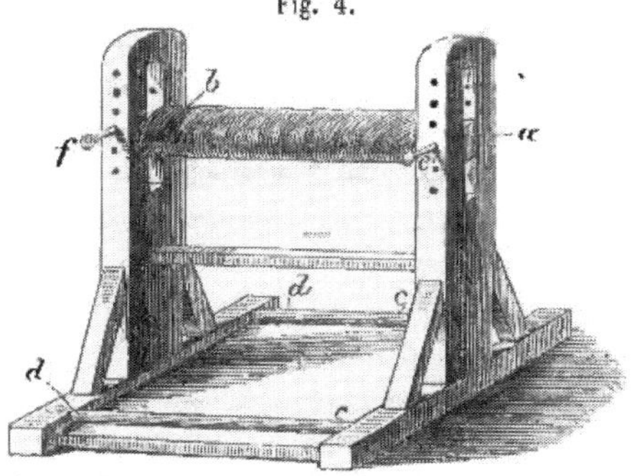

2 ½ Fuss haben muss. Zweckmässig ist es auch, auf dem Fussbrette eine Leiste befestigen zu lassen, an die der Patient die Fussspitzen oder Fersen bei den verschiedenen Stellungen anstützen, und wodurch man Gymnasten, die bloss zu solcher Stütze durch Vorsetzen der Füsse vor die des Patienten gebraucht werden, ersparen kann.[1])

§. 158. Andere Apparate, die ein heilorganischer Cursaal noch enthalten muss, wie Schwingel; Barren; kleine Sessel, kleine Bänke mit starken Füssen, einem festen Sitzbrette, Strebepfeilern zwischen den

1) Erklärung der Buchstaben in Fig. 4. a b der bewegliche, hoch oder niedrig zu stellende gepolsterte Querbaum; c d, c d die Querleisten auf dem Bretterboden des Wolms zum Anstemmen der Füsse, damit dieselben nicht ausgleiten; e und f die beiden eisernen, mit Messinggriffen versehenen Stifte, zum Befestigen des beweglichen Querbaums.

Füssen, um den stärksten Mann, wenn er darauf sitzt oder steht, sicher tragen zu können; kleine und grössere Polster und Kissen von verschiedener Grösse; elastische Gurte zur Befestigung der Beine des Patienten auf dem Divan, und des Rumpfs des Patienten am Wolme u. s. w. sind bekannt, und bedürfen wohl weiter keiner besonderen Beschreibung.

3. Der Gymnast.

§. 159. Dem Patienten kann aber der Cursaal nebst Apparaten u. s. w. auch noch nichts nützen, wenn derselbe nicht durch kundige und ausgelernte heilorganische Gehülfen oder sogenannte Gymnasten belebt wird. Diese stehen einigermaassen zum heilorganischen Arzte in dem Verhältnisse, wie der Apotheker zum medicamentösen. Der Gymnast soll die Bewegungen (die Arznei), die der Dirigent des Cursaals vorschreibt, für den Patienten bereiten, d. h. dieselben dem Patienten vorschriftmässig durchüben lassen. Er muss daher nicht zu alt sein, grosse Geschicklichkeit, besonders bewegliche Hand- und Fingergelenke und zugleich bedeutende Muskelkraft besitzen. Die letztere Eigenschaft findet sich durch die tägliche Uebung meistentheils bei allen Gymnasten mit der Zeit ein, dagegen sind die anderen Talente nicht so leicht zu erlangen, wenn sie dem Gymnasten nicht überhaupt schon eigen waren. In Hinsicht der geistigen Eigenschaften ist eine nicht unbedeutende Ausbildung des Verstandes und auch der Phantasie für den Gymnasten dringend erforderlich. Ohne die letztere wird derselbe niemals ein wirklich tüchtiger sein können, da er bei vielen Bewegungen des Patienten keinesweges Alles sehen, sondern vieles durch sein Vorstellungsvermögen nur erfassen kann, um danach den Widerstand harmonisch zu leisten, oder die Glieder des Patienten kunstgemäss zu bewegen. Eine gute Schulbildung darf ihm auch nicht fehlen; und nicht minder Kenntnisse der Anatomie und Physiologie. Wenigstens muss er die Körperregionen nebst der Knochen- und Muskellehre oberflächlich kennen; die grösseren Venen, Arterien und Nervenstämme und Geflechte nach ihrer Lage aufzufinden wissen; auch über die gewöhnlichsten Functionen des menschlichen Organismus, wie über Respiration, Blutbereitung, Verdauung, Secretion, einige Ansichten haben. —

§. 160. Für die männlichen Patienten sind männliche, für die weiblichen weibliche Gymnasten nöthig. Da nun in unseren Schulanstalten für die weibliche Jugend die Anatomie wohl meistentheils als ein nicht allein nicht nöthiger, sondern sogar äusserst schädlicher Lehrgegenstand betrachtet wird, so ist es natürlich, dass kenntnissreiche weibliche Gymnasten noch schwieriger als männliche zu finden sind.

§. 161. Man macht noch einen Unterschied zwischen wirklichen Gymnasten, die alle Bewegungen der Heilorganik auszuüben verstehen, und noch unerfahrenen Gehülfen, welche hauptsächlich zur Fixirung der Körpertheile des Kranken, die nicht bewegt werden sollen, gebraucht werden; höchstens mehr leichtere Bewegungen mit kundigen Gymnasten zusammen machen, an die schwierigeren sich aber durchaus nicht wagen dürfen. Für sehr grossartig eingerichtete Cursäle lässt sich eine solche Eintheilung wohl durchführen, für kleinere ist sie aber kaum anzuwenden; und dürfte es in solchen wohl besser sein, wenn der vorstehende Arzt bei den Curstunden der Patienten stets zugegen ist, nachhilft, so viel er kann; daher bei den schwierigeren Bewegungsformen immer selbst Hand anlegt, und zugleich als Lehrmeister auftritt. —

§. 162. Weniger als drei Gymnasten dürfen selbst für einen kleinen Cursaal nicht vorhanden sein, wofern es nicht grosse Schwierigkeiten haben soll, eine Menge von Bewegungen auszuführen, die drei bis vier Gehülfen erfordern, weshalb doch noch der Kinesitherapeut in solchen Fällen selbst mithelfen muss. Zwar kann man einigermaassen die Patienten, die bei den Bewegungen zugegen sind, als Gehülfen gebrauchen, wenn auch nur, um die Glieder anderer Patienten, die eine Bewegung machen, zu befestigen. Ebenso kann man durch besondere Vorrichtungen an den Geräthschaften des gymnastischen Cursaales, Gehülfen zum Fixiren der Glieder des Patienten mehr oder weniger ersparen. — Trotz dessen giebt es aber noch eine Menge Bewegungen, bei denen doch immer mehrere durchaus kundige Gehülfen erforderlich sind; daher unter drei Gymnasten kaum ein ordentlicher Betrieb im gymnastischen Cursaale sich denken lässt.

4. Die Curstunde.

§. 163. Sind nun auch Gymnasten in gehöriger Anzahl im Cursaale vorhanden, so können die heilorganischen Uebungen der Patienten vorschriftsmässig beginnen. Man nennt die Stunde des Tages, in der dieses gemeinschaftlich mit mehreren Patienten zu geschehen pflegt, die Curstunde. Bei derselben sind in Hinsicht der erwachsenen Personen die Geschlechter natürlich getrennt, nicht aber so auch in Hinsicht der Kinder, indem sehr junge Knaben bis zum 8. und 9. Lebensjahre besser der Curstunde der weiblichen Patienten zugetheilt werden, da sie dort schon mehr Wartung und Pflege auch von Seiten der übrigen Patienten finden.

Je nach der Grösse der Stadt, in der der Cursaal liegt, und der dortigen Gewohnheit, früh oder spät zu Mittag zu speisen, wird es nöthig sein, in Hinsicht der festbestimmten Curstunden sich nach der Majorität der Wünsche der Patienten zu richten. — Dass ein besonderer Vorzug der am frühen Morgen betriebenen, vor der am späteren Nachmittage oder Abende geübten Heilorganik stattfinde, ist wohl anzunehmen. Namentlich aber für solche Patienten, die nur allein der heilorganischen Cur zu leben haben, dürften die Morgenstunden jedenfalls die besseren sein; weniger vielleicht für solche, die daneben ihren Berufsgeschäften während des Tages schwer obliegen müssen. Für solche dürften vielleicht die Abendstunden zur Cur wenigstens den Vortheil haben, dass die Patienten dann nach den Bewegungen ausruhen, überhaupt der Muse leben können, während sie des Morgens gerade nach der Curstunde an das schwere Tagewerk gehen müssen. Was aber die Geschlechter anbetrifft, so dürften für weibliche Kranke die Vormittagsstunden von 10 bis 1 Uhr wohl Sommer und Winter die passendsten sein.

§. 164. Die Kleidung der Patienten während der Curstunden muss eine leichte, möglichst weite und bequeme sein. Es ist daher der Gebrauch, dass die Damen in sogenannten Turnanzügen (kurze weite Blusenröcke) und die Herren in eng anschliessenden Jacken, weiten dünnen Beinkleidern ohne Sprungriemen, und in Schuhen in der Curstunde erscheinen, oder vielmehr in den an den Cursaal stossenden Ankleidezimmern sich demgemäss umkleiden, zu loben. — Auch sind solche Anzüge männlichen und weiblichen Gymnasten gar sehr zu empfehlen.

§. 165. Ein pünktliches Einstellen zur Curstunde von Seiten der Gymnasten und Patienten ist dringend nöthig, um das ganze Curgeschäft zu erleichtern.[1]) — Es ist daher ein nicht zu tadelnder Gebrauch, der in Stockholm bei den männlichen Kranken stattfin-

---

1) Da das Erscheinen der Patienten meistentheils nicht sehr pünktlich geschieht, so ist es passend, die sogenannte Curstunde für eine grössere Anzahl von Patienten auf die Dauer von zwei Stunden auszudehnen.

det, dass jeder Patient, der sich zu spät einstellt, mit einem Gemurmel von Seiten der anderen pünktlicheren Curgäste begrüsst wird, wodurch ein moralischer Zwang stattfindet, der den Säumigen öfter an Ordnung gewöhnt.

§. 166. Sind viele Patienten, die sich zur Curstunde einstellen sollen, so ist es dienlich, dieselben in Gruppen abzutheilen, und jede derselben einem bestimmten Gymnasten zunächst zur Ausführung der Bewegungen zuzuweisen. — Derselbe hat dann die gymnastischen Recepte der ihm zugeordneten Patienten an sich zu nehmen, und eine gewisse Ordnung und Reihenfolge in den einzelnen Bewegungen, und zugleich für die einzelnen Patienten zu beobachten, damit möglichst alle zu gleicher Zeit die Curstunde beendigt haben.

§. 167. Bei allen Bewegungen, besonders den duplicirten, ist die Befestigung der Körpertheile des Kranken, die dabei nicht bewegt werden sollen, ein sehr dringendes Bedürfniss; und ist daher Aufgabe des Kinesitherapeuten, die Gymnasten in dieser Hinsicht gehörig zu controliren, und ihnen keine Nachlässigkeit dabei durchzulassen. Dieses hat seine grosse Schwierigkeit, besonders wenn viele Patienten zu gleicher Zeit den Cursaal besuchen. Daher kommen in der Hinsicht in grösseren Cursälen öfter Nachlässigkeiten vor, welche in kleineren leichter zu vermeiden sein dürften, weil alles hier mehr zu übersehen ist. —

§. 168. Will nun ein Patient eine Bewegung machen, so ergreift der ihm zugetheilte Gymnast das für denselben verschriebene Recept, sieht den Namen der Bewegung, der durchzuüben ist, genau an, bittet nun den Patienten mit aller Artigkeit, die vorgeschriebene Stellung des Körpers einzunehmen, hilft ihm dabei, und ruft sich zugleich andere Gymnasten, oder auch im Nothfalle gefällige Patienten herbei, um die nöthige Fixirung der nicht zu bewegenden Körpertheile vorzunehmen. Ist nun der Körper in die gehörige Stellung, wobei kaum mit zu grosser Sorgsamkeit verfahren werden kann, gebracht worden: so ermahnt der Gymnast den Patienten, wenn die zu machende Bewegung eine duplicirt-excentrische ist, den gehörigen Widerstand zu leisten, und wenn eine duplicirt-concentrische, die Bewegung zu machen. — Dabei ist es nöthig, dass Patient und Gymnast ein gewisses Maass der Kraft anwenden, nur darf dasselbe nie so gross werden, dass namentlich der Patient den Widerstand nicht zu überwinden vermag, und daher durch übermässige Muskelcontraction in zitternde Bewegung geräth, oder dass der Gymnast die grösste Kraft seiner Armmuskeln anwenden muss, um den Widerstand des Patienten, der sich die unnütze und schädliche Mühe giebt, mit aller nur möglichen Kraft zu widerstehen, zu überwinden. — Alle Kraftproben sind von dem heilgymnastischen Cursaale durchaus zu verbannen, indem dabei niemals eine gleichmässige Contraction der Muskelfasern und der Fascien erzielt wird, worauf es bei der heilorganischen Wirkung doch durchaus ankommt. Es ist daher gegenseitig die Kraft des Patienten und Gymnasten abzuwägen, damit möglichst harmonisch und nicht ruckweise die Bewegung ausgeführt wird. — Endlich ist nöthig, dass die Bewegung nicht zu kurz dauere, und daher in möglichst grossem Bogen und langsam ausgeführt werde, weil nur auf solche Weise das organische Gewebe Zeit hat, sich in den Zustand, den die heilorganische Wirkung fordert, vollkommen zu versetzen. Der aufmerksame Patient wird dieses im eigenen Gefühle sehr bald verspüren, und daher einigermaassen für den Gymnasten eine Controle abgeben können, sobald ihm in der zweiten oder dritten Curstunde die schon früher ordentlich ausgeführte Bewegung nun auf eine übereilte oder unregelmässige Weise beigebracht wird.

§. 169. Im Allgemeinen lässt sich schwer bestimmen, welche Kraft bei duplicirten Bewegungen anzuwenden ist, indem theils die Kräftigkeit und Schwäche des Patienten dabei Berücksichtigung verdient, theils auch die Art der Bewegung dabei in Betracht kommt. So sind z. B. die duplicirt-excentrischen Rumpf-Rück-Beugungen besonders in Wend-Streck- oder Klafter-Stellung nur mit sehr geringer Kraft von Seiten des Gymnasten, selbst für sehr kräftige Patienten auszuführen, weil diese nur mit den so sehr schwachen Bauchdecken dabei zu widerstehen vermögen; noch mehr aber die duplicirt-excentrische Rumpf-Senkung in Streck-Bein-Vorwärts-Lieg-Stellung, wo nur ein ganz geringes Kraftquantum, wie es das kleinste Kind zu entwickeln vermag, hinreicht, um den Widerstand des an sich kräftigsten Patienten zu überwinden. Alles dieses sind Umstände, die nur nach der auf dem gymnastischen Cursaale gesammelten Erfahrung sich bestimmen lassen.

§. 170. Bei den passiven Bewegungen hat der Gymnast nur darauf zu sehen, dass der Patient die willkürlichen Muskeln so viel wie möglich sämmtlich ruhen lasse, daher z. B. in Halb-Lieg-Stellung nicht den Kopf erhebe, um die passive Bewegung, z. B. eine Fuss-Rollung, genauer zu betrachten, was die meisten Patienten halb unwillkürlich zu thun pflegen. —

§. 171. Sobald der Patient eine Bewegung gehörig vollendet hat, so muss er mit nicht gar zu schnellen Schritten in dem Cursaale auf und ab gehen, wozu er nach starken duplicirten Bewegungen gewöhnlich schon selbst in sich den Trieb fühlt. Zugleich kann er dabei auch mit anderen Patienten sich unterhalten. Sind 3 bis 5 Minuten vergangen, und spürt er namentlich nichts mehr von der Einwirkung der Bewegung, so ist die zweite nach der Reihenfolge seines Receptes vorzunehmen; und mit gleichen Intervallen bis zum Ende des Receptes fortzufahren, so dass eine bis eine und eine halbe Stunde gewöhnlich zur vollkommenen Vollendung aller Bewegungen erfordert wird.

§. 172. Der Kinesitherapeut befragt während dessen einen Patienten nach dem anderen um sein Wohlsein, die Fortschritte der Cur; nimmt, wenn dringende Symptome, z. B. Diarrhoe, starke Verstopfung bei Kranken, die früher gerade an dem entgegengesetzten Zustande litten, eingetreten sind, die nöthigen Veränderungen im Recepte vor; und verordnet überhaupt Diät und andere Vorschriften, ähnlich wie die Brunnenärzte auf der Promenade während der Trinkzeit.

5. Der heilorganische Patient.

§. 173. Es ist nun noch zu betrachten, was mit der Curstunde in näherer oder weiterer Verbindung steht, nämlich: 1) welche Diät der Patient während der heilorganischen Cur überhaupt beobachten muss; und zwar sowohl in Hinsicht der Speisen und Getränke, als in Hinsicht des Schlafens und Wachens, der Berufsgeschäfte, Vergnügungen u. s. w.; ferner 2) wie oft des Tages die Curstunde für dieselben Patienten wiederholt werden kann; 3) wie lange die heilorganische Cur überhaupt dauern muss; und 4) welche Verbindungen mit anderen Curarten sie gestattet oder verbietet.

§. 174. Was zuerst die Diät der Patienten während der heilorganischen Cur betrifft, so gehört die Diät glücklicherweise nicht zu den Agentien, durch die diese Cur eigentlich zu wirken hat. Es liegt dieses schon darin, dass eben die heilorganische Cur eine erster Instanz ist, und also dem Körper des Patienten nicht fremdartige Stoffe zuführt, welche also mit besonderen Speisen oder Getränken sich nicht vertragen würden (§. 9).

§. 175. Daher darf die Diät des Patienten, der den Cursaal besucht, im Allgemeinen keine besondere, gewählte sein. — Da der

Appetit bei dieser Curart meistentheils sehr bald und in sehr bedeutendem Grade erwacht, so kann der Kranke denselben auch mit Maassen befriedigen. Nur bei solchen Patienten, die wegen schwacher Verdauung die Cur brauchen, dürfte es für den Anfang derselben gerathen sein, sich bei der Befriedigung des Appetits besonders vor schwer verdaulichen Nahrungsmitteln zu hüten. Kranke, die an Schärfe der Haut und Ausschlägen leiden, werden fettige Speisen; solche, die an plethorischen Zuständen kranken, spirituöse Getränke und gewürzhafte, sehr nährende Speisen zu vermeiden haben. In der Stunde der Uebungen ist es für die Patienten zuträglich, mit mehr leeren als vollen Magen zu erscheinen; keineswegs aber dürfte, wenn früh Morgens die Curstunden stattfinden, es von besonderem Vortheile sein, dass der Kranke, zumal wenn er zu den schwächeren gehört, vollkommen nüchtern sei. —

§. 176. Ausser den Speisen und Getränken ist nun aber auch für den Patienten ein Maass im Schlafen und Wachen während der heilorganischen Cur zu beobachten. Zu spätes Aufsein namentlich in Gesellschaften, auf Bällen u. s. w. wird jedem Patienten, der die Heilorganik gebraucht, strenge zu verbieten sein, und ebenso ist zu langes Schlafen in den Tag hinein jedenfalls auch schädlich. In Hinsicht der Berufsgeschäfte, wenn dieselben der Cur wegen nicht gänzlich ausgesetzt werden können, ist wenigstens Maass und Ziel zu halten; und zu wünschen, dass in dieser Zeit der Patient nicht zu den eifrigsten Beamten gezählt werde; vielmehr zum Ruhen, ja selbst Schlafen gleich nach den Uebungen und besonders im Anfange der Cur, so wie zu Spaziergängen im Laufe des Tages noch Zeit behalte. Ein sogenanntes zweites und kräftiges Frühstück, gleich nach vollendeter Morgen-Curstunde, ist ebenfalls den meisten Patienten anzurathen.

§. 177. Oefters ist wohl die Behauptung aufgestellt worden, dass die wenigen Bewegungen einer Curstunde nicht genügen können, und dass theils mehrere Bewegungen in einer Curstunde oder doch öftere Wiederholungen am Tage vorzunehmen seien. — Was zuerst die Zahl der Bewegungen eines Recepts betrifft, die auf 10 bis 12 angegeben wurden, so ist dieses eigentlich nur scheinbar eine so kleine Zahl. Jede dieser Bewegungen wird nämlich wenigstens drei Mal wiederholt, wodurch also jene Zahl auf 30 bis 36 steigt. Nun aber sind namentlich die duplicirten Bewegungen grösstentheils Wechselbewegungen, die aus zwei Hälften bestehen; ferner werden die mit zwei Gliedern (z. B. erst mit einem und dann mit dem andern Arme) wenigstens vier Mal, und also als Wechselbewegungen schon wenigstens 8 Mal ausgeführt; ferner die Flächenbewegungen (auch mit zwei Gliedern, zwei Seiten des Rumpfes geübt) werden wenigstens 6 Mal, und sind sie zugleich in Hinsicht des Widerstandes Wechselbewegungen, sogar 12 Mal ausgeführt; ferner werden die activen Halbbewegungen wenigstens 4—6 Mal geübt; und die passiven 12, 15, 36 und mehr Mal. Man sieht daher ein, dass die ursprünglichen 10 bis 12 Bewegungen des heilorganischen Recepts meistentheils aus 60, 80 und mehr einzelnen Bewegungstheilen bestehen können und zu bestehen pflegen.

§. 177 a. Was nun die öfters wiederholte Durchübung des ganzen heilorganischen Receptes an demselben Tage betrifft, so kann man annehmen, dass nur für die seltneren Fälle dieses anzurathen; im Beginn der Cur aber jedenfalls jedem Patienten zu widerrathen ist. Die Durchübung eines diätetischen Recepts täglich in der Wohnung des Patienten, und eines heilorganischen im Cursaale, dürfte im Allgemeinen das Zweckmässigere sein, wenn man den Curerfolg zu beschleunigen wünscht. Bei schwächlichen Kranken ist jede wiederholte Uebung des heilorganischen Recepts an demselben Tage, auch im Verlauf der Cur, bestimmt zu vermeiden; und auch für stärkere, die nur wegen Formfehler die Cur gebrauchen, dürfte bei längerer Andauer der Cur kaum eine Recept-Wiederholung mehrmals des Tages passend sein.

§. 178. Entsteht die Frage, wie lange überhaupt die heilorganische Cur ausgedehnt werden soll, so ist im Allgemeinen die natürlichste Antwort: so lange, bis das Uebel des Patienten geheilt ist. Theils jedoch bei unheilbaren, aber durch die heilorganische Cur doch zu verbessernden Krankheiten, theils wenn der Patient die Cur als Vorbeugungsmittel nur gebraucht: ist es gewöhnlich wünschenswerth, dass er wenigstens $^1/_4$ bis $^1/_2$ Jahr der Cur sich weihe. Unter drei Monaten ist nicht leicht eine dauernde und bleibende Verbesserung des Gesundheitszustandes des Patienten durch die heilorganische Cur zu erreichen; in vielen Fällen wird es aber auch wünschenswerth sein, dass die Cur mehrere Jahre fortgesetzt werde. Wenn erst die Anwendung der Heilorganik zur Heilung chronischer Krankheiten 50 Jahre und länger gedauert haben und allgemeiner verbreitet sein wird, dann wird auch den heilorganischen Aerzten es leichter sein als jetzt, die Kranken zu bewegen, sich vertrauensvoll einer mehrere Jahre dauernden Cur zu weihen, wie dieses bei der Hydropathie schon jetzt öfters zu geschehen pflegt. Welche grossen Erfolge wird man aber dann durch die heilorganische Cur zu erlangen vermögen? Wie wird es dann nicht möglich sein, Patienten im eigentlichen Sinne des Wortes vollkommen umzugestalten, und sie gleichsam zu neuen Menschen zu machen!

§. 179. Für viele Patienten ist es eine Unmöglichkeit, eine heilorganische Cur lange fortzusetzen; und doch ist es wegen der Schädlichkeiten der gewöhnlichen Berufsgeschäfte mehr oder weniger für jeden nöthig, wenn auch nur zeitweise, die heilorganische Cur zu wiederholen. Denn es ist als Regel anzunehmen, dass wenigstens 3 bis 4 Monate des Jahres jeder Mensch, der einem schweren Berufe vorsteht, die heilorganische Cur gebrauchen, und in der Zwischenzeit mehr oder weniger täglich, wenigstens die für seinen Körperzustand passenden, diätetischen Bewegungen machen muss, wenn er gesund bleiben und ein hohes Alter erreichen will.

Die activen Halbbewegungen und Haltungen, physiologisch begründet, und ordentlich geübt, dürften einigermaassen auch wohl schon allein ein Mittel abgeben, die Menschheit mehr oder weniger in ihren Gliedern gesund zu erhalten. — Wie weit sind wir aber in Hinsicht unserer jetzigen diätetisch-gymnastischen Schriften noch von dem Ziele, diätetisch-physiologische Leibesübungen zu besitzen, entfernt?

§. 180. Entsteht die Frage, ob der Patient, der heilorganisch behandelt wird, zugleich auch andere Curarten gebrauchen könne[1]: so muss dieses im Allgemeinen verneint werden, da, wie erwähnt (§. 9), die Heilorganik eine Curart erster Instanz; die medicamentöse, die Wasser-, die operative, die elektrische, die Maschinen- u. s. w. Cur, sämmtlich Curarten zweiter Instanz sind, oder solche, die erst einen pathologischen, oder wenigstens abnormen Zustand hervorrufen, aus dem die Heilung dann als Folge hervorgeht. — Die Heilorganik stimmt also mit allen diesen Curarten im Principe nicht überein. Bei einigen derselben wird es aber doch einigermaassen möglich sein, wenn sie nämlich ihrem Principe, einen pathologischen Zustand hervorzurufen, einigermaassen untreu werden, sie mit der Heilorganik zu verbinden.

---

1) Oben §. 63 geschah schon Erwähnung der chronischen Krankheiten, die abwechselnd, nicht aber zugleich mit Heilorganik und mit andern Curarten behandelt werden können, worauf, um nicht missverstanden zu werden, hier verwiesen wird.

§. 181. So werden z. B. roborirende und erregende Arzneimittel, da sie mässig gebraucht, nicht einen pathologischen Zustand hervorrufen, mit der heilorganischen Behandlung verbunden werden können, und dann vielen Patienten zusagen. Eben dieses wird bei stärkenden, also namentlich eisenhaltigen Mineralwässern der Fall sein, während stark umstimmende Medicamente, laxirende Mineralwässer natürlich mit der heilorganischen Cur sich nicht vertragen. — Was die Wassercur anbetrifft, so wird dieselbe nur mässig gebraucht (daher mehr als diätetische, denn als durchgreifende, das Hautorgan, die Schleimhaut des Verdauungscanals pathologisch erregende) sich mit der Heilorganik vertragen. Dagegen wird sie, streng durchgeführt als eine Curart zweiter Instanz oder eine pathologische, im Principe bestimmt der Heilorganik entgegen stehen. Möchten dieses doch die Directoren der Wasserheilanstalten, die mehr oder weniger jetzt mit der Hydropathie die Heilorganik zu verbinden streben, zum Wohle ihrer Patienten reiflich erwägen. —

§. 182. Auch die elektrische und Maschinen-Cur, die letztere natürlich nur zunächst bei Verkrümmungen der Glieder des Menschen angewandt, sind durchaus pathologische, die also im Principe der Heilorganik widerstreiten, und daher zu gleicher Zeit mit ihr kaum angewandt werden dürfen. Da die elektrische Cur jetzt mehr und mehr sich verbreitet, und in vielen heilorganischen Anstalten auch angewendet wird: so scheint es um so nöthiger, darauf aufmerksam zu machen, dass der gleichzeitige Gebrauch beider Curarten nicht zuträglich sein werde, da sie eben im Principe sich entgegenstehen. Etwas anderes ist es natürlich, wenn diese Curarten abwechselnd z. B. bei gelähmten Muskeln angewendet werden (s. Anhang).

§. 183. Die Maschinencur, die früher allgemeine und beinahe alleinige in der Orthopädie, welche nur mit grossem Widerstreben nach und nach der heilorganischen Cur bei den Verkrümmungen namentlich des Rückgrats den Platz räumt, ist ebenfalls und zwar durchaus im Principe von der heilorganischen verschieden. Denn die Maschinencur strebt die Muskeln des Menschen ausser Action zu setzen, die Körpertheile allein ohne Muskelkraft zu tragen; und also den Antagonismus und die Synergie der Muskeln und Organe aufzuheben, und an ihre Stelle einseitige mechanische Dehnung oder Zusammendrückung zu setzen. Es ist ein grobes Verkennen des Princips beider Curarten, dass noch immer Aerzte und Orthopäden von der Verbindung beider als etwas für die Patienten besonders

6*

Erspriessliches sprechen. Bei den Verkrümmungen des Rückgrats und namentlich bei den Scoliosen ist diese Verbindung durchaus zu verwerfen, ja die Maschinencur, selbst abwechselnd angewandt, nicht passend. Etwas anderes ist es bei den Verkrümmungen der Glieder, namentlich der Füsse. Aber auch hier wird nur abwechselnd, namentlich zum Beginn der Behandlung und nach der Tenotomie die Maschinencur angewandt werden können, ja zuweilen müssen; später aber und auch hier allein, nicht in Verbindung mit jener, die heilorganische Cur. — Chirurgische Operationen und namentlich Tenotomien werden natürlich ein Aussetzen der heilorganischen Behandlung unumgänglich nöthig machen.

II. ABSCHNITT.

Therapie der chronischen Krankheiten vom heilorganischen Standpunkte.

II. ABSCHNITT.

Besondere Therapie der chronischen Krankheiten vom heilorganischen Standpunkte.

Allgemeine Betrachtungen.

§. 184. Aus dem ersten Abschnitt dieser Schrift, und namentlich aus §. 54 fgd. geht schon hervor, dass die Zahl der Krankheiten, die entweder allein mit Heilorganik, oder mit dieser und abwechselnd mit anderen Curmethoden behandelt werden können, eine sehr grosse ist. — Um daher theils diese Schrift nicht zu übermässig anschwellen zu machen; theils um mit grösserer Gewissheit, und nur auf die Erfahrung gestützt, bei der Schilderung der hieher gehörenden Krankheiten zu verfahren: werden zunächst nur solche ausgewählt und hier beschrieben werden, die in der heilorganischen Casuistik schon öfters vorkamen, und die zugleich für die heilorganische Behandlung von besonderem Interesse sind.

185. Die Krankheitsbeschreibung selbst wird grösstentheils nur eine sehr kurze sein, zumal wenn der Krankheitsname sehr bezeichnend und überhaupt sehr gebräuchlich ist, so dass nicht leicht dabei ein Zweifel aufkommen kann. Ausführlicher wird die Beschreibung nur dann sein, wenn eben die Heilorganik den in Rede stehenden Krankheitsprocess erst im rechten Lichte hat erscheinen lassen, wie dieses z. B. bei der Scoliose zunächst und am meisten der Fall ist. Doch wird auch bei solchen, und bei allen Krankheiten, die hier aufgeführt werden, überhaupt, angenom-

men, dass dieselben aus chirurgischen oder medicinischen Handbüchern, oder aus der ärztlichen Praxis dem geneigten Leser schon bekannt seien; so dass bei keiner die Beschreibung so ausführlich sein, und auf alle ätiologischen, diagnostischen, prognostischen, diätetischen und therapeutischen (in sofern sie andere Curmethoden betreffen) Umstände Rücksicht nehmen wird, wie dieses in den ausführlichen Compendien der Medicin und Chirurgie der Fall zu sein pflegt. In allem die heilorganische Behandlung nicht zunächst Angehenden hat nämlich der Verf. sich kurz fassen müssen, um eben für das Heilorganische und das mit demselben in nächster Beziehung Stehende Platz zu behalten.

§. 186. Die Namen der Krankheiten, die hier abzuhandeln sind, werden nach den gebräuchlichen, und daher nicht nach der stets wechselnden, rein pathologisch-anatomischen Nomenclatur gewählt werden; ja selbst symptomatische Benennungen, wenn sie von einem sehr hervorstechenden Symptome entnommen wurden, wie Leibesverstopfung, Kopfschmerz, Asthma u. s. w. werden gebraucht werden (§. 72). Es ist der Titel dieser Schrift „Therapie" (aber nicht auch Pathologie) mit Bedacht gewählt worden, weil es nimmermehr die Absicht des Verf. war, eine ausführliche Pathologie aller der chronischen Krankheiten zu geben, die sich heilorganisch behandeln lassen, und deren heilorganische Behandlung hier beschrieben werden soll.

Nur auf die pathologischen Retractions- und Relaxationsverhältnisse, auf gestörte peripherische Capillarität u. s. w.; auf Zustände, die mit der Heilorganik im innigsten Zusammenhange stehen, und durch dieselbe eigentlich erst in die Medicin eingeführt worden sind, wird natürlich bei der Beschreibung der hier abzuhandelnden Krankheiten stets Rücksicht genommen werden.

§. 187. Ausser dem nächsten ätiologischen Momente der Retractionen und Relaxationen der Zellen, Gewebe und Organe wird also anderer entfernterer causaler Verhältnisse hier nur seltener Erwähnung geschehen, und diese als aus den Handbüchern der Pathologie und Therapie bekannt angenommen werden. — In Hinsicht der Diagnose wird zunächst ebenfalls nur auf die Retractionen und Relaxationen namentlich der Muskeln Bedacht genommen, und selbst speciell anzuwendende heilorganische Bewegungsformen, wenn sie zur Sichtbarmachung der Retractionen und Relaxationen dienen, angegeben werden.

Alle anderen Arten der Diagnose durch Stethoskop, Plessimeter, oder überhaupt durch Inspection, Palpation, Auscultation, Percussion werden als bekannt vorausgesetzt, und daher nicht weiter erwähnt werden.

§. 188. In Hinsicht der Prognose werden natürlich zunächst auch nur Ansichten gegeben werden, die mit der heilorganischen Behandlung und deren Einwirkung auf den Verlauf der Krankheiten im innigsten Zusammenhange stehen. Deshalb wird z. B. die wenigstens verbessernde Einwirkung der Heilorganik bei unheilbaren Zuständen, wie bei Marasmus u. s. w., nicht ausser Acht gelassen werden; und daher die Prognose überhaupt günstiger zu stehen kommen, als bei Anwendung anderer Curarten sie zu sein pflegt.

§. 189. Bei der Therapie der hier abzuhandelnden Krankheiten wird natürlich zunächst nur auf die heilorganische Behandlung Rücksicht genommen werden, anderer Curmethoden höchstens summarisch und nur dann Erwähnung geschehen, wenn sie in einem besonderen Stadium der in Rede stehenden Krankheit, vor oder nach der heilorganischen Behandlung, angewandt werden können; so z. B. der Tenotomien als der Heilorganik bei einzelnen Arten der Verkrümmungen der Glieder vorangehend u. s. w.

§. 190. Was die heilorganische Behandlung selbst betrifft, so werden theils einzelne Bewegungsformen, die für die in Rede stehende Krankheit besonders brauchbar erscheinen, oder besondere heilorganische Curarten, die hier zunächst anzuwenden sind, angegeben; vor Allem aber Beispiele heilorganischer und diätetisch-gymnastischer Recepte aufgestellt werden.

§. 191. Die zu beschreibenden Krankheiten werden in zwei Classen getheilt, und als chirurgische und medicinische abgehandelt werden. Diese Eintheilung ist gewählt gemäss dem Sprachgebrauch der Aerzte, und gemäss der bei diesen unter solchen Namen verstandenen Krankheitsarten. Es werden daher grösstentheils in der ersten Classe die chirurgischen oder sogenannten äusseren, in der zweiten die medicinischen oder sogenannten inneren Krankheiten abgehandelt werden. Es ist aber eigentlich weder die vage und unbestimmte Ansicht der Aerzte über die mehr äussere, sichtbare, oder mehr innere, also unsichtbare Lage der leidenden Organe; noch die Anwendung oder Nichtanwendung chirurgischer Hülfsleistungen bei solchen Krankheiten der Eintheilungsgrund hiebei, sondern vielmehr die Retractions- und Relaxationsverhältnisse. — Dieselben betreffen nämlich einerseits die Muskeln und übrigen

Bewegungsorgane, als Knochen, Bänder u. s. w.; andererseits die mehr visceralen Organe, als Gehirn, Lungen, Herz, Milz, Leber u. s. w. In den mit dem Namen „chirurgische" bezeichneten Krankheiten treten nun die Retractionen und Relaxationen der Zellen stets primär in den Muskeln oder wenigstens in den Bewegungsorganen auf, und gehen beim Fortschritte und bei der stärkeren Ausbildung des Krankheitsprocesses auf die visceralen Organe über. Umgekehrt geschieht dieser Vorgang bei den mit dem Namen „medicinische" bezeichneten Krankheiten, indem hier in den visceralen Organen (und deren Zellen) primär die Retractions- und Relaxationsverhältnisse auftreten; und bei der stärkeren Ausbildung und dem längeren Bestehen des Uebels auf die Muskeln und die übrigen Bewegungsorgane, namentlich die Knochen und Knorpel sich verbreiten (§. 42 fgd.).

§. 192. Man sieht leicht ein, dass dieser zu der eigentlichen Wesenheit der Krankheit gehörende, und zugleich die nächste Ursache[1]) derselben enthaltende Eintheilungsgrund den Aerzten eigentlich vorgeschwebt hat, als sie die pathologischen Symptomencomplexe in innere und äussere, oder medicinische und chirurgische Krankheiten eintheilten; dass aber der Heilorganik es erst vorbehalten war, diese Verhältnisse fest und ihrer Wesenheit nach zu begründen.

§. 193. Es drängt sich aber nun natürlich die Frage auf, wie es gekommen sei, dass die pathologischen Anatomen diese Verhältnisse bisher nicht gefunden haben? Und ob dieses Nichtfinden nicht ein Beweis sei, dass eine solche wesentliche Verschiedenheit der chirurgischen und medicinischen Krankheiten gar nicht existire? Es ist aber leicht einzusehen, dass weder das die Leichen secirende Messer; noch das chemische Reagenz, das in den Geweben die Elementar- oder Grundstoffe nur nachweisen kann; noch das Mikroskop die feineren Relaxations- und Retractionsverhältnisse der Organe darlegen konnte. Denn das Messer zeigte höchstens sehr stark ausgebildete Retractions- und Relaxationsverhältnisse der Muskeln, Sehnen und anderer Organe. Diese wurden aber wegen ihrer Metamorphosirung als Verfettung, als Tuberkeln, als Krebszellen u. s. w. gedeutet. Die feineren Retractionen und Relaxationen, da sie nur in (mikroskopischer) Verkleinerung oder Vergrösserung der

1) Wenn man nicht auf die Störungen in den Odströmungen, als den eigentlichen, nächsten Ursachen der Krankheiten zurückgehen will (s. §. 48 und Anhang).

Zellen bestanden, konnte das Sectionsmesser natürlich nicht nachweisen. Das chemische Reagenz vermochte natürlich Retractionen oder Relaxationen der Zellen um so weniger aufzufinden, da diese eben aus organischen Formverhältnissen nur erkannt werden, welche das Reagenz zerstörte.

§. 194. Was aber das Mikroskop anbetrifft, so wäre dieses, um die feineren Retractionen und Relaxationen zu erkennen, nur dann ein Werkzeug gewesen, wenn es nicht blos kleine Partikeln, sondern grössere Körper- oder wenigstens Gewebsausdehnungen in vielmaliger Vergrösserung zu zeigen vermocht hätte. Könnte also der Anatom durch sein Mikroskop nicht blos 10 bis 20, sondern viele Tausende und abermals Tausende von Zellen zu gleicher Zeit neben einander wahrnehmen; gäbe es also Mittel, nicht blos grössere Gewebsstücke auf den Objectträger des Mikroskops zu bringen, sondern auch so durchscheinend zu machen, dass diese grösseren Stücke bis auf die zusammensetzenden Zellen erkannt werden könnten: dann würden auch dem Anatomen und Mikroskopiker die feineren Retractions- und Relaxationsverhältnisse, die eben aus der Vergleichung der Form der Zellen in den verschiedenen G e w e b s a u s d e h n u n g e n nur zu erkennen sind, nicht entgangen sein.

§. 195. Die Beobachtung lebender, an pathologischen Processen leidender Menschen liess die Aerzte nur höchst selten die feineren Retractions- und Relaxationsverhältnisse erkennen, weil eben die Aerzte sich meistentheils um die Muskeln gar nicht kümmerten, oder doch durchaus falsche Vorstellungen von ihrer Zusammensetzung hatten. [Siehe: Muskelleben (S. 4) und Lehrbuch der Leibesübung (Bd. I, S. 10) über anatomische Muskeln und organische Muskelgruppen.] Wer dieses erwägt, dem muss es auch klar werden, dass alle diese so nahe liegenden, und den Aerzten bei ihrer Eintheilung der Krankheiten, in chirurgische und medicinische, vorschwebenden Verhältnisse eben erst durch die mit Heilorganik sich beschäftigenden, und also die Muskeln in ihrer wahren Wirkung erkennenden Aerzte aufgehellt werden konnten.

§. 196. E s i s t d i e s e s a b e r w i e d e r e i n U m s t a n d, d e r g e b i e t e r i s c h a n j e d e n A r z t, d e r a u f d e n N a m e n e i n e s w i s s e n s c h a f t l i c h e n A n s p r u c h m a c h e n w i l l, d i e F o r d e r u n g s t e l l t, d i e H e i l o r g a n i k z u s t u d i r e n, abgesehen davon, ob er sie als Heilmittel bei Krankheiten anwenden wolle oder nicht (§. 71).

§. 197. In Hinsicht der heilorganischen Therapie der chirurgischen und medicinischen Krankheiten folgt nun aus den entwickelten Retractions- und Relaxationsverhältnissen, dass die chirurgischen mehr einseitige Bewegungsformen mit einem Arme, einem Beine, einer Rumpf- oder Kopfseite u. s. w.; die medicinischen mehr doppelseitige mit beiden Armen, beiden Beinen, beiden Rumpf-, beiden Kopfseiten, hinter einander oder zugleich vorgenommen, indiciren werden. —

§. 198. Der nun folgende zweite Abschnitt dieser Schrift zerfällt in zwei Capitel, deren erstes die chirurgischen, deren zweites die medicinischen Krankheiten abhandeln wird.

II. ABSCHNITT.

I. CAPITEL.

Therapie der chirurgischen Krankheiten vom heilorganischen Standpunkte.

§. 199. Die hier abzuhandelnden Krankheiten zerfallen in drei Unterclassen, die als A. Verkrümmungen; B. Vorfälle (Hernien und eigentliche Vorfälle); und C. Gefässerweiterungen, zu bezeichnen sind.

A. Verkrümmungen.

§. 200. Die Verkrümmungen des menschlichen Organismus, die hier abgehandelt werden sollen, lassen sich eintheilen: I. in die des Rückgrats, oder wo das Rückgrat zuerst die Deviation zeigt; II. die der Rippen und der Thoraxwandungen überhaupt, wobei das Rückgrat meistentheils wenig oder auch gar nicht an der Verkrümmung Theil nimmt; und III. in die der Glieder, und zwar sowohl der Arme wie der Beine.

Diese Eintheilung, da sie von Wichtigkeit für die heilorganische Behandlung ist, wird für die folgende Beschreibung der Verkrümmungen die Reihenfolge abgeben. Jener Curmethode (und namentlich, ob sie vollkommen contraindicirt, ob bedingt oder unbedingt indicirt sei) wegen, ist es aber noch nöthig, die Verkrümmungen ihrem eigentlichen Wesen nach, oder nach den primär dabei an Retractionen und Relaxationen leidenden Bewegungsorganen eingetheilt, zu betrachten. Hienach aber zerfallen sie: in ossiculare, ligamentöse und musculare.

§. 201. Die erstere Classe, die ossicularen, bestehen aus reinen Knochengewebs-Entzündungen (schnell in Metamorphosirung übergehenden Retractionen und Relaxationen der Knochenzellen) mit Ausgang in Caries, Necrosis, Osteophytenbildung u. s. w. Diese Krankheiten befallen grösstentheils nur kleinere Knochen, oder kleinere Regionen grösserer Knochen; und bekommen, die Wirbel ergreifend, den Namen Spondylarthrocace, in den Gelenkenden den Namen Arthrocace überhaupt. Es sind dieses immer auch Krankheiten, die mehr oder weniger den Patienten das Bette zu hüten zwingen, und wenn sie mit Vereiterung, Verschwärung, Brand in Tod übergehen, entweder die heilorganische Behandlung ganz ausschliessen, oder doch nur die Anwendung weniger, palliativ Schmerz stillender, passiver Bewegungen gestatten (§. 56).

§. 202. Nimmt die Knochenentzündung aber nicht einen Ausgang in den Tod, geht sie vielmehr in ein chronisches Siechthum über, so bleiben die durch die Knochenkrankheit ausgebildeten Knochenverkrümmungen meistentheils, und höchstens mit geringer Ausgleichung, das ganze Leben hindurch zurück. Die Entzündung im Knochengewebe erlischt dann entweder völlig; die Wunden der Haut, die der Knocheneiter sich gebildet hatte, schliessen sich und vernarben; und die Knochenhöhlen füllen sich durch Osteoporose, Osteosclerose oder überhaupt Osteophyten. In andern Fällen bleibt ein geringer Grad von Entzündung für immer zurück.

§. 203. So wie der Patient bei diesen Uebeln nun umherzugehen beginnt, wenn nicht schon während der Lage im Bette, bilden sich Retractionen und Relaxationen der Muskeln zunächst an dem leidenden Körpertheile und dann auch an den übrigen aus. Dieselben bleiben aber nicht auf die Muskeln allein beschränkt, sondern gehen in tertiärer Folge auf Bänder, Knochen, endlich auch auf die visceralen Organe selbst entfernter Körpertheile in geringem Maasse über. Auf solche Weise verbildet z. B. das primäre reine Knochenleiden eines Kniegelenks, das mit Verkrümmung eines Beines endigt, den Rumpf, den Kopf, die Arme und das andere Bein durch Retractionen und Relaxationen der Muskeln und visceralen Organe. — In letzterem Stadium der Krankheit ist die heilorganische Cur, auch wenn selbst ein geringer Grad von Knochenentzündung noch zurückgeblieben ist, mit Vorsicht anzuwenden; überhaupt aber mehr indicirt, als die bis jetzt bei solchen Uebeln nur gebrauchte Maschinencur. Es ist nämlich durch die erstere möglich, die Verschlimmerung des Uebels durch immer neue und stärker sich ausbildende Retractionen und Relaxationen zu hemmen, was die Maschinencur nicht vermag (§. 212).

§. 204. Es giebt nun aber auch ossiculare Verkrümmungen ganz anderer Art, die als Rhachitis oder Osteomalacie auftreten. Sie bestehen ebenfalls in Retractionen und Relaxationen der Knochenzellen, unterscheiden sich aber von den entzündlichen Knochenleiden dadurch, dass bei ihnen gleich grössere Theile des Knochengerüstes, ja selbst das ganze sofort leidend ist, und in Verkrümmungen übergeht. Von Vereiterung, Verschwärung, Brand findet sich dagegen nicht leicht eine Spur; desto mehr aber allgemeines Siechthum. Auch zu diesen Knochenleiden treten bald Retractionen und Relaxationen der Muskeln, der Sehnen, so wie der visceralen Organe hinzu; und meistentheils in viel stärkerem Maasse, als dieses bei der verheilten Knochenentzündung der Fall zu sein pflegt. — Ausser der medicamentösen Behandlung der rhachitischen oder osteomalacischen Cachexie ist die heilorganische Curmethode sofort und für den ganzen Verlauf des Uebels indicirt; nicht leicht aber die Maschinenbehandlung, namentlich nicht bei derartigen Verkrümmungen des Rumpfes.

§. 205. Die zweite Classe der Verkrümmungen aus primären Leiden der Bewegungsorgane, die ligamentösen, werden durch eine besondere Laxität der Gelenkverbindungen, die trotz dessen nicht die Glieder in die normale Richtung zu gehen gestatten, erkannt. Es ist nämlich der ligamentöse und synoviale Apparat hier das Primär-Leidende, und erst später und in geringerer Weise beginnen die Zellen der Knochen, der Muskeln und endlich der visceralen Organe in Retractionen und Relaxationen zu verfallen. Weder Knochenentzündung, noch rhachitische oder osteomalacische Knochenverbiegung zeigt sich, sondern nur Laxität der Gelenke, die meistentheils mehrere, ja alle betrifft; Verschiebung der kleinen Knochen u. s. w. Die heilorganische Behandlungsweise ist hier dringend indicirt; die Maschinencur als das Verderblichste im höchsten Grade contraindicirt, da sie stets eine sehr bedeutende

Verschlimmerung, die an sich öfters durch nichts aufzuhalten ist, um so schneller herbeiführt.

§. 206. Die dritte Classe der Verkrümmungen, die muscularen, gehen primär aus Retractionen und Relaxationen der Muskeln hervor; secundär kommen Ligamente, Knochen und endlich viscerale Organe an die Reihe auf ähnliche Weise ergriffen zu werden. Je nachdem bei diesen Uebeln die motorischen Nerven sofort in ganzer Ausdehnung an der Retraction und Relaxation in ihren Zellen (Ganglienkugeln) Theil nehmen, oder mehr die reinen Muskelfibrillen ohne die Nerven zuerst davon ergriffen werden, je nachdem werden bei diesen Uebeln die Muskeln vollkommen paralysirt, oder nur in ihrem Antagonismus gestört erscheinen. Es gehören in diese Classe der Verkrümmungen alle die, die bisher unpassenderweise als rheumatische, spastische, habituelle, statische u. s. w. bezeichnet wurden.

Die Tenotomie ist bei diesen Verkrümmungen öfters angezeigt; und zwar als Vorgängerin der heilorganischen Behandlung, welche, ordentlich angewendet, hier ihre grössten Triumphe feiert.

§. 207. Die entferntern Ursachen der Verkrümmungen sind natürlich sehr mannigfaltig, und lassen sich schwer für alle Arten derselben mit wenigen Worten angeben. Die nächsten Ursachen aber sind, wie wir gesehen haben, Retractionen und Relaxationen der Zellen der Bewegungsorgane. Die Prognose ist für die meisten Verkrümmungen eine ungünstige, namentlich wenn vollständige Herstellung des Körpertheiles, nicht blos in seiner Gerade-Richtung, sondern auch in seiner physiologischen Function verlangt wird. Beim Gebrauche der Maschinenbehandlung ist die Prognose am ungünstigsten, indem in den meisten Fällen Verschlimmerung folgt, im glücklichsten Falle fester Stand der Verbiegung des Körpertheils, jedoch stets mit mehr oder weniger Störung der physiologischen Function desselben. Die operative Behandlung lässt Gerade-Richtung des Körpertheils, niemals Herstellung seiner physiologischen Wirksamkeit prognosticiren. Nur bei der heilorganischen Curmethode darf man jedesmal und mit Bestimmtheit Wiederherstellung der physiologischen Wirksamkeit des verkrümmten Gliedes, wenn nicht vollkommen, wenigstens einigermaassen voraussetzen.

§. 208. Die wahre Diagnose der Verkrümmungen wird nicht blos, wie es bisher meistentheils nur geschah, auf die Abweichung des Körpertheils von der normalmässigen Richtung, sondern auch auf die Retractionen und Relaxationen der Muskeln und anderer

Organe Rücksicht nehmen müssen. Denn hierdurch spricht sich erst der Grad der pathologischen Hemmung, der durch die Verkrümmung gesetzt ist, deutlich aus. Die Retractionen und Relaxationen der Muskeln lassen sich nun aber durch Anwendung duplicirter und namentlich duplicirt-excentrischer Bewegungen besser als durch irgend ein anderes Mittel diagnosticiren. — Um den Grad der Verkrümmung überhaupt, so wie um die Abnahme oder Zunahme derselben während der Anwendung einer Curmethode festzustellen, hat man bisher namentlich Messungen und in neuerer Zeit Darstellung der Patienten durch Lichtbilder als ganz untrügliches Mittel angegeben. Dieses aber ist Beides nur unvollkommen, wie eine kurze Betrachtung leicht ergiebt.

§. 209. Es sind zunächst zwei Gründe, die die Messungen bei Verkrümmungen unsicher machen. Einmal ist es schwierig, ja unmöglich, bei der abgerundeten, organischen Form des menschlichen Körpers einen festen Punkt zu finden, von dem die Messung ausgehen kann; und zweitens treten die Veränderungen der Verkrümmung, seien es Verschlimmerungen oder Verbesserungen, immer organisch, d. h. auf allen Punkten zugleich ein. Daher wenn man selbst einen festen Punkt finden könnte, von dem die Messung ausgehen möchte: so wird derselbe bei der Verschlimmerung und Verbesserung der Verkrümmung sich stets selbst in seiner Lage zu allen übrigen Punkten des Organismus verändern; und es ist daher die frühere Messung auf die nun veränderten Verhältnisse nur mit grosser Unsicherheit anwendbar. Deshalb kann z. B. eine sehr bedeutende Verschlimmerung einer Verkrümmung des Rückgrats, wie sie in Zeit von Monaten oder Jahren gewöhnlich einzutreten pflegt, durch den Augenschein im Allgemeinen zwar constatirt, aber nie durch Messung nach Linien, Zollen u. s. w. nachgewiesen werden. Schon eher, und bis zu einem gewissen Grade mit Sicherheit, ist die Messung bei Verkrümmung der Glieder anzuwenden; unsicher bleibt sie aber auch hier in hohem Grade.

§. 210. An die Messungen schliessen sich an die Darstellungen der geheilten oder gebesserten Patienten durch Lichtbilder u. s. w. Es hat diese Prüfung des Heilerfolges etwas mehr für sich, in sofern sie auf dem Augenscheine (§. 209) beruht, der uns schon eher in den Stand setzt, wenigstens bedeutende Veränderungen wahrzunehmen. Ob aber die physiologischen Verhältnisse wieder naturgemäss hergestellt seien; ob namentlich die Muskelretractionen und Relaxationen verschwanden: das beweist ein Lichtbild nur sehr unvollkommen; das wird durch diagnostisch angewandte duplicirte Bewegungen allein ausser allem Zweifel gestellt.

§. 211. In Hinsicht der Therapie der Verkrümmungen im Allgemeinen ist nun zu dem oben (§. 201 fgd.) schon Erwähnten hier Einiges nachzuholen. Ausser der heilorganischen Behandlung findet bei Verkrümmungen hauptsächlich noch Anwendung: 1) die medicamentöse, die namentlich bei entzündlichen Knochenverkrümmungen gebraucht wird, und dann jedesmal die heilorganische ausschliesst. Anders verhält es sich, wenn die erstere gegen rhachitische Cachexie und überhaupt als stärkende Curmethode angewendet wird, in welchem Falle sie sich mit der heilorganischen sehr wohl verträgt. Es ist ferner zu erwähnen: 2) die operative, 3) die Maschinen-, und 4) die electrische Curmethode. — Was die operative betrifft, so findet sie zumal als Tenotomie bei den Verkrümmungen der Glieder eine weite Anwendung; obschon auch ihr Gebiet durch die mehr und mehr ausgebildete heilorganische Curmethode mehr und mehr eingeengt werden dürfte. Namentlich aber die sehr eingreifenden Operationen z. B. bei Hüftgelenk-Verkrümmungen das Brisement forcé und dergleichen, werden hoffentlich, durch die Macht der Heilorganik verdrängt, bald nur noch einen historischen Werth haben, um die Rohheit unseres Jahrhunderts zu bekunden.

§. 212. Die Anwendung der Maschinen als Heilmethode der Verkrümmungen steht der heilorganischen Behandlungsweise principiell entgegen. Denn jene will die Muskeln schwächen, diese sie stärken. Daher ist eine gleichzeitige Anwendung von Maschinen und heilorganischen Uebungen im Allgemeinen durchaus zu tadeln. Allenfalls ist der Gebrauch der ersteren und danach der der letzteren bei den Verkrümmungen der Glieder, namentlich der Füsse, zu gestatten, bei denen des Rückgrats stets zu verwerfen. — Beim Klumpfuss z. B. wird eine Stromeyer'sche Maschine, nach der Tenotomie angewandt, dem Patienten einherzugehen erlauben, und daher diesen Nutzen gewährend, einige Zeit zu gestatten sein. Schutz vor Recidiven und überhaupt vollkommene Heilung kann aber selbst bei solchen Uebeln nur die heilorganische Behandlungsweise geben.

§. 213. Mit der mehr beschränkten Indication der operativen und Maschinenbehandlung der Verkrümmungen verschwindet auch der Nutzen der speciell der Orthopädie dienenden Anstalten mehr und mehr. Bei dem durchaus vorwaltenden Nutzen der heilorganischen Behandlungsweise für die Verkrümmungen kann nämlich Niemand mit Recht weiter behaupten, dass die an solchen Uebeln leidenden Patienten durchaus in besonderen Anstalten untergebracht werden müssten, um dort ihre Cur gehörig empfangen zu können. Denn die Heilorganik lehrt ja, dass die Verkrümmungen durchaus auf ähnliche Weise wie andere pathologische Processe entstehen; ja sie lehrt, dass der Name Orthopädie, oder orthopädische Curmethode der Verkrümmungen, ein unpassend gewählter sei. —

§. 214. Es ist nämlich durchaus falsch, dass (wie bisher wohl allgemein unter dem ärztlichen und nichtärztlichen Publicum angenommen) durch die Geraderichtung der Glieder oder durch die Ausgleichung der Curve des Körpertheils die Verkrümmung als pathologischer Process gehoben sei. Wäre dieses richtig, dann hätte die Maschinenbehandlung das Recht zu verlangen, allein bei diesen Uebeln angewendet zu werden. Es ist aber diese Annahme nicht richtig, weil, wie die Heilorganik lehrt, die Aufhebung der Retractionen und Relaxationen das eigentliche Heilobject bei den Verkrümmungen, wie bei anderen chronischen Krankheiten ist. Dieses kann die Maschinenbehandlung aber natürlich um so weniger erfüllen, als auch bei den Verkrümmungen die Retractionen und Relaxationen secundär sehr oft die visceralen Organe ergreifen. Dort wird sie aber eine Maschine doch nimmermehr aufheben können.[1])

§. 215. Auch selbst der Zweck der Cur der Verkrümmungen, wie er gewöhnlich aufgefasst wird, als eine alleinige Brauchbarmachung eines Gliedes zu den Handthierungen des gewöhnlichen Lebens, ist zu einseitig aufgefasst. Es ist hier wie bei anderen chronischen Krankheiten die Herstellung des gehemmten Blutumlaufs, der gestörten Innervationsströmungen, die Aufhebung der Retractionen und Relaxationen der Zellen aller Organe überhaupt der Zweck. — Daher ist dieser für den reichen Mann, der sich bedienen lassen kann, und seine Glieder zu Handthierungen wenig zu gebrauchen pflegt, ebenderselbe, wie für den armen. Denn die Bedienung des reichen Mannes kann für ihn nicht den Blutumlauf ausrichten, wenn seine Glieder verkrümmt sind, und darin der Blutumlauf gestört ist.

1) Der Arzt, der durch Maschinen die visceralen Retractionen und Relaxationen glaubt heben zu können, handelt nicht verständiger, als jener Uhrmacher, der, als ihm eine Uhr zum Repariren gebracht wurde, die eine Einbiegung im Gehäuse zeigte, durch Hammer und Zange das Gehäuse, ohne es zu öffnen, wieder in seine gehörige Form zu bringen suchte, sich um das künstliche Räderwerk der inneren Uhr, das er dadurch völlig zu Grunde richten musste, nicht weiter bekümmernd.

§. 216. Es ist dieser Umstand von ungemein grosser Wichtigkeit, und es liegt an der falschen Auffassung des Wesens der Verkrümmungen, dass deshalb unter dem ärztlichen und nichtärztlichen Publicum wieder die falsche Ansicht Geltung bekommen hat, dass nur bei Kindern, nicht bei im Alter Vorgerückten, eine Cur der Verkrümmung nöthig und also zu versuchen sei.

§. 216a. Nun aber ist es klar, dass die Retractionen und Relaxationen auch im höchsten Alter sich durch Heilorganik wenigstens einigermaassen heben lassen, und dass daher auch ohne bedeutende Geraderichtung eines Gliedes u. s. w. bei alten Personen doch viel, gar viel durch die Heilorganik genützt werden kann. — Bei Kindern, namentlich bei Mädchen, wenn sie an Verkrümmungen des Rückgrats leiden, ist meistentheils der Zweck der Behandlung, wenigstens in den Augen der Eltern, ein rein kosmetischer. Daher ist bei diesen die Verwunderung gewöhnlich sehr gross, und sie vermögen es meistentheils gar nicht zu fassen, warum ein im Alter Vorgerückter, um die Kosmetik seines Körpers wenig oder gar nicht mehr Besorgter, sich einer heilorganischen Cur seiner Rückgratsverkrümmung wegen unterwerfe?

§. 216b. Die electrische Curmethode ist (§. 10) schon als im Principe der heilorganischen widerstreitend angegeben worden, da sie eine Heilart zweiter Instanz ist. Hiebei wurde dieselbe nur als solche betrachtet, wie sie jetzt allgemein betrieben wird; d. h. nach den auf physikalischem Wege gewonnenen Erfahrungen über Electricität und Magnetismus, ohne der so weit ausgebildeten Odlehre v. Reichenbach's Rechnung zu tragen. (Siehe Anhang über Odlehre.) Eine solche Electrisirungsmethode, wie sie also jetzt in Gebrauch ist, kann bei den Verkrümmungen mit der heilorganischen Curmethode nie zu gleicher Zeit angewandt werden.

§. 217. Was nun die heilorganische Behandlung der Verkrümmungen selbst betrifft, so ist noch zu antworten: 1) auf den oft gemachten Einwand, dass eine einmal des Tages ausgeführte Anwendung der Heilorganik bei Verkrümmungen nicht ausreichen dürfte; und 2) zu erwähnen noch Einiges über die Art, wie man die passenden Bewegungsformen bei den einzelnen Verkrümmungen finden könne. — Es ist schon oben (§. 177) erwähnt worden, dass das heilorganische Recept eigentlich nur scheinbar aus so wenigen Bewegungen zusammengesetzt sei, in Wahrheit aber aus einer grösseren Menge derselben bestehe. Deshalb macht also der Patient, der auch nur einmal des Tages ein heilorganisches Recept zur Hei-

7 *

lung seiner Verkrümmung durchübt, doch schon eine grössere Menge von Bewegungen. Aus diesem Grunde schon dürfte bei Rückgratsverkrümmungen eine ein-, höchstens zweimal des Tages vorgenommene Durchübung eines Receptes genügen. Etwas anderes ist es bei den Gliedercurvaturen, wo eine vielmals des Tages wiederholte Anwendung einer oder einiger besonders dienlicher Bewegungen zuweilen passend sein könnte.

§. 218. Um nun das Auffinden der zur Heilung einer Verkrümmung dienlichen Bewegungsformen zu erleichtern und überhaupt möglich zu machen, hat man zunächst zwei Wege, den des Studiums und den des Experiments. — Der erstere besteht darin, dass man bei den verschiedenen Verkrümmungsformen der Glieder, des Rumpfes u. s. w. die gewöhnlich damit verbundenen Retractionen und Relaxationen der Muskeln schon kennt, und daher schon nach der Form der Verkrümmung wenigstens im Allgemeinen die passende Bewegung zu wählen weiss. Der zweite Weg, der grösstentheils der Begründer des erstern ist, besteht darin, dass man verschiedene Bewegungsformen dem Patienten bei entblösstem Körper durchüben lässt, und nun zusieht, durch welche die Verkrümmung verringert, durch welche vermehrt wird. — Namentlich bei den Scoliosen ist dieser Weg sehr zu empfehlen, da hier die Verhältnisse öfters sehr verwickelt sind; viel weniger bei anderen Wirbelsäul-Verkrümmungen; am wenigsten bei denen der Glieder, wo der erstere Weg meistentheils ein besseres Resultat ergiebt.

I. Verkrümmungen des Rückgrats.

§. 219. Hieher gehören 1) die Scoliose; 2) die Cyphose; 3) die Lordose; und 4) das Caput obstipum. Es ist für diese Krankheiten, die eben erst die Heilorganik ihrem Wesen nach im rechten Lichte hat erkennen lassen, eine ausführlichere Auseinandersetzung, als bei anderen pathologischen Processen nöthig.

§. 220. Die Wirbelsäule des Kindes, das noch nicht die Last seines Körpers vertical zu tragen gelernt hat, bildet eine gerade Linie, wird aber, sobald dasselbe zu sitzen und noch mehr zu gehen beginnt, wellenförmig gekrümmt. Diese Deviationen bilden sich mit den Jahren immer mehr und mehr aus, so dass beim erwachsenen Menschen sich sehr deutlich im Hals- und im Lumbartheile der Wirbelsäule Krümmungen mit der Convexität nach vorn und im

Brust- und Beckentheile mit der Convexität nach hinten gerichtet vorfinden. Dieselben sind zunächst in dem unsymmetrischen Baue der vorderen und hinteren Körperhälfte des Menschen begründet. Die Last der Brust- und Baucheingeweide nämlich, die nur an der vorderen Fläche der Wirbelsäule aufgehängt sind, während an der hinteren sich kein entsprechendes Gegengewicht findet, würde, wenn keine Kraft dagegen wirkte, und nur allein das Becken befestigt wäre, in einem grossen Bogen nach vorn hin die Wirbelsäule krümmen müssen. Dass dieses nicht geschieht, dass sie sich nur wellenförmig krümmt, liegt in folgenden Verhältnissen.

§. 221. Zunächst ist das Bestreben des Menschen, den Kopf möglichst vertical über der Längsachse des Körpers zu erhalten, die Ursache, dass sich wellenförmige, einander compensirende Krümmungen ausbilden. Ausserdem wirken aber wohl noch folgende anatomische und physiologische Verhältnisse dabei mit, um gerade die angegebenen Deviationen zu bilden.

§. 222. Was zuerst den Halstheil der Wirbelsäule betrifft, so würde derselbe, allein von der Schwere beherrscht, nicht nach vorn, sondern im Gegentheil nach hinten convex gekrümmt sein, weil schon der Schwerpunkt des auf den Halswirbeln balancirenden Kopfes ein wenig vor die Mitte der Wirbelsäule hinfällt. Um nun das Vorneigen des Kopfes zu verhindern, und dem Menschen die gerade Haltung desselben zu erleichtern, sind Nackenmuskeln in grosser Anzahl und Stärke angebracht, welche durch die im Nackenbande enthaltenen elastischen Fasern noch unterstützt werden, und somit leicht ein Uebergewicht über die Schwere des Kopfes und die wenigen an der vorderen Fläche der Halswirbelsäule gelegenen Muskeln erlangen. Daher also wird diese nach vorn hin convex ausgebogen; und indem hiebei die Wirbelkörper nach vorn hin auseinander treten und die Bogen derselben nach hinten hin sich nähern, werden die Bandscheiben in ihrem vorderen Theile gedehnt, und im hinteren zusammengepresst; und müssen also die Form eines Keiles, der mit dem dicken Ende nach vorn und mit dem dünnen nach hinten gerichtet ist, annehmen. Beim neugebornen Kinde sind diese Knorpel von gleichmässiger Dicke.

§. 223. Die Krümmung des Dorsaltheiles der Wirbelsäule wird, wie schon erwähnt, hauptsächlich durch die Schwere der daran aufgehängten Brusteingeweide bewirkt. Auch dürfte die inspiratorische Ausdehnung der Lungen etwas hiezu beitragen. Da die Wirbelkörper in der Concavität dieser Krümmung liegen, so werden sie, so wie die zwischen ihnen befindlichen Bandscheiben, einen bedeutenden Druck erleiden, welcher daher auch bewirken muss, dass die letzteren mehr verschwinden, und selbst die Wirbelkörper spitzkeilförmig nach vorn zusammengepresst werden. Indem die langen Rückenmuskeln, namentlich die Sammtrückenstrecker, sich dagegen stemmen, damit der Rumpf durch die vornhängenden Brust- und Baucheingeweide nicht zu sehr nach vorn gebeugt werde, wird bei dem Ursprunge dieser Muskeln am Kreuzbeine dieses nach hinten concav herausgezogen, und zugleich die Wirbelsäule in der Mitte zwischen Dorsaltheil und Kreuzbein, also in dem Lumbaltheil convex nach vorn eingeknickt. Diese Deviation wird noch vermehrt durch die von den Lumbalwirbeln entspringenden Lendenrunden, so wie durch die Inhüftigen, welche vermittelst der Hüftbeinkämme, die sie nach vorn herabziehen, auch die Krümmung der Lumbalwirbel nach vorn und des Kreuzbeines nach hinten vermehren müssen. Auch die Kammmuskeln und die Schenkelanzieher, welche den vorderen Theil des Beckens herabziehen, werden zur Vermehrung jener Wirbelsäulkrümmungen beitragen. Dass die Bandscheiben auch zwischen den Lendenwirbeln keilförmig von vorne nach hinten an Dicke abnehmen, hat denselben schon bei der Krümmung der Halswirbel erwähnten Grund.

§. 224. Die Stachelfortsätze findet man beim erwachsenen Menschen im Cervical- und Lumbaltheile der Wirbelsäule gerade nach hinten gerichtet, und im Brusttheile herabgebogen und dachziegelförmig übereinander liegend. Diese verschiedene Stellung derselben lässt sich ebenfalls aus der Zugkraft der Muskeln erklären. Wenn nämlich die Wirbelkörper convex nach vorn treten, so wird die Muskelkraft ihre oberen und unteren Stachelfortsätze gegen den mittelsten ziehen, aber diese werden, weil die Wirbelkörper durch ihr convexes Vortreten nachgeben, nicht gebogen werden können, sondern gerade bleiben, wie dieses auch im Hals- und Lendentheile der Vertebralcolumne beobachtet wird. Im Rückentheile derselben dagegen treten die Wirbelkörper convex nach hinten durch die Schwere der daran aufgehängten Eingeweide, und wenn nun dieser Kraft die Sammtrückenstrecker in Verbindung mit den beiderseitigen Vieltheiligen, den Dornigen, Halbdornigen und Zwischendornigen sich entgegenstemmen, so müssen, da sie ihren festen Punkt am Becken haben, die Stachelfortsätze der Dorsalwirbel dachziegelförmig übereinander und herabgezogen werden. Beim Greise wird der

Rücken übermässig gekrümmt und zum sogenannten Senkrücken, indem die Schwere der Brusteingeweide über die durch Alter erlahmenden Rückgratsstrecker das Uebergewicht erlangt.

§. 225. Seitliche normale Deviationen der Wirbelsäule finden sich beim gesunden, beide Hände möglichst gleichmässig brauchenden Menschen in keinem Lebensalter, theils wegen des vollkommen symmetrischen Baues der beiden seitlichen Körperhälften, theils wegen des gleichmässigen Antagonismus der dort liegenden Muskeln, theils endlich wegen der zunehmenden Grösse der beweglichen Wirbelkörper, die eine Pyramide bilden, welche mit ihrer Spitze den Kopf berührt, und deren Basis auf dem Kreuzbeine ruht.

§. 226. Solche Betrachtungen, eigentlich angehörig der Anatomie und Physiologie des gesunden Menschen, müssen vorausgeschickt werden, um die Wege zum richtigeren Verständnisse der pathologischen Abweichungen des Rückgrats anzubahnen. Denn gestützt auf solche Betrachtungen können wir die Krümmungen der Wirbelsäule eintheilen: in normale, natürliche, die auch bei dem gesündesten Menschen vorkommen, und die wir eben betrachtet haben; und zweitens in pathologische, kranke, in Verkrümmungen, die aus nicht normalen Lebensprocessen, pathischen Vorgängen entspringen.

§. 227. Diese lassen sich der Form nach eintheilen: 1) in eine Abweichung, die die seitliche Symmetrie des Rumpfes aufhebt; und bei längerem Bestehen auch die Symmetrie der Wirbelkörper und Dornfortsätze stört; die also theils Verkrümmungen nach der Seite, theils Achsendrehungen des Rückgrats und Rumpfes überhaupt hervorbringt, die Scoliose oder Seitenkrümmung, Achsendrehung des Rückgrats; 2) in eine Abweichung nach vorn, die besonders im Dorsal- und Lumbartheile der Wirbelsäule vorkommt; an dem erstern die normale Krümmung nach hinten hin aufhebt; ja sie in eine nach vorn gerichtete verwandelt; und im Lumbartheile die natürliche Krümmung nach vorn stark vermehrt, die Lordose; und 3) in eine Abweichung nach hinten, die im Dorsaltheile der Wirbelsäule vorkommend die natürliche Krümmung nach hinten hin stark vermehrt, im Lumbartheile die natürliche, nach vorn gerichtete aufhebt, und sie in eine Krümmung nach hinten hin verwandelt, die Cyphose, der Buckel; wenige Wirbel nur umfassend und eckigt vorstehend: Angularprojection genannt. — Eine Scoliose des Halstheils der Wirbelsäule, eine Neigung des Kopfes zur Seite, mehr oder weniger mit Achsendrehung verbunden, wird, besonders wenn sie im Halstheil allein auftritt, Caput obstipum oder Schiefhals genannt.

§. 228. Nach den primär ergriffenen Organen lassen sich die Rückgratsverkrümmungen (§. 201 fgd.) eintheilen: 1) in die ossicularen, oder in solche, bei denen die passiven Bewegungsorgane der Wirbelsäule, die Knochen, zuerst von Retractionen und Relaxationen ergriffen werden. (Hieher gehören: die Spondylarthrocace, die rhachitischen und osteomalacischen Knochenkrankheiten u. s. w.); 2) in die ligamentösen, oder in solche, bei denen die Ligamente, Bandscheiben u. s. w. zuerst von Retractionen oder Relaxationen ergriffen werden (hieher gehört besonders die ligamentöse Scoliose); 3) in die muscularen, oder in solche, bei denen die Muskeln zuerst von Retractionen und Relaxationen ergriffen werden (hieher gehören: der grösste Theil der Scoliosen, Cyphosen und Lordosen).

229. Man hat wohl, obschon mit Unrecht, eine vierte Classe von Rückgratscurvaturen nach den primär ergriffenen Organen statuiren wollen, obschon die in ihr enthaltenen Arten entweder zu der einen oder der andern der bisher genannten Classen gehört. Es sollte nämlich bei der vierten Classe das bestimmende Moment sehr verschiedenartige, der Rückgratsverkrümmung vorhergehende, medicinische oder chirurgische Krankheiten sein. Diese sollten theils bleibende sein, z. B. pleuritische Thoraxeinziehung, Verkürzung eines Beins durch Coxarthrocace, Contractur des Kniegelenks u. s. w.; oder gar sehr vorübergehende, acute Krankheiten: wie z. B. rheumatische Fieber, Spasmen u. s. w. Jedenfalls hat man auch noch in neuerer Zeit den Einfluss solcher Momente gar sehr übertrieben, und eine Menge von Fällen, die das reinste Bild muscularer Verkrümmungen abgaben, durch ein Hineinziehen von rheumatischen, spastischen, entzündlichen, ja selbst rein physikalischen Momenten nicht aufgeklärt, sondern mehr verwirrt.

230. Die Diagnose der ossicularen Verkrümmungen des Rückgrats ist im Evolutions- oder entzündlichen Stadium nicht schwer, da einzelne Wirbel stets als Angularprojection sehr bald hervortreten, und sich dem Unkundigsten als solche darstellen. Schwieriger ist zu entscheiden, wann der inflammatorische Process abgelaufen sei; ein Umstand, der für den Eintritt der heilorganischen Behandlung von Wichtigkeit ist. Das schmerzlose Bewegen des Rumpfes durch den Patienten allein oder bei Anwendung duplicirter

Bewegungen, so wie eine gewisse Euphorie, die der Organismus des Patienten wieder zu zeigen beginnt, sind noch die sichersten Beweise, dass nun die heilorganische Behandlung eintreten könne und müsse. Es ist nämlich nicht zu lange damit zu warten, damit nicht ausgeprägte Retractions- oder Relaxationsverhältnisse der Rumpfmuskeln sich ausbilden, die zu stärkeren Verkrümmungen führen würden.

§. 231. Die rhachitische Verkrümmung, namentlich in den leichteren Formen, lässt sich zunächst nur dadurch diagnosticiren, dass die Rippen und andere Knochen des Rumpfes, ein jeder für sich, besondere Krümmungen machen, und nicht den bekannten regelmässigen Formen, wie sie die muscularen Verkrümmungen zeigen, sich anschliessen. — Die Prognose ist beim Gebrauche der heilorganischen Behandlung für alle ossicularen Verkrümmungen in Hinsicht der vollkommenen Herstellung der Form eine sehr ungünstige; in Hinsicht der Milderung der Retractions- und Relaxationsverhältnisse der Muskeln eine gute; ebenso auch in Hinsicht des möglichen Freierhaltens der visceralen Brust- und Unterleibsorgane von Retractionen und Relaxationen.

§. 232. Operationen, namentlich Tenotomien, sind selten oder nie bei diesen Verkrümmungen anwendbar; Maschinen sind wenigstens für den Fall, dass die Umstände des Patienten die Einleitung einer heilorganischen Cur gestatten, ebenfalls durchaus zu verwerfen. Verbindungen der Maschinen- mit der heilorganischen Cur sind, da, wie erwähnt (§. 212), beide Curmethoden sich im Principe widersprechen, am wenigsten anzurathen.

§. 233. Die ligamentösen Verkrümmungen der Wirbelsäule werden an einer besonderen Laxität der Wirbel- und anderen Gelenke des Körpers erkannt. Daher kommt es auch, dass bei ihnen die Wirbel selten grössere Bogen zusammen bilden, vielmehr meistentheils ein jeder Wirbel, oder doch mehrere, auf die mannigfaltigste Art gegen einander abweichen; und zwar nicht allein nach der rechten oder linken Seite, sondern auch nach vorn und hinten. Deshalb steht hier öfters ein Dornfortsatz mehr vor, ein anderer mehr zurück, einer mehr nach rechts, der darüber liegende gleich mehr nach links u. s. w. Diese Art der Wirbelsäul-Curvaturen giebt die ungünstigste Prognose, da selbst der heilorganischen Behandlung es oft nicht möglich ist, das Uebel in seinem Fortschritte aufzuhalten; und kaum je, auch wenn es erst einen kleinen Anfang gemacht hat, es zu heilen. — Man sieht ein, dass schon wegen dieser so sehr ungünstigen Prognose es für jeden heilorganischen Arzt von Wichtigkeit sein muss, die ligamentöse Verkrümmung, die, ausgebildet, meistentheils in der Form einer unregelmässigen S-förmigen Scoliose aufzutreten pflegt, richtig zu diagnostieiren. — Tenotomien sind bei ligamentösen Wirbelsäul-Curvaturen nicht anwendbar, und eben so wenig Maschinencur, da sie bestimmt die Zunahme des Uebels mit reissenden Schritten befördern, und zugleich die visceralen Brust- und Unterleibsorgane in Retractionen und Relaxationen versetzen würde. — Dieses aber verhütet in jedem Falle, auch wenn die Verkrümmung sich nicht sollte aufhalten lassen, die heilorganische Behandlungsweise.

§. 234. Die primär-muscularen Rückgratsverkrümmungen entstehen auf folgende Weise. Die Wirbelsäule kann ihrem Baue nach mit einem elastischen Stabe verglichen werden. Beim neugebornen Kinde ist dieselbe vollkommen gerade, und im Verlaufe des Lebens wird sie durch die Schwere der daran aufgehängten Eingeweide, und durch den nicht vollkommenen Antagonismus der an ihrer vorderen und hinteren Fläche gelegenen Muskeln wellenförmig gekrümmt. In seitlicher Richtung aber bleibt sie gerade durch die symmetrisch gebauten, im genauen Antagonismus stehenden Muskeln der rechten und linken Körperhälfte. Wer dieses eingesehen hat, dem muss es auch klar sein, dass jeder pathische Zustand, welcher den seitlichen Muskel-Antagonismus aufhebt, oder den schon unvollkommenen vorderen und hinteren noch mehr stört, krankhafte Verkrümmungen der Wirbelsäule herbeiführen wird. Es geht dieses aus den anatomischen Verhältnissen derselben so klar hervor, dass man sich doch wahrlich wundern muss, wie ein solches Verhältniss von denkenden pathologischen Anatomen selbst bis gegen die Neuzeit bezweifelt werden konnte, und wohl zum Theil noch jetzt bezweifelt wird.

§. 235. Im Beginne der muscularen Rückgratsverkrümmungen werden meistentheils die dem Rückgrate zunächst liegenden Muskeln von Retraction und Relaxation ergriffen, und bei der geringsten Zunahme des Uebels gehen diese pathischen Zustände auf alle übrigen Rumpfmuskeln, ja sogar auf die der Extremitäten mehr oder weniger über.

Im Beginne dieser Uebel sind Knochen und Bänder der Wirbelsäule normal beschaffen, und nur nachgebend der natürlichen Beweglichkeit. Bei Zunahme des Uebels werden aber in ihnen die Haversischen Canäle, so wie die Knochen-Lacunen mit ihren Canälchen, die mit Blut, Lymphe u.s.w. erfüllt sind, zusammengedrückt, ja vielleicht einzelne verödet; und es kann daher der Umfang des Knochens bedeutend kleiner werden, ohne dass das Knochengewebe eigentlich metamorphosirt ist. So wie die Knochen, so werden auch die dazwischen liegenden Bandscheiben und der ganze übrige ligamentöse Apparat theilweise zusammengefaltet und verdrängt (also in Retractionszustand), theilweise ausgedehnt (also in Relaxationszustand versetzt). Nur in sehr seltenen Fällen hochgradiger muscularer Verkrümmungen dürften die Bandscheiben gänzlich vernichtet und eine Verschmelzung der Wirbelkörper mit einander und somit Ancylose zu Wege gebracht werden. Es kann diese Knochen- und Bänderumformung durchaus frei von Ostitis, Caries und Necrose, frei von tuberculösen, carcinomatösen, rhachitischen, osteomalacischen und überhaupt allen andern krankhaften Processen vorkommen, und nur eben durch permanente Zusammenfaltung oder permanente Ausdehnung der histologischen Gewebe der Knochen und Bänder ganz ähnlich wie in den Muskeln zu Wege gebracht werden. Zugleich mit der Verkrümmung der Wirbelsäule werden auch die übrigen Knochen des Skelets, namentlich die Rippen und selbst die Kopfknochen mehr oder weniger verschoben, aber meistentheils ebenfalls ohne wirkliche Metamorphosirung. Die Beckenknochen dürften bei reinen Muscular-Verkrümmungen seltener und selbst in den höchsten Graden derselben nur unbedeutend verschoben werden. Dagegen können Organe der Bauch- und besonders der Brusthöhle im topischen und Structurverhältnisse bedeutend verändert, und selbst wirklich desorganisirt werden.

§. 236. Die Diagnose der muscularen Verkrümmungen ist besonders aus der grossen Regelmässigkeit der Deviation in S-förmiger Gestalt oder in einem grossen Bogen zu entnehmen, so wie auch aus den regelmässigen Retractions- und Relaxationszuständen der Rumpfmuskeln namentlich zu erkennen.

Die Therapie dieser Art der Verkrümmungen darf nur allein in Anwendung der Heilorganik bestehen; die gewöhnlich dagegen gebrauchten Bandagen und Maschinen sind zu verwerfen, oder doch nur in dem Fall, dass das Uebel ein Kind unter 5 Jahren betreffe, das also nicht zu duplicirten Bewegungen zu bestimmen ist, zu entschuldigen als remedium anceps quam nullum.

§. 237. Es ist als Grundsatz anzunehmen, dass alle Wirbelsäul-Deviationen (so verschiedenartig auch dabei die primär leidenden Organe sein mögen) doch, sobald sie längere Zeit bestehen,

Retractionen und Relaxationen der Rumpfmuskeln zeigen, und dann natürlich für die heilorganische Behandlung sich eignen. Es ist daher die Eintheilung nach den primär ergriffenen Organen nur in sofern wichtig, um danach den Zeitpunkt des Beginns der heilorganischen Behandlung genauer bestimmen zu können. Da aber die Form der Wirbelsäul-Verkrümmungen durchaus für die Wahl der besonderen heilorganischen Bewegungsformen und für die Zusammenstellung derselben in Recepten von grösstem Einfluss ist: so wird die folgende Darstellung hienach sich eintheilen, und zuerst die Scoliose, dann die Cyphose, dann die Lordose, und zuletzt das Caput obstipum vom heilorganischen Standpunkte aus betrachten.

I. Scoliose.

§. 238. Scoliosis, Seitenkrümmung des Rückgrats und dann auch des ganzen Rumpfes besteht im Anfange gewöhnlich in einer bogenförmigen, später aber S- oder wellenförmigen mit Achsendrehung der Wirbelsäule und des Rumpfes verbundenen Krümmung. Die ossiculare ist meistentheils sehr unregelmässig in ihrer Form; die ligamentöse schon regelmässiger; die musculare am regelmässigsten, und daher meistentheils sogar ein gewisses Ebenmaass in den pathologischen Abweichungen zeigend.

§. 239. Die entfernten Ursachen der ossicularen Scoliose liegen in cachectischen Verhältnissen und sind daher bald schwerer, bald leichter zu entdecken; die der ligamentösen scheinen meistentheils constitutionelle, sogar ererbte zu sein, nicht leicht während des Lebens erworbene; die der muscularen meistentheils anhaltende fehlerhafte Lagerungen des Körpers, wie beim Schreiben mit gekrümmtem Rücken, mit herabhängendem, nicht unterstützten linken Ellenbogen, mit zu sehr dem Papiere genähertem Kopfe.

Dieses Moment scheint hauptsächlich, namentlich in unserer Zeit und bei den schulpflichtigen Mädchen einzuwirken. Auch fehlerhaftes Liegen auf der Seitenfläche des Körpers im Bette, Nähen an einem Stickrahmen, Spielen der Harfe haben bedeutenden Einfluss. — Schwäche des Organismus überhaupt, und namentlich der Musculatur, bilden nämlich zwar eine Oportunität für musculare Scoliosen, so dass dabei fehlerhafte Körperstellungen um so leichter einwirken. Doch sind diese allein schon ein so bedeutendes,

Alles überwindendes causales Moment, dass selbst die kräftigsten Musculaturen ihm für die Dauer nicht zu widerstehen vermögen. Das Tragen der Schnürleiber und der orthopädischen, nicht federnden und selbst federnden, die Musculatur stets schwächenden Maschinen ist als causales Moment besonders dann in Anschlag zu bringen, wenn ihre Anwendung gleich im Beginne der muscularen Scoliose eintritt. — Sich selbst überlassen, wird die musculare Scoliose stets nur langsam, beim Gebrauch von Maschinen stets schneller zunehmen. — Zugleich ist es eine merkwürdige Erscheinung, dass die Maschinen in die Ausbildung der sonst bei muscularen Scoliosen so regelmässigen Retractions- und Relaxationsverhältnisse der Muskeln etwas Unregelmässiges sofort bringen, so dass hieraus der erfahrene heilorganische Arzt (der duplicirte Bewegungen anzuwenden, und dadurch die Muskelretractionen und Relaxationen genau zu diagnosticiren versteht) in den meisten Fällen wird entscheiden können, ob der in Rede stehende Patient mit Maschinen schon behandelt wurde, oder nicht.

§. 240. Ausser Knochenentzündung sind noch mancherlei entzündliche, rheumatische, krampfhafte, ja selbst rein mechanische Zustände als Ursachen der muscularen Scoliose aufgestellt worden, wodurch die Erkenntniss dieser Uebel eine Zeit lang sehr verwirrt wurde.

Nun ist aber klar, dass wenn durch solche Momente Scoliosen hervorgerufen werden, dieselben doch bald vorübergehen, oder wenn sie bleibend werden, eben dieser Zustand nur durch sich ausbildende Retractions- und Relaxationsverhältnisse der Rumpfmuskeln herbeigeführt werden kann.

§. 241. Da die Symptome der Scoliosen grösstentheils zu den objectiven gehören, so ist ihre Erkenntniss meistentheils nicht schwierig. Etwas schwieriger, jedoch auch nicht in bedeutendem Grade, ist die Diagnose der muscularen, im Gegensatze der ossicularen und anderweitigen Scoliosen. Es ist in früherer Zeit wohl vorgekommen, wie Shaw erzählt, dass die hohe Schulter oder die vorstehende Hüfte der Scoliotischen für Geschwülste gehalten worden sind, welche man durch zertheilende Mittel hat vertreiben wollen. So etwas dürfte nun wohl hoffentlich wahren Aerzten nicht mehr passiren, da sich die Scoliosis aus der, bei vorgeneigtem Rumpfe des Patienten besonders leicht erkennbaren, seitlichen Krümmung der Wirbelsäule sicher diagnosticiren lässt; inflammatorische Processe der Hautdecken und Aftergebilde aber, wenn sie sich in den cutanen und muscularen Gebilden der Schulter- und Hüftgegend finden, durch das Freisein der Wirbelsäule von Verkrümmung, durch die Röthe und Schmerzhaftigkeit der Hautdecken, durch die Fluctuation im Inneren; Aftergebilde aber auch noch besonders durch umschriebene Form, das langsame Wachsen, die Beweglichkeit des Tumor u. s. w. genugsam sich unterscheiden. Ebenso dürfte Spina bifida als eine Krankheit nur neugeborner Kinder wohl nicht leicht mit Scoliose verwechselt werden, da die rundliche Form, die fühlbare Fluctuation, das Fehlen der Dornfortsätze und der Wirbelbogen zu objective Symptome sind, als dass dieselben sollten verkannt werden können. Auch Verrenkungen und Fracturen der Wirbel unterscheiden sich der Anamnestik nach durch den plötzlichen Eintritt der Verunstaltung, die grosse Schmerzhaftigkeit, das bedeutende Leiden des ganzen Organismus, die Lähmungen u. s. w. so sehr, dass nur in früherer Zeit die chronischen Scoliosen für Luxationen gehalten werden, und deshalb mit gewaltsamen Reductionen dagegen vorgeschritten werden konnte.

§. 242. Die ossicularen Scoliosen als Spondylarthrocace, Rhachitis und Osteomalacie hauptsächlich auftretend, unterscheiden sich von den muscularen meistentheils durch ein viel bedeutenderes Ergriffensein des Körpers, mit Fieber, Eiterung, grosser Schmerzhaftigkeit der Wirbelsäule verbunden. Meistentheils leiden bei ossicularen Scoliosen nur wenige Wirbel, welche sehr bald eckig hervortreten, und die Bewegung des Rumpfes nur unter grossen Schmerzen geschehen lassen; oder aber bei Ausdehnung des Krankheitsprocesses über mehrere Wirbel zeigen sich auch an anderen Knochen, z. B. an den Rippen, den Knochen der Extremitäten ähnliche pathische Vorgänge. Durch Krümmungen der Extremitätsknochen documentirt sich besonders Rhachitis, durch Verunstaltung des Beckens besonders Osteomalacie. Ueberhaupt unterscheiden sich die ossicularen Scoliosen auch dadurch, dass sie alle nur denkbaren Verbiegungen der Wirbelsäule überhaupt hervorbringen, während die muscularen eine bestimmte, ziemlich regelmässige Form beobachten. Leiden des Rückenmarkes und seiner Häute, als Entzündung, Erweichung, Verhärtung u. s. w. auftretend, unterscheiden sich durch das bedeutende Ergriffensein des Organismus, die grosse Schmerzhaftigkeit der Wirbelsäule bei gerader Aufrichtung derselben, durch das Fieber, das Darniederliegen der Kräfte u. s. w.

§. 243. Was die Therapie der Scoliose betrifft, so dürfte ein operativer Eingriff, namentlich Tenotomien, deshalb zunächst contraindicirt sein, weil zu viel Muskeln und Sehnen retrahirt sind, als dass die Durchschneidung einiger besonderen Erfolg haben könnte. Alle retrahirten aber zu durchschneiden, dürfte doch schon deshalb nicht gut angehen, weil viele derselben dem Tenotom schwierig oder gar nicht, ohne Verletzung edler Organe, zu erreichen möglich sind.

§. 244. Durch Maschinen Scoliosen zu heilen, und diese Behandlung ohne oder mit der Heilorganik anzuwenden, dürfte für die ossicularen, ligamentösen und muscularen Scoliosen im Allgemeinen zu verwerfen, und nur etwa bei den durch Verkürzung eines Beines hervorgebrachten (in Betreff des Beines und dessen künstlicher Verlängerung durch Maschinen) in einzelnen Fällen zu gestatten sein.

Für die ligamentöse und musculare Scoliose ist die Anwendung von Maschinen besonders schädlich, ja meistentheils verderblich, weniger schädlich, wenn auch nicht hülfreich für die ossicularen.

Bei kleinen Kindern unter 4 Jahren ist man öfters gezwungen, um die Scoliosen, an denen sie leiden, in ihrer Entwickelung wenigstens aufzuhalten, zu einer Maschinencur mit gleichmässig federnden Corsets zu schreiten. Der heilorganischen Behandlung genügt man zugleich durch ein öfteres Hin- und Herschwingen oder sogenanntes Baumeln an den Händen.

§. 245. Mit der Maschinencur in Verbindung stehen einige diätetische Vorschriften, welche bei Scoliotischen angewendet zu werden pflegen. Hieher gehört: das Liegen der Patienten auf dem Rücken im Bette oder auf platter Erde, nicht nur in der Nacht, sondern auch längere Zeit während des Tages. Wenn diese Vorschrift nicht blos, um die Nachtruhe zu geniessen, oder des Tages bei besonderen Veranlassungen und kurze Zeit, z. B. nach weiten Spaziergängen, nach den heilorganischen Bewegungen ausgeführt wird: so halte ich dieselbe nur für schädlich, und mit der heilorganischen Behandlung im Widerspruche stehend. Denn ein zu langes Ruhen, eine zu lange Passivität des Muskelsystems, wird die Muskeln nicht stärken, nein schwächen; muss also den Erfolg der heilorganischen Behandlung jedenfalls, wenn nicht aufheben, doch vermindern. Solchen diätetischen Verordnungen lag ohne Zweifel die rein mechanische Ansicht zum Grunde, dass der Körper des Patienten, wie ein biegsamer Stab, durch langes und ausgestrecktes Liegen in seinen Verbiegungen ausgeglichen werden könne. — Selbst eine Befestigung des Patienten im Bette und nur der Art, dass er auf dem Rücken zu liegen gezwungen sei, halte ich nicht für zweckmässig. Es ist nur nöthig, dass der Scoliotische auf dem Rücken liegend einzuschlafen suche. Bleibt er auch dann während des Schlafes nicht in dieser Lage; wechselt er aber nur wenigstens mit den beiden Körperseiten, auf die er sich legt; und ist das Lager ein möglichst ebenes und festes (eine Rosshaarmatraze): so ist weiter nichts nöthig.

§. 246. Die heilorganische Behandlungsweise ist bei allen Scoliosen als die durchaus souveraine Curmethode indicirt. Nur allein bei den ossicularen, und bei diesen auch nur in dem Stadium, in welchem ausgeprägte Knochenentzündung vorhanden ist, dürfte sie contraindicirt sein. — Um nun die einzelnen zuträglichen heilorganischen Bewegungsformen zu finden, dazu ist einerseits, zumal was die ossiculare und ligamentöse Scoliose betrifft, der (§. 218) angegebene Weg der Einübung am entblössten Körper des Patienten zunächst einzuschlagen; während bei der muscularen, wenn man den Grad der Krankheit kennt, sich auch schon a priori die dienlichen Bewegungsformen bestimmen lassen. — Für ossiculare und ligamentöse, so wie für die Scoliose z. B. aus Verkürzung eines Beines, lassen sich sehr schwer bestimmte Bewegungsformen in für alle Fälle passenden heilorganischen Recepten zusammenstellen. Dagegen geht dieses wohl an, und zwar mit ziemlicher Genauigkeit für die verschiedenen Grade der muscularen Scoliose. — Da nun dieser die anderen Arten in ihrer Form sich einigermaassen nähern, so werden die im Folgenden gegebenen heilorganischen und diätetischen Recepte, obschon sie speciell nach den Graden der muscularen Scoliose geordnet sind, doch mehr oder weniger, sei es unverändert, sei es etwas geändert, eine Anwendung bei anderen Arten der Scoliose finden können.

§. 247. Um jedoch die Zusammensetzung dieser Recepte gehörig zu verstehen, dazu wird es nöthig sein, den Verlauf der muscularen Scoliose noch genauer zu beschreiben, namentlich die vom heilorganischen Standpunkte anzunehmenden drei Grade derselben zu detailliren, und die retrahirten und relaxirten Muskelfasergruppen bei allen diesen Graden speciell anzugeben.

§. 248. Der erste Grad der muscularen Scoliose krümmt den ganzen Rumpf, und zunächst das Rückgrat seitwärts in einen langen, aber sehr flachen Bogen, dessen Convexität meistentheils nach links, dessen Concavität nach rechts gerichtet ist, so wie Fig. 5 in einer Abbildung vom Rücken aus gesehen, naturgetreu darstellt.[1]) Die rechte seitliche Rumpffläche zeigt oberhalb

Fig. 5.

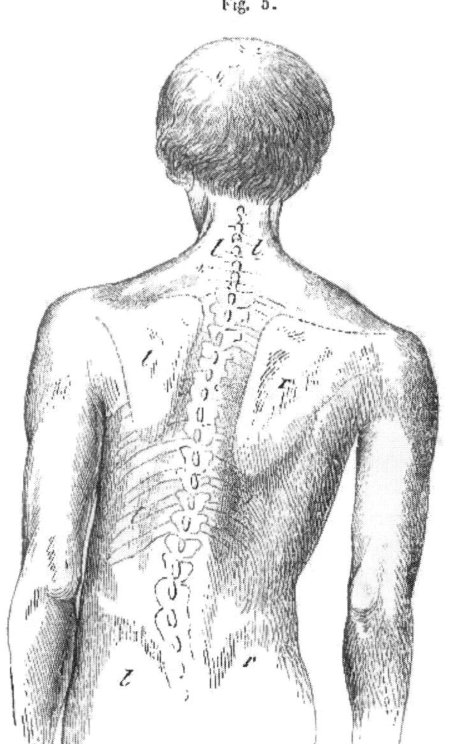

des rechten Hüftbeinkammes in den geraden Fasern der äusseren Bauchplatte (Muskelleben S. 234) die grösste Einbiegung, also auch die grösste Retraction, und in denselben Fasern linker Seite die grösste Relaxation. Die rechte Schulter und das *rechte Schulterblatt steht niedriger, als die linke Schulter und deren Schulterblatt.* Daher findet sich ziemlich gleichmässig (mit Ausnahme der schon erwähnten, stärker ergriffenen Darmgegenden) an der linken Rumpfseite überall schwache Muskelrelaxation,

---

1) Der Buchstabe „r“ bedeutet Retraction, der Buchstabe „l“ Relaxation, so weit er sich in der Figur 5 vorfindet.

an der rechten überall schwache Muskelretraction. Nur die Nacken- und vordere Halsgegend macht eine Ausnahme. In den Nackenmuskeln ist rechter und linker Seite schwache Retraction, in den vorderen Halsmuskeln (in der Fig. 5 nicht sichtbar) rechts und links schwache Retraction. Es hat dieses darin seinen Grund, dass der Kopf mit dem Halse beim Beginn der Scoliose nicht eine compensirende, sondern für sich eine besondere, mit der Concavität nach vorn gerichtete Krümmung bildet.

§. 249. Von einer Drehung der Wirbelsäule um ihre Achse ist beim ersten Grade der muscularen Scoliose kaum eine Spur mit Ausnahme im Halstheil, der öfters durch eine geringe Neigung nach links die beginnende Achsendrehung anzuzeigen pflegt. An der vorderen Fläche des Rumpfes sind nur sehr geringe pathologische Veränderungen wahrzunehmen, und höchstens deutet die Vorneigung des Kopfes und der niedrige Stand der rechten Schulter in geringem Maasse die beginnende Krümmung der Wirbelsäule an. Die Einbiegung über der rechten Hüfte, die von hinten betrachtet so stark erscheint, ist von vorn gesehen kaum wahrzunehmen; im Gegentheil bildet der Bauch an beiden Hüften eine ziemlich gleichmässige Rundung namentlich bei wohlgenährten Patienten.

§. 250. Beim ersten Grade der Scoliose leiden daher zunächst nur die Muskel-Längsfaser-, wenig oder gar nicht die Spiralfasergruppen. Deshalb sind auch bei der heilorganischen Behandlung zunächst die Beugungen und Streckungen der Arme und Beine; die Vor- und Rückbeugungen, die Vor- und Rückneigungen des Rumpfes; die Seitbeugungen des Rumpfes; die Führungen der Arme; die Beinerhebungen und Senkungen anzuwenden (§. 252).

§. 251. Lässt man einen solchen Scoliotischen, den man von hinten betrachtet, sich nach vorn stark beugen, z. B. in die Tief-Neig-Steh-Stellung übergehen, so verschwindet meistentheils jede Krümmung, und die nun stark vorstehenden Dornfortsätze der Wirbel bilden eine gerade Linie. — Eine Ausgleichung der Krümmung wird gewöhnlich auch dadurch hervorgebracht, dass der Patient die „Spr. sehn. stb., act. 2 A. Sw. Afw. Fūg." ausführt. Sobald die Arme in die Streckstellung bei dieser Bewegung kommen, ist gewöhnlich jede Krümmung verschwunden.

§. 252. Dieser erste Grad der Scoliose, der zufolge der nach links gerichteten Convexität der Krümmung eigentlich linkseitige heissen müsste, kann in Zeit von einigen Monaten vollkommen und dauernd durch Heilorganik geheilt werden. Die Hauptbewegung, die dagegen anzuwenden ist, besteht in der „Rf. L. S. Bu., welche in gleichen Stellungen beider Arme vorzunehmen ist, als z. B. in Streck-, Ruh-, Klafter-, 2 Klafter-Wehr, in Eck-, Flügel- u. s. w. Stellung. Die anderen dabei anzuwendenden Bewegungen siehe §. 250, so wie die folgenden Recepte (§. 267).

§. 253. Wird gegen die linkseitige musculare Scoliose nichts unternommen, und wirken die begünstigenden Umstände, wie Muskelschwäche, fehlerhafte Lage beim Schreiben und im Bette u. s. w. fort; oder werden Maschinen gegen diesen geringen Grad der Scoliose angewandt, nicht aber Heilorganik: so geht derselbe in den zweiten Grad gewöhnlich binnen weniger Monate über. — Turnübungen, Landaufenthalt, Freisein von geistigen Beschäftigungen bringen wenigstens einen Stillstand der Verkrümmung hervor, selten aber oder nie Heilung. Diese kann nur die planmässige Anwendung der Heilorganik allein geben.

§. 254. Der zweite Grad der muscularen Scoliose, gewöhnlich die rechtseitige genannt, ist von hinten betrachtet

Fig. 6.

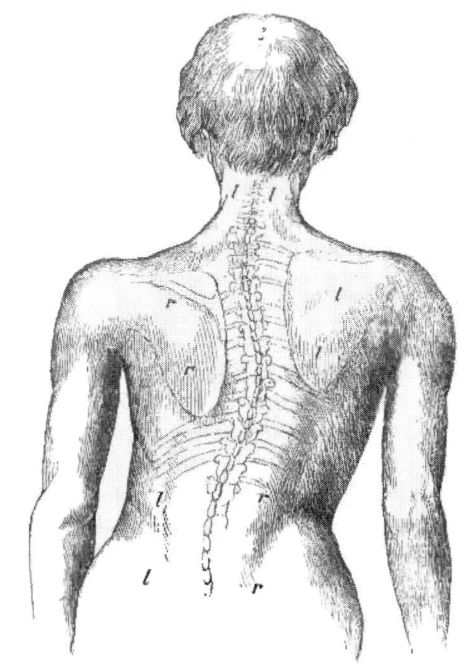

8*

in Fig. 6 dargestellt.[1]) Es haben sich hier aus der einen des ersten Grades zwei einander compensirende Krümmungen des Rückgrats ausgebildet, so dass dasselbe nun eine S-Linie darstellt. Im Dorsaltheile der Wirbelsäule ist gewöhnlich die Convexität des Bogens nach rechts, und die Concavität nach links; umgekehrt im Lumbartheile die Convexität nach links, die Concavität nach rechts gerichtet. Diese letztere Krümmung ist also der Ueberrest der linkseitigen ersten Grades, während in dem oberen Theile des Rückgrats sich eine entgegenstehende Krümmung ausgebildet hat. Demgemäss haben auch die Schulterblätter und die Achseln einen anderen Stand angenommen; rechterseits steht alles höher, linkerseits bedeutend tiefer. Die Vorneigung des Kopfes ist geblieben, ja hat sich meistentheils noch vermehrt. Die linke Hüftgegend beginnt gewöhnlich nun stärker vorzutreten, weshalb die Verkrümmung in diesem Stadium von dem nichtärztlichen Publicum gewöhnlich „hohe Hüfte" getauft wird. Ebenso pflegt auch das rechte Schulterblatt nicht allein im Ganzen höher als das linke zu stehen, sondern auch mit dem unteren Winkel mehr vorzutreten, und also von den unterliegenden Rippen abzustehen; während bei dem linken die ganze Basis und namentlich der untere Winkel mehr einfällt, und in den Weichtheilen sich verbirgt. — Es zeigen diese Verhältnisse den Beginn der Achsendrehung des Rumpfes und der Wirbelsäule deutlich an. Die rechte Schulter dreht sich nämlich mehr nach hinten, die linke mehr nach vorn; und hierdurch tritt umgekehrt die rechte Seite des Beckens mehr nach vorn, die linke mehr nach hinten; keineswegs findet aber hier (oder in den Lumbarwirbeln des Rückgrats) eine der oberen entgegengesetzte und gleich starke Achsendrehung der Wirbelsäule statt.

§. 255. Es ist dieser Umstand von grosser Wichtigkeit für die heilorganische Behandlung, indem man bei Scoliosen zweiten Grades nicht mit doppelten, sondern nur einfachen Verdrehungen zu thun hat. Das Becken und also der untere Theil des Rumpfes nebst den Lumbarwirbeln bildet mit den Oberschenkeln, ja mit den ganzen Beinen, meistentheils eine Fläche, so dass also in Bezug auf die Schenkel und ganzen Beine die Hüftbeinkämme vollkommen gerade stehen; dagegen wegen des seitlich eingebogenen und zugleich im Thorax nach rechts gedrehten Rumpfes sehr ungleich zu stehen

---

1) Der Buchstabe „r" bedeutet auch in dieser umstehenden Figur Retraction, der Buchstabe „l" Relaxation.

scheinen. Die Verschiebung der Beckenknochen ist daher im zweiten Grade der muscularen Scoliose immer eine geringe, kaum merkliche.

§. 256. Der Kopf ist beim zweiten Grade der Scoliose auch vorgeneigt; daher finden sich in den Nackenmuskeln rechter und linker Seite Relaxationen, und ebenso in den vorderen Halsmuskeln Retractionen. Die Muskeln des rechten Schulterblattes zeigen Relaxation, die des linken Retraction. Weiter unten am Rücken ändert sich aber dieses Verhältniss der Art, dass gerade links Relaxation, rechts aber Retraction vorhanden ist. An den Seitenflächen des Rumpfes (von den Achselhöhlen bis zu den Hüften) findet sich rechts, und zwar so weit die Rippen reichen Relaxation, links in derselben Region Retraction; dagegen von den Rippen bis zum Hüftbeinkamm und über denselben hinaus links Relaxation, rechts Retraction. Wegen der Drehung des oberen Theils des Rumpfes nach rechts herum findet sich an der rechten Vorschulter und um das rechte Schlüsselbein Retraction, in diesen Regionen linker Seite Relaxation; an der vorderen Fläche des Bauches zeigt sich links Relaxation, rechts Retraction.

§. 257. Die Brust- und Unterleibsorgane, namentlich Lungen, Herz, grosse Gefässe, Leber, Milz u. s. w., die im ersten Grade der muscularen Scoliose von den Muskelretractions- und Relaxationsverhältnissen kaum berührt wurden, nehmen im zweiten Grade daran schon mehr Antheil. Die linke Lunge ist im Vergleich zur rechten gewöhnlich an Umfang verringert, und wenn auch nicht tuberculösirt, doch schwächer lufthaltig. Weniger auffallend hat das Herz, und noch weniger die Unterleibsorgane gelitten; doch sind auch sie nicht vollkommen im normalen Zustande.

§. 258. Beim zweiten Grade der Scoliose leiden nicht blos die Muskel-Längsfaser-, sondern auch die Muskel-Spiralfaser-Gruppen namentlich die des Rumpfes und Halses. Daher sind bei der heilorganischen Behandlung die Stellungen der Arme und Beine (l. str., r. kl., r. ga.), so wie die Rumpf-Vor-, Rumpf-Rück-, Rumpf-Seit-Beugungen, und die wirklichen Rumpf-Drehungen in jenen Stellungen (sämmtlich Bewegungen, durch die eine geringere oder stärkere Drehung des Rumpfes bewirkt wird) als Hauptbewegungen anzusehen.

§. 259. Lässt man den Scoliotischen zweiten Grades, den man von hinten betrachtet, sich nach vorn beugen, z. B. in Tief-Neig-Steh-Stellung übergehen; und befinden sich beide Arme desselben zugleich in Flügel-, Ruh-, Stern-, selbst Streck-Stellung, so wird sich die Verkrümmung der Wirbelsäule nicht mehr ausgleichen, wie dieses bei dem ersten Grade in solchen Stellungen der Fall war (§. 251). Wohl aber wird eine Ausgleichung geschehen, wenn der Scoliotische die „L. str. r. kl. r. ga. sth., Ha.“ einnimmt. Dieses ist daher, wie erwähnt, die Hauptstellung für den zweiten Grad der Scoliose. Sollte die untere, mit der Convexität nach links gerichtete Krümmung auch dadurch noch nicht ganz ausgeglichen sein: so darf man nur den Patienten die Hauptbewegung für den zweiten Grad, die „L. str. r. kl. r. sf. r. ga. l. hf. lh. sth., Rf. L. S. Bu. (G. W.) u. (P. W.), zgl. l. u. r. Hd. Wch. Fag., u. 2 Hf. Fag.“ machen lassen. Die übrigen hiebei dienenden heilorganischen Bewegungsformen sind zum Theil §. 258 schon erwähnt worden, zum Theil aus den §. 290 fgd. aufgestellten Recepten zu ersehen.

§. 260. Wird gegen die musculare Scoliose zweiten Grades nichts unternommen, und wirken die begünstigenden Umstände wie fehlerhafte Lage beim Schreiben u. s. w. fort; oder werden Maschinen angewandt, nicht aber Heilorganik: so geht der zweite Grad meistentheils binnen 6 bis 8 Monaten in den dritten Grad über. Turnübungen, Landaufenthalt, Freisein von geistigen Beschäftigungen bringt hier schon seltener einen Stillstand des Uebels hervor, das vielmehr auch dabei meistentheils, wenn auch langsamer, in den dritten Grad überzugehen pflegt — Die Heilorganik dagegen, planmässig, richtig und ein halbes bis ganzes Jahr hindurch angewandt, bringt nicht allein einen Stillstand des Uebels hervor, sondern gleicht auch die gestörten antagonistischen Rumpf-Muskelverhältnisse so weit aus, dass Patient gegen Verschlimmerung seines Uebels für immer geschützt ist; und dass seine inneren Organe, namentlich die Lungen, zu einer solchen Normalität zurückkehren, dass für ein Erkranken derselben aus Retractions- oder Relaxationszuständen nicht weiter Besorgniss zu hegen ist.

Eine vollständige Ausgleichung der Form des Rückgrats und des übrigen Rumpfes, so dass selbst am nackenden Körper des Patienten keine Deviation wahrzunehmen ist: dürfte nur dann eintreten, wenn zwei und selbst mehrere Jahre lang die heilorganische Behandlung fortgesetzt wird.

§. 261. Der dritte Grad der muscularen Scoliose (gewöhnlich auch die rechtseitige genannt) ist von hinten betrachtet in Fig. 7, von vorn betrachtet in Fig. 8 dargestellt.

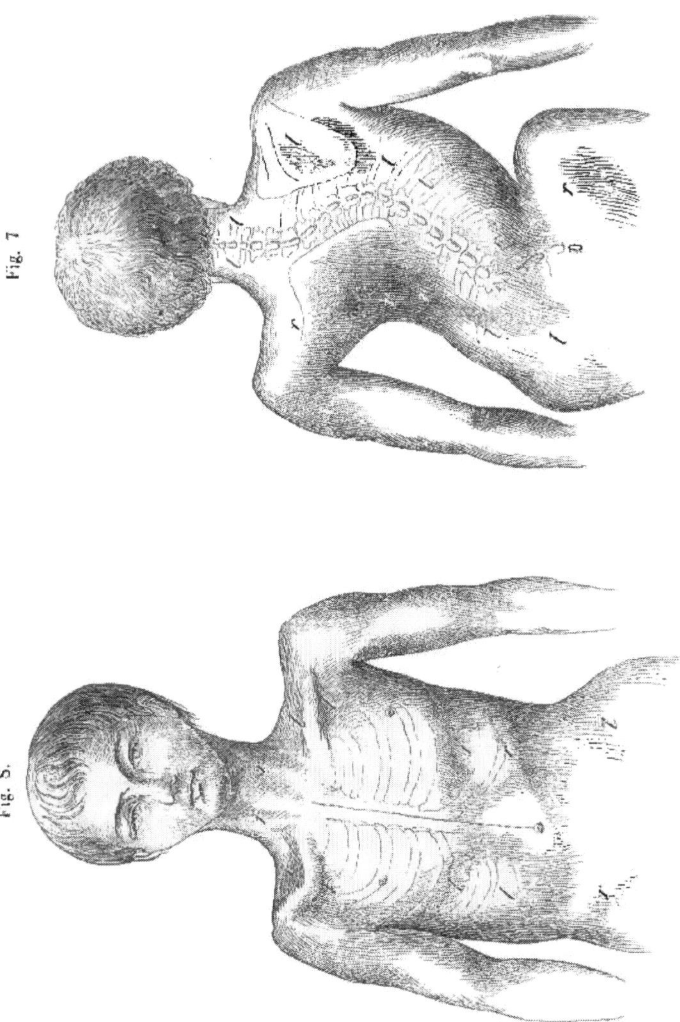

Fig. 7

Fig. 8.

Auch hier bedeutet der Buchstabe „l“ stets Relaxationen, der Buchstabe „r“ Retractionen der Rumpfmuskeln. — Die Krümmungen des Rückgrats und des Rumpfs überhaupt, so wie die Drehungen, sind ähnlich denen im zweiten Grade, nur bedeutend stärker ausgebildet. Auch findet sich der Unterschied, dass die obere, mit der Convexität nach rechts gerichtete Dorsal-Krümmung länger, aber an Curvation schwächer, die untere (Lumbarkrümmung) kürzer, aber an Curvation stärker geworden ist. Das rechte Schulterblatt nebst den Rippenwinkeln tritt nun so stark hervor, während das linke nebst den Rippen so sehr einfällt, dass der Patient das Ansehen eines Buckligen erhält. Zugleich sind die rechten Rippen grösstentheils in einem so starken Bogen gekrümmt, dass der Anfangstheil derselben am Rückgrat, dem Ende derselben am Rippenknorpel sich bedeutend nähert, während umgekehrt linker Seits die Rippen sogar ihre natürliche Krümmung einbüssen, und beinahe geradlinig werden. Namentlich trifft diese Verwandlung beiderseits die mittleren Rippen, wie die 4., 5., 6., 7te u. s. w. — Wegen der starken Retractionen um das rechte, und der starken Relaxationen um das linke Schlüsselbein herum, wird jenes stärker gekrümmt, und dieses stärker gestreckt, als beide im natürlichen Zustande zu sein pflegen.

§. 262. An der Rückenfläche sind die Retractions- und Relaxationsverhältnisse der Muskeln den im zweiten Grade angegebenen ziemlich gleich, nur stärker ausgebildet. Dagegen ist an der vorderen oder Bauchfläche, wie aus Fig. 8 ersichtlich, rechter und linker Seits ein dreifacher Wechsel der Retractionen und Relaxationen ausgebildet. Nämlich rechts findet sich oben am Schlüsselbein, wie schon erwähnt, Retraction; in der Mitte um die Rippenknorpel Relaxation; und unten in den Bauchplatten und den Lendenrunden Retraction. Umgekehrt sind diese Verhältnisse linker Seits. — Die Achsendrehung findet wie beim zweiten Grade nur in dem oberen Theile des Rumpfes statt, und daher sind die Knochen des Beckens trotz der bedeutenden Deviation des Rückgrats nicht leicht verschoben. Namentlich stehen die Hüftbeinkämme gleich hoch, obschon sie für den Unkundigen wegen des so sehr nach rechts herüber geschobenen Thorax sehr ungleich zu stehen scheinen.

§. 263. Der Kopf des Patienten ist gewöhnlich noch stärker als im zweiten Grade vorgeneigt, so dass derselbe namentlich wegen des hohen Standes der rechten Schulter zwischen denselben sich gleichsam zu verbergen scheint.

Alle visceralen Organe der Brust- und Unterleibshöhle nehmen an den Retractionen und Relaxationen der Muskeln so bedeutenden Antheil, dass sogar Tuberculose oder Emphysem, namentlich in den Lungen, sich zu zeigen pflegt. — Verwachsungen der Wirbel finden aber darum doch kaum statt, namentlich nicht in der stark gekrümmten Lumbar-Deviation, wie ersichtlich wird, sobald man bei entblösstem Körper den Patienten die „Snn. hgd., Ha." einnehmen lässt. Durch das Hängen gleichen sich grösstentheils die Krümmungen aus, nur die gekrümmten Rippen rechter Seits pflegen zurückzubleiben, und nach wie vor buckelartig hervorzustehen. Die „L. str. r. kl. r. ga. sth., Ha." vermag nur in geringem Maasse die Rückgratskrümmung dritten Grades auszugleichen. Mehr bewirkt dieses: L. spr. r. kl. r. ga. sth., L. A. Sw. Afw. Fûg. (G. W.) u. (P. W.), zgl. l. Hd. Fag., u. r. Hd. abw. u. afw. Wch. Dû.; sowie: L. str. r. kl. l. sf. r. ga. r. hf. lh. sth., Wch. Rf. R. S. Bu. (G. W.) u. (P. W.), zgl. l. u. r. Hd. Wch. Fag., u. l. hf. u. r. Rp. S. Dû. In Hinsicht der für den dritten Grad passenden Bewegungsformen kann man im Allgemeinen annehmen, dass nicht nur Längsfaser-, sondern auch Spiralfaser- und selbst Sternfaser-Muskelgruppen an Retractionen und Relaxationen hier leiden; und dass daher bei der heilorganischen Behandlung solcher Scoliosen die duplicirten Halbrollungen der Glieder, des Rumpfes, des Halses, und die Beugungen und Streckungen in verschiedenen Ebenen (die die Muskelfaser-Flächengruppen in Thätigkeit setzen) in Anwendung zu bringen sind.

§. 264. Der dritte Grad der muscularen Scoliose pflegt durch Maschinenbehandlung in so weit doch noch verschlimmert zu werden, dass die pathologischen Retractions- und Relaxationszustände der visceralen Organe dabei zunehmen, und lebensgefährliche Krankheiten dadurch auftreten. Zugleich erscheinen auch wohl schmerzhafte Zusammendrückungen des Rumpfes wegen der Schwächung der Muskeln durch die Maschinen. Namentlich die Rippen pflegen dann auf den rechten Hüftbeinkamm einen schmerzhaften Druck auszuüben.

§. 265. Die heilorganische Behandlung, jahrelang angewendet, hebt die Verkrümmung auch nicht; verbessert ihre Deviation auch nur unbedeutend: hebt dagegen die schmerzhaften Drückungen der Organe gewöhnlich in kurzer Zeit; stellt den gestörten Muskel-Antagonismus wieder her, und schützt vor Verschlimmerung; erhält die Theile der visceralen Organe, die noch nicht vollkommen desorganisirt sind, in einem möglichst guten Zustande; und führt daher mit Gewissheit den Patienten wieder zu einem ruhigen Lebensgenuss zurück, den ihn die Maschinenbehandlung bestimmt rauben würde, oder schon geraubt hat.

§. 266. Heilorganische und diätetische Recepte beim

ersten Grade muscularer Scoliose, so wie ihn Fig. 5 (§. 248) darstellt, zunächst anwendbar, ausserdem aber auch mit mehr oder weniger Abänderungen in ähnlichen Fällen ossicularer und ligamentöser Scoliose zu gebrauchen. Die Reihenfolge der Recepte ist eine solche, dass von den schwächer und allgemeiner wirkenden Bewegungsformen zu den stärker und localer wirkenden fortgeschritten wird. Zugleich enthalten die ersteren Recepte mehr leichter, die späteren mehr schwerer auszuführende Bewegungsformen.

§. 267. I. Recept.

1) Ö. fa. zh. fa. hc. sth., B. Wch. Sw. Er. (G. W.) u. B. Sw. Sen. (P. W.), zgl. F. Fag. (r. zh. fa., l. B. Sw. Er., l. F. Fag.)

2) Rh. schu. sch. gg. fl. (ng.) sth., Wch. Rf. V. Ngg. (G. W.) u. Rf. Rc. Bu. (G. W.), zgl. 2 Ebg. u. 2 Hf. Fag.

3) Rh. r. sf. sp. hc. stzd., Wch. Rf. L. S. Bu. (G. W.) u. (P. W.), zgl. 2 Ebg. Fag.

4) H. fa. so. (sg.) hc. sth., B. Wch. Rc. Z. (P. W.) u. V. Z. (P. W.), zgl. so. (sg.) F. Fag.

5) Spr. sp. sch. lh. sth., Wch. 2 A. Sw. Afw. Füg. (G. W.) u. (P. W.), zgl. l. Hd. Fag.[1])

6) Rh. r. sf. r. ga. l. hf. lh. sth., Wch. Rf. L. S. Bu. (G. W.) u. (P. W.), zgl. Ebg. Wch. Fag.[2]), u. 2 Hf. Fag.

7) Str. r. sf. rf. lgd., 2 B. Wch. L. Füg. (G. W.) u. (P. W.), zgl. 2 Hd. Nr. Dü., u. 2 F. Fag.

8) Str. bg. b. vw. lgd., Ha., zgl. 2 Ur. Sch. rs. Fag.[3])

---

1) Da hier „l. Hd. Fag." steht, so muss sich der rechte Arm des Patienten activ mitbewegen, während nur an der Hand des linken Arms der Gymnast den Widerstand anbringt.

2) Der Ausdruck „Ebg. Wch. Fag." bedeutet, dass während der Rumpf-Links-Seit-Beugung des Patienten der Gymnast nur an einem Ellenbogen desselben den Widerstand leistet, und während der Bewegung mit diesem Anlassen des rechten und linken Ellenbogens des Patienten wechselt. Der Wechsel tritt aber immer nur dann ein, wenn schon zwei Bewegungen unter verschiedenem Widerstande ausgeführt worden sind. Wenn also der Gymnast an den rechten Ellenbogen des Patienten die Hand anlegt, so wird vom Patienten eine con- und excentrische Links-Seit-Beugung ausgeführt; nun erst wechselt die Hand des Gymnasten, und wird an den linken Ellenbogen des Patienten angelegt.

3) Der Ausdruck „2 Ur. Sch. rs. Fag." bedeutet, dass ein zweiter Gymnast quer über die auf dem Divan liegenden Unterschenkel des Patienten reitend sich setze, und so dieselben und dadurch den ganzen, zum Theil schwebenden Körper des Patienten befestige.

9) Sp. hb. lgd., ps. 2 F. Ro., zgl. 2 Ur. Sch. u. 2 F. Fag.
10) Str. r. ga. r. sf. sth., act. L. S. Bu. (4 M.)

§. 268. 2. Recept.

1) Snn. so. hc. sth., B. Wch. Rc. Z. (P. W.) u. V. Z. (G. W.), zgl. F. Fag. (r. so., r. f. Fag.)

2) Str. r. sf. sp. hc. stzd., Wch. Rf. L. S. Bu. (G. W.) u. (P. W.), zgl. 2 Hd. Fag.

3) Sr. r. ga. fl. (ng.) fr. sth., Wch. Rf. V. Ngg. (G. W.) u. Rc. Bu. (G. W.), zgl. 2 Hd. Fag. u. Z.

4) H. fa. r. sb. hc. sth., R. B. Wch. Sw. Sen. (G. W.) u. (P. W.), zgl. r. F. Fag.

5) Hb. kl. w. sp. hc. stzd., Wch. Rf. V. Dh. (G. W.) u. Rc. Dh. (P. W.), zgl. kl. Hd. Fag. (r. kl., r. w.)

6) Snn. hgd., Wch. 2 B. Spg. (G. W.) u. Eig. (P. W.), zgl. 2 F. Fag.

7) H. fa. k. bg. sth., K. Wch. V. Bu. (P. W.) u. Rc. Bu. (G. W.), zgl. Hr. k. u. Ach. Fag.

8) Spr. sp. knd., Wch. 2 A. Sw. Afw. Füg. (G. W.) u. (P. W.), zgl. 2 Hd. Fag.

9) Ö. fa. sb. hc. sth., B. Wch. Sw. Sen. (P. W.) u. Sw. Er. (G. W.), zgl. sb. F. Fag.

10) Rh. bg. b. vw. lgd., Wch. Rf. Sen. (P. W.) u. Rf. Er. (G. W.), zgl. 2 Ebg. Fag., u. Z., u. 2 Ur. Sch. rs. Fag.

11) Str. r. sf. schn. sth., act. Rf. L. S. Bu. (4 M.)

§. 269. 3. Recept.

1) Str. fl. (ng.) sch. lh. sp. sth., Wch. Rf. V. Ngg. (G. W.) u. Rc. Bu. (G. W.), zgl. str. Hd. Wch. Fag.[1]), u. 2 Hf. Fag.

2) Spr. bg. b. vw. lgd., Wch. 2 A. Sw. Afw. Füg. (G. W.) u. (P. W.), zgl. 2 Hd. Fag., u. 2 Ur. Sch. rs. Fag.

3) Snn. sp. hgd., 2 B. Wch. Eig. (G. W.) u. (P. W.), zgl. 2 F. Fag., u. Ru. ls. abw. Hak. u. Seg. (m. l. Hd.)

4) Rh. r. sf. l. w. sp. hc. stzd., Wch. Rf. L. Sf. Rc. Bu. (G. W.) u. (P. W.), zgl. 2 Ebg. Fag.

1) Der Ausdruck „Str. Hd. Wch. Fag." bedeutet, dass der Gymnast nur an eine Streck-Hand des Patienten seine Hand anlegt, und eine Vor- und Rückbeugung den Patienten machen lässt; worauf der Gymnast wechselt, und an die andere Streck-Hand des Patienten seine Hand anlegt, während nun auf ähnliche Weise die Vor- und Rückbeugung durch den Patienten geschieht.

5) Str. r. sf. r. s. rf. lgd., 2 B. Weh. Sw. Er. (G. W.) u. (P. W.), zgl. 2 F. Fag., u. 2 Hd. Z.[1])

6) Spr. fl. lg. stzd., act. 2 A. Sw. Afw. Fäg. (4 M.), zgl. 2 F. Fag.

7) Str. sp. hb. lgd., Ha., zgl. ps. 2 F. Ro., zgl. 2 Ur. Sch. u. 2 F. Fag.[2])

8) Kl. fa. sg. hc. sth., B. Weh. V. Z. (G. W.) u. Rc. Z. (P. W.), zgl. sg. F. Fag.

9) Rh. r. sf. r. w. sp. sch. gg. sth., Weh. Rf. L. Sf. V. Bu. (G. W.) u. (P. W.), zgl. 2 Ebg. u. 2 Hf. Fag.

10) Str. fl. schu. sch. gg. sth., Weh. Rf. V. Ngg. (P. W.) u. Rc. Bu. (G. W.), zgl. 2 Hd. u. 2 Hf. Fag.

§. 270. 4. Recept.

1) L. snn. r. str. r. sb. hc. sth., R. B. Sw. Sen. (P. W.) (i. v. E.), zgl. r. f. Fag., u. r. Hd. inw. Dü. (§. 90.)

2) Wr. sp. knd., Weh. 2 Or. u. Ur. A. Strg. (G. W.) u. (P. W.), zgl. 2 Hd. Fag., u. Kn. Kz. Dü.

3) Sr. fl. (ug.) sch. gg. sp. sth., Weh. Rf. V. Ngg. (G. W.) u. Rc. Bu. (G. W.), zgl. sr. Hd. Web. Fag., u. 2 Hf. Fag.

4) Rh. r. sf. l. w. sp. hc. stzd., Weh. Rf. Fl. R. w. L. sf. Hb. Ro. (G. W.) u. (P. W.), zgl. 2 Ebg. Fag.

5) Wr. lg. stzd., act. 2 Or. u. Ur. A. Strg. (4 M.), zgl. 2 F. Fag.

6) Kl. hb. lgd., 2 A. ps. Ro., zgl. 2 Hd. Z., u. 2 Ach. Fag.

7) Snn. sp. hgd., 2 B. Weh. Eig. (P. W.) u. Spg. (G. W.), zgl. 2 F. Fag.

8) Rk. sp. hc. stzd., Weh. 2 A. Kl. Str. Hb. Ro. (G. W.) u. (P. W.), zgl. 2 Hd. Fag., u. Kn. Ru. Dü.

9) Str. r. ga. l. bf. lh. knd., Weh. Rf. L. S. Bu. (G. W.) u. (P. W.), zgl. 2 Hd., 2 Ur. Sch. u. r. Hf. Fag.

10) Sr. smm. sp. lgd., Ha.

11) Sp. hb. lgd., ps. 2 F. Ro., zgl. 2 Ur. Sch. u. 2 F. Fag.

---

1) Bei der „2 Hd. Z." muss der Patient dem Gymnasten, der an dessen Händen mit seinen zieht, die Hände und Arme nicht etwa passiv überlassen, vielmehr dieselben dabei doch noch vollkommen fest und steif halten, d. h. in der Haltung bleiben.

2) Die Füsse und Unterschenkel des Patienten müssen in Passivität sich befinden, damit an ihnen, und namentlich im Fussgelenke, die passive Fussrollung ausgeführt werden könne, während der übrige Körper in einer starken Haltung verharrt.

§. 271. 5. Recept.

1) Si. hgd., 2 B. Wch. Spg. (G. W.) u. Eig. (P. W.), zgl. 2 F. Z., u. 2 Hf. Fag.

2) Rk. bg. b. vw. lgd., act. 2 A. Kl. Str. Hb. Ro. (4 M.), zgl. 2 Ur. Sch. rs. Fag.

3) Str. r. sf. schu. l. hf. lh. sth., Wch. Rf. L. S. Bu. (G. W.) u. (P. W.), zgl. str. Hd. Wch. Fag., K. Fag., u. 2 Hf. Fag.

4) Sr. sp. fl. sch. gg. sth., Wch. Rf. V. Ngg. (P. W.) u. Rc. Bu. (G. W.), zgl. Hd. Wch. Fag., u. 2 Hf. Fag.

5) 2 wr. kl. r. sf. rf. lgd., 2 B. Wch. L. Füg. (G. W.) u. (P. W.), zgl. 2 Ebg. Nr. Dü., u. 2 F. Z.

6) 2 rhe. r. sf. sp. hc. stzd., Wch. Rf. L. S. Bu. (G. W.) u. (P. W.), zgl. 2 Ebg. Fag.

7) Ö. fa. r. sb. hc. sth., R. B. Wch. Sen. (G. W.) u. (P. W.), zgl. r. F. Fag.

8) Rh. l. sf. sp. hc. stzd., ps. Rf. L. Sf. Ro., zgl. 2 Ebg., 2 Slbt. u. 2 Or. Sch. Fag.

9) Str. r. sf. b. lgd., Wch. Rf. L. S. Bu. (G. W.) u. (P. W.), zgl. 2 Hd. Z., u. 2 Or. u. Ur. Sch. rs. Fag.

10) Sz. sth., Ha.

§. 272. 6. Recept.

1) L. kl. fa. r. kl. r. sb. hc. sth., R. B. Wch. Sw. Sen. (G. W.) u. (P. W.), zgl. r. Hd. afw. u. abw. Wch. Dü.[1]), u. r. f. Fag.

2) Rh. fl. (ng.) sch. gg. sp. sth., Wch. Rf. V. Ngg. (P. W.) u. Rc. Ngg. (P. W.), zgl. 2 Ebg. Z., u. 2 Hf. Fag.

3) Spr. bg. b. vw. lgd., 2 A. Wch. Sw. Afw. Füg. (G. W.) u. (P. W.), zgl. spr. Hd. Wch. Fag., u. 2 Ur. Sch. rs. Fag.

4) Sr. lg. stzd., Wch. Rf. Rc. Bu. (G. W.) u. (P. W.), zgl. 2 Hd. u. 2 Slbt. Fag., u. 2 Ur. Sch. rs. Fag.

5) Str. r. sf. b. lgd., act. Rf. L. S. Bu., zgl. 2 Ur. Sch. rs. Fag. (4 M.)

6) Str. fl. schu. sch. gg. sth., Wch. Rf. V. Ngg. (P. W.) u. Rc. Bu. (G. W.), zgl. Hrk. Fag., u. str. Hd. Wch. Fag.

---

1) Die „Hd. Wch. afw. u. abw. Dü." bedeutet, dass der Gymnast die Hand des Patienten bei der „R. Sw. Sen. (G. W.)" aufwärts, und bei der darauf folgenden „R. Sw. Sen. (P. W.)" abwärts zu drücken suche.

7) Rh. r. sf. sp. hc. stzd., Wch. Rf. L. S. Bu. (G. W.) u. (P. W.), zgl. 2 Ebg. Fag. (i. v. E.) (§. 90.)

8) Str. rf. r. sf. lgd., Wch. 2 B. So. L. sf. Hb. Ro. (G. W.) u. (P. W.), zgl. 2 Hd. u. 2 F. Z., u. 2 Hf. Fag.

9) 2 klwr. r. sf. schu. l. hf. lh. sth., Wch. Rf. L. S. Bu. (G. W.) u. (P. W.), zgl. 2 Ebg. u. r. Hf. Fag.

10) 2 rhc. r. sf. rf. lgd., Wch. 2 B. Sg. L. sf. Hb. Ro. (G. W.) u. (P. W.), zgl. 2 Ebg. u. 2 F. Z., u. 2 Hf. Fag.

11) Str. rf. r. sf. lgd., Ha., zgl. act. 2 B. L. Füg., zgl. 2 Hf Fag. (4 M.)

§. 273. 7. Recept.

1) Ö. fa. sg. hc. sth., B. Wch. V. Z. (G. W.) u. Rc. Z. (P. W.), zgl. sg. f. Fag.

2) Str. l. sf. sp. hc. stzd., Wch. Rf. R. S. Bu. (G. W.) u. L. S. Bu. (P. W.), zgl. str. Hd. Wch. Fag.

3) Spr. tf. ng. sch. gg. schu. sth., Wch. 2 A. Sw. Afw. Füg. (G. W.) u. (P. W.), zgl. 2 Hd. Fag., u. 2 Slbt. Dü.

4) Rh. l. sf. l. w. sp. hc. stzd., Wch. Rf. R. Sf. V. Bu. (P. W.) u. L. Sf. Rc. Bu. (G. W.), zgl. 2 Ebg. Fag.

5) Sun. so. f. inw. sth., B. Wch. Asw. Dh. (G. W.) u. (P. W.), zgl. so. f. Fag. (r. so., r. l. inw.)

6) Str. l. w. lg. sp. stzd., Wch. Rf. L. Sf. Rc. Bu. (G. W.) u. (P. W.), zgl. 2 Hd. Z., u. 2 Or. u. Ur. Sch. Fag.

7) Kl. tf. bg. sp. hc. stzd., Wch. Rf. V. Ngg. (G. W.) u. (P. W.), zgl. 2 Hd. Fag.

8) 2 wrkl. k. bg. rf. h. hb. lgd., Wch. K. V. Bu. (P. W.) u. Rc. Bu. (G. W.), zgl. 2 Ebg., Hrk. u. Sn. Fag.

9) Str. r. sf. tf. ng. sch. gg. schu. sth., Wch. Rf. L. S. Bu. (G. W.) u. (P. W.) zgl. 2 Hd. Z., u. 2 Hf. Fag.

10) Spr. l. hb. lg. stzd., act. 2 A. Sw. Afw. Füg. (6 M.)

11) Str. ng. b. vw. lgd., act. Rf. Er. (4 M.), zgl. 2 Ur. Sch. rs. Fag.

§. 274. 8. Recept.

1) Sr. fl. sp. sch. gg. sth., Wch. Rf. V. Ngg. (P. W.) u. Rc. Bu. (G. W.), zgl. K. u. 2 Hf. Fag.

2) Str. r. sf. sp. hc. stzd., Wch. Rf. L. S. Bu. (G. W.) u. (P. W.), zgl. l. Hd. Fag., u. r. Hf. Hak. u. Seg. (m. l. Hd.)

3) Snn. hgd., 2 B. Wch. Spg. (G. W.) u. Eig. (P. W.), zgl. 2 F. Fag.

4) Sr. lg. sp. stzd., Wch. Rf. Sen. (P. W.) u. Rf. Er. (G. W.), zgl. sr. Hd. Wch. Fag., K. Fag., u. 2 Or. u. Ur. Sch. Fag.

5) Kl. h. r. w. sth., Wch. Rf. L. Dh. (G. W.) u. (P. W.), zgl. r. Hd. Fag.

6) R. rhe. l. str. r. sf. schu. l. hf. lh. sth., Wch. Rf. L. S. Bu. (G. W.) u. (P. W.), zgl. str. Hd. u. 2 Hf. Fag.

7) Str. l. sb. r. hb. knd., Wch. L. B. Sw. Sen. (P. W.) u. Sw. Er. (G. W.), zgl. l. f. Fag., u. 2 Hd. Z. (stark), zgl. l. f. Fag.

8) Spr. l. lg. stzd., act. 2 A. Sw. Afw. Füg. (6 M.)

9) Str. r. sf. rf. lgd., Wch. 2 B. L. Füg. (G. W.) u. (P. W.), zgl. 2 Hd. Fag., 2 Hf. Fag., u. F. Wch. Fag.

10) Snm. r. sb. lgd., Wch. R. B. Eig. (G. W.) u. (P. W.), zgl. r. F. Fag.

§. 275. 9. Recept.

1) Str. sg. rf. hc. lgd., B. Wch. Er. (G. W.) u. Sen. (P. W.), zgl. 2 Hd. Nr. Dü., F. u. Kn. Fag. (r. sg. lgd., r. F. u. l. Kn. Fag.)

2) Str. r. sf. l. fs. sü. sth., act. Rf. L. S. Bu. (6 M.)

3) Sr. l. w. fl. (ng.) sp. sth., Wch. Rf. V. Ngg. (G. W.) u. Rc. Bu. (G. W.), zgl. sr. Hd. Wch. Fag., u. 2 Hf. Fag.

4) L. str. r. rhe. r. sf. sp. hc. stzd., Wch. Rf. L. S. Bu. (G. W.) u. (P. W.), zgl. r. Ebg. Fag.

5) Str. rf. lgd., act. Bk. Ro. (3 Mal nach jeder Seite herum), zgl. 2 Hd. Nr. Dü., u. 2 Hf. Fag.

6) Klwr. kl. w. sp. hc. stzd., Wch. Rf. V. Dh. (G. W. u. Rc. Dh. (P. W.), zgl. kl. Hd. Fag. (r. klwr., l. kl., l. w.)

7) Str. fl. (ng.) sp. sch. lh. knd., Wch. Rf. V. Ngg. (P. W.) u. Rc. Bu. (P. W.), zgl. l. str. Hd. u. K. Fag., u. 2 Ur. Sch. Fag.

8) Rh. b. lgd., ps. Rf. Ro., zgl. 2 Ebg. Fag., u. 2 Ur. Sch. rs. Fag.

9) Rh. fl. l. tp. l. f. fa. sth., Wch. Rf. V. Ngg. (G. W.) u. Rc. Ngg. (P. W.), zgl. 2 Ebg. Fag., u. l. ku. u. l. F. Fag.

10) Str. r. sf. l. w. lg. stzd., act. Rf. L. Sf. Rc. Bu. (4 M.), zgl. 2 Ur. Sch. rs. Fag.

§. 276. 10. Recept.

1) Spr. l. w. sp. sch. lh. sth., Wch. 2 A. Sw. Afw. Füg. (G. W.) u. (P. W.), zgl. 2 Hd. Fag.

2) Sr. fa. sg. hc. sth., B. V. Z. (G. W.), (i. v. E.), zgl. sg. F. Fag.

3) Str. l. sf. r. w. sp. hc. stzd., Wch. Rf. R. Sf. V. Bu. (G. W.) u. L. Sf. Rc. Bu. (P. W.), zgl. str. Hd. Wch. Fag.

4) Wr. fl. lg. stzd., Wch. 2 Or. A. Sw. Afw. Füg. (G. W.) u. (P. W.), zgl. 2 Ebg. Fag., u. 2 Ur. Sch. rs. Fag.

5) Sr. fa. k. kmm. schu. sth., K. Rc. Bu. (G. W.) (i. v. E.), zgl. Hrk. u. Ach. Fag.

6) Sp. hb. lgd., ps. 2 F. Ro., zgl. 2 Ur. Sch. u. 2 F. Fag.

7) E. r. sf. sp. hc. stzd., Wch. Rf. L. S. Bu. (G. W.) u. (P. W.), zgl. K. Fag.

8) H. fl. (ng.) sp. fr. sth., Wch. Rf. V. Ngg. (G. W.) u. Rc. Bu. (G. W.), zgl. 2 Hd. Fag., u. 2 Hf. Fag.

9) Snn. sp. hgd., Wch. 2 B. Eig. (P. W.) u. Spg. (G. W.), zgl. 2 F. Fag.

10) Spr. tf. ng. schu. sch. gg. sth., act. 2 A. Sw. Afw. Füg. (4 M.)

§. 277. 11. Recept.

1) Snn. sth., Kn. Wch. Er. (G. W.) u. Sen. (P. W.), zgl. Kn. u. Kz. Fag.

2) Str. r. sf. l. fkt. sü. sth., Wch. Rf. L. S. Bu. (G. W.) u. (P. W.), zgl. 2 Hd., l. F. u. l. Kn. Fag.

3) Str. r. sf. r. s. b. lgd., act. Rf. L. S. Bu., zgl. 2 Ur. Sch. rs. Fag.

4) 2 rhe. r. sf. rf. lgd., Wch. 2 B. Sg. L. Sf. Hb. Ro. (G. W.), u. (P. W.), zgl. 2 Ebg. Nr. Dü., 2 Hf. u. 2 F. Fag.

5) Rh. r. sb. fa. sth., Wch. Rf. L. S. Bu. (G. W.) u. (P. W.), zgl. 2 Ebg. Fag.

6) Snn. sp. hgd., Wch. 2 B. Eig. (G. W.) u. (P. W.), zgl. 2 F. Fag., u. Rn. ls. afw. Kog. u. Seg. (m. r. Hd.)

7) Sr. smm. k. hg. sp. lgd., K. Wch. V. Bu. (G. W.) u. Rc. Bu. (G. W.), zgl. K. Fag.

8) Wr. sp. hc. stzd., Wch. 2 Or. u. Ur. A. Strg. (G. W.) u. (P. W.), zgl. 2 Hd. Fag., u. Kn. Kz. Dü.

9) Str. vw. lgd., Wch. 2 Ur. Sch. Bu. (G. W.) u. Strg. (P. W.), zgl. 2 Hd. Nr. Dü., u. 2 F. Fag.

10) Spr. b. lgd., act. 2 A. Sw. Afw. Füg. (4 M.), zgl. 2 Ur. Sch. rs. Fag.

§. 278. 12. Recept.

1) Str. rf. lgd., Wch. 2 B. Spg. (G. W.) u. Eig. (P. W.), zgl. 2 Hd. u. 2 F. Z.

2) Str. rhe. r. sf. sp. hc. stzd., Wch. Rf. L. S. Bu. (G. W.) u. (P. W.), zgl. str. Hd. Fag.

3) Str. ku. 2 so. stzd., 2 B. Wch. Spg. (P. W.) u. Eig. (P. W.), zgl. 2 F. Fag.

4) Rh. r. sf. l. zh. sü. sth., Wch. Rf. L. S. Bu. (G. W.) u. (P. W.), zgl. 2 Ebg. u. l. fs. Fag.

5) Str. lg. stzd., Wch. Rf. Rc. Bu. (G. W.) u. (P. W.), zgl. 2 Hd. u. 2 Slbt. Fag., u. 2 Ur. Sch. rs. Fag.

6) Spr. str. sp. sch. lh. sth., Wch. A. Sw. Afw. Füg. (G. W.) u. (P. W.), zgl. spr. Hd. Fag., u. str. Hd. Wch. inw. u. asw. Dü.

7) Str. r. sf. r. tp. r. f. fa. sch. lh. sth., Wch. Rf. L. S. Bu. (G. W.) u. (P. W.), zgl. str. Hd. Wch. Fag., u. l. Hf. u. r. Kn. Fag.

8) Str. sp. hb. lgd., Wch. 2 B. Eig. (G. W.) u. (P. W.), zgl. 2 F. Fag.

9) Rh. l. w. r. sf. l. hk. l. f. fa. sth., Wch. Rf. L. Sf. Rc. Bu. (G. W.) u. (P. W.), zgl. 2 Ebg., l. Kn. u. l. F. Fag.

10) Sz. k. kmn. sth., K. Rc. Bu. (G. W.), zgl. K. Fag.

§. 279. 13. Recept.

1) Str. fl. l. fkt. sü. sch. lh. sth., Wch. Rf. V. Ngg. (G. W.) u. (P. W.), zgl. str. Hd. Wch. Fag., u. 2 Hf. Fag.

2) Str. sp. hc. stzd., ps. 2 A. Fie., zgl. 2 Hd. Fag., u. Kn. Rn. Dü.

3) Ö. fa. hc. sth., B. Wch. Sw. Er. (G. W.) u. Sw. Sen. (P. W.), zgl. F. Fag.

4) L. str. r. rhe. r. w. r. sf. sp. hc. stzd., Wch. Rf. L. Sf. V. Bu. (G. W.) u. (P. W.), zgl. l. Hd. u. r. Ebg. Wch. Fag.

5) Sr. k. bg. sp. sch. lh. sth., K. Wch. V. Bu. (P. W.) u. Rc. Bu. (G. W.), zgl. Hrk., Ach. u. 2 Hf. Fag.

6) L. kl. r. klwr. r. sf. sp. hc. stzd., Wch. Rf. L. S. Bu. (G. W.) u. (P. W.), zgl. kl. Hd. u. klwr. Hd. Wch. Fag.

7) Snn. hgd., Wch. 2 B. Spg. (G. W.) u. Eig. (P. W.), zgl. 2 F. Fag., u. Rn. ls. afw. Hak. u. Seg. (m. r. Hd.)

8) Kl. klwr. r. sf. r. ga. l. hf. lh. sth., Wch. Rf. L. S. Bu. (G. W.) u. (P. W.), zgl. kl. Hd. Fag., u. 2 Hf. Fag.

9) Str. sp. hb. lgd., 2 B. Wch. Eig. (P. W.) u. Spg. (G. W.), zgl. F. Wch. Fag., u. 2 Hf. Fag.

10) Spr. schu. sch. lh. sth., act. 2 A. Sw. Afw. Füg. (6 M.)

§. 280. 14. Recept.

1) Str. r. sf. sp. hc. stzd., Wch. Rf. L. S. Bu. (G. W.) u. (P. W.), zgl. str. Hd. Wch. Fag.

2) Si. bgd., Wch. 2 B. Spg. (G. W.) u. Eig. (P. W.), zgl. 2 F. Z., u. 2 Hf. Fag.

3) Rh. r. sf. r. ga. l. hf. lh. sth., Wch. Rf. L. S. Bu. (G. W.) u. (P. W.), zgl. 2 Ebg., u. 2 Hf. Fag., u. L. Rp. S. abw. q. Hak. u. Seg. (m. r. Hd.)

4) Wr. bg. b. vw. lgd., Wch. 2 Or. u. Ur. A. Strg. (G. W.) u. (P. W.), zgl. Hd. Wch. Fag., u. 2 Ur. Sch. rs. Fag.

5) Str. kl. r. sf. sp. hc. stzd., Wch. Rf. L. S. Bu. (G. W.) u. (P. W.), zgl. str. Hd. u. kl. Hd. Wch. Fag., u. R. Rp. S. abw. q. Hak. u. Seg. (m. l. Hd.)

6) Str. r. sf. rf. lgd., Wch. 2 B. L. Fitg. (G. W.) u. (P. W.), zgl. 2 Hd. Nr. Dü., 2 Hf. Fag., u. F. Wch. Fag.

7) Su. bg. b. vw. lgd., Rf. Sen. (P. W.) u. Rf. Er. (G. W.), zgl. 2 Hd. u. 2 Ur. A. Fag., u. 2 Ur. Sch. rs. Fag.

8) Rh. w. tf. ng. schu. sch. gg. sth., Wch. Rf. Dh. (G. W.), zgl. 2 Ebg. Fag., u. 2 Slbt. Dü.

9) Kl. fa. h. fa. so. hc. sth., B. Wch. Rc. Z. (G. W.) u. (P. W.), zgl. F. Fag. (r. kl. fa., l. h. fa., l. so.)

10) Sz. sth., Ha., zgl. Rn. ls. afw. Kog. (m. r. Hd.)

§. 281. 15. Recept.

1) 2 wrkl. 2 so. rf. lgd., Wch. 2 B. Spg. (G. W.) u. Eig. (P. W.), zgl. 2 Ebg. u. 2 F. Z.

2) Rh. r. sf. sp. hc. stzd., Wch. Rf. L. S. Bu. (G. W.) u. (P. W.), (i. v. E.), zgl. 2 Ebg. Fag.

3) Str. rf. 2. sg. lgd., Wch. 2 B. Spg. (G. W.) u. Eig. (P. W.), zgl. 2 Hd. Nr. Dü., 2 Hf. Fag., u. 2 F. Z.

4) Sr. fl. sp. sch. gg. sth., Wch. Rf. V. Ngg. (P. W.) u. Rc. Bu. (G. W.), (i. v. E.), zgl. 2 Hd. u. K. Fag., u. 2 Hf. Fag.

5) Str. r. sf. schu. l. hf. lh. sth., Wch. Rf. L. S. Bu. (G. W.) u. (P. W.), zgl. str. Hd. Wch. Fag., 2 Hf. Fag., u. L. Rp. S. abw. Kog. u. Seg. (m. r. Hd.)

6) H. 2. sg. sp. rf. lgd., Wch. 2 B. Eig. (G. W.) u. (P. W.), zgl. 2 Hd. Z., u. 2 F. Z.

7) Rh. bg. b. vw. lgd., Wch. Rf. Sen. (P. W.) u. Rf. Er. (G. W.), (i. v. E.), zgl. 2 Ebg. Fag., u. 2 Ur. Sch. rs. Fag.

8) 2 rhe. r. sf. tf. ng. schu. sch. gg. sth., Wch. Rf. L. S. Bu. (G. W.) u. (P. W.), zgl. 2 Ebg. Fag., 2 Slbt. Dü., u. R. Rp. S. abw. Kla. u. Seg. (m. l. Hd.)

9) H. fa. k. bg. sth., K. Wch. V. Bu. (P. W.) u. K. Rc. Bu. (G. W.), zgl. Hrk. u. Ach. Fag.

10) Spr. b. lgd., act. 2 A. Sw. Afw. Fūg. (4 M.), zgl. 2 Ur. Sch. rs. Fag.

§. 282. 16. Recept.

1) Ö. fa. zh. fa. hk. hc. sth., Wch. Or. Sch. Strg. (G. W.) u. (P. W.), zgl. Kn. Fag. (r. zh. fa., l. hk., l. Kn. Fag.)

2) Str. fl. schu. sch. gg. sth., Wch. Rf. V. Ngg. (P. W.) u. Rc. Bu. (G. W.), zgl. str. Hd. Wch. Fag., K. Fag., u. 2 Hf. Fag.

3) Str. sp. hc. stzd., Wch. 2 Or. u. Ur. A. Fg. Bu. (G. W.) u. 2 Or. u. Ur. A. Strg. (nicht Fg.), (P. W.), zgl. 2 Hd. Fag., u. Kn. Rn. Dü.

4) Str. w. sp. sch. lh. sth., Wch. Rf. V. Dh. (G. W.) u. Rc. Dh. (P. W.), zgl. 2 Hd. Z., u. 2 Hf. Fag.

5) Str. c. r. sf. r. ga. l. hf. lh. sth., Wch. Rf. L. S. Bu. (G. W.) u. (P. W.), zgl. str. Hd. u. K. Fag., u. 2 Hf. Fag.

6) Sr. fa. so. hc. sth., B. Wch. Rc. Z. (P. W.) u. V. Z. (G. W.), zgl. so. F. Fag.

7) Rk. ng. sch. gg. schu. sth., Wch. 2 A. Strg. (G. W.) u. (P. W.), zgl. rk. Hd. Wch. Fag., u. 2 Hf. Fag.

8) Str. rhe. fl. (ng.) sch. gg. sth., Wch. Rf. V. Ngg. (G. W.) u. Rc. Bu. (G. W.), zgl. str. Hd. u. rhe. Ebg. Wch. Fag., u. 2 Hf. Fag.

9) Str. bg. b. vw. lgd., Ha., zgl. Rn. ls. afw. q. Hak. u. Seg. (m. r. Hd.), zgl. 2 Ur. Sch. rs. Fag.

10) Sr. sp. hb. lgd., ps. 2 F. Ro. (24 M.), zgl. 2 F. u. 2 Ur. Sch. Fag.

§. 283. 17. Recept.

1) Kl. fa. hk. f. inw. sth., Ur. Sch. Wch. Asw. Dh. (G. W.) u. (P. W.), zgl. Kn. u. F. Fag. (r. hk., r. f. inw. sth., R. Ur. Sch. Asw. Dh., r. Kn. u. r. F. Fag.)

2) 2 klwr. r. sf. sp. hc. stzd., Wch. Rf. L. S. Bu. (G. W.) u. (P. W.), zgl. Ebg. Wch. Fag., u. K. Fag.

3) Str. sp. rf. lgd., 2 B. Wch. Eig. (G. W.) u. (P. W.), zgl. 2 Hd. u. 2 F. Z.

9*

4) H. fa. k. kmm. hk. f. fa. sth., K. Rc. Bu. (G. W.), (i. v. E.), zgl. Hrk. u. Ach. Fag. (r. hk., r. f. fa. sth.)

5) Rh. r. sf. sp. knd., Rf. L. S. Bu. (G. W.), (i. v. E.), zgl. 2 Ebg. u. 2 Ur. Sch. Fag.

6) Str. kl. w. fs. sü. sth., Wch. Rf. Rc. Dh. (G. W.) u. (P. W.), zgl. kl. Hd. Fag., u. Kn. u. F. Fag. (r. str., l. kl., r. w., r. fs. sü. sth., R. Kn. u. r. F. Fag.)

7) Spr. fl. lg. stzd., act. 2 A. Sw. Afw. Füg. (4 M.), zgl. 2 Ur. Sch. rs. Fag.

8) H. 2 or. a. inw. schu. sch. lh. sth., Wch. 2 Or. A. Asw. Dh. (G. W.) u. (P. W.), zgl. 2 Hd., 2 Or. A. u. 2 Hf. Fag.

9) Snn. kl. fa. sth., B. Wch. Sw. Er. (G. W.) u. Sw. Sen. (P. W.), zgl. F. Fag. (r. snn., l. kl. fa., L. B. Sw. Er., l. F. Fag.)

10) Str. sp. hc. stzd., ps. 2 A. Fie., zgl. 2 Hd. Fag., u. Kn. Rn. Dü.

§. 284. 18. Recept.

1) Str. wr. tf. ng. schu. sch. gg. sth., Wch. Or. u. Ur. A. Str. (G. W.) u. (P. W.), zgl. wr. Hd. Fag., u. 2 Slbt. Dü.

2) Str. kl. r. sf. r. ga. l. hf. lh. sth., Wch. Rf. L. S. Bu. (G. W.) u. (P. W.), zgl. str. Hd. u. kl. Hd. Wch. Fag., K. Fag., u. 2 Hf. Fag.

3) Spr. w. hb. lg. stzd., act. 2 A. Sw. Afw. Füg. (3 M. in jeder W. Stg.), (r. w., l. hb. lg. stzd.)

4) Str. r. sf. rf. lgd., 2 B. Wch. L. S. Füg. (G. W.) u. (P. W.), zgl. 2 Hd. Nr. Dü., 2 Hf. Fag., u. 2 F. Fag.

5) Str. klwr. w. ng. sp. hc. stzd., Wch. Rf. Rc. Bu. (G. W.) u. (P. W.), zgl. str. Hd. u. klwr. Ebg. Fag. (r. str. l. klwr., r. w.)

6) Rk. h. fa. r. ga. sth., A. Strg. (P. W.) (i. v. E.), zgl. rk. Hd. Fag.

7) Str. w. sp. knd., Wch. Rf. Dh. (P. W.), zgl. 2 Hd. Z., u. 2 Ur. Sch. Fag.

8) Ö. fa. zh. fa. sb. hc. sth., B. Wch. Sw. Sen. (P. W.) u. Sw. Er. (G. W.), zgl. F. Fag. (r. zh. fa., l. sb., l. F. Fag.)

9) Snn. hk. or. sch. asw. sth., Wch. Or. Sch. Inw. Dh. (G. W.) u. (P. W.), zgl. F. u. Kn. Fag. (r. hk., r. or. sch. asw. sth., R. Or. Sch. Inw. Dh., r. F. u. r. Kn. Fag.)

10) Str. r. sf. ng. schu. sch. gg. sth., Wch. Rf. L. S. Bu. (G. W.) u. (P. W.), zgl. str. Hd. Wch. Fag., K. Fag., 2 Hf. Fag., u. Rn. ls. q. afw. Hak. u. Seg. (m. r. Hd.)

§. 285. 19. Recept.

1) Str. l. sf. r. ga. l. hf. lh. sth., Wch. Rf. R. S. Bu. (G. W.) u. L. S. Bu. (P. W.), zgl. 2 Hd. Fag., u. 2 Hf. Fag.

2) Sun. sg. hc. sth., B. Wch. V. Z. (G. W.) u. Rc. Z. (P. W.), zgl. sg. F. Fag.

3) Spr. schu. stzd., 2 A. Wch. Sw. Afw. Füg. (G. W.) u. (P. W.), (i. v. E.), zgl. 2 Hd. Fag., u. 2 Ku. Fag. (im Ganzen 6 M.)

4) 2 wrkl. w. schu. sch. lh. sth., Wch. Rf. V. Dh. (P. W.) u. Rc. Dh. (P. W.), zgl. Ebg. Fag., u. 2 Hf. Fag. (r. Ebg. Fag., r. w.)

5) Str. hb. lgd., 2 B. Wch. Er. (G. W.) u. Sen. (P. W.), zgl. 2 Hd. Z., u. 2 F. Fag.

6) Spr. kl. schu. sch. lh. sth., A. Wch. Sw. Afw. Füg. (G. W.) u. (P. W.), (i. v. E.), zgl. spr. Hd. Fag. (im Ganzen 12 M.)

7) Rh. r. sf. sp. knd., Wch. Rf. L. S. Bu. (G. W.) u. (P. W.), zgl. 2 Ebg. Fag., u. 2 Ur. Sch. Fag.

8) H. fa. k. kmm. schu. sth., K. Rc. Bu. (G. W.), (i. v. E.), zgl. Hrk. u. Ach. Fag.

9) Spr. str. tf. ng. schu. sch. gg. sth., A. Sw. Afw. Füg. (P. W.), (i. v. E.), zgl. spr. Hd. Fag., u. 2 Slbt. Dü. (Im Ganzen 12 M.)

10) Sz. sth., Ha., zgl. Rn. ls. afw. Hak. (m. r. Hd.)

§. 286. 20. Recept.

1) Str. smm. spr. bg. sp. sth., A. Wch. Sw. Afw. Füg. (G. W.) u. (P. W.), zgl. spr. Hd. Fag., Kz. Dü., u. 2 F. Süg.

2) Str. w. sp. hc. stzd., Wch. Rf. Rc. Dh. (G. W.) u. (P. W.), zgl. 2 Hd. Fag. u. Z.

3) Wr. sp. sch. lh. sth., 2 Or. u. Ur. A. Strg. (P. W.), (i. v. E.), zgl. 2 Hd. Fag.

4) Str. smm. so. hc. sth., B. Wch. Rc. Z. (P. W.) u. V. Z. (G. W.), zgl. so. F. Fag.

5) Rh. fl. sp. hc. stzd., Wch. Rf. V. Ngg. (G. W.) u. Rc. Bu. (P. W.), (i. v. E.), zgl. 2 Ebg. Fag.

6) Str. kl. r. ga. r. sf. l. hf. lh. sth., Rf. L. S. Bu. (P. W.), zgl. str. Hd. u. kl. Hd. Wch. Fag., K. Fag., u. 2 Hf. Fag.

7) Kl. fa. so. hc. sth., B. Rc. Z. (P. W.), (i. v. E.), zgl. so. F. Fag.

8) H. smm. str. sp. sth., Wch. Or. u. Ur. A. Bu. (G. W.) u. Strg. (P. W.), zgl. str. Hd. Fag.

9) Fü. sp. r. sf. knd., Wch. Rf. L. S. Bu. (G. W.) u. (P. W.), zgl. K. Fag., u. 2 Ur. Sch. Fag.

10) Sz. sth., Ha., zgl. Ru. ls. afw. Kog. (m. r. Hd.)

§. 287. 21. Recept (diätetisches).

1) Wr. lg. stzd., act. 2 Or. u. Ur. A. Strg. (6 M.)

2) H. fa. str. so. hc. sth., act. B. Rc. Z. (Im Ganzen 6 M.), (r. h. fa., l. str., l. so.)

3) Str. r. ga. r. sf. sth., act. Rf. L. S. Bu. (4 M.)

4) H. fa. so. hc. bgd., act. B. Rc. Z. (6 M. im Ganzen.)

5) Str. rh. r. sf. r. ga. knd., act. Rf. L. S. Bu. (4 M.)

6) Str. w. schu. sth., act. Rf. Rc. Dh. (im Ganzen 6 M.)

7) Spr. bg. schu. sch. lh. sth., act. 2 A. Sw. Afw. Füg. (4 M.)

8) Str. kl. tf. ng. sp. sth., act. Rf. Rc. Bu. (Im Ganzen 6 M.)

9) Str. rf. lgd., act. 2 B. Spg. (4 M.), zgl. 2 Hd. Z.

10) Sr. rf. sp. lgd., act. 2 B. Eig. (4 M.), zgl. 2 Hd. Fag.

§. 288. 22. Recept (diätetisches).

1) Spr. w. r. ga. sth., act. 2 A. Sw. Afw. Füg. (Im Ganzen 6 M.)

2) Rk. k. kmm. ng. sp. knd., act. 2 A. Strg., zgl. K. Rc. Bu. (4 M.)

3) Str. spr. tf. ng. schu. sch. gg. sth., act. A. Sw. Afw. Füg. (Im Ganzen 6 M.)

4) Rk. so. hc. sth., act. 2 A. Strg., zgl. B. Rc. Z. (Im Ganzen 6 M.)

5) H. r. sf. l. w. schu. sth., act. Rf. L. Sf. Rc. Bu. (4 M.)

6) Str. r. sf. bg. sp. hc. stzd., act. Rf. L. S. Bu. (4 M.)

7) H. fa. bg. hk. sth., act. Ur. Sch. Strg. (Im Ganzen 6 M.), (r. hk., r. Ur. Sch. Strg.)

8) Str. tf. ng. schu. sch. gg. sth., act. 2 Or. u. Ur. A. Bu. (4 M.)

9) Sz. sth., Ha.

10) Kl. sg. hc. sth., act. B. Rc. Z. (Im Ganzen 6 M.)

§. 289. 23. Recept (diätetisches).

1) Spr. r. ga. sth., act. 2 A. Sw. Afw. Füg. (6 M.)

2) Str. r. sf. schu. sth., act. Rf. L. S. Bu. (6 M.)
3) Str. sth., act. L. B. Sw. Er. (4 M.)
4) Rh. r. sf. bg. sp. hc. stzd., act. Rf. L. S. Bu. (4 M.)
5) Wr. tf. ng. schu. sth., act. 2 Or. u. Ur. A. Strg. (4 M.)
6) 2 rhe. r. sf. r. ga. knd., act. Rf. L. S. Bu. (6 M.)
7) H. fa. rf. lgd., act. 2 B. Spg. (4 M.)
8) Spr. ng. sp. sth., act. 2 A. Sw. Afw. Füg. (6 M.)
9) H. r. w. schu. sth., act. Rf. Rc. Dh. (4 M.)
10) Spr. l. hb. lg. stzd., act. 2 A. Sw. Afw. Füg. (4 M.)

§. 290. Heilorganische und diätetische Recepte beim zweiten Grade muscularer Scoliose, den Fig. 6 (§. 254) darstellt, zunächst anwendbar, ausserdem aber auch mit mehr oder weniger Abänderungen in ähnlichen Fällen ossicularer und ligamentöser Scoliose zu gebrauchen. Die Reihenfolge der Recepte ist eine solche, dass in denselben von den schwächer und allgemeiner wirkenden Bewegungsformen, zu den stärker und localer wirkenden fortgeschritten wird. Zugleich enthalten die ersten Recepte mehr leichter, die späteren mehr schwerer auszuführende Bewegungsformen.

§. 291. 1. Recept.

1) L. snn. r. kl. fa. r. sb. hc. sth., R. B. Wch. sw. Sen. (G. W.) u. (P. W.), zgl. r. F. Fag.

2) L. str. r. kl. r. sf. sp. hc. stzd., Wch. Rf. L. S. Bu. (G. W.) u. (P. W.), zgl. 2 Hd. Fag.

3) L. str. r. kl. sp. hb. lgd., Ha., zgl. ps. 2 F. Ro., zgl. 2 F. u. 2 Ur. Sch. Fag.

4) Str. rf. r. sf. lgd., Wch. 2 B. L. Füg. (G. W.) u. (P. W.), zgl. 2 Hd. u. 2 F. Z., u. 2 Hf. Fag.

5) L. str. r. fü. r. sf. r. ga. l. hf. lh. sth., Wch. Rf. L. S. Bu. (G. W.) u. (P. W.), zgl. l. Hd. u. r. Hf. Fag.

6) L. str. r. kl. fl. (ng.) sch. gg. sth., Wch. Rf. V. Ngg. (G. W.) u. Rc. Bu. (G. W.), zgl. 2 Hd. u. 2 Hf. Fag.

7) Snn. lgd., Wch. 2 B. Spg. (G. W.) u. Eig. (P. W.), zgl. 2 F. Fag.

8) L. str. r. kl. l. w. li. sth., Wch. Rf. Rc. Dh. (G. W.) u. (P. W.), zgl. kl. Hd. Fag.

9) L. snn. r. kl. fa. k. knm. sth., K. Rc. Bu. (G. W.) (i. v. E.), zgl. Hrk. u. Ach. Fag.

10) L. str. r. kl. r. sf. r. ga. sth., act. Rf. L. S. Bu. (4 M.)

§. 292. 2. Recept.

1) L. spr. r. kl. sp. sch. lh. sth., Wch. L. A. Sw. Afw. Füg. (G. W.) u. (P. W.), zgl. l. Hd. Fag., u. r. Hd. abw. u. afw. Wch. Dü.

2) L. str. r. kl. r. sf. rf. lgd., Wch. 2 B. L. Füg. (G. W.) u. (P. W.), zgl. 2 Hd. Nr. Dü., 2 F. Fag., u. 2 Hf. Fag.

3) L. str. r. klwr. r. sf. sp. hc. stzd., Wch. Rf. L. S. Bu. (G. W.) u. (P. W.), zgl. str. Hd. Fag.

4) L. str. r. kl. fl. sp. sch. gg. sth., Wch. Rf. V. Ngg. (P. W.) u. Rc. Bu. (G. W.), zgl. str. u. kl. Hd. Wch. Fag., u. 2 Hf. Fag.

5) Spr. sp. sch. lh. sth., Wch. 2 A. Sw. Afw. Füg. (G. W.) u. (P. W.), zgl. 2 Hd. Fag.

6) L. spr. r. kl. r. ga. knd., act. L. A. Sw. Afw. Füg. (4 M.)

7) Snn. sp. hgd., 2 B. Wch. Eig. (G. W.) u. (P. W.), zgl. 2 F. Fag., zgl. Rn. ls. afw. Kog. u. Seg. (m. l. Hd.)

8) L. str. r. kl. fl. schm. sch. gg. sth., Wch. Rf. V. Ngg. (P. W.) u. Rc. Bu. (G. W.), zgl. str. Hd. u. Hrk. Fag., u. 2 Hf. Fag.

9) L. str. r. e. r. sf. b. lgd., act. Rf. L. S. Bu. (4 M.), zgl. 2 Ur. Sch. rs. Fag.

10) L. str. r. kl. lg. stzd., Wch. Rf. Sen. (P. W.) u. Rf. Er. (G. W.), zgl. l. u. r. Hd. Wch. Fag., u. 2 Ur. Sch. rs. Fag.

§. 293. 3. Recept.

1) L. snn. r. kl. hc. sth., R. B. Wch. Sw. Er. (G. W.) u. Sw. Sen. (P. W.), zgl. r. F. Fag.

2) L. str. r. kl. l. sf. sp. hc. stzd., Wch. Rf. R. S. Bu. (G. W.), u. L. S. Bu. (P. W.), zgl. 2 Hd. Fag.

3) L. str. r. klwr. fl. (ng.) sp. sth., Wch. Rf. V. Ngg. (G. W.) u. Rc. Bu. (G. W.), zgl. str. Hd. Fag.

4) L. spr. r. kl. bg. b. vw. lgd., act. L. A. Sw. Afw. Füg. (4 M.), zgl. 2 Ur. Sch. rs. Fag.

5) L. str. r. kl. r. w. r. ga. sth., Wch. Rf. V. Dh. (G. W.) u. Rc. Dh. (P. W.), zgl. kl. Hd. Fag.

6) L. str. r. kl. hg. b. vw. lgd., Wch. Rf. Sen. (P. W.) u. Rf. Er. (G. W.), zgl. l. u. r. Hd. Wch. Fag., u. 2 Ur. Sch. rs. Fag.

7) Snn. hgd., Wch. 2 B. Spg. (P. W.) u. Eig. (G. W.), zgl. 2 F. Fag., u. Rn. ls. abw. Hak. u. Seg. (m. l. Hd.)

8) Str. r. sf. rf. lgd., 2 B. Wch. So. L. Sf. Hb. Ro. (G. W.) u. (P. W.), zgl. 2 Hd. u. 2 F. Z., u. 2 Hf. Fag.

9) L. rhe. r. kl. lg. stzd., Wch. Rf. Sen. (G. W.) u. Rf. Er. (G. W.), zgl. l. Ebg. u. r. Hd. Fag., u. 2 Ur. Sch. rs. Fag.

10) L. str. r. kl. rf. lgd., Ha., zgl. act. 2 B. Spg. (4 M.), zgl. 2 Hf. Fag.

§. 294. 4. Recept.

1) L. str. r. kl. r. sb. l. s. lgd., Wch. R. B. Sw. Sen. (P. W.) u. (G. W.), zgl. r. F. Fag., u. r. Hd. Wch. afw. u. abw. Dü.

2) Str. r. ga. sth., R. A. Wch. Sw. Abw. Füg. (G. W.) u. (P. W.), zgl. r. Hd. Fag., u. l. Hd. Wch. asw. u. iuw. Dü.

3) L. str. r. kl. fl. sp. sch. gg. sth., Wch. Rf. V. Ngg. (P. W.) u. Rc. Ngg. (P. W.), zgl. 2 Hd. Fag. u. Z., u. 2 Hf. Fag.

4) L. str. r. kl. fa. sth., L. B. Sw. Er. (G. W.), (i. v. E.), zgl. l. F. Fag.

5) Spr. tf. ng. schu. sch. gg. sth., Wch. 2 A. Sw. Afw. Füg. (G. W.) u. (P. W.), zgl. 2 Hd. Fag., u. Ru. ls. afw. q. Hak. u. Seg. (m. l. Hd.)

6) L. str. r. kl. r. sf. r. ga. l. hf. lh. knd., Wch. Rf. L. S. Bu. (G. W.) u. (P. W.), zgl. l. u. r. Hd. Wch. Fag., u. 2 Hf. Fag.

7) Sun. hgd., Wch. 2 B. Spg. (G. W.) u. Eig. (P. W.), zgl. 2 F. Fag.

8) L. rhe. r. kl. tf. ng. r. sf. sp. sch. lh. knd., Wch. Rf. L. S. Bu. (G. W.) u. (P. W.), zgl. r. Hd. Fag., u. 2 Hf. Fag.

9) L. str. r. klwr. r. sf. rf. lgd., Wch. 2 B. Sg. L. Sf. Hb. Ro. (G. W.) u. (P. W.), zgl. l.-Hd. u. r. Ebg. Nr. Dü., 2 F. Z., u. 2 Hf. Fag.

10) L. str. r. kl. ng. b. vw. lgd., act. Rf. Er. (4 M.), zgl. 2 Ur. Sch. rs. Fag.

§. 295. 5. Recept.

1) L. str. r. kl. sp. rf. lgd., Ha., zgl. act. 2 B. Eig. (6 M.), zgl. 2 Hf. Fag.

2) L. snn. r. kl. fa. k. bg. schu. sth., K. Wch. V. Bu. (P. W.) u. Rc. Bu. (G. W.), zgl. Hrk. u. Ach. Fag.

3) L. str. r. kl. r. sf. r. s. b. hc. lgd., Wch. Rf. L. S. Bu. (G. W.) u. (P. W.), zgl. 2 Hd. Fag., u. 2 Ur. Sch. rs. Fag.

4) L. str. r. c. bg. b. vw. hc. lgd., Wch. Rf. Sen. (P. W.) u. Rf. Er. (G. W.), zgl. l. Hd. u. r. Ach. Fag., u. 2 Ur. Sch. rs. Fag.

5) L. rhe. r. kl. r. sf. b. lgd., Wch. Rf. L. S. Bu. (G. W.) u. (P. W.), zgl. l. Ebg., r. Hd. u. 2 Hf. Fag., u. 2 Ur. Sch. rs. Fag.

6) L. str. r. kl. sp. rf. lgd., Ha., zgl. ps. 2 F. Ro., zgl. 2 F. u. 2 Ur. Sch. Fag.

7) L. snn. r. h. fa. sg. hc. sth., B. Wch. V. Z. (G. W.) u. Rc. Z. (P. W.), zgl. sg. f. Fag.

8) L. str. r. kl. r. w. r. sf. sp. hc. stzd., Wch. Rf. Ng. L. W. L. sf. Hb. Ro. (G. W.) u. (P. W.), zgl. 2 Hd. Fag.

9) L. spr. r. str. r. ga. sth., act. L. A. Sw. Afw. Füg. (bis zur Str. Stg.), zgl. r. A. Sw. Abw. Füg. (bis zur Kl. Stg.), (6 M.)

10) Rk. sp. hc. stzd., Wch. 2 A. Kl. Str. Hb. Ro. (G. W.) u. (P. W.), zgl. 2 Hd. Fag., u. Kn. Kz. Dü.

§. 296. 6. Recept.

1) L. rhe. r. fü. r. ga. r. sf. l. hf. lh. sth., Wch. Rf. L. S. Bu. (G. W.) u. (P. W.), zgl. l. Ebg. u. r. Ach. Fag.

2) L. snn. r. wr. fa. so. hc. sth., B. Wch. Rc. Z. (G. W.) u. (P. W.), zgl. so. F. Fag.

3) L. str. r. e. r. w. fl. (ng.) sp. fr. sth., Wch. Rf. V. Ngg. (G. W.) u. Rc. Bu. (G. W.), zgl. str. Hd. u. K. Wch. Fag.

4) L. str. r. kl. r. sf. l. tp. l. f. fa. sch. lh. sth., Wch. Rf. L. S. Bu. (G. W.) u. (P. W.), zgl. 2 Hd., l. kn. u. r. Hf. Fag.

5) Spr. lg. stzd., act. 2 A. Sw. Afw. Füg. (4 M.), zgl. 2 F. Fag.

6) L. str. r. kl. sp. rf. lgd., act. 2 B. Eig. (4 M.), zgl. 2 Hd. Nr. Dü.

7) L. str. r. wr. r. sf. l. w. sp. hc. stzd., Wch. Rf. L. Sf. Rc. Bu. (G. W.) u. (P. W.), zgl. 2 Hd. Fag.

8) L. str. r. kl. fl. l. hk. l. f. fa. sth., Wch. Rf. V. Ngg. (P. W.) u. (G. W.), zgl. l. u. r. Hd. Wch. Fag., u. l. Kn. u. l. F. Fag.

9) L. str. r. fü. r. sf. rf. lgd., 2 B. Wch. L. Füg. (G. W.) u. (P. W.), zgl. 2 F., l. Hd. u. r. Ach. Fag.

10) L. snn. r. wr. fa. k. kum. sth., K. Rc. Bu. (G. W.) u. (P. W.), (i. v. E.), zgl. Hrk. u. Sn. Fag.

§. 297. 7. Recept.

1) L. rhe. r. kl. fa. l. sb. hc. sth., L. B. Wch. sw. Sen. (P. W.) u. sw. Er. (G. W.), zgl. l. F. Fag., u. l. Ebg. asw. Dü.

2) L. str. r. kl. l. w. r. lg. stzd., Wch. Rf. Sen. (P. W.) u. Rf. Er. (P. W.), zgl. l. u. r. Hd. Wch. Fag., 2 Kn. Fag., u. r. Ur. Sch. rs. Fag.

3) L. str. r. kl. r. sf. r. ga. l. hf. lh. sth., Wch. Rf. L. S. Bu. (G. W.) u. (P. W.), zgl. K. u. 2 Hf. Fag.

4) Snn. hgd., 2 B. Wch. Spg. (G. W.) u. Eig. (P. W.), zgl. 2 F. Fag.

5) L. rhe. r. kl. r. sf. sp. hc. stzd., Wch. Rf. L. S. Bu. (G. W.) u. (P. W.), zgl. kl. Hd. Fag.

6) L. str. r. kl. bg. b. vw. lgd., Wch. Rf. Sen. (P. W.) u. Rf. Er. (G. W.), zgl. str. Hd. Fag., u. 2 Ur. Sch. rs. Fag.

7) L. rhe. r. e. ng. sp. hc. stzd., ps. Rf. Ng. Ro., zgl. L. Ebg. u. r. Ach. Fag.

8) L. str. r. kl. vw. lgd., Ha., zgl. 2 Ur. Sch. Bu. (G. W.) u. Strg. (P. W.), zgl. 2 F. Fag.

9) L. str. r. klwr. r. ga. r. sf. l. hf. lh. sth., Wch. Rf. L. S. Bu. (G. W.) u. (P. W.), zgl. r. Ebg. u. 2 Hf. Fag.

10) Sr. snm. sp. lgd., Ha.

11) L. spr. r. str. r. ga. sth., act. L. A. sw. afw. Füg. (bis zur Str. Stg.), zgl. r. A. sw. abw. Füg. (bis zur. Kl. Stg.), (6 M.)

§. 298. 8. Recept.

1) L. str. r. kl. r. sf. sp. hc. stzd., Wch. Rf. L. S. Bu. (G. W.) u. (P. W.), zgl. 2 Hd. Fag.

2) L. str. r. fü. r. sf. rf. lgd., 2 B. L. Füg. (G. W.) u. (P. W.), zgl. L. Hd. u. r. Ach. u. 2 F. Z., u. 2 Hf. Fag.

3) L. str. r. kl. r. sf. l. w. schu. sch. lh. sth., Wch. L. Sf. Rc. Bu. (G. W.) u. (P. W.), zgl. l. u. r. Hd. Wch. Fag., u. 2 Hf. Fag.

4) L. str. r. kl. r. sf. r. ga. knd., act. Rf. L. S. Bu. (6 M.)

5) L. str. r. e. r. sf. sp. hc. stzd., Rf. L. S. Bu. (P. W.), (i. v. E.), zgl. l. Hd. Z., u. r. Ach. Fag.

6) L. rhe. r. e. b. lgd., ps. Rf. Ro., zgl. 2 Ebg. Z., u. 2 Ur. Sch. rs. Fag., u. 2 Hf. Fag.

7) Str. rf. sp. 2. sg. lgd., Wch. 2 B. Eig. (G. W.) u. (P. W.), zgl. 2 Hd. Nr. Dü., u. 2 F. Fag.

8) L. str. r. kl. ng. sch. lh. l. hb. knd., Wch. Rf. Rc. Bu. (G. W.) u. (P. W.), zgl. l. u. r. Hd. Wch. Fag., u. 2 Hf. Fag.

9) L. spr. r. kl. l. w. sp. hc. stzd., act. L. A. sw. afw. Füg. (6 M.), zgl. r. Hd. abw. Dü.

10) Wr. b. lgd., Wch. 2 Or. u. Ur. A. Strg. (G. W.) u. (P. W.), zgl. 2 Hd. Fag., u. 2 Ur. Sch. rs. Fag.

§. 299. 9. Recept.

1) L. snn. r. kl. fa. sg. hc. sth., B. Wch. V. Z. (G. W.) u. (P. W.), zgl. sg. F. Fag.

2) L. str. r. rhe. sp. sch. lh. sth., Wch. R. Or. A. Sw. Abw. Füg. (G. W.) u. (P. W.), zgl. r. Ebg. Fag.

3) L. wr. r. kl. tf. ng. schu. sch. gg. sth., Wch. L. Or. u. Ur. A. Strg. (G. W.) u. (P. W.), zgl. L. Hd. Fag., r. Hd. abw. u. afw. Wch. Dü., u. 2 Slbt. Dü.

4) L. str. r. e. l. sf. sp. hc. stzd., Wch. Rf. R. S. Bu. (P. W.) u. L. S. Bu. (G. W.), zgl. l. Hd. u. r. Ach. Wch. Fag.

5) L. sr. r. kl. rf. b. hb. lgd., ps. 2 A. Ro., zgl. Z., zgl. l. Hd. u. l. Achh., u. r. Hd. u. r. Achh. Fag.

6) L. str. r. kl. sp. rf. lgd., Wch. 2 B. Eig. (P. W.) u. Spg. (G. W.), zgl. 2 Hd. Nr. Dü., 2 Hf. Fag., u. F. Wch. Fag.

7) L. str. r. spraf. fl. sp. sch. gg. sth., Wch. Rf. V. Ngg. (P. W.) u. Rc. Bu. (G. W.), zgl. str. Hd. u. 2 Hf. Fag.

8) L. str. r. kl. r. sf. l. asfld., Wch. Rf. L. S. Bu. (G. W.) u. (P. W.), zgl. kl. Hd. Fag.

9) L. str. r. kl. r. sf. rf. lgd., 2 B. Wch. L. Füg. (G. W.) u. (P. W.), zgl. 2 Hd. Nr. Dü., 2 Hf. Fag., u. F. Wch. Fag.

10) Spr. bg. b. vw. lgd., Wch. 2 A. Sw. Afw. Füg. (G. W.) u. (P. W.), zgl. 2 Hd. Fag., u. 2 Ur. Sch. rs. Fag.

11) Sr. smm. sp. lgd., Ha.

§. 300. 10. Recept.

1) L. rhe. r. kl. r. sf. r. ga. l. hf. lh. sth., Wch. Rf. L. S. Bu. (G. W.) u. (P. W.), zgl. kl. Hd. u. 2 Hf. Fag.

2) L. spr. r. kl. sp. knd., act. L. A. Sw. Afw. Füg. (6 M.)

3) Str. rf. sp. lgd., Wch. 2 B. Eig. (G. W.) u. (P. W.), zgl. 2 Hd. u. 2 F. Z.

4) L. str. r. kl. r. sf. b. lgd., Wch. Rf. L. S. Bu. (G. W.) u. (P. W.), zgl. l. u. r. Hd. Wch. Fag., 2 Hf. Fag., u. 2 Ur. Sch. rs. Fag.

5) L. rhe. r. fü. lg. stzd., Wch. Rf. Rc. Bu. (G. W.) u. (P. W.), zgl. L. Ebg., Hrk. u. 2 Slbt. Fag., 2 Ur. Sch. rs. Fag.

6) Snn. hgd., 2 B. Wch. Spg. (G. W.) u. Eig. (P. W.), zgl. 2 F. Fag.

7) L. wr. r. str. sp. hc. stzd., Wch. L. Or. u. Ur. A. Strg. (G. W.) u. (P. W.), zgl. R. Or. u. Ur. A. Bn. (G. W.) u. (P. W.), zgl. 2 Hd. Fag., u. Kn. Rn. Dü.

8) L. str. r. kl. bg. b. vw. lgd., Wch. Rf. Sen. (P. W.) u. Rf. Er. (G. W.), zgl. 2 Hd. Fag., u. 2 Ur. Sch. rs. Fag.

9) L. str. r. fü. hb. lgd., L. A. Fic., zgl. l. Hd. u. l. Ach. Fag.

10) Smm. l. spr. lgd., Wch. L. A. Sw. Afw. Füg. (G. W.) u. (P. W.), zgl. l. Hd. Fag.

§. 301. 11. Recept.

1) L. str. r. kl. r. sf. sp. hc. stzd., Wch. Rf. L. S. Bu. (G. W.) u. (P. W.), zgl. 2 Hd. Fag., u. L. Rp. S. abw. q. Hak. (m. r. Hd.)

2) Spr. schu. sch. lh. sth., 2 A. Wch. Sw. Afw. Füg. (G. W.) u. (P. W.), zgl. 2 Hd. Fag.

3) L. str. r. kl. sp. rf. lgd., act. 2 B. Eig. (4 M.), zgl. 2 Hf. Fag.

4) L. str. r. kl. r. sf. r. ga. l. hf. lh. sth., Wch. Rf. L. S. Bu. (G. W.) u. (P. W.), zgl. l. u. r. Hd. Wch. Fag., u. 2 Hf. Fag.

5) L. str. r. kl. fl. r. ga. sch. lh. sth., Wch. Rf. V. Ngg. (P. W.) u. Rc. Bu. (G. W.), zgl. l. u. r. Hd. Wch. Fag., 2 Hf. Fag., u. Rn. ls. afw. Kog. u. Seg. (m. l. Hd.)

6) Si. hgd., 2 B. Wch. Spg. (G. W.) u. Eig. (P. W.), zgl. 2 F. Z., u. 2 Hf. 2 Fag.

7) L. str. r. kl. fl. l. fs. sü. sth., Wch. Rf. V. Ngg. (G. W.) u. Rc. Bu. (G. W.), zgl. l. u. r. Hd. Wch. Fag., u. l. f. u. l. Kn. Fag.

8) Str. r. sf. rf. lgd., Wch. 2 B. So. L. Sf. Hb. Ro. (G. W.) u. (P. W.), zgl. 2 Hd. Nr. Dü., 2 Hf. Fag., u. F. Wch. Fag.

9) L. snn. r. kl. fa. k. bg. schu. sth., K. Wch. V. Bu. (P. W.) u. Rc. Bu. (G. W.), zgl. Hrk. u. Ach. Fag.

10) L. str. r. kl. b. lgd., Ha., zgl. 2 Ur. Sch. rs. Fag.

§. 302. 12. Recept.

1) L. snn. r. kl. r. sb. hc. sth., R. B. Wch. Sw. Sen. (G. W.) u. (P. W.), zgl. r. F. Fag., u. r. Hd. afw. u. abw. Wch. Dü.

2) L. str. r. klwr. r. sf. l. w. sp. hc. stzd., Wch. Rf. L. Sf. Rc. Bu. (G. W.) u. (P. W.), zgl. l. Hd. u. r. Ebg. Wch. Fag., u. l. Rp. S. afw. q. Hak. (m. r. Hd.)

3) L. str. r. fü. bg. b. vw. lgd., Wch. Rf. Sen. (P. W.) u. Rf.

Er. (G. W.), zgl. l. Hd. u. r. Ebg. Wch. Fag., u. 2 Ur. Sch. rs. Fag.

4) L. rhe. r. fil. r. sf. schu. sch. lh. sth., Wch. Rf. Fl. L. Sf. Hb. Ro. (G. W.) u. (P. W.), zgl. l. Ebg. u. K. Fag., 2 Hf. Fag., u. r. Rp. S. abw. q. Hak. u. Seg. (m. l. Hd.)

5) Sp. hb. lgd., 2 F. ps. Ro. (24 M.), zgl. 2 F. u. 2 Ur. Sch. Fag.

6) L. sr. r. kl. r. sf. sp. knd., Wch. Rf. L. S. Bu. (G. W.) u. (P. W.), zgl. l. u. r. Hd. Wch. Fag., 2 Ur. Sch. Fag., u. R. Rp. S. abw. Hak. (m. l. Hd.)

7) Str. 2 sg. rf. lgd., Wch. 2 B. Spg. (G. W.) u. Eig. (P. W.), zgl. 2 Hd. Nr. Dü., u. 2 F. Fag.

8) Wr. fl. lg. stzd., act. 2 Or. u. Ur. A. Strg. (4 M.)

9) L. str. r. kl. lg. sp. stzd., Wch. Rf. Sen. (P. W.) u. Rf. Er. (G. W.), zgl. l. u. r. Hd. Wch. Fag., 2 Or. u. 2 Ur. Sch. Fag.

10) Sr. smm. sp. k. kmm. lgd., K. Rc. Bu. (G. W.), zgl. Hrk. Fag., zgl. Rn. ls. afw. Kog. (m. r. Hd.)

§. 303. 13. Recept.

1) L. str. r. kl. tf. ng. r. sf. sch. lh. sth., Wch. Rf. L. S. Bu. (G. W.) u. (P. W.), zgl. l. u. r. Hd. Wch. Fag., u. 2 Slbt. Dü.

2) Str. 2. so. sp. rf. lgd., Wch. 2 B. Eig. (P. W.) u. Spg. (G. W.), zgl. 2 Hd. u. 2 F. Z.

3) L. rhe. r. kl. r. sf. r. w. sp. hc. stzd., Wch. Rf. L. Sf. V. Bu. (G. W.) u. (P. W.), zgl. l. Ebg. u. r. Hd. Wch. Fag., u. R. Rp. S. afw. Kog. u. Seg. (m. l. Hd.)

4) L. str. r. kl. fa. hc. sth., L. B. Wch. Sw. Er. (G. W.) u. (P. W.), zgl. l. F. Fag.

5) Spr. bg. b. vw. lgd., Wch. 2 A. Sw. Afw. Füg. (G. W.) u. (P. W.), zgl. Hd. Wch. Fag., u. 2 Ur. Sch. rs. Fag.

6) L. str. r. e. fl. (ng.) sp. knd., Wch. Rf. V. Ngg. (G. W.) u. Rc. Bu. (G. W.), zgl. l. Hd. u. K. Wch. Fag., u. 2 Ur. Sch. Fag.

7) Str. r. sf. 2 lt. rf. lgd., 2 Or. Sch. Sg. Lt. L. Sf. Hb. Ro. (G. W.) u. (P. W.), zgl. 2 Hd. Z., 2 Hf Fag., u. 2 Kn. Fag.

8) L. str. r. kl. l. w. r. sf. schu. sch. lh. sth., Wch. Rf. L. Sf. Rc. Bu. (G. W.) u. (P. W.), zgl. l. u. r. Hd. Wch. Fag., 2 Hf. Fag., u. l. Rp. S. afw. Kog. (m. r. Hd.)

9) Snn. sp. hgd., Wch. 2 B. Eig (G. W.) u. (P. W.). zgl. 2 F. Fag.

10) Str. r. sf. schu. sth., act. Rf. L. S. Bu. (6 M.)

§. 304. 14. Recept.

1) L. str. r. kl. fl. schu. sch. gg. sth., Wch. Rf. V. Ngg. (P. W.) u. Rc. Bu. (G. W.), zgl. 2 Hd. Fag. u. 2 Hf. Fag.

2) L. rhe. r. kl. r. sf. schu. stzd., Wch. Rf. Fl. L. Sf. Hb. Ro. (G. W.) u. (P. W.), zgl. l. Ebg. u. r. Hd. Fag., u. 2 Kn. Fag.

3) Str. rf. vw. lgd., 2 B. Wch. Spg. (G. W.) u. Eig. (P. W.), zgl. 2 Hd. u. 2 F. Z., u. Bn. ls. afw. Hak. (m. r. Hd.)

4) L. str. r. kl. w. schu. sch. lh. sth., Wch. Rf. Dh. (P. W.), zgl. 2 Hd. Fag., u. 2 Hf. Fag.

5) Bk. w. sp. sch. lh. sth., act. 2 A. Kl. Str. Hb. Ro. (4 M.)

6) L. snn. r. kl. r. sb. hc. sth., R. B. Sw. Sen. (P. W.), (i. v. E.), zgl. r. Hd. abw. Dü., u. r. F. Fag.

7) Str. w. sp. hc. stzd., Wch. Rf. Dh. (G. W.), zgl. 2 Hd. Z., u. 2 Achh. Fag.

8) L. str. r. h. r. or. a. inw. hb. lgd., R. Or. A. Wch. Asw. Dh. (G. W.) u. (P. W.), zgl. l. Hd. Nr. Dü., u. r. Hd. u. r. Or. A. Fag.

9) L. str. r. kl. l. w. r. sf. sp. sch. lh. sth., Wch. Rf. L. Sf. Rc. Bu. (G. W.) u. (P. W.), zgl. l. u. r. Hd. Wch. Fag., K. Fag., u. 2 Hf. Fag.

10) L. snn. r. kl. sz. sp. sth., Ha.

§. 305. 15. Recept.

1) L. rhe. r. fü. r. sf. sp. hc. stzd., Wch. Rf. Ng. L. Sf. Hb. Ro. (G. W.) u. (P. W.), zgl. L. Ebg. u. r. Ach. Fag.

2) L. str. r. kl. l. s. lgd., R. B. Wch. Sw. Er. (G. W.) u. Sw. Sen. (P. W.), zgl. r. Hd. afw. Dü., u. r. F. Fag.

3) L. spr. r. kl. schu. sch. lh. sth., L. A. Sw. Afw. Füg. (G. W.) (i. v. E.), zgl. l. Hd. Fag., u. 2 Hf. Fag.

4) L. str. r. kl. l. w. r. sf. r. fs. sü. sth., Wch. Rf. L. Sf. Rc. Bu. (G. W.) u. (P. W.), zgl. l. u. r. Hd. Wch. Fag., u. r. Kn. u. r. F. Fag.

5) L. snn. r. kl. fa. l. hk. l. or. sch. asw. sth., Wch. L. Or. Sch. Inw. Dh. (G. W.) u. (P. W.), zgl. l. Kn. u. l. F. Fag.

6) Snn. sg. hc. sth., B. Wch. V. Z. (G. W.) u. (P. W.), zgl. sg. F. Fag.

7) L. str. r. kl. fl. (ug.) sp. sch. gg. sth., Wch. Rf. V. Ngg. (P. W.) u. Rc. Bu. (P. W.), zgl. l. u. r. Hd. Wch. Fag., K. Fag., u. 2 Hf. Fag.

8) Snn. hgd., 2 B. Wch. Spg. (G. W.) u. Eig. (P. W.), zgl. 2 F. Fag., u. Rn. ls. afw. Kog. (m. r. Hd.)

9) Sp. hb. lgd., ps. 2 F. Ro. (24 M.), zgl. 2 F. u. 2 Ur. Sch. Fag.

10) L. str. r. fü. sp. hc. stzd., L. A. ps. Fie., zgl. l. Hd. u. r. Ach. Fag., u. Kn. Rn. Dü.

§. 306. 16. Recept.

1) L. snn. r. kl. r. sb. hc. sth., R. B. Wch. Sw. Sen. (P. W.) u. (G. W.), zgl. r. F. Fag.

2) L. spr. r. kl. sp. knd., L. A. Sw. Afw. Füg. (P. W.), (i. v. E.), zgl. spr. Hd. Fag., u. 2 Ur. Sch. Fag.

3) L. str. r. fü. r. sf. sp. hc. stzd., Wch. Rf. L. S. Bu. (G. W.) u. (P. W.), zgl. str. Hd. u. K. Fag.

4) L. spr. r. kl. r. ga. fr. sth., L. A. Sw. Afw. Füg. (G. W.), (i. v. E.), zgl. l. Hd. Fag., u. r. Hd. abw. Dü.

5) L. str. r. kl. bg. b. vw. lgd., Wch. Rf. Sen. (P. W.) u. Rf. Er. (G. W.), zgl. 2. Hd. Fag., u. 2 Ur. Sch. rs. Fag.

6) Snn. hgd., 2 B. Wch. Spg. (G. W.) u. Eig. (P. W.), zgl. 2 F. Fag.

7) L. spr. r. wrkl. tf. ng. schu. sch. gg. sth., Wch. L. A. Sw. Afw. Füg. (G. W.) u. (P. W.) (i. v. E.), zgl. spr. Hd. Fag. (Im Ganzen 6 M.)

8) L. rhe. r. kl. r. sf. sp. hc. stzd., Wch. Rf. L. S. Bu. (G. W.) u. (P. W.), zgl. rhe. Ebg. u. kl. Hd. Wch. Fag.

9) L. str. r. kl. w. schu. sch. lh. sth., Wch. Rf. V. Dh. (G. W.) u. (P. W.), zgl. kl. Hd. Fag., u. 2 Hf. Fag. [L. str., r. kl., r. w., Rf. L. Dh. (G. W.) u. (P. W.); l. str. r. kl. l. w., Rf. R. Dh. (G. W.) u. (P. W.)]

10) L. snn. r. kl. fa. sg. hc. sth., B. Wch. V. Z. (G. W.) u. Rc. Z. (P. W.), zgl. sg. F. Fag., zgl. Rn. ls. q. afw. Hak. u. Seg. (m. r. Hd.)

11) L. spr. r. kl. r. ga. fr. sth., Wch. L. A. Sw. Afw. Füg. (P. W.) u. Vw. Afw. Füg. (P. W.), zgl. spr. Hd. Fag.

§. 307. 17. Recept (diätetisches).

1) L. spr. r. kl. r. ga. sth., act. L. A. Sw. Afw. Füg. (6 M.)

2) L. str. r. kl. fl. r. ga. sth., act. Rf. V. Ngg. (6 M.)

3) L. str. r. kl. r. sf. sp. knd., act. Rf. L. S. Bu. (6 M.)

4) L. spr. r. str. r. ga. sth., act. L. A. Sw. Afw. Függ. (bis zur Str. Stg.), zgl. r. A. Sw. Abw. Füg. (bis zur Kl. Stg.) (4 M.)

5) L. str. r. kl. tf. ng. r. ga. sth., act. Rf. Rc. Bu. (6 M.)

6) L. str. r. kl. r. sf. l. w. sp. hc. stzd., act. Rf. L. Sf. Rc. Bu. (4 M.)

7) L. snn. r. kl. fa. rf. lgd., act. 2 B. Spg. (4 M.)

8) Spr. ng. sp. stn., act. 2 A. Sw. Afw. Füg. (6 M.)

9) L. snn. r. h. fa. sp. rf. lgd., act. 2 B. Eig. (4 M.)

10) L. spr. r. str. k. knm. r. ga. sth., act. L. A. Sw. Afw. Füg. (bis zur str. Stg.), zgl. r. A. Sw. Abw. Füg. (bis zur Kl. Stg.), zgl. K. Rc. Bu. (4 M.)

§. 308. 18. Recept (diätetisches).

1) L. snn. r. kl. r. sb. hc. sth., act. R. B. Sw. Sen. (i. v. E.) (Im Ganzen 6 M.)

2) L. str. r. kl. tf. ng. schu. sth., act. Rf. Rc. Bu. (6 M.)

3) L. spr. r. kl. bg. sp. hc. stzd., act. L. A. Sw. Afw. Füg. (6 M.)

4) Str. r. sf. r. ga. sth., act. Rf. L. S. Bu. (6 M.)

5) L. str. r. kl. fa. so. hc. sth., act. B. Rc. Z. (Im Ganzen 6 M.)

6) L. str. r. kl. r. sf. r. ga. knd., act. Rf. L. S. Bu. (4 M.)

7) Spr. schu. tf. ng. fr. sth., act. 2 A. Sw. Afw. Füg. (6 M.)

8) L. str. r. kl. fl. l. fs. sü. sth., act. Rf. V. Ngg. (4 M.)

9) Str. w. schu. sth., act. Rf. Rc. Dh. (Im Ganzen 6 M.)

10) L. snn. r. kl. fa. sz. sth., Ha.

§. 309. 19. Recept (diätetisches).

1) L. str. r. rk. r. ga. sth., act. R. A. Kl. Str. Hb. Ro. (6 M.

2) Rh. r. sf. r. ga. ng. sth., act. Rf. L. S. Bu. (4 M.)

3) L. str. r. kl. so. hc. sth., act. B. Sb. Sg. Hb. Ro. (Im Ganzen 6 M.)

4) L. str. r. h. r. sf. l. w. sp. hc. stzd., act. Rf. L. Sf. Rc. Bu. (4 M.)

5) L. spr. r. kl. r. ga. sth., act. L. A. Sw. Afw. Füg. (i. v. E.) (Im Ganzen 6 M.)

6) L. rhc. r. kl. tf. ng. schu. sth., act. Rf. Rc. Bu. (4 M.)

7) Snn. sp. hgd., act. 2 B. Eig. (6 M.)

8) L. str. r. kl. r. w. r. sf. sp. hc. stzd., act. Rf. L. Sf. V Bu. (6 M.)

9) Snn. hgd., act. 2 B. Spg. (6 M.)

10) L. str. r. kl. r. sf. r. ga. knd., act. Rf. L. S. Bu. (i. v. E.) Im Ganzen 6 M.)

§. 310. Heilorganische und diätetische Recepte beim dritten Grade muscularer Scoliose, den Fig. 7 und 8 (§. 261) darstellt, zunächst anwendbar, ausserdem aber auch mit mehr oder weniger Abänderungen in ähnlichen Fällen ossicularer und ligamentöser Scoliose zu gebrauchen. Die Reihenfolge der Recepte ist eine solche, dass von den schwächer und allgemeiner wirkenden Bewegungsformen zu den stärker und localer wirkenden fortgeschritten wird. Zugleich enthalten die ersteren Recepte mehr leichter, die späteren mehr schwerer auszuführende Bewegungen.

§. 311. 1. Recept.

1) L. str. r. rk. r. ga. sch. lh. sth., R. A. Wch. Strg. (G. W.) u. (P. W.), zgl. r. Hd. Fag. u. r. Slbt. Dü.

2) L. str. r. kl. l. sf. sp. hc. stzd., Wch. Rf. R. S. Bu. (G. W.) u. (P. W.), zgl. 2 Hd. Fag., u. l. Hf. u. R. Rp. S. Dü.

3) L. snn. r. kl. fa. hc. sth., R. B. Wch. Sw. Er. (G. W.) u. Sw. Sen. (P. W.), zgl. r. F. Fag.

4) L. str. r. kl. fl. sp. sch. gg. sth., Wch. Rf. V. Ngg. (G. W.) u. (P. W.), zgl. 2 Hd. u. 2 Hf. Fag.

5) L. str. r. kl. sp. hb. lgd., Ha., zgl. ps. 2 F. Ro., zgl. 2 F. u. 2 Ur. Sch. Fag.

6) L. spr. r. kl. r. ga. sth., Wch. L. A. Sw. Afw. Füg. (G. W.) u. (P. W.), zgl. l. Hd. Fag., u. r. Hd. abw. u. afw. Wch. Dü.

7) Snn. hgd., Wch. 2 B. Spg. (G. W.) u. Eig. (P. W.), zgl. 2 F. Fag.

8) L. str. r. kl. l. sf. r. ga. r. hf. lh. sth., Wch. Rf. R. S. Bu. (G. W.) u. (P. W.), zgl. l. Hd. Z., u. r. Hd. Fag., u. 2 Hf. Fag.

9) L. str. r. kl. fl. (ng.) l. fs. sü. sth., Wch. Rf. V. Ngg. (G. W.) u. Rc. Bu. (G. W.), zgl. 2 Hd., l. F. u. l. Kn. Fag.

10) Sr. smm. sp. lgd., Ha.

§. 312. 2. Recept.

1) Snn. r. sb. hc. sth., R. B. Wch. Sw. Sen. (P. W.) u. (G. W.), zgl. r. F. Fag.

2) L. str. r. klwr. l. sf. sp. bc. stzd., Wch. Rf. R. S. Bu. (G. W.) u. (P. W.), zgl. L. Hd. Z.

3) L. wr. r. kl. fa. r. ga. sth., L. Or. A. Sw. Afw. Füg. (G. W.) u. (P. W.), zgl. l. Ebg. Fag.

4) L. str. r. kl. r. sf. rf. lgd., 2 B. Wch. L. Füg. (G. W.) u. (P. W.), zgl. 2 Hd. Nr. Dü., 2 Hf. u. 2 F. Fag.

5) L. str. r. kl. l. sf. r. ga. r. hf. lh. knd., Wch. Rf. R. S. Bu. (G. W.) u. (P. W.), zgl. r. Hd., 2 Hf. u. 2 Ur. Sch. Fag.

6) L. str. r. e. l. w. fl. (ng.) sp. bc. stzd., Wch. Rf. V. Ngg. (P. W.) u. Rc. Ngg. (P. W.), zgl. L. Hd. u. r. Ach. Z.

7) L. str. r. kl. l. w. r. ga. sth., Wch. Rf. Rc. Dh. (G. W.) u. (P. W.), zgl. r. Hd. Fag.

8) Snn. sp. hgd., Wch. 2 B. Eig. (P. W.) u. Spg. (G. W.), zgl. 2 F. Fag.

9) L. str. r. wrrk. r. ga. sch. lh. sth., Wch. R. Or. A. Strg. (G. W.) u. (P. W.), zgl. r. Ebg. u. r. Slbt. Fag.

10) Spr. sp. tf. ng. sch. gg. sth., act. 2 A. Sw. Afw. Füg. (6 M.)

§. 313. 3. Recept.

1) L. sprrc. r. kl. sp. sch. lh. sth., Wch. L. A. Sprrk. Rk. Srrk. Str. Hb. Ro. (G. W.) u. (P. W.), zgl. L. Hd. Fag., u. r. Hd. abw. u. afw. Wch. Dü.

2) L. str. r. kl. r. sb. l. s. lgd., R. B. Wch. Sw. Sen. (P. W.) u. (G. W.), zgl. r. Hd. abw. u. afw. Wch. Dü., u. r. F. Fag.

3) L. rhe. r. kl. tf. ng. l. sf. schu. sch. gg. sth., Wch. Rf. R. S. Bu. (G. W.) u. (P. W.), zgl. l. Ebg. u. r. Hd. Fag., 2 Hf. Fag., u. r. Rn. Hä. Dü.

4) Snn. hgd., 2 B. Wch. Spg. (G. W.) u. Eig. (P. W.), zgl. 2 F. Fag.

5) Str. tf. ng. sch. gg. schu. sth., Wch. R. A. Sw. Abw. Füg. (G. W.) u. (P. W.), zgl. r. Hd. Fag., l. Hd. asw. u. inw. Wch. Dü., u. r. Rn. Hä. Dü.

6) L. wr. r. kl. sp. knd., Wch. L. Or. A. Sw. Afw. Füg. (G. W.) u. (P. W.), zgl. l. Ebg. Fag., u. r. Hd. abw. u. afw. Wch. Dü.

7) L. snn. r. rk. r. ga. sth., R. A. Strg. (G. W.), (i. v. E.), zgl. r. Hd. Fag., u. r. Slbt. Dü.

8) L. rhe. r. kl. l. w. sp. sch. lh. sth., Wch. Rf. Rc. Dh. (G. W.) u. (P. W.), zgl. r. Hd. u. 2 Hf. Fag.

9) L. spr. r. kl. ng. r. ga. sth., act. L. A. Sw. Afw. Füg. (6 M.)

10) Sr. smm. sp. lgd., Ha.

11) L. sun. r. rk. r. ga. sth., R. A. Strg. (P. W.), (i. v. E.), zgl. r. Hd. Fag., u. r. Slbt. Dü.

§. 314. 4. Recept.

1) L. sun. r. kl. r. sb. hc. sth., R. B. Wch. Sw. Sen. (G. W.) u. (P. W.), zgl. r. F. Fag.

2) L. spr. r. kl. sp. hc. stzd., Wch. L. A. Sw. Afw. Füg. (G. W.) u. (P. W.), zgl. l. Hd. Fag., u. r. Hd. abw. u. afw. Wch. Dü., zgl. L. Rn. Hä. (L. Slbt. Gd.) Hak. u. Seg. (m. r. Hd.)

3) L. str. r. kl. fa. hc. sth., L. B. Sw. Er. (G. W.) u. (P. W.), zgl. l. F. Fag.

4) L. str. r. rk. tf. ng. schu. sch. gg. sth., Wch. R. A. Strg. (G. W.) u. (P. W.), zgl. r. Hd. Fag., zgl. R. Rn. Hä. (R. Slbt. Gd.) Hak. u. Seg. (m. l. Hd.)

5) Sun. sp. hgd., 2 B. Wch. Eig. (P. W.) u. Spg. (G. W.), zgl. 2 F. Fag.

6) L. str. r. kl. l. w. li. sth., Wch. Rf. Rc. Dh. (G. W.) u. (P. W.), zgl. r. Hd. Fag.

7) L. wr. r. kl. l. hb. lg. stzd., Wch. L. Or. A. Sw. Afw. Füg. (G. W.) u. (P. W.), zgl. r. Hd. abw. u. afw. Wch. Dü., l. Ebg. u. r. Kn. Fag., u. l. Ur. Sch. rs. Fag.

8) L. str. r. kl. r. ga. fl. (ng.) fr. sth., Wch. Rf. V. Ngg. (G. W.) u. Rc. Bu. (G. W.), zgl. 2 Hd. Fag., u. 2 Hf. Fag.

9) L. rhe. r. kl. l. sf. sp. hc. stzd., Wch. Rf. R. S. Bu. (G. W.) u. (P. W.), zgl. kl. Hd. Fag.

10) L. str. r. kl. ng. b. vw. lgd., act. Rf. Er. (4 M.), zgl. 2 Ur. Sch. rs. Fag.

§. 315. 5. Recept.

1) Str. r. sf. rf. lgd., Wch. 2 B. L. Füg. (G. W.) u. (P. W.), zgl. 2 Hd. Nr. Dü., 2 Hf. Fag., u. 2 F. Z.

2) L. str. r. kl. l. sf. sp. knd., Wch. Rf. R. S. Bu. (G. W.) u. (P. W.), zgl. l. Hd., 2 Ur. Sch. u. r. Hf. Fag., u. L. Rp. S. abw. Hak. (m. r. Hd.)

3) Spr. bg. b. vw. lgd., Wch. 2 A. Sw. Afw. Füg. (G. W.) u. (P. W.), zgl. 2 Hd. Fag., u. 2 Ur. Sch. rs. Fag.

4) L. str. r. kl. lg. stzd., Wch. Rf. Sen. (P. W.) u. Rf. Er. (G. W.), zgl. l. u. r. Hd. Wch. Fag., u. 2 Ur. Sch. rs. Fag.

5) Str. tf. ng. sch. gg. schu. sth., Wch. R. A. Sw. Abw. Füg. (G. W.) u. (P. W.), zgl. r. Hd. u. 2 Hf. Fag., u. l. Hd. asw. u. inw. Wch. Dü.

6) L. str. r. kl. r. w. l. sf. sp. hc. stzd., Wch. Rf. R. Sf. Rc. Bu. (G. W.) u. (P. W.), zgl. 2 Hd. Fag.

7) L. str. r. kl. r. sf. rf. lgd., Wch. 2 B. So. L. Sf. Hb. Ro. (G. W.) u. (P. W.), zgl. 2 Hd. Nr. Dü., 2 Hf. u. 2 F. Fag.

8) L. wr. r. klwr. tf. ng. spz. hc. stzd., Wch. L. Or. A. Sw. Afw. Füg. (G. W.) u. (P. W.), zgl. l. Ebg. Fag.

9) L. str. r. e. fl. sch. gg. sp. sth., Wch. Rf. V. Ngg. (P. W.) u. Rc. Bu. (G. W.), zgl. str. Hd. u. K. Fag., u. 2 Hf. Fag.

10) Spr. sp. sth., act. 2 A. Sw. Afw. Füg. (6 M.)

11) L. str. r. kl. hb. lgd., Ha., u. F. Ro., zgl. F. u. Ur. Sch. Fag. (r. F. Ro., r. F. u. r. Ur. Sch. Fag.)

§. 316. 6. Recept.

1) L. str. r. wrkl. l. sf. tf. ng. sch. gg. schu. sth., Wch. Rf. R. S. Bu. (G. W.) u. (P. W.), zgl. r. Ebg. Fag., u. r. Slbt. Dü.

2) L. str. r. wrkl. b. vw. lgd., Wch. R. Or. A. Strg. (G. W.) u. (P. W.), zgl. r. Ebg. Fag., l. Hd. Z., 2 Ur. Sch. rs. Fag., u. R. Rn. Hä. (r. Slbtgd.) Kog. (m. l. Hd.)

3) Snn. 2. so. hgd., Wch. 2 B. Spg. (G. W.) u. Eig. (P. W.), zgl. 2 Hf. u. 2 F. Fag.

4) L. wr. r. kl. lg. stzd., Wch. L. Or. A. Sw. Afw. Füg. (G. W.) u. (P. W.), zgl. r. Hd. abw. u. afw. Wch. Dü., l. Ebg. Fag., u. 2 Ur. Sch. rs. Fag.

5) L. str. r. kl. fl. sch. gg. sp. sth., Wch. Rf. V. Ngg. (P. W.) u. (G. W.), zgl. r. u. l. Hd. Wch. Fag., u. 2 Hf. Fag.

6) L. snn. r. kl. fa. r. ga. sth., Wch. Br. Snng. (G. W.) u. (P. W.), zgl. 2 Vsl. u. 2 Slbt. Wch. Fag.

7) L. spr. r. str. r. ga. sth., act. L. A. Sw. Afw. Füg. (bis zur Str. Stg.), zgl. r. A. Sw. Abw. Füg. (bis zur Kl. Stg.), (6 M.)

8) Str. l. sf. rf. lgd., Wch. 2 B. L. Füg. (G. W.) u. (P. W.), zgl. 2 Hd. Nr. Dü., 2 Hf. u. 2 F. Fag.

9) L. spr. r. kl. bg. b. vw. lgd., Wch. L. A. Sw. Afw. Füg. (G. W.) u. (P. W.), zgl. l. Hd. Fag., r. Hd. abw. u. afw. Wch. Dü.,

2 Ur. Sch. rs. Fag., u. L. Rn. Hä. (l. Slbtgd.) abw. u. q. Hak. u. Seg. (m. r. Hd.)

10) L. snn. r. kl. fa. sz. sth., Ha.

§. 317. 7. Recept.

1) L. str. r. h. sp. rf. lgd., act. 2 B. Eig. (6 M.), zgl. 2 Hd. Nr. Dü.

2) L. str. r. kl. r. sf. sp. hc. stzd., Wch. Rf. L. S. Bu. (G. W.) u. R. S. Bu. (P. W.), zgl. L. Hd. Z., u. r. Hd. Fag.

3) L. sprrc. r. kl. r. ga. knd., Wch. L. A. Sprrk. Rk. Str. Hb. Ro. (G. W.) u. (P. W.), zgl. spr. Hd. Fag., kl. Hd. abw. u. afw. Wch. Dü., u. 2 Ur. Sch. Fag.

4) L. str. r. kl. bg. b. vw. lgd., Wch. Rf. Sen. (P. W.) u. Rf. Er. (G. W.), zgl. 2 Hd. Fag., 2 Ur. Sch. rs. Fag., u. Rn. ls. afw. Hak. u. Seg. (m. l. Hd.)

5) Snn. sp. hgd., Wch. 2 B. Eig. (G. W.) u. (P. W.), zgl. 2 F. Fag.

6) L. str. r. kl. l. sf. b. lgd., Wch. Rf. R. S. Bu. (G. W.) u. (P. W.), zgl. L. Hd. Z., u. r. Hd. Fag., u. 2 Ur. Sch. rs. Fag.

7) L. rhe. r. sr. sp. sch. lh. sth., Wch. R. A. Kf. Sprrc. Hb. Ro. (G. W.) u. (P. W.), zgl. L. Ebg. inw. u. asw. Wch. Dü.

8) L. str. r. e. r. s. lgd., Wch. L. B. Sw. Er. (G. W.) u. (P. W.), zgl. L. Hd. u. l. F. Z.

9) L. rhe. r. klwr. l. w. fl. (ng.) sp. hc. stzd., Wch. Rf. V. Ngg. (P. W.) u. Rc. Ngg. (P. W.), zgl. L. Ebg. u. r. Ach. Z.

10) L. rhe. r. kl. l. w. b. lgd., Wch. Rf. Rc. Dh. (G. W.) u. (P. W.), zgl. 2 Ur. Sch. rs. Fag., r. Hd. u. L. Ebg. Fag.

§. 318. 8. Recept.

1) L. spr. r. rk. k. kmm. r. ga. sth., act. L. A. Sw. Afw. Füg., zgl. r. A. Strg., zgl. K. Rc. Bu. (6 M.)

2) Str. r. sf. rf. lgd., Wch. 2 B. So. L. Sf. Hb. Ro. (G. W.) u. (P. W.), zgl. 2 Hd. Z., u. F. Wch. Fag.

3) L. str. r. kl. lg. hc. stzd., Wch. Rf. Rc. Bu. (G. W.) u. (P. W.), zgl. 2 Hd. Fag., 2 Slbt. Dü., u. 2 Ur. Sch. rs. Fag.

4) L. rhc. r. kl. l. sf. l. w. sp. hc. stzd., Wch. Rf. Ng. R. sf. R. w. Hb. Ro. (G. W.) u. (P. W.), zgl. l. Ebg. u. r. Hd. Fag.

5) Rk. sp. sch. lh. sth., Wch. 2 A. Kl. Str. Hb. Ro. (G. W.) u. (P. W.), zgl. 2 Hd. Fag., u. Kn. Rn. Dü.

6) Snn. lgd., Wch. 2 B. Spg. (G. W.) u. Eig. (P. W.), zgl. 2 F. Fag.

7) L. wr. r. kl. l. hb. lg. stzd., Wch. L. Or. A. Wrrk. Rhe. Hb. Ro. (G. W.) u. (P. W.), zgl. l. Ebg. u. r. Kn. Fag., r. Hd. abw. u. afw. Wch. Dü., l. Ur. Sch. rs. Fag., u. L. Rn. Hä. abw. Hak. (m. r. Hd.)

8) L. snn. r. kl. k. kmm. sth., K. Rc. Bu. (G. W.), (i. v. E.), zgl. Hrk. u. l. Ach. Fag., u. r. Hd. vw. Dü.

9) L. str. r. kl. sp. sch. lh. sth., Wch. L. A. Sw. Abw. Füg. (G. W.) u. Sw. Afw. Füg. (P. W.), zgl. l. Hd. Fag.

10) L. str. r. kl. ng. b. vw. lgd., act. Rf. Er. (4 M.), zgl. 2 Ur. Sch. rs. Fag.

§. 319. 9. Recept.

1) L. str. r. kl. fa. sth., L. B. Wch. Sw. Er. (G. W.) u. (P. W.), zgl. l. F. Fag.

2) L. str. r. kl. l. sf. r. w. schu. sch. lh. sth., Wch. Rf. Fl. R. sf. L. w. Hb. Ro. (G. W.) u. (P. W.), zgl. l. u. r. Hd. Wch. Fag., u. 2 Hf. Fag.

3) L. spr. r. kl. b. lgd., Wch. L. A. Sw. Afw. Füg. (G. W.) u. (P. W.), zgl. l. Hd. Fag., r. Hd. abw. u. afw. Wch. Dü., u. 2 Ur. Sch. rs. Fag.

4) Str. rf. vw. lgd., 2 B. Wch. Spg. (G. W.) u. Eig. (P. W.), zgl. 2 Hd. u. 2 F. Z.

5) L. wr. r. str. r. ga. knd., Wch. L. Or. A. Sw. Afw. Füg. (G. W.) u. (P. W.), zgl. r. A. Sw. Abw. Füg. (G. W.) u. (P. W.), zgl. l. Ebg. u. r. Hd. u. 2 Ur. Sch. Fag.

6) L. rhe. r. kl. fl. sch. gg. sp. sth., Wch. Rf. V. Ngg. (G. W.) u. (P. W.), zgl. l. Ebg. u. r. Hd. Wch. Fag., u. 2 Hf. Fag.

7) Str. l. sf. rf. lgd., ps. Bk. L. Sf. Ro, zgl. 2 Hd. u. 2 F. Z., u. 2 Hf. Fag.

8) L. wr. r. kl. tf. ng. sch. gg. schu. sth., Wch. L. Or. u. Ur. A. Strg. (G. W.) u. (P. W.), zgl. l. Hd., Fag., r. Hd. abw. u. afw. Wch. Dü., u. 2 Slbt. Dü.

9) L. str. r. kl. r. w. sp. lg. stzd., Wch. Rf. R. Sf. Rc. Bu. (G. W.) u. (P. W.), zgl. r. u. l. Hd. Wch. Fag., u. 2 Or. u. 2 Ur. Sch. Fag.

10) L. rhe. r. kl. l. w. l. fs. sü. sth., Wch. Rf. Rc. Dh. (G. W.) u. (P. W.), zgl. kl. Hd., l. F. u. l. Kn. Fag.

§. 320. 10. Recept.

1) L. str. r. wr. ng. sp. hc. stzd., Wch. R. Or. u. Ur. A. Strg. (P. W.) u. r. Or. u. Ur. A. Bu. (G. W.), zgl. r. Hd. Fag., zgl. r. Rn. Hä. Kog. (m. l. Hd.)

2) Str. l. s. rf. lgd., Wch. 2 B. Spg. (G. W.) u. Eig. (P. W.), zgl. 2 Hd. u. 2 F. Z.

3) L. str. r. kl. fl. l. hk. l. f. fa. sth., Wch. Rf. V. Ngg. (P. W.) u. Rc. Bu. (G. W.), zgl. l. u. r. Hd. Wch. Fag., u. l. Kn. u. l. F. Fag.

4) L. str. r. kl. l. w. sp. hc. stzd., Wch. L. Or. u. Ur. A. Bu. (P. W.) u. Strg. (G. W.), zgl. l. Hd. Fag., u. r. Hd. afw. u. abw. Wch. Dü.

5) L. str. r. e. l. sf. b. vw. lgd., Rf. R. S. Bu. (G. W.) u. (P. W.), zgl. l. Hd. u. r. Ach. Fag., 2 Hf. Fag., u. 2 Ur. Sch. rs. Fag.

6) Spr. l. fs. sü. sth., act. 2 A. Sw. Afw. Füg. (6 M.), zgl. l. Kn. u. l. F. Fag.

7) L. str. r. kl. fl. l. tp. l. f. fa. sch. gg. sth., Wch. Rf. V. Ngg. (G. W.) u. (P. W.), zgl. l. u. r. Hd. Wch. Fag., u. l. Kn. u. r. Hf. Fag.

8) Snn. hgd., 2 B. Wch. Spg. (G. W.) u. Eig. (P. W.), zgl. 2 F. Fag., u. Rn. ls. afw. Kog. u. Seg. (m. r. Hd.)

9) L. str. r. e. hb. lgd., L. A. ps. Fie., zgl. l. Hd. u. r. Ach. Fag.

10) L. rhc. r. klwr. w. b. vw. lgd., Wch. Rf. Dh. (G. W.), zgl. 2 Ebg. Z., u. 2 Ur. Sch. rs. Fag.

§. 321. 11. Recept.

1) L. wr. r. kl. tf. ng. sch. gg. schu. sth., Wch. L. Or. u. Ur. A. Strg. (G. W.) u. (P. W.), zgl. l. Hd. Fag., r. Slbt. Dü., u. r. Hd. abw. u. afw. Wch. Dü.

2) Str. r. sf. rf. lgd., Wch. 2 B. Sg. L. Sf. Hb. Ro. (G. W.) u. (P. W.), zgl. 2 Hd. u. 2 F. Z., u. 2 Hf. Fag.

3) L. str. r. rhc. l. w. sp. hc. stzd., Wch. R. Or. A. Sw. Abw. Füg. (G. W.) u. (P. W.), zgl. r. Ebg. Fag., u. l. Hd. asw. u. inw. Wch. Dü.

4) L. str. r. rk. sp. knd., Wch. R. A. Strg. (G. W.), (i. v. E.), zgl. r. Hd. u. r. Slbt. Fag., l. Hd. Nr. Dü., u. 2 Ur. Sch. Fag.

5) L. str. r. e. l. sf. l. s. b. lgd., Wch. Rf. R. S. Bu. (G. W.) u. (P. W.), zgl. l. Hd. u. r. Ach. Fag., u. 2 Ur. Sch. rs. Fag.

6) Snn. hgd., 2 B. Wch. Spg. (G. W.) u. Eig. (P. W.), zgl. 2 F. Fag., u. Bn. ls. abw. Hak. u. Seg. (m. l. Hd.)

7) L. snn. r. kl. fa. k. kmm. schu. sth., K. Rc. Bu. (G. W.), (i. v. E.), zgl. Hrk. u. Ach. Wch. Fag.

8) L. str. r. kl. fl. l. hk. l. f. fa. sth., Wch. Rf. V. Ngg. (P. W.) u. Rc. Bu. (G. W.), zgl. l. u. r. Hd. Wch. Fag., u. l. Kn. u. l. F. Fag.

9) L. str. r. kl. so. hh. lgd., B. Wch. Sen. (G. W.) u. (P. W.), zgl. F. Fag., u. Uth. Kla. (m. r. Hd.)

10) L. str. r. kl. l. sf. l. s. b. lgd., act. Rf. R. S. Bu. (4 M.), zgl. 2 Ur. Sch. rs. Fag.

§. 322. 12. Recept.

1) L. str. r. e. 2. so. rf. lgd., Wch. 2 B. Spg. (G. W.) u. Eig. (P. W.), zgl. l. Hd. u. r. Ach. Nr. Dü., u. 2 F. Fag.

2) L. str. r. kl. l. sf. sp. hc. stzd., Wch. Rf. R. S. Bu. (G. W.) u. (P. W.), zgl. l. u. r. Hd. Wch. Fag., u. R. Rp. S. abw. q. Hak. u. Seg. (m. l. Hd.)

3) L. spr. r. kl. r. ga. sth., act. L. A. Sw. Afw. Füg. (6 M.), zgl. r. Hd. abw. Dü.

4) Si. hgd., 2 B. Wch. Spg. (G. W.) u. Eig. (P. W.), zgl. 2 F. Z., u. 2 Hf. Fag.

5) L. str. r. kl. l. sf. r. ga. r. hf. lh. sth., Wch. Rf. R. S. Bu. (G. W.) u. (P. W.), zgl. l. u. r. Hd. Wch. Fag., u. l. Rp. S. abw. q. Hak. u. Seg. (m. r. Hd.)

6) L. wr. r. kl. tf. ng. schu. sch. gg. sth., Wch. L. Or. u. Ur. A. Strg. (G. W.) u. (P. W.), zgl. l. Hd. Fag., r. Hd. abw. u. afw. Wch. Dü., u. 2 Slbt. Dü.

7) Snn. sp. hgd., Wch. 2 B. Eig. (G. W.) u. (P. W.), zgl. 2 F. Fag.

8) L. rhe. r. kl. fl. sch. gg. sp. sth., Wch. Rf. V. Ngg. (P. W.) u. (G. W.), zgl. l. Ebg. u. r. Hd. Wch. Fag., u. 2 Hf. Fag.

9) Str. lg. stzd., Wch. R. Or. u. Ur. A. Bu. (G. W.) u. (P. W.), zgl. r. Hd. Fag., u. 2 Ur. Sch. rs. Fag.

10) L. str. r. kl. l. sf. sp. knd., act. Rf. R. S. Bu. (6 M.), zgl. 2 Ur. Sch. Fag.

§. 323. 13. Recept.

1) L. snn. r. kl. fa. ng. schu. sth., Wch. Hf. V. Bu. (G. W.) u. (P. W.), zgl. 2 Hf. Fag.

2) L. str. r. kl. l. sf. l. w. sp. hc. stzd., Wch. Rf. R. Sf. V. Bu. (G. W.) u. (P. W.), zgl. l. u. r. Hd. Wch. Fag.

3) L. str. r. kl. 2 sg. sp. rf. lgd., 2 B. Wch. Eig. (G. W.) u. (P. W.), zgl. 2 Hd. Nr. Dü., u. 2 F. Fag.

4) L. str. r. kl. bg. b. vw. lgd., Wch. Rf. Sen. (P. W.) u. Er. (G. W.), zgl. l. u. r. Hd. Wch. Fag., Hrk. Fag., u. 2 Ur. Sch. rs. Fag.

5) L. str. r. fü. l. sf. sp. hc. stzd., Wch. Rf. R. S. Bu. (G. W.) u. (P. W.), zgl. l. Hd. Fag., u. L. Rp. S. abw. Kog. u. Seg. (m. r. Hd.)

6) L. spr. r. str. r. ga. sch. lh. sth., Wch. L. A. Sw. Afw. Füg. (bis zur Str. Stg.), (G. W.) u. (P. W.), zgl. Wch. R. A. Sw. Abw. Füg. (bis zur Kl. Stg.), (G. W.) u. (P. W.), zgl. 2 Hd. Fag.

7) L. snn. r. kl. k. kmm. r. ga. sth., K. Rc. Bu. (G. W.), (i. v. E.), zgl. Hrk. u. r. Ach. Fag.

8) Si. sp. hgd., Wch. 2 B. Eig. (G. W.) u. (P. W.), zgl. 2 F. Z., u. 2 Hf. Fag.

9) L. wr. r. kl. tf. ng. schu. sch. gg. sth., Wch. L. Or. A. Sw. Afw. Füg. (G. W.) u. (P. W.), zgl. l. Ebg. Fag., u. L. Rn. Hä. Kog. (m. r. Hd.)

10) L. str. r. kl. ng. b. vw. lgd., act. Rf. Er. (4 M.), zgl. 2 Ur. Sch. rs. Fag.

§. 324. 14. Recept.

1) Str. r. sf. rf. lgd., 2 B. Wch. L. Füg. (G. W.) u. (P. W.), zgl. 2 Hd. Nr. Dü., 2 Hf. Fag., u. F. Wch. Fag.

2) L. str. r. wrrk. sp. sch. lh. sth., Wch. R. Or. A. Strg. (G. W.) u. (P. W.), zgl. r. Ebg. Fag., u. r. Slbt. Dü.

3) L. str. r. kl. fl. sp. sch. lh. knd., Wch. Rf. V. Ngg. (P. W.) u. Rc. Bu. (G. W.), zgl. l. u. r. Hd. Wch. Fag., 2 Ur. Sch. u. 2 Hf. Fag.

4) L. str. r. kl. r. w. lg. sp. stzd., Wch. Rf. R. Sf. Rc. Bu. (G. W.) u. (P. W.), zgl. l. u. r. Hd. Wch. Fag., 2 Or. Sch. u. 2 Ur. Sch. Fag., u. L. Rp. S. abw. Hak. (m. r. Hd.)

5) L. str. r. kl. hb. lgd., Ha., zgl. ps. 2 F. Ro. (24 M.), zgl. 2 F. u. 2 Ur. Sch. Fag.

6) L. rhe. r. klwr. l. sf. tf. ng. schu. sch. gg. sth., Wch. Rf. R. S. Bu. (G. W.) u. (P. W.), zgl. l. u. r. Ebg. Wch. Fag., u. Rn. ls. abw. Kog. u. Seg. (m. l. Hd.)

7) L. spr. r. kl. l. hb. lg. stzd., Wch. L. A. Sw. Afw. Füg. (G. W.) u. (P. W.), zgl. l. Hd. Fag., u. r. Hd. abw. u. afw. Wch. Dü.

8) L. str. r. kl. r. sf. l. s. rf. lgd., Wch. 2 B. Sw. Er. (G. W.), u. (P. W.), zgl. 2 Hf. Fag., u. F. Wch. Fag.

9) L. str. r. kl. l. w. fl. (ng.) schu. sch. gg. sth., Wch. Rf. V. Ngg. (G. W.) u. Rc. Bu. (G. W.), zgl. l. u. r. Hd. Wch. Fag., u. 2 Hf. Fag.

10) Snn. bgd., Wch. 2 B. Spg. (P. W.) u. Eig. (G. W.), zgl. 2 F. Fag.

§. 325. 15. Recept.

1) L. wr. r. kl. r. ga. sch. lh. sth., Wch. L. Or. A. Sw. Afw. Füg. (G. W.) u. (P. W.), (i. v. E.), zgl. l. Ebg. Fag. (Im Ganzen 6 M.)

2) Str. r. sf. rf. lgd., 2 B. Wch. L. Füg. (G. W.) u. (P. W.), zgl. 2 Hd. Z., 2 Hf. Fag., u. 2 F. Fag.

3) L. spr. r. kl. l. w. schu. stzd., Wch. L. A. Sw. Afw. Füg. (G. W.) u. (P. W.), (i. v. E.), zgl. spr. Hd. Fag., u. 2 Kn. Fag.

4) L. str. r. e. l. sf. tf. ng. sch. gg. sth., Wch. Rf. R. S. Bu. (G. W.) u. (P. W.), zgl. str. Hd. u. K. Fag., u. 2 Slbt. Dü.

5) L. str. r. rk. sp. sch. lh. sth., R. A. Wch. Strg. (G. W.) u. (P. W.), (i. v. E.), zgl. r. Hd. Fag., u. 2 Hf. Fag.

6) Str. rf. lgd., 2 B. Wch. Spg. (G. W.) u. Eig. (P. W.), zgl. 2 Hd. u. 2 F. Z.

7) L. spr. r. kl. bg. b. vw. lgd., L. A. Sw. Afw. Füg. (G. W.) (i. v. E.), zgl. l. Hd. Fag., u. 2 Ur. Sch. rs. Fag.

8) L. str. r. wrrk. sp. knd., Wch. R. Or. A. Strg. (G. W.) u. (P. W.), zgl. r. Ebg. Fag., u. 2 Ur. Sch. Fag.

9) L. str. r. kl. l. w. fl. schu. sch. gg. sth., Wch. Rf. V. Ngg. (P. W.) u. Rc. Bu. (G. W.), zgl. l. u. r. Hd. Wch. Fag., u. 2 Hf. Fag.

10) Smm. l. spr. lgd., L. A. Sw. Afw. Füg. (P. W.), (i. v. E.), zgl. spr. Hd. Fag., u. 2 Hf. Fag. (Im Ganzen 6 M.)

§. 326. 16. Recept.

1) L. str. smm. r. kl. so. hc. sth., B. Wch. V. Z. (G. W.) u. (P. W.), zgl. so. F. Fag., u. kl. Hd. vw. Dü.

2) L. wr. r. kl. r. ga. sch. lh. sth., L. Or. u. Ur. A. Strg. (P. W.), (i. v. E.), zgl. 1. Hd. Fag.

3) L. str. r. e. l. sf. sp. hc. stzd., Rf. R. S. Bu. (G. W.), (i. v. E.), zgl. L. Hd. u. K. Fag.

4) R. h. smm. l. spr. bg. sp. sth., L. A. Wch. Sw. Afw. Füg. (G. W.) u. (P. W.), zgl. 1. Hd. Fag., u. Kz. Dü.

5) Snn. hgd., 2 B. Wch. Spg. (G. W.) u. Eig. (P. W.), zgl. 2 F. Fag., u. Rn. ls. afw. q. Kog. (m. r. Hd.)

6) L. wr. r. kl. r. ga. sch. lh. sth., L. Or. u. Ur. A. Strg. (G. W.), (i. v. E.), zgl. 1. Hd. Fag.

7) Str. w. schu. sch. lh. sth., Wch. Rf. Dh. (G. W.), zgl. 2 Hd. Z.

8) L. str. r. kl. bg. b. vw. lgd., Wch. Rf. Sen. (P. W.) u. Rf. Er. (G. W.), zgl. l. u. r. Hd. Wch. Fag., K. Fag., u. 2 Ur. Sch. rs. Fag.

9) Str. rf. vw. lgd., Wch. 2 B. Spg. (G. W.) u. Eig. (P. W.), zgl. 2 Hd. Z., u. 2 F. Z.

10) L. str. r. e. l. sf. sp. hc. stzd., Rf. R. S. Bu. (P. W.), (i. v. E.), zgl. l. Hd. u. K. Fag.

§. 327. 17. Recept (diätetisches).

1) L. wr. r. kl. bg. sp. hc. stzd., act. L. Or. u. Ur. A. Strg. (6 M.)

2) Snn. hgd., act. 2 B. Spg. (4 M.)

3) L. str. r. kl. l. sf. r. ga. r. hf. lh. sth., act. Rf. R. S. Bu. (6 M.)

4) L. str. r. kl. tf. bg. sp. hc. stzd., act. Rf. Er. (4 M.)

5) L. spr. r. kl. tf. ng. schm. sch. gg. sth., act. L. A. Sw. Afw. Füg. (4 M.)

6) L. str. r. kl. ng. b. vw. hc. lgd., act. Rf. Er. (4 M.), zgl. 2 Ur. Sch. rs. Fag.[1])

7) L. str. r. kl. hc. sth., act. L. B. Sw. Er. (4 M.)

8) Spr. b. lgd., act. 2 A. Sw. Afw. Füg. (4 M.), zgl. 2 Ur. Sch. rs. Fag.

9) Str. l. sf. sp. hc. stzd., act. Rf. R. S. Bu. (i. v. E.) (Im Ganzen 6 M.)

1) Die Befestigung der Unterschenkel kann durch einen Gymnasten, der sich reitend darüber setzt, oder durch einen festen Gurt, der an den Seiten des Divans mit Ringen befestigt wird, oder auf andere Weise geschehen. In sofern also kein Gymnast bei dieser Uebung gebraucht wird, gehört dieselbe zu den diätetischen.

10) L. snn. r. kl. r. sb. hc. sth., act. R. B. Sen. (i. v. E.) (Im Ganzen 6 M.)

§. 328. 18. Recept (diätetisches).

1) Snn. sp. lgd., act. 2 B. Eig. (6 M.)

2) L. str. r. rk. ng. r. ga. sth., act. R. A. Strg. (i. v. E.) (Im Ganzen 6 M.)

3) Str. r. w. l. hb. lg. stzd., act. Rf. V. Db. (4 M.)

4) L. str. r. kl. l. sf. r. ga. knd., act. Rf. R. S. Bu. (4 M.)

5) L. wr. r. kl. l. w. r. ga. sth., act. L. Or. u. Ur. A. Strg. (6 M.)

6) L. str. r. kl. tf. ng. r. ga. knd., act. Rf. Rc. Bu. (4 M.)

7) L. spr. r. rk. r. ga. sth., act. L. A. Sw. Afw. Füg., zgl. r. A. Strg. (6 M.)

8) Snn. rf. lgd., act. 2 B. Spg. (4 M.)

9) L. spr. r. str. r. ga. sth., act. L. A. Sw. Afw. Füg., zgl. r. A. Sw. Abw. Füg. (6 M.)

10) Sr. smm. sp. lgd., Ha.

§. 329. 19. Recept (diätetisches).

1) Spr. r. ga. sth., act. 2 A. Sw. Afw. Füg. (6 M.)

2) L. snn. r. h. fa. r. sb. rf. lgd., act. R. B. Eig., zgl. L. B. Spg. (4 M.)

3) L. spr. r. kl. tf. ng. schu. sch. gg. sth., act. L. A. Sw. Afw. Füg. (4 M.)

4) L. str. r. kl. l. sf. r. ga. sth., act. Rf. R. S. Bu. (6 M.)

5) L. str. r. kl. fa. sth., act. L. B. Sw. Er. (i. v. E.) (6 M.)

6) L. str. r. kl. r. ga. tf. ng. sth., act. Rf. Rc. Bu. (6 M.)

7) L. wr. r. kl. tf. ng. schu. sch. gg. sth., act. L. Or. u. Ur. A. Strg. (4 M.)

8) L. spr. r. rk. k. kmm. r. ga. sth., act. L. A. Sw. Afw. Füg., zgl. R. A. Strg., zgl. K. Rc. Bu. (6 M.)

9) L. str. r. kl. l. w. l. sf. sp. hc. stzd., act. Rf. R. Sf. V. Bu. (6 M.)

10) Sz. sth., Ha.

2. Cyphose.

§. 330. Der Buckel, Höcker, Cyphosis besteht in einer pathologischen oder zu starken Ausbiegung der Wirbelsäule nach hinten. Da dieselbe bei erwachsenen Menschen naturgemäss im Dorsaltheile immer eine mässige, convexe Curve nach hinten bildet: so muss eine buckelartige Deviation derselben entweder im Dorsaltheil übermässig ausgebildet sein, oder andere Regionen der Wirbelsäule, die naturgemäss nach vorn convex sich verhalten, wie den Hals- und Lendentheil, mit in die convexe Krümmung gezogen haben. — Ein sich über sechs, acht und mehr Wirbelbeine erstreckender Buckel, der zugleich eine allmälig steigende, meistentheils sehr regelmässige Curve bildet, ist stets ein musculärer, d. h. in Retractionszuständen der vorderen Rumpfmuskeln und Relaxationszuständen der hinteren oder Rückenmuskeln primär begründet. Gewöhnlich ist dabei der Kopf vorgeneigt, und auf die Brust mehr oder weniger herabgesenkt. Da ein solcher Buckel meist immer im Dorsaltheil der Wirbel beginnt: so kann man ihn Rücken-Buckel (Cyphosis dorsalis) nennen.

§. 331. Ein ligamentöser Buckel, ausser etwa als eine sehr stark ausgebildete, ligamentöse Scoliose (Scoliosis cyphotica ligamentosa) scheint nicht vorzukommen, wenigstens so weit meine Casuistik reicht. — Ist der Buckel nur auf ein oder zwei Wirbelbeine beschränkt, in welchem Falle er am häufigsten im Lumbartheile der Wirbelsäule vorzukommen pflegt; und bildet sich daher die sogenannte Angular-Projection, d. h. sehr starkes, winkelartiges Vorstehen eines oder zweier Wirbel nach hinten aus: so ist immer ein mehr oder weniger entzündliches Knochenleiden in jenen Wirbeln entweder noch vorhanden, oder wenigstens früher vorhanden gewesen. Es ist dieses der ossiculare Buckel, der von seiner gewöhnlichen Lage in den Lumbarwirbeln, Lendenbuckel, Cyphosis lumbaris auch benannt wird. Rhachitis und Osteomalacie können auch zuweilen ossiculare Buckel bilden, welche aber eher jede andere Stelle der Wirbelsäule, als gerade den Lendentheil einzunehmen pflegen. Durch die Unregelmässigkeit der Buckelform und durch die gleichzeitige Verkrümmung anderer Knochen, selbst der Arme und Beine, sind diese Arten der Knochenbuckel leicht zu erkennen.

§. 332. Mit der Zunahme des muscularen Buckels verändern sich natürlich nicht blos die Rumpfmuskeln, sondern auch die Rumpfknochen und Bänder nebst den visceralen Organen der Brust- und Unterleibshöhle. Es geräth nämlich die vordere Hälfte der Bandscheiben und der Brustwirbelknochen (also die Wirbelkörper) in Retraction, und die hintere Hälfte der Dorsalwirbelsäule (also die Wirbelbogen und Fortsätze) in Relaxation. — Da nun bekanntlich die Bandscheiben des Dorsaltheils des Rückgrats die dünnsten sind, so geht schon hieraus hervor, dass bei Cyphose leichter als bei jeder anderen Deviation der Wirbelsäule Ancylose und also Unheilbarkeit (wenigstens der Verkrümmung) eintreten muss; obschon die Muscular-Cyphose doch meistentheils nur langsam zunimmt, und oft im milderen Grade fest und unverändert das ganze Leben hindurch verbleibt. — Auch die Rippen und das Brustbein werden ein wenig, aber lange nicht so stark wie bei der Scoliose verändert. Sie werden nämlich nur mehr kreisförmig gebogen, und das Brustbein mehr der horizontalen Lage genähert. Der Längendurchmesser der Brust- und Unterleibshöhle wird daher kürzer, das Becken aber selbst kaum eine Veränderung erleiden. Die visceralen Organe der Brust, namentlich die Lungen, und zum Theil auch die der Bauchhöhle, werden bei der Cyphose in Retractionszustand verfallen; und dadurch also auch Vorwalten pathologischer Venosität, wie diese bei den meisten Buckligen beobachtet wird, zu Wege bringen.

§. 333. Das entferntere causale Moment der Cyphosis lumbaris ist gewöhnlich ein dyskrasisches Uebel (Retractionen und Relaxationen der Blutkörperchen); das der Cyphosis dorsalis meistentheils eine fehlerhafte Haltung des Rumpfes, zugleich mit schlechter Ernährung und namentlich unvollkommener Hämatose gepaart. Bei kleinen Kindern wirkt das freie Tragen des Rumpfes ohne Unterstützung besonders schädlich; bei mehr erwachsenen das freie Sitzen ohne Unterstützung während langwieriger Arbeiten, als beim Nähen, Stricken, zumal wenn diese spät Abends trotz des Eintritts der Schläfrigkeit fortgesetzt werden. Das Verbot für solche Kinder, den Rücken nicht an die Lehne ihres Stuhles zu stützen, hilft nicht allein nichts, sondern befördert sogar eher noch das Uebel der Cyphose.

§. 334. Die **Prognose** ist beim Buckel in Hinsicht der völligen Heilung durchweg, und selbst bei dem muscularen, eine sehr ungünstige; ja ungünstiger, als bei der Scoliose. Dagegen in Hinsicht der Zunahme des Uebels, wie schon erwähnt, ist die Prognose grösstentheils sehr günstig.

§. 335. Da der Buckel, wenn er auch primär von Retractionen und Relaxationen in den Knochenzellen ausgeht, doch secundär auch die der Muskeln und der visceralen Organe ergreift; oder wenn er primär von den Muskelzellen ausgeht, ebenfalls secundär Knochen und viscerale Organe nicht unverschont lässt: so ist die heilorganische Behandlung bei allen Arten des Buckels anwendbar. Nur während des rein entzündlichen Stadiums des ossicularen Buckels muss sie, ähnlich wie bei der Scoliose, der medicamentösen Curart den Platz räumen.

§. 336. Es könnte nun die Frage aufgeworfen werden, ob nicht, da selbst die heilorganische Behandlung sogar beim muscularen Buckel selten vollkommene Heilung herbeizuführen vermag, die Cur mit Maschinen hier mehr indicirt sei. — Allein man kann im Allgemeinen annehmen, dass auch hier der Maschinencur die Nachtheile folgen werden, die bei der Scoliose schon angegeben wurden, d. h., dass sie als muskelschwächend die Relaxation der Muskeln vermehren, und die pathologischen Zustände der visceralen Organe befördern wird. Höchstens bei kleinen Kindern in den ersten Lebensjahren, wo die heilorganische Cur selbst bei muscularer Cyphose wegen Unverstand der Patienten gar nicht oder nur beschränkt anzuwenden ist, kann man der Maschinencur allenfalls das Wort reden.

Im Allgemeinen bleiben die Diät-Vorschriften für mehr erwachsene cyphotische Personen in Hinsicht des Schlafens und Ruhens dieselben, wie die bei der Scoliose angegebenen (§. 245).

§. 337. Die heilorganische Cur wird nun zunächst in die der Cyphosis dorsalis und lumbaris zerfallen. Für die erstere, als die regelmässige, lassen sich heilorganische Recèpte ziemlich genau angeben; weit weniger aber, und besonders nicht in allen Fällen brauchbar, für Cyphosis lumbaris (non inflammatoria). Als Hauptbewegungsformen bei Rücken-Buckel sind anzunehmen: Doppelt-Armstreckungen, Brustspannungen, Doppelt-Arm-Klafter-Streck-Halb-Rollungen, Kopf-Rück-Beugungen, Rumpf-Rück-Beugungen, Doppelt-Ober-Arm-Streckungen u. s. w.

§. 338. Heilorganische und diätetische Recepte bei Rücken-Buckel (Cyphosis dorsalis) anwendbar; zumal in den Fällen, in welchen auch der stark vorgeneigte Kopf und die stark vorgetretenen Schultern die Brust vorn verengen.

1. Recept.

1) Rh. fl. schu. sch. gg. sth., Wch. Rf. V Ngg. (P. W.) u. Rc. Bu. (G. W.), zgl. 2 Ebg. u. 2 Hf. Fag.

2) Spr. sp. sch. lh. sth., Wch. 2 A. Sw. Afw. Füg. (G. W.) u. (P. W.), zgl. 2 Hd. Fag.

3) H. fa. k. kmm. schu. sth., K. Rc. Bu. (G. W.), (i. v. E.), zgl. Hrk. u. Ach. Fag.

4) Spr. fa. so. hc. sth., B. Wch. Rc. Z. (G. W.) u. (P. W.), zgl. so. F. Fag.

5) Kl. sp. hb. lgd., Ha., zgl. 2 F. Ro., zgl. 2 Ur. Sch. u. 2 F. Fag.

6) Hb. kl. sf. ga. hf. lh. sth., Wch. Rf. S. Bu. (G. W.) u. (P. W.), zgl. kl. Hd. u. 2 Hf. Fag. (r. kl., r. sf., l. ga., l. hf. lh.)

7) 2 klwr. rf. lgd., 2 B. Wch. Spg. (G. W.) u. Eig. (P. W.), zgl. 2 Ebg. Nr. Dü., u. 2 F. Fag.

8) Rk. sp. sch. lh. sth., 2 A. Wch. Strg. (G. W.) u. (P. W.), zgl. 2 Hd. Fag., u. 2 Slbt. Dü.

9) Sr. ng. sp. hc. stzd., Wch. Rf. Rc. Bu. (G. W.) u. (P. W.), zgl. 2 Hd. Fag.

10) Kl. lg. stzd., act. Rf. Rc. Bu. (4 M.), zgl. 2 F. Fag.

§. 339. 2. Recept.

1) Ö. fa. zh. fa. hc. sth., B. Wch. Sw. Er. (G. W.) u. Sw. Sen. (P. W.), zgl. F. Fag. (r. zh. fa., L. B. Sw. Er., l. F. Fag.)

2) Rk. bg. b. vw. lgd., act. 2 A. Strg. (4 M.), zgl. 2 Ur. Sch. rs. Fag.

3) Sr. w. ng. sp. sch. lh. sth., Wch. Rf. Rc. Ngg. (G. W.) u. (P. W.), zgl. 2 Hd. u. 2 Hf. Fag.

4) Snn. wrrk. ga. sth., Or. A. Wch. Strg. (G. W.) u. (P. W.), zgl. Ebg. u. Slbt. Fag. (r. snn., l. wrrk., l. ga., l. Ebg. u. l. Slbt. Fag.)

5) H. fa. schu. sth., Wch. Br. Snng. (G. W.) u. (P. W.), zgl. 2 Vsl. u. 2 Rcsl. Wch. Fag.

6) 2 klwr. fl. sp. hc. stzd., Wch. Rf. V. Ngg. (G. W.) u. Rc. Bu. (P. W.), zgl. 2 Ebg. Fag.

7) 2. srrk. sp. knd., 2 A. Wch. Strg. (G. W.) u. (P. W.), zgl. 2 Hd., 2 Ur. Sch. Fag., u. 2 Slbt. Dü.

8) Hb. kl. hb. lgd., B. Wch. Er. (G. W.) u. Sen. (P. W.) zgl. kl. Hd. Nr. Dü., u. F. Fag. (r. kl., r. B. Er.)

9) Rh. w. fl. sp. knd., Wch. Rf. V. Dh. (G. W.) u. Rc. Dh. (P. W.), zgl. 2 Ebg. Fag., u. Kn. Kz. Dü. (r. w., L. V. Dh., u. R. Rc. Dh.)

10) Rh. ng. b. vw. lgd., act. Rf. Er. (4 M.), zgl. 2 Ur. Sch. rs. Fag.

§. 340. 3. Recept.

1) Kl. fa. hc. sth., B. Wch. Sw. Er. (G. W.) u. Sw. Sen. (P. W.), zgl. F. Fag.

2) 2 sprrk. fl. sp. hc. stzd., Wch. 2 A. Strg. (G. W.) u. (P. W.), zgl. 2 Hd. Fag.

3) Sr. ga. fl. (ng.) sth., Wch. Rf. V. Ngg. (G. W.) u. Rc. Bu. (G. W.), zgl. 2 Hd. Fag.

4) Rk. sp. hc. stzd., Wch. 2 A. Kl. Str. Hh. Ro. (G. W.) u. (P. W.), zgl. 2 Hd. Fag., u. Kn. Ro. Dfl.

5) Sr. kn. 2 so. stzd., Wch. 2 B. Spg. (G. W.) u. Eig. (P. W.), zgl. 2 F. u. 2 Ur. Sch. Fag.

6) Str. w. sp. hc. stzd., Wch. Rf. Dh. (G. W.), zgl. 2 Hd. Z., u. 2 Achh. Fag.

7) Str. kl. fl. sp. knd., Wch. Rf. V. Ngg. (P. W.) u. Rc. Bu. (G. W.), zgl. str. u. kl. Hd. Wch. Fag., u. 2 Ur. Sch. Fag.

8) H. fa. k. bg. schu. sth., K. Wch. V. Bu. (P. W.) u. Rc. Bu. (G. W.), zgl. Hrk. u. Ach. Fag.

9) Klwr. kl. fl. (ng.) fs. sfl. sth., Wch. Rf. V. Ngg. (G. W.) u. Rc. Bu. (P. W.), zgl. kl. Hd. u. klwr. Ebg. Wch. Fag., u. f. u. Kn. Fag. (r. klwr., l. kl., r. fs. sfl., r. F. u. r. Kn. Fag.)

10) Sr. ff. ng. asfld., act. Rf. Rc. Bu. (6 M.)

§. 341. 4. **Recept.**

1) Hb. kl. fl. tp. f. fa. sch. gg. sth., Wch. Rf. V. Ngg. (P. W.) u. Rc. Bu. (G. W.), zgl. kl. Hd. u. K. Fag., Hf. u. Kn. Fag. (r. kl., l. tp., l. f. fa., r. Hf. u. l. Kn. Fag.)

2) Rh. ng. sp. hc. stzd., Rf. Rc. Bu. (G. W.), (bis zur Tf. Bg. Stg.), zgl. 2 Ebg. Fag.

3) Snn. wrrk. schu. knd., Or. A. Wch. Strg. (G. W.) u. (P. W.), zgl. Ebg. Fag. (r. wrrk., r. Ebg. Fag.)

4) Snn. hgd., 2 B. Wch. Spg. (G. W.) u. Eig. (P. W.), zgl. 2 F. Fag.

5) Str. kl. ng. schu. sch. lh. sth., Rf. Rc. Bu. (G. W.), (i. v. E.), zgl. 2 Hd. u. 2 Hf. Fag.

6) Str. ku. so. lt. f. fa. hc. stzd., B. Wch. Sen. (G. W.) u. (P. W.), zgl. 2 Hd. Nr. Dfl., lt. Kn. u. so. F. Fag.

7) Str. e. tf. ng. w. schn. sch. lh. sth., Rf. Rc. Bu. (G. W.), zgl. str. Hd. u. K. Fag., u. 2 Hf. Fag. (r. str., l. e., l. w.)

8) Str. s. lgd., B. Wch. Sw. Er. (G. W.) u. Sw. Sen. (P. W.), zgl. Hf. u. F. Fag. (r. s. lgd., L. B. Sw. Er., l. Hf. u. l. F. Fag.)

9) Rk. sp. hc. stzd., Wch. 2 A. Strg. (G. W.) u. (P. W.), (i. v. E.), zgl. 2 Hd. Fag. (Im Ganzen 6 M.)

10) Hb. rh. fl. w. lg. stzd., Wch. Rf. V. Dh. (G. W.) u. Rc.

Dh. (P. W.), zgl. Ebg. u. Slbt. Fag., u. 2 Ur. Sch. rs. Fag. (r. rh., r. w., r. Ebg. u. l. Slbt. Fag.)

11) H. 2 or. a. inw. sp. sch. lh. sth., ps. 2 A. Pu. (36 M.)

§. 342. 5. Recept.

1) Rk. fl. sp. sch. lh. sth., act. 2 A. Strg. (i. v. E.) (Im Ganzen 9 M.)

2) Kl. fa. bg. sth., Kn. Er. (G. W.) u. Sen. (P. W.), zgl. Kn. u. Kz. Fag.

3) Hb. kl. w. bg. sp. hc. stzd., Wch. Rf. V. Dh. (G. W.) u. Rc. Dh. (P. W.), zgl. Hd. u. Ach. Fag. (r. kl., r. w., r. Hd. u. l. Ach. Fag.)

4) Su. fl. sp. sch. gg. sth., Wch. Rf. V. Ngg. (P. W.) u. Rc. Bu. (G. W.), zgl. 2 Hd. u. 2 Hf. Fag.

5) Rk. w. sp. knd., Wch. 2 A. Strg. (G. W.) u. (P. W.), zgl. 2 Hd. u. 2 Ur. Sch. Fag.

6) Sr. sf. sp. sch. lh. sth., Wch. Rf. Fl. Sf. Hb. Ro. (G. W.) u. (P. W.), zgl. 2 Hd. u. 2 Hf. Fag. (r. sf., Fl. L. Sf. Hb. Ro.)

7) Wr. fl. sp. hc. stzd., Wch. 2 Or. u. Ur. A. Strg. (G. W.) u. Bu. (P. W.), zgl. 2 Hd. Fag., u. Kn. Rn. Dü.

8) Str. schu. stzd., ps. 2 A. Fie., zgl. 2 Hd. Fag., u. Kn. Rn. Dü.

9) Hb. str. bg. b. vw. lgd., Wch. Rf. Sen. (P. W.) u. Rf. Er. (G. W.), zgl. str. Hd. u. K. Fag., u. 2 Ur. Sch. rs. Fag.

10) Hb. kl. w. hb. lg. stzd., Wch. Rf. Sf. Rc. Bu. (G. W.) u. (P. W.), zgl. kl. Hd. Fag. (r. kl., r. w., l. lg. stzd.)

11) Sr. smm. k. bg. sp. lgd., K. V. Bu. (P. W.) u. Rc. Bu. (G. W.), zgl. Hrk. u. Ach. Fag.

§. 343. 6. Recept.

1) Sr. lg. stzd., Wch. Rf. Sen. (P. W.) u. (G. W.), zgl. 2 Hd. u. 2 Slbt. Fag., u. 2 Ur. Sch. rs. Fag.

2) Kl. fa. sb. hc. sth., B. Wch. Sw. Sen. (P. W.) u. Sw. Er. (G. W.), zgl. F. Fag.

3) Rk. bg. b. vw. lgd., act. 2 A. Kl. Str. Hb. Ro. (4 M.), zgl. Rn. ls. abw. q. Hak. (m. l. Hd.), zgl. 2 Ur. Sch. rs. Fag.

4) Str. klwr. fl. sp. sch. gg. sth., Wch. Rf. V. Ngg. (P. W.) u. Rc. Bu. (G. W.), zgl. str. Hd. u. klwr. Ebg. Wch. Fag., u. 2 Hf. Fag.

11*

5) Rk. w. sp. knd., Wch. 2 A. Strg. (G. W.) u. (P. W.), zgl. 2 Hd. u. 2 Ur. Sch. Fag., zgl. 2 Rn. Hä. abw. Hak. u. Seg. (m. l. Hd.)

6) Snn. kl. fa. so. hc. sth., B. Wch. Rc. Z. (G. W.) u. (P. W.), zgl. F. Fag. (r. snn., l. kl. fa., r. so., r. F. Fag.)

7) 2 klwr. w. ng. sp. sch. lh. sth., Wch. Rf. Rc. Bu. (G. W.) u. (P. W.), zgl. Ebg. Wch. Fag., K. u. 2 Hf. Fag., zgl. Rn. ls. abw. Kog. u. Seg. (m. l. Hd.)

8) Sr. sp. 2 f. inw. hb. lgd., 2 B. Wch. Asw. Dh. (G. W.) u. (P. W.), zgl. 2 Hd. Nr. Dü., 2 Kn. u. 2 F. Fag.

9) Rk. schu. sch. lh. sth., Wch. 2 A. Kl. Str. Hb. Ro. (G. W.) u. (P. W.), zgl. 2 Hd. Fag., Kn. Rn. Dü., u. 2 obere Br. Hä. Kla.

10) Str. wr. w. hb. lg. stzd., Wch. Or. u. Ur. A. Strg. (G. W.) u. (P. W.), zgl. Hd. Fag. (r. str., l. wr., l. w., r. hb. lg., l. Hd. Fag.)

11) Str. sp. hc. stzd., ps. 2 A. Fie., zgl. 2 Hd. Fag., u. Kn. Rn. Dü.

§. 344. 7. Recept.

1) Rk. b. lgd., act. 2 A. Kl. Str. Hb. Ro. (4 M.), zgl. 2 Ur. Sch. rs. Fag.

2) Kl. fa. so. f. inw. sth., B. Wch. Asw. Dh. (G. W.) u. (P. W.), zgl. f. Fag. (r. so., r. f. inw., r. F. Fag.)

3) Str. rk. hb. lgd., A. Wch. Strg. (G. W.) u. (P. W.), (i. v. E.), zgl. rk. Hd. Fag., u. 2 Br. Hä. Kla. u. Seg. (m. ugn. Hd.)

4) 2 wrkl. w. hg. sp. hc. stzd., Wch. Rf. V. Dh. (G. W.) u. Rc. Dh. (P. W.), zgl. 2 Ebg. Fag.

5) H. fa. k. kmn. schu. sth., Wch. Br. Snng. (G. W.) u. (P. W.), zgl. K. Rc. Bu. (G. W.) u. (P. W.), zgl. Hrk. u. Rcsl., u. Sn. u. Vsl. Wch. Fag.

6) H. fa. bgd., Kn. Er. (G. W.) u. Sen. (P. W.), zgl. Kn. u. Kz. Fag.

7) Sn. sf. w. sp. hc. stzd., Wch. Rf. Fl. Sf. W. Hb. Ro. (G. W.) u. (P. W.), zgl. 2 Hd. Fag. (r. sf., l. w., Fl. L. sf. R. W. Hb. Ro.)

8) Klrc. hb. lgd., Ha., zgl. ps. 2 F. Ro., zgl. 2 F. u. 2 Ur. Sch. Fag.

9) Str. w. sp. hc. stzd., ps. 2 A. Fie., zgl. 2 Hd. Fag., u. Kn. Rn. Dü.

10) Str. rk. hg. sp. hc. stzd., Wch. A. Kl. Str. Hb. Ro. (G. W.) u. (P. W.), zgl. rk. Hd. Fag.

11) Smm. k. kmm. lgd., Wch. K. Rc. Bu. (G. W.) u. (P. W.), zgl. Hrk. u. Sn. Wch. Fag.

§. 345. 8. Recept (diätetisches).

1) Rk. sp. sth., act. 2 A. Strg. (i. v. E.) (Im Ganzen 9 M.)

2) Sr. ga. tf. ng. sth., act. Rf. Rc. Bu. (Im Ganzen 6 M.)

3) Str. so. hc. sth., act. B. Rc. Z. (Im Ganzen 6 M.)

4) Rk. bg. sp. hc. stzd., act. 2 A. Kl. Str. Hb. Ro. (4 M.)

5) Spr. tf. ng. schu. sth., act. 2 A. Vw. Afw. Ftg., zgl. Rf. Rc. Bu. (6 M.)

6) Kl. str. w. ga. knd., act. Rf. Rc. Dh. (mit jeder Seite 3 Mal), (r. kl., l. str., l. w., r. ga.)

7) Fg. k. kmm. lg. sp. stzd., act. 2 Or. A. Strg., zgl. K. Rc. Bu. (4 M.)

8) 2 wrkl. w. bg. sp. hc. stzd., act. Rf. Dh. (mit jeder Körseite 3 M.)

9) Fg. 2 or. a. inw. ng. sp. knd., act. 2 Or. A. Strg. (4 M.)

10) Str. tf. ng. schu. sch. gg. sth., act. 2 Or. u. Ur. A. Bu. (4 M.)

§. 346. 9. Recept (diätetisches).

1) Str. smm. rk. bg. schu. sth., act. A. Kl. Str. Hb. Ro. (Im Ganzen 6 M.)

2) Str. e. tf. ng. schu. sth., act. Rf. Rc. Bu. (Im Ganzen 6 M.)

3) Str. w. schu. sth., act. Rf. Rc. Dh. (Im Ganzen 6 M.)

4) Rk. w. schu. knd., act. 2 A. Strg. (i. v. E.) (Im Ganzen 6 M.)

5) Rk. tf. ng. schu. sth., act. Rf. Rc. Bu., zgl. 2 A. Strg. (4 M.)

6) Rk, hg. sp. hc. stzd., act. 2 A. Strg. (4 M.)

7) Snn. hgd., act. 2 B. Spg. (6 M.)

8) Str. w. ng. ga. sth., act. Rf. Rc. Bu. (Im Ganzen 6 M.), (r. w., l. ga.)

9) Sz. sth., Ha.

10) Spr. bg. b. vw. lgd., act. 2 A. Sw. Afw. Ftg. (4 M.), zgl. 2 Ur. Sch. rs. Fag.

11) Klrc. bg. sp. sth., act. 2 A. Ro. (langsam 10 M.)

§. 347. **Heilorganische und diätetische Recepte bei Lenden-Buckel (Cyphosis lumbaris) anwendbar.** Diese Deviation geht beinahe stets aus Spondylarthrocace hervor, und kann also nur heilorganisch behandelt werden, wenn der Entzündungszustand vollkommen abgelaufen ist. Dann aber vermag die heilorganische Curart die in der Ausbildung begriffenen oder schon ausgebildeten Muskelretractionen und Relaxationen zu heben; und daher, obschon die eigentlich krankhafte Wirbel-Deviation sich nicht ändert, doch die Haltung des ganzen Körpers des Patienten bedeutend zu verbessern. Es ist nach Theorie und Praxis unbegründet und falsch, sowohl dass die heilorganische Behandlung in diesem Uebel immer schaden müsse, als dass sie nicht zu helfen, namentlich den Zustand des ganzen Körpers nicht wenigstens bedeutend zu verbessern vermöge.

§. 348. 1. Recept.

1) H. fa. so. hc. sth., B. Wch. Rc. Z. (G. W.) u. (P. W.), zgl. so. F. Fag., u. Kz. Dü.

2) Ng. sp. sch. lh. sth., Wch. Rf. Rc. Bu. (G. W.) u. (P. W.), zgl. Ach. Wch. Fag., Hrk. u. 2 Hf. Fag.

3) Rh. b. lgd., ps. Rf. Ro., zgl. 2 Ebg. Z., 2 Slbt. Fag., u. 2 Ur. Sch. rs. Fag.

4) Spr. fl. schu. sch. lh. sth., 2 A. Wch. Sw. Afw. Füg. (G. W.) u. (P. W.), zgl. 2 Hd. Fag.

5) Str. vw. lgd., Wch. 2 Ur. Sch. Bu. (G. W.) u. (P. W.), zgl. 2 F. Fag., u. 2 Hd. afw. u. abw. Wch. Dü.

6) Sr. ng. sp. sch. lh. sth., act. Rf. Rc. Bu. (6 M.)

7) Rh. w. fl. hb. lg. stzd., Wch. Rf. Dh. (G. W.), zgl. 2 Ebg., Kn. u. Ur. Sch. Fag. (r. hb. lg. stzd., r. Ur. Sch. u. l. Kn. Fag.)

8) 2 wrkl. fl. sch. gg. sth., Wch. Rf. V. Ngg. (P. W.) u. Rc. Bu. (G. W.), zgl. 2 Ebg. u. 2 Hf. Fag.

9) Ö. fa. ng. schu. sth., Lnd. Gd. u. Kz. afw. Hak. u. Seg. (m. r. Hd.)

10) Rh. b. lgd., Ha.

§. 349. 2. Recept.

1) H. fa. hk. sth., Wch. Or. Sch. Rc. Z. (G. W.) u. (P. W.), zgl. Kn. u. Kz. Fag.

2) Rh. ng. sp. hc. stzd., Rf. Rc. Bu. (G. W.), (i. v. E.), zgl. 2 Ebg. Fag., u. Lnd. Gd. Dü.

3) Str. lt. f. fa. sg. rf. hc. lgd., B. Wch. Er. (G. W.) u. Sen. (P. W.), zgl. 2 Hd. Nr. Dü., sg. f. u. lt. Kn. Fag. (r. sg., l. lt., l. f. fa.)

4) 2 rbe. bg. b. vw. lgd., Wch. Rf. Sen. (P. W.) u. Rf. Er. (G. W.), zgl. 2 Ebg. Z., u. 2 Ur. Sch. rs. Fag.

5) Rb. kl. w. schu. sch. lh. sth., Rf. V. Dh. (G. W.) u. (P. W.), zgl. kl. Hd. u. rh. Ebg. Wch. Fag., u. 2 Hf. Fag. (r. rh., l. kl., l. w.)

6) Snn. so. lt. sth., Wch. Or. Sch. Bu. (G. W.) u. Strg. (P. W.), zgl. Kn. Fag. (r. so., r. lt.. r. Kn. Fag.)

7) Sr. tf. ng. sch. gg. schu. sth., Rf. Rc. Bu. (G. W.), (i. v. E.), zgl. sr. Hd. Wch. Fag., 2 Hf. Fag., u. Lnd. Gd. q. Hak. u. Seg. (m. l. Hd.)

8) Spr. fl. lg. stzd., act. 2 A. Sw. Afw. Ftg. (6 M.)

9) Snn. schu. sth., Wch. Hf. V. Bu. (G. W.) u. (P. W.), zgl. 2 Hf. Fag.

10) Str. bg. b. lgd., Ha.

§. 350. 3. Recept.

1) Str. s. lgd., B. Wch. Sw. Er. (G. W.) u. Sw. Sen. (P. W.), zgl. Hf. u. F. Fag. [r. s. lgd., l. B. Er., l. Hf. u. l. F. Fag.]

2) Wr. fl. lg. sp. stzd., 2 Or. u. Ur. A. Wch. Strg. (G. W.) u. (P. W.), zgl. 2 Hd. Fag., 2 Or. u. 2 Ur. Sch. Fag.

3) Str. 2 lt. vw. lgd., Wch. 2 Ur. Sch. Strg. (P. W.) u. Bu. (G. W.), zgl. 2 F. Fag., 2 Hd. Nr. Dü., u. Lnd. Gd. abw. Kog. (m. l. Hd.)

4) H. fa. ng. schu. sth., Hf. V. Bu. (P. W.), zgl. 2 Hf. Fag.

5) Str. kl. hb. lg. stzd., Rf. Wch. Sen. (G. W.) u. (P. W.), zgl. str. u. kl. Hd. Wch. Fag., Ur. Sch. u. Kn. Fag. (r. str., l. kl., l. hb. lg., l. Ur. Sch. u. r. Kn. Fag.)

6) Kl. fa. so. hc. sth., B. Wch. Rc. Z. (G. W.) u. (P. W.), zgl. f. Fag.

7) Rh. ng. sp. hc. stzd., Rf. Wch. Rc. Bu. (bis zur Tf. Bg. Stg.), (G. W.) u. (P. W.), zgl. 2 Ebg. Fag., u. 2 Kn. Fag.

8) Snn. h. fa. sth., Wch. Hf. V. Bu. (G. W.) u. (P. W.), zgl. 2 Hf. Fag.

9) Rh. ng. b. vw. lgd., Wch. Rf. Er. (G. W.) u. (P. W.), zgl. 2 Ebg. Fag., 2 Ur. Sch. rs. Fag., u. Lnd. Gd. q. Hak. (m. r. Hd.)

10) Spr. b. lgd., act. 2 A. Sw. Afw. Ftg. (4 M.)

§. 351. 4. Recept.

1) Str. 2. sg. rf. hc. lgd., 2 B. Wch. Spg. (G. W.) u. Eig. (P. W.), zgl. 2 F. Fag., u. 2 Hd. Nr. Dü.

2) H. fa. ng. schu. sth., Wch. Hf. V. Bu. (G. W.) u. (P. W.), zgl. 2 Hf. Fag.

3) Kl. rf. ng. or. sch. ng. sp. knd., Wch. Rf. Rc. Bu. (G. W.) u. (P. W.), zgl. 2 Vsl. Fag., Kz. 2 Dü., u. 2 Ur. Sch. Fag.

4) Dk. vw. lgd., Wch. 2 Ur. Sch. Bu. (G. W.) u. (P. W.), zgl. 2 F. Fag., u. Lnd. Gd. Kog. (m. l. Hd.)

5) Rh. tf. ng. kz. lh. sp. knd., Wch. Rf. Rc. Bu. (G. W.) u. (P. W.), zgl. 2 Ebg. u. 2 Hf. Fag.

6) Str. hg. sp. hc. stzd., Wch. 2 Or. u. Ur. A. Bu. (G. W.) u. (P. W.), zgl. 2 Hd. Fag.

7) Snn. hgd., 2 B. Wch. Spg. (G. W.) u. Eig. (P. W.), zgl. 2 F. Fag.

8) Str. sf. w. sp. hc. stzd., Wch. Rf. Sf. Rc. Bu. (G. W.) u. (P. W.), zgl. Hd. Wch. Fag., u. Lnd. Gd. Dü.

9) Snn. hg. schu. sth., Wch. Hf. Rc. Bu. (G. W.) u. V. Bu. (P. W.), zgl. 2 Hf. Fag.

10) Snn. kl. fa. hg. schu. sth., Wch. Hf. Rc. Bu. (P. W.) u. V. Bu. (G. W.), zgl. 2 Hf. Fag.

§. 352. 5. Recept (diätetisches.)

1) Kl. tf. ng. schu. sth., act. Rf. Rc. Bu. (6 M.)

2) Rh. so. hc. sth., act. B. Rc. Z. (Im Ganzen 6 M.)

3) Spr. rf. fl. or. sch. fl. schu. knd., act. 2 A. Sw. Afw. Füg. (4 M.)

4) Kl. w. tf. ng. schu. sth., act. Rf. Rc. Bu. (Im Ganzen 6 M.)

5) Sr. so. hc. sth., act. B. Rc. Z. (Im Ganzen 6 M.)

6) Wr. fl. lg. stzd., act. 2 Or. u. Ur. A. Strg. (4 M.)

7) Wrkl. kl. sf. w. sp. hc. stzd., act. Rf. Sf. Rc. Bu. (Im Ganzen 6 M.), (r. wrkl., l. kl., r. w., l. sf.)

8) Str. spr. w. schu. sch. lh. sth., act. A. Sw. Afw. Füg. (Im Ganzen 6 M.), (r. str., l. spr., l. w.)

9) Str. kl. w. schu. sth., act. Rf. Rc. Dh. (Im Ganzen 6 M.), r. str., l. kl.. r. w.)

10) Sz. sth., Ha.

§. 353. 6. Recept (diätetisches).

1) Snn. kl. so. hc. sth., act. B. Rc. Z. (Im Ganzen 6 M.), (r. snn., l. kl., r. so.)

2) Spr. bg. hb. lg. stzd., act. 2 A. Sw. Afw. Füg. (Im Ganzen 6 M.)

3) Rh. ng. b. vw. lgd., act. Rf. Er. (4 M.), zgl. 2 Ur. Sch. rs. Fag.

4) Snn. sp. bgd., act. 2 B. Eig. (4 M.)

5) Str. w. schn. sth., act. Rf. Rc. Dh. (Im Ganzen 6 M.)

6) Str. wr. bg. sp. hc. stzd., act. Or. u. Ur. A. Strg. (Im Ganzen 6 M.)

7) Str. ng. fs. sn. sth., act. Rf. Rc. Bu. (Im Ganzen 6 M.)

8) Spr. bg. b. vw. lgd., act. 2 A. sw. afw. Füg. (4 M.), zgl. 2 Ur. Sch. rs. Fag.

9) Snn. str. spn. sth., act. Or. Sch. Strg. (Im Ganzen 6 M.), (r. snn., l. str., l. spn.)

10) 2 snn. sz. sth., Ha.

3. Lordose.

§. 354. Mit dem Namen Lordosis (ein ächt deutscher Name fehlt) bezeichnet man eine übermässige Ausbiegung der Wirbelsäule nach vorn. Diese ist beim erwachsenen Menschen natürlicherweise in den Hals- und Lumbarwirbeln schon immer in mässigem Grade vorhanden. Soll dieselbe also pathologisch sein, so muss sie an diesen Stellen des Rückgrats übermässig ausgebildet sein. Ausserdem aber kommt sie auch im Dorsaltheil der Wirbelsäule vor, der natürlicher Weise immer mehr nach hinten, einigermaassen cyphotisch ausgebogen zu sein pflegt, und wo also jede lordotische Einbiegung unnatürlich oder pathologisch ist.

§. 355. Ein entzündliches Knochenleiden, eigentliche Spondylarthrocace, bringt nicht leicht Lordose hervor, wohl aber häufig Rhachitis und besonders Osteomalacie. Solcher Natur ist besonders die Lordose, welche den Dorsaltheil der Wirbelsäule befällt, und die durch die Unregelmässigkeit der Form als in einem Knochenleiden zunächst begründet, sich leicht erkennen lässt. Mit der Lordose überhaupt verbindet sich sehr häufig Scoliose; ja die Lordose im Lumbartheile des Rückgrats fehlt bei starker Scoliose niemals. Sind musculare Retractionen und Relaxationen nicht gleich beim Beginne des Uebels vorhanden, so treten sie doch bald hinzu. Es liegt dieses schon in dem ungleichen Baue und der ungleichen Kräftigkeit der Bauch- und Rückenmusculatur. — Eine ligamentöse Lordose scheint es nicht zu geben, wenigstens ist mir kein Fall der Art vorgekommen. — Nimmt die Lumbar-Lordose sehr stark überhand, so dass das Kreuzbein und die Beckenknochen überhaupt sich mehr der Horizontale nähern: so wird der Gang des Patienten gewöhnlich unsicher und mehr oder weniger wackelnd.

§. 356. Das entferntere causale Moment der Lordose sind Anschoppungen der Baucheingeweide; Hypertrophie der Leber oder Milz und anderer Unterleibsorgane; Schwangerschaft; das häufige Tragen schwerer Lasten auf dem Lumbartheile der Wirbelsäule oder auf dem Kopfe; fehlerhafte und lange andauernde Körperstellungen, z. B. beim Schreiben, wobei entfernt von dem Tische gesessen wird; wodurch sich also der Lumbartheil der Wirbelsäule sehr stark einbiegen muss, u. s. w.

§. 357. Die Prognose in Hinsicht der Zunahme des Uebels ist eine sehr gute, in Hinsicht der Heilung eine sehr ungünstige. — Die Maschinencur ist auch hier zu verwerfen als Muskel-schwächend, und weil sie auf die Relaxations- und Retractionszustände der visceralen Organe nicht Rücksicht nimmt, ja dieselben planmässig vermehrt. Die diätetischen Vorschriften in Hinsicht des Schlafens und Ruhens sind um so mehr dieselben, wie bei der Scoliose, zumal Lordose beinahe stets mit diesem Uebel verbunden ist. (§. 245.)

Die heilorganische Behandlung findet, ausser bei sehr jungen Kindern, nicht leicht eine Contraindication in irgend einem Stadium der Lordose. Die Hauptbewegungsformen sind die Rumpf-Vorbeugungen; die Bein-Vorziehungen; Bein-Erhebungen; und die Rumpf-Drehungen, namentlich die duplicirt-concentrischen. Alle diese Bewegungsformen sind indicirt wegen der bei Lordose immer stattfindenden Relaxation der Bauch- und Retraction der Rückenmuskeln. — Mehrere Recepte, die bei der Scoliose, namentlich bei der ersten Grades, angeführt wurden, dürften bei Lordose auch grösstentheils passend sein; daher die folgenden Recepte nur noch als Ergänzung jener hinzugefügt werden.

§. 358. Heilorganische und diätetische Recepte zur Bekämpfung der Retractions- und Relaxationszustände der lordotischen Verkrümmung des Rückgrats dienlich.

1. Recept.

1) H. fa. sg. hc. sth., B. Wch. V. Z. (G. W.) u. (P. W.), zgl. sg. F. Fag.

2) Rh. fl. hh. lg. stzd., Wch. Rf. V. Bu. (G. W.) u. (P. W.), zgl. 2 Ebg. Fag., u. Kn. u. Ur. Sch. Fag.

3) Str. lg. stzd., Wch. 2 Or. u. Ur. A. Fg. Bu. (G. W.) u. (P. W.), zgl. 2 Hd. Fag., u. 2 Ur. Sch. rs. Fag.

4) H. fa. ng. sth., Kn. Wch. Er. (G. W.) u. (P. W.), zgl. Kn. Fag.

5) Sr. fl. sch. gg. sp. sth., Wch. Rf. V. Bu. (G. W.) u. (P. W.), zgl. sr. Hd. Wch. Fag., u. 2 Hf. Fag.

6) Ö. fa. sg. hc. sth., B. V. Z. (G. W.), (i. v. E.), zgl. sg. F. Fag.

7) Str. kl. fl. sp. knd., Wch. Rf. V. Bu. (G. W.) u. (P. W.), zgl. str. Hd. u. kl. Hd. Wch. Fag., u. 2 Ur. Sch. Fag.

8) Hh. lgd., Sp. Ro., zgl. 2 Ach. Fag.; Or. Sch. u. Ur. Sch. Fag., Kn. u. F. Fag. (r. Or. Sch. u. r. Ur. Sch. Fag.; L. B. Sp. Ro., u. L. Kn. u. l. F. Fag.)

9) Hh. lgd., B. Wch. Er. (G. W.) u. (P. W.), zgl. F. Fag.

10) Rh. b. lgd., Ha., zgl. 2 Ur. Sch. rs. Fag.

§. 359. 2. Recept.

1) H. fa. bg. schu. sth., Wch. Hf. Rc. Bu. (G. W.) u. (P. W.), zgl. 2 Hf. Fag.

2) Str. 2. so. rf. lgd., 2 B. Wch. Spg. (G. W.) u. Eig. (P. W.), zgl. 2 Hd. Nr. Dü., u. 2 F. Fag.

3) Rh. sf. w. sp. hc. stzd., Wch. Rf. Sf. V. Bu. (G. W.) u. (P. W.), zgl. 2 Ebg. Fag. (r. sf., r. w., L. Sf. V. Bu.)

4) 2 wrkl. fl. sp. sch. gg. sth., Wch. Rf. V. Bu. (G. W.) u. (P. W.), zgl. Ebg. Wch. Fag., u. 2 Hf. Fag.

5) Str. tf. ng. schu. sch. gg. sth., Wch. 2 Or. u. Ur. A. Bu. (G. W.) u. (P. W.), zgl. 2 Hd. u. 2 Hf. Fag.

6) Str. kl. w. fl. sp. hc. stzd., Wch. Rf. V. Bu. (G. W.) u. (P. W.), zgl. str. Hd. u. kl. Hd. Wch. Fag. (r. str., l. kl., l. w.)

7) Rh. fl. schu. sch. gg. sth., Wch. Rf. Sf. Ng. Hh. Ro. (G. W.) u. (P. W.), zgl. 2 Ebg. u. 2 Hf. Fag.

8) Fg. hh. lgd., Wch. B. Er. (G. W.) u. (P. W.), zgl. 2 Hd. afw. Dü., u. F. Fag.

9) Sr. fl. sp. hc. stzd., Rf. V. Bu. (G. W.), (i. v. E.), zgl. 2 Hd. Fag.

10) Str. hg. b. lgd., act. Rf. Er. (4 M.), zgl. 2 Ur. Sch. rs. Fag.

§. 360. 3. Recept.

1) H. fa. ng. hk. sth., Wch. Kn. Sen. (P. W.) u. Kn. Er. (G. W.), zgl. Kn. Fag.

2) Sr. fl. sp. knd., Wch. Rf. V. Bu. (G. W.) u. (P. W.), zgl. sr. Hd. Wch. Fag., u. 2 Ur. Sch. Fag.

3) Snn. spr. fa. sg. hc. sth., B. Wch V. Z. (G. W.) u. (P. W.), zgl. F. Fag. (r. snn., l. spr. fa , l. sg.)

4) Rh. ng. sp. hc. stzd., ps. Rf. Ng. Ro., zgl. 2 Ebg. u. 2 Slbt. Fag.

5) 2 rhe. hg. schu. sch. gg. sth., Wch. Rf. V. Bu. (G. W.) u. (P. W.), zgl. 2 Ebg. Fag., u. Kz. Kog. (m. l. Hd.)

6) Str. e. bg. hb. lg. stzd., Wch. Rf. Er. (G. W.) u. (P. W.), zgl. str. Hd. u. K. Fag. (r. str., l. e., l. hb. lg. stzd.)

7) Su. ng. w. sp. hc. stzd., Rf. Wch. Dh. (G. W.), zgl. 2 Hd. u. 2 Ur. A. Fag.

8) Str. bg. b. vw. lgd., Wch. Rf. Sen. (G. W.) u. (P. W.), zgl. str. Hd. Wch. Fag., K. Fag., u. 2 Ur. Sch. rs. Fag.

9) H. ku. lt. f. fa. sg. stzd., B. Wch Er. (G. W.) u. (P. W.), zgl. 2 Hd. Nr. Dü., u. Kn. u. F. Fag. (r. sg., l. lt., l. f. fa., r. F. Fag., l. Kn. Fag.)

10) Str. fl. lg. stzd., 2 A. Wch. Sw. Abw. Füg. (G. W.) u. (P. W.), zgl. Hd. Wch. Fag., u. 2 Ur. Sch. rs. Fag.

§. 361. 4. Recept (diätetisches).

1) Str. sg. hc. sth., act. B. V. Z. (Im Ganzen 6 M.)

2) Str. kl. bg schu. sth., act. Rf. V. Bu. (Im Ganzen 6 M.)

3) H. w. schu. sth., act. Rf. V. Dh. (Im Ganzen 6 M.)

4) Kl. sth., act. Or. Sch. Bu. (bis zur. Spu. Stg.) (Im Ganzen 6 M.)

5) E. fl. schu. knd., act. Rf. V. Bu. (4 M.)

6) Snn. kl. fa. bgd., act. B. Er. (Im Ganzen 6 M.), (r. snn., l. kl. fa., R. B. Er.)

7) Kl. ng. w. sp. hc. stzd., act. Rf. V. Dh. (Im Ganzen 6 M.)

8) Str. fl. sp. sth., act. 2 A. Sw. Abw. Füg., zgl. Rf. V. Bu. (4 M.)

9) Fü. b. lgd., act. Rf. Er. (4 M.), zgl. 2 Ur. Sch. rs. Fag.
10) Sr. snm. schn. lgd., Ha.

§. 362. 5. Recept (diätetisches).

1) Snn. kl. sg. hc. sth., act. B. V. Z. (Im Ganzen 6 M.), (r. snn., l. kl., l. sg.)
2) Str. kl. w. hb. lg. stzd., act. Rf. V. Dh. (Im Ganzen 6 M.), (r. str., l. kl., l. w., r. hb. lg.)
3) Rk. hg. sp. hc. stzd., act. Rf. V. Bu. (4 M.)
4) Str. hg. b. lgd., act. Rf. Er. (4 M.), zgl. 2 Ur. Sch. rs. Fag.
5) Str. rh. w. sf. schu. knd., act. Rf. Sf. V. Bu. (Im Ganzen 6 M.), (r. str., l. rh., l. w., l. sf., Rf. R. Sf. V. Bu.)
6) Sr. hb. lgd., act. 2 B. Er. (4 M.), zgl. 2 Hd. Nr. Dü.
7) Str. kn. lt. f. fa. sg. stzd., act. B. Er. (Im Ganzen 6 M.), (r. lt., r. f. fa., l. sg.)
8) Rh. tf. ng. w. schu. sch. gg. sth., act. Rf. V. Dh. (Im Ganzen 6 M.)
9) H. fa. 2 sg. rf. lgd., act. 2 B. Er. (4 M.)
10) Str. w. fl. schu. sth., act. Rf. V. Bu. (Im Ganzen 6 M.)

4. Caput obstipum.

§. 363. Der Schiefhals oder Schiefkopf, Caput obstipum, Torticollis, besteht in einer Neigung des Kopfs nach einer Seite entweder in gerader Richtung nach der Schulter herab, oder auch zugleich etwas gedreht, also schräg herab. Diese Wirbelsäul-Krümmung kommt in Verbindung mit Scoliose nur seltener vor, da hier gewöhnlich der Kopf eine Neigung gerade nach vorn, aber nicht nach der Seite zeigt.

Der Schiefhals bildet sich nämlich meistentheils durch pathologische Vorgänge, die sich zunächst auf den Hals beschränken, und das übrige Rückgrat wenigstens im Anfange kaum in Mitleidenschaft ziehen. So können straffe Hautnarben, z. B. nach Brandwunden, Entzündung der Halswirbel, rheumatische Leiden der Muskeln des Halses, Lähmungszustände u. s. w. eine dauernde Neigung des Kopfes allein ohne Verkrümmung des übrigen Rückgrats zur Folge haben.

§. 364. So verschiedenartig nun aber auch das causale Moment des Schiefshalses sein mag: so werden doch in jedem Falle später Retractionen der Muskelfasern der zusammengedrückten, und

Relaxationen der der gedehnten Halsseite sich finden; endlich aber alle Organe des Halses, ja selbst des Kopfes bis auf das Gehirn mit seinen Häuten an diesen Retractions- und Relaxationsverhältnissen Theil nehmen. Dann wird natürlich auch der Rumpf und namentlich die Organe der Brusthöhle nicht ganz verschont bleiben; und ebenfalls an den Retractionen und Relaxationen participiren.

§. 365. Ausser der entsprechenden Behandlung der Halswirbelentzündung; und ausser der Tenotomie des beim Schiefhals oft so stark retrahirten Nickers; ausser der in solchem Falle für kurze Zeit erlaubten Maschinencur mit hohen Halsbinden u. s. w. ist doch auch hier, und namentlich nach der Tenotomie des Nickers, die heilorganische Behandlung von grosser Wichtigkeit. Namentlich ein Schiefhals mit Drehung der Halswirbel wird durch Maschinencur nicht einmal verbessert, und noch viel weniger geheilt werden.

§. 366. Die heilorganische Behandlung wird theils aus solchen Bewegungsformen bestehen, die den Kopf und die Halsmuskeln zunächst betreffen; theils aus solchen, die mehr allgemeiner auf den Rumpf u. s. w. wirken. Denn die Retractionen und Relaxationen der Halsmuskeln werden, wie erwähnt, bei längerer Dauer und bei Zunahme des Uebels immer mehr oder weniger die Rumpf-, die Arm- u. s. w. Muskeln in Mitleidenschaft ziehen.

§. 367. Heilorganische und diätetische Recepte für einen Schiefhals nach links hin, so dass also die linke Seite des Kopfs gegen die linke Schulter sich herabneigt.

1. Recept.

1) H. fa. k. kmm. sth., K. Rc. Bu. (G. W.), (i. v. E.), zgl. Hrk. u. Ach. Fag.

2) Hb. kl. fl. schu. sch. gg. sth., Wch. Rf. V. Ngg. (P. W.) u. Rc. Bu. (G. W.), zgl. kl. Hd. u. Hrk. Fag., u. 2 Hf. Fag.

3) Hb. lgd., B. Wch. Er. (G. W.) u. Sen. (P. W.), zgl. Sn. Dn., u. F. Fag.

4) K. w. rf. b. hb. lgd., K. Wch. Dh. (G. W.), zgl. 2 Ach. Fag., u. 2 K. S. Fag.

5) Str. e. bg. b. vw. lgd., Wch. Rf. Sen. (P. W.) u. Rf. Er. (G. W.), zgl. str. Hd. u. Hrk. Fag., u. 2 Ur. Sch. rs. Fag.

6) H. fa. k. l. sf. schu. sth., Wch. K. R. S. Bu. (G. W.) u. (P. W.), zgl. l. Ach. u. Sel. Fag.

7) Hb. str. l. sf. sp. hc. stzd., Wch. Rf. R. S. Bu. (G. W.) u. (P. W.), zgl. str. Hd. u. K. Fag.

8) Snn. k. bg. sth., Wch. K. V. Bu. (P. W.) u. Rc. Bu. (G. W.), zgl. Ach. u. Hrk. Fag.

9) Snn. k. kmm. bgd., K. Rc. Bu. (G. W), zgl. Hrk. Fag., u. Nk. q. Hak. (m. l. Hd.)

10) Sz. sth., Ha.

§. 368. 2. Recept.

1) Rh. hb. lgd., B. Wch. Er. (G. W.) u. Sen. (P. W.), zgl. Ebg. Wch. Fag., Sn. Fag., u. F. Fag.

2) L. snn. r. h. fa. schn. sth., K. Wch. L. S. Bu. (G. W.) u. R. S. Bu. (P. W.), zgl. L. K. S. u. r. Ach. Fag.

3) 2 wrkl. w. sp. hc. stzd., Wch. Rf. Dh. (P. W.), zgl. 2 Ebg. Fag.

4) Rk. k. kmm. ng. sp. hc. stzd., Wch. 2 A. Stg. (G. W.) u. (P. W.), zgl. K. Wch. Rc. Bu. (G. W.) u. (P. W.), zgl. 2 Hd. Fag., u. Hrk. u. Sn. Wch. Fag.

5) R. str. sp. knd., Wch. R. A. Sw. Abw. Füg. (G. W.) u. (P. W.), zgl. Wch. K. R. S. Bu. (G. W.) u. (P. W.), zgl. 2 Ur. Sch. Fag., r. Hd. Fag., K. S. Wch. Fag.

6) Rf. b. hb. lgd., K. Wch. R. S. Bu. (G. W.) u. (P. W.), zgl. 2. Ach. Fag., Sel. Fag., u. L. Hs. S. q. Hak. (m. r. Hd.)

7) Str. e. bg. b. vw. lgd., Wch. Rf. Sen. (P. W.) u. Rf. Er. (G. W.), zgl. str. Hd. u. K. Fag., u. 2 Ur. Sch. rs. Fag.

8) L. snn. r. kl. r. sh. hc. sth., R. B. Sw. Sen. (P. W.), (i. v. E.), zgl. r. F. Fag., u. r. Hd. afw. Dü.

9) R. str. r. sf. r. s. b. lgd., Wch. Rf. Sw. Er. (G. W.) u. Sw. Sen. (P. W.), zgl. r. Hd. u. l. K. S. Fag., u. 2 Ur. Sch. rs. Fag.

10) Sz. k. kmm. sth., K. Rc. Bu. (G. W.), zgl. Hrk. Fag.

§. 369. 3. Recept (diätetisches).

1) Str. l. sf. schn. sth., act. Rf. R. S. Bu. (4 M.)

2) Rh. l. sf. r. w. sp. hc. stzd., act. Rf. R. Sf. Rc. Bu. (4 M.)

3) Str. kl. tf. ng. schn. sch. gg. sth., act. Rf. Rc. Bu. (Im Ganzen 6 M.)

4) Str. b. lgd., act. 2 A. Sw. Abw. Füg. (4 M.), zgl. 2 Ur. Sch. rs. Fag.

5) Snn. bgd., act. B. Er. (Im Ganzen 6 M.)

6) Str. w. schu. knd., act. Rf. Rc. Dh. (Im Ganzen 6 M.)

7) Sr. b. lgd., Ha., zgl. 2 Ur. Sch. rs. Fag.

8) L. str. l. sf. l. s. b. lgd., act. Rf. Sw. Er. (4 M.), zgl. 2 Ur. Sch. rs. Fag.

9) Rk. k. knm. fl. sp. hc. stzd., act. 2 A. Kl. Str. Hb. Ro., zgl. K. Rc. Bn. (4 M.)

10) Sz. sth., act. K. R. S. Bn. (4 M.)

II. Verkrümmungen des Brustkorbes oder der Rippen.

§. 370. Durch die Verkrümmungen des Rückgrats und namentlich durch die hochgradigen Scoliosen werden, wie schon erwähnt, öfters sehr bedeutende Abweichungen in dem Baue der Rippen hervorgebracht. Es giebt aber durchaus hievon verschiedene Rippen-Deviationen, welche namentlich dadurch charakteristisch sind, dass das Rückgrat dabei keine, oder doch nur sehr wenig sichtbare, pathologische Curvaturen zeigt, während die Rippen von dem normalen Baue schon gar stark abweichen. Da die visceralen Organe, namentlich die Lungen, hiebei gewöhnlich nur sehr wenig leiden; da also diese Verkrümmungen nicht etwa medicinische Krankheiten sind, welchen primäre Retractions- und Relaxationszustände der Organe der Brusthöhle zum Grunde liegen: so gehören dieselben hierher. Bei ihnen sind im Allgemeinen die in Hinsicht der Diät, des Schlafens und Ruhens, in Hinsicht der Curart u. s. w. für die Verkrümmungen des Rückgrats gegebenen Vorschriften auch anwendbar. Es gehört hieher: 1. die einseitig eingefallene Brust; 2. die Hühnerbrust; und 3. die hohe Brust.

1. Einseitig eingefallene Brust.

§. 371. Es sind mir schon fünf Fälle vorgekommen, in denen das Rückgrat von pathologischen Verbiegungen frei war; die Lungen, das Herz und die übrigen Organe der Brusthöhle sich so normal verhielten, dass die genaueste Untersuchung durch andere Aerzte, so wie durch mich vorgenommen, keine bedeutende, pathologische Desorganisationen in ihnen erkennen liess; und doch die eine Brustseite (in vier Fällen die rechte, in einem die linke) sich stark abgeflacht zeigte. Es fehlte gleichsam ein Segment der visceralen Brustorgane, und die Rippen nebst Zwischenmuskeln und Hautdecken waren deshalb mehr abgeflacht.

§. 372. Die Patienten waren sämmtlich Kinder von 7 bis

14 Jahren, und ihre Uebel schienen durchaus angeboren, nicht erworben zu sein; obschon sich dabei nichts Hereditäres erweisen liess, da die Eltern dieser Kinder einen durchaus wohlgebauten Brustkorb besassen.

Die Prognose ist in solchen Fällen in sofern eine günstige, als das Uebel, sich selbst überlassen und namentlich nicht der verderblichen Maschinenbehandlung Preis gegeben, nicht leicht bedeutende Beschwerden herbeiführt, oder gefährliche pathologische Zustände nach sich zieht. Heilung ist aber natürlich auch selbst durch die heilorganische Behandlung nicht möglich; nur zuweilen einige Ausgleichung der Form; bestimmt aber Verbesserung des meistentheils mehr oder weniger leidenden, in der Ernährung zurückgebliebenen Zustandes des Patienten. Daher zeigt auch hier die Heilorganik ein grosses Uebergewicht über die Maschinencur, trotzdem sie die Form des Brustkorbes auch nicht vollständig zu ändern vermag.

§. 373. Da der ganze Brustkorb zunächst in den Rippengelenken am Rückgrate nur beweglich ist; da die beiderseitigen Inspirationsmuskeln, und ebenso die beiderseitigen Exspirationsmuskeln (s. Muskelleben S. 100 u. flgd.) nur synergisch oder gemeinschaftlich eine Muskelwirkung haben; dagegen aber die ganzen Exspirations- und die ganzen Inspirations-Muskelgruppen antagonistisch sich entgegenstehen: so erfordert diese Verkrümmung des Brustkorbes, obschon sie einseitig ist, doch immer doppelseitig (d. h. mit beiden Rumpfhälften und Seiten, mit beiden Armen u. s. w.) ausgeführte Bewegungen.

§. 374. 1. Recept.

1) H. fa. sg. hc. sth., B. Wch. V. Z. (G. W.) u. Rc. Z. (P. W.), zgl. sg. F. Fag.

2) Rk. schu. sch. lh. sth., Wch. 2 A. Strg. (G. W.) u. (P. W.), zgl. 2 Hd. Fag.

3) Hb. kl. w. sp. knd., Wch. Rf. V. Dh. (G. W.) u. Rc. Dh. (P. W.), zgl. kl. Hd. Fag. (r. kl., r. w.)

4) H. fa. k. hg. sth., K. Wch. V. Bu. (P. W.) u. Rc. Bu. (G. W.), zgl. Hrk. u. Ach. Fag.

5) Snn. kl. hc. sth., B. Wch. Sw. Er. (G. W.) u. Sw. Sen. (P. W.), zgl. kl. Hd. afw. Dü., u. F. Fag. (r. snn., l. kl., l. B. Sw. Er.)

6) Rk. sp. hc. stzd., 2 A. Strg. (P. W.) (i. v. E.), zgl. 2 Hd. Fag.

7) H. kl. w. sp. knd., Weh. Rf. Rc. Dh. (G. W.) u. (P. W.), zgl. kl. Hd. Fag., u. 2 Ur. Sch. Fag. (r. h., l. kl., r. w.)

8) Sr. rf. lgd., 2 B. Weh. Spg. (G. W.) u. Eig. (P. W.), zgl. 2 Hd. Z., u. 2 F. Z.

9) H. fa. schu. sth., Ha., zgl. 2 bgfö. Rn., Rp. S., u. Br. Kla. (m. ugn. Hd.)

10) Sr. smm. k. kmm. sp. sth., K. Rc. Bu. (G. W.), zgl. Hrk. u. Ach. Fag.

§. 375. 2. Recept.

1) Snn. spr. fa. so. hc. sth., B. Weh. Rc. Z. (P. W.) u. (G. W.), zgl. so. F. Fag. (r. snn., l. spr. fa., r. so.)

2) H. fa. 2 or. a. klv. schu. sth., Weh. 2 Or. A. Strg. (G. W.) u. (P. W.), zgl. 2 Vsl. u. 2 Rcsl. Weh. Fag.

3) Rk. sp. sch. lh. sth., 2 A. Strg. (G. W.), (i. v. E.), zgl. Hd. Weh. Fag.

4) Hb. kl. sf. schu. sth., Rf. Weh. S. Bu. (G. W.) u. (P. W.), zgl. kl. Hd. Fag. [r. kl., r. sf., Rf. L. S. Bu. (G. W.) u. (P. W.)]

5) Rk. w. sp. hc. stzd., Weh. 2 A. Strg. (G. W.) u. (P. W.), zgl. 2 Hd. Fag.

6) 2 wrkl. w. schu. sch. gg. sth., Weh. Rf. Dh. (G. W.), zgl. 2 Ebg. Fag.

7) Str. e. tf. ng. schu. knd., Weh. Rf. Rc. Bu. (G. W.) u. (P. W.), zgl. str. Hd. Fag., u. 2 Ur. Sch. Fag.

8) Rk. b. lgd., act. 2 A. Kl. Str. Hb. Ro. (4 M.), zgl. 2 Ur. Sch. rs. Fag.

9) Str. kl. ng. sp. sth., Weh. Rf. Rc. Bu. (G. W.) u. (P. W.), zgl. 2 Hd. Fag., u. 2 Hf. Fag.

10) Rk. hb. lgd., Weh. 2 A. Kl. Str. Hb. Ro. (G. W.) u. (P. W.), zgl. 2 Hd. Fag., zgl. 2 Br. Hä. Kla. (m. ugn. Hd.)

§. 376. 3. Recept.

1) Snn. kl. sb. hc. sth., B. Sw. Sen. (P. W.), (i. v. E.), zgl. sb. F. Fag., u. kl. Hd. Nr. Dü. (r. snn., l. kl., l. sb.)

2) Str. rk. bg. sp. hc. stzd., Weh. A. Kl. Str. Hb. Ro. (G. W.) u. (P. W.), zgl. rk. Hd. Fag., u. Br. Hä. Kla. [r. str., l. rk., r. Br. Hä. Kla. (m. l. Hd.)]

3) H. hb. lgd., 2 B. Wch. Er. (G. W.) u. Sen. (P. W.), zgl. 2 Hd. Nr. Dü., 2 Ach. Fag., u. 2 F. Fag.

4) Kl. rk. w. sp. knd., Wch. A. Strg. (G. W.) u. (P. W.), zgl. rk. Hd. Fag. (r. kl., l. rk., l. w.)

5) Str. sp. hc. stzd., 2 A. ps. Fic., zgl. 2 Hd. Fag., u. Kn. Rn. Dü.

6) Snn. kl. w. bg. sp. sth., Wch. Rf. V. Dh. (G. W.) u. Rc. Dh. (P. W.), zgl. kl. Hd. Fag., Kz. 2 Fag., u. 2 F. Süg. (r. snn., l. kl., l. w.)

7) H. 2 or. a. inw. sp. sch. lh. sth., ps. 2 A. Pu., zgl. 2 Hd. Fag.

8) Snn. bgd., 2 B. Wch. Spg. (G. W.) u. Eig. (P. W.), zgl. 2 F. Fag.

9) Kl. hb. lgd., 2 A. ps. Ro., zgl. 2 Hd. Z., u. 2 Ach. Fag.

10) 2 rkwr. ng. sp. hc. stzd., Wch. 2 Or. A. Strg. (G. W.) u. (P. W.), zgl. 2 Ebg. Fag.

§. 377. 4. Recept.

1) Spr. fl. sp. sch. lh. sth., Wch. 2 A. Vw. Afw. Füg. (G. W.) u. (P. W.), zgl. 2 Hd. Fag.

2) Str. wrrk. tf. ng. schu. sch. gg. sth., Wch. Or. A. Strg. (G. W.) u. (P. W.), zgl. wrrk. Ebg. Fag.

3) H. fa. so. f. inw. sth., B. Wch. Asw. Dh. (G. W.) u. (P. W.), zgl. F. Fag. (r. so., r. f. inw., r. F. Fag.)

4) Fg. hb. lgd., 2 Or. A. Strg. (P. W.), (i. v. E.), zgl. 2 Ebg. Fag., u. 2 Br. Hä. Kla. (m. gn. Hd.)

5) Hb. kl. w. hb. lg. stzd., Wch. Rf. V. Dh. (G. W.) u. Rc. Dh. (P. W.), zgl. kl. Hd. Fag., 2 Kn. Fag., u. Ur. Sch. rs. Fag. (r. kl., r. w., l. hb. lg. stzd., l. Ur. Sch. rs. Fag.)

6) H. vw. lgd., 2 Ur. Sch. Wch. Bu. (G. W.) u. Strg. (P. W.), zgl. 2 Ur. Sch. Fag., u. 2 Hd. Nr. Dü.

7) Sr. hb. lgd., ps. 2 A. Ro., zgl. 2 Hd. Z.

8) Rk. lg. stzd., 2 A. Wch. Kl. Str. Hb. Ro. (G. W.) u. (P. W.), zgl. rk. Hd. Wch. Fag., u. 2 F. Fag.

9) Hb. str. w. sp. hc. stzd., A. ps. Fic., zgl. Hd. u. Ach. Fag. (r. str., r. w., r. Hd. Fag., u. l. Ach. Fag.)

10) Hb. sr. w. b. lgd., Wch. Rf. V. Dh. (G. W.) u. Rc. Dh. (P. W.), zgl. sr. Hd. Fag., Slbt. Fag., u. 2 Ur. Sch. rs. Fag. (r. sr., r. w., l. Slbt. Fag.)

12*

§. 378. 5. Recept (diätetisches).

1) Rk. ga. sth., act. 2 A. Strg. (i. v. E.) (Im Ganzen 6 M.)
2) Sr. tf. ng. schn. sth., act. Rf. Rc. Bu. (4 M.)
3) Kl. so. hc. sth., act. B. Rc. Z. (Im Ganzen 6 M.)
4) Str. rk. w. schu. knd., act. A. Strg. (i. v. E.) (Im Ganzen 6 M.), (r. str., l. rk., r. w.)
5) Spr. ng. sp. sth., act. 2 A. Sw. Afw. Füg., zgl. Rf. Rc. Bu. (4 M.)
6) Str. kl. w. schn. stzd., act. Rf. Rc. Dh. (Im Ganzen 6 M.), (r. str., l. kl., r. w.)
7) Snn. sp. hgd., act. 2 B. Eig. (4 M.)
8) Rk. bg. sp. hc. stzd., act. 2 A. Kl. Str. Hb. Ro. (4 M.)
9) Smm. rk. lgd., act. A. Strg. (Im Ganzen 6 M.)
10) K. knm. sz. sth., act. K. Rc. Bu. (4 M.)

2. Hühnerbrust.

§. 379. Die Hühnerbrust (Pectus carinatum) kommt zum Theil und in unregelmässiger Form bei Scoliotischen, regelmässig ausgebildet und in einer besonderen Zusammendrückung der sonst natürlicher Weise gewölbten Rippenseiten, so wie in besonders vorragender Stellung des Brustbeins bestehend allein ohne Rückgratsverkrümmung vor. Die Hühnerbrust ist gewöhnlich angeboren, nicht erworben. Die Lungen, das Herz, die grossen Gefässe und überhaupt die anderen visceralen Organe der Brusthöhle leiden in den meisten Fällen von Hühnerbrust nicht, oder wenigstens nicht bedeutend.

§. 380. Natürlich ist auch bei diesem Uebel, welches sich auf angeborne Muskel- und Knochenretractionen und Relaxationen basirt, die Maschinencur so wenig angezeigt, dass durch dieselbe der Zustand der Brustorgane nur verschlimmert werden kann. Es bleibt allein die heilorganische Behandlung übrig, welche, wenn auch nicht bedeutende Veränderung der Deformität zu geben vermögend, doch der Verschlimmerung des Uebels wenigstens in sofern vorbeugt, als sie den Anfang des Retractions- und Relaxationszustandes der visceralen Organe der Brusthöhle hebt, oder demselben sogar vorbeugt. Daher ist wenigstens als Prophylakticum die heilorganische Cur hier indicirt.

§. 381. Da der Querdurchmesser des Brustkorbes von der

einen zur andern Seite (gegen den geraden Durchmesser von vorn nach hinten) bei diesem Uebel bedeutend verringert, der letztere aber bedeutend vermehrt ist: so sind namentlich die Arm- und Oberarm-Seitwärts-Aufwärts-Führungen, die Ober- und Unter-Arm-Streckungen u. s. w. Hauptbewegungen der heilorganischen Cur.

§. 381 a. Heilorganische und diätetische Recepte bei der Hühnerbrust anwendbar.

1. Recept.

1) Spr. schu. sch. lh. sth., Wch. 2 A. Sw. Afw. Füg. (G. W.) u. (P. W.), zgl. 2 Hd. Fag.

2) Kl. fa. so. hc. sth., B. Wch. Rc. Z. (G. W.) u. (P. W.), zgl. so. F. Fag.

3) Spr. snn. fs. sü. sth., A. Wch. Vw. Afw. Füg. (G. W.) u. (P. W.), zgl. spr. Hd. Fag. (r. spr., l. snn., r. fs. sü.)

4) Str. kl. fl. schu. sch. lh. sth., Wch. Rf. V. Ngg. (G. W.) u. Rf. Rc. Bu. (P. W.), zgl. kl. Hd. u. K. Fag., u. 2 Hf. Fag.

5) Sr. fa. sg. hc. sth., B. Wch. V. Z. (G. W.) u. Rc. Z. (P. W.), zgl. sg. F. Fag.

6) Spr. sp. sch. lh. sth., Wch. 2 A. Sw. Afw. Füg. (P. W.) u. Vw. Afw. Füg. (P. W.), zgl. 2 Hd. Fag.

7) Snn. lgd., 2 B. Wch. Spg. (G. W.) u. Eig. (P. W.), zgl. 2 F. Fag.

8) Spr. sp. knd., Wch. 2 A. Sw. Afw. Füg. (G. W.) u. (P. W.), zgl. spr. Hd. Wch. Fag.

9) Il. fa. 2 or. a. klv. schu. sth., Wch. 2 Or. A. Strg. (G. W.) u. (P. W.), zgl. 2 Vsl. u. 2 Resl. Wch. Fag.

10) 2 snn. sz. sth., Ha.

§. 382. 2. Recept.

1) Wr. lg. stzd., Wch. 2 Or. u. Ur. A. Strg. (G. W.) u. (P. W.), zgl. 2 Hd. Fag., u. 2 Ur. Sch. rs. Fag.

2) Spr. w. schu. sch. lh. sth., Wch. 2 A. Sw. Afw. Füg. (G. W.), u. Vw. Afw. Füg. (G. W.), zgl. 2 Hd. Fag.

3) Snn. so. hc. sth., B. Wch. Rc. Z. (G. W.) u. (P. W.), zgl. so. F. Fag.

4) Str. fl. sp. hc. stzd., Wch. 2 Or. u. Ur. A. Bu. (G. W.) u. Strg. (P. W.), zgl. 2 Hd. Fag.

5) Str. rf. lgd., 2 B. Wch. Spg. (G. W.) u. Eig. (P. W.), zgl. 2 Hd. u. 2 F. Z.

6) Spr. rk. sp. knd., Wch. Spr. A. Sw. Afw. Füg. (G. W.) u. (P. W.), zgl. Rk. A. Kl. Str. Hb. Ro. (G. W.) u. (P. W.), zgl. 2 Hd. Fag.

7) Rh. sr. w. bg. sp. knd., Wch. Rf. V. Dh. (G. W.) u. Rc. Dh. (P. W.), zgl. rh. Ebg. u. sr. Hd. Fag., u. Kn. Kz. Dü. (r. rh., l. sr., l. w.)

8) Wr. tf. ng. schu. sch. gg. sth., Wch. 2 Or. u. Ur. A. Strg. (G. W.) u. (P. W.), zgl. Hd. Wch. Fag.

9) Str. spr. b. vw. lgd., A. Wch. Sw. Afw. Füg. (G. W.) u. (P. W.), zgl. spr. Hd. Fag., u. 2 Ur. Sch. rs. Fag.

10) Smm. schu. lgd., Ha.

§. 383. 3. Recept.

1) Wr. w. hb. lg. stzd., Wch. 2 Or. u. Ur. A. Strg. (G. W.) u. (P. W.), zgl. Hd. Fag. (r. w., l. hb. lg., r. Hd. Fag.)

2) Str. hb. lgd., 2 B. Wch. Er. (G. W.) u. Sen. (P. W.), zgl. 2 Hd. Nr. Dü., u. 2 F. Fag.

3) Str. wr. b. lgd., Wch. Or. u. Ur. A. Strg. (G. W.) u. (P. W.), zgl. wr. Hd. Fag., u. 2 Ur. Sch. rs. Fag.

4) Str. w. schu. sch. lh. sth., Wch. Rf. Dh. (G. W.), zgl. 2 Hd. Z.

5) Spr. w. schu. fr. sth., act. 2 A. Sw. Afw. Füg. (Im Ganzen 6 M.)

6) Str. sg. lt. f. fa. rf. hc. lgd., B. Wch. Er. (G. W.) u. Sen. (P. W.), zgl. 2 Hd. Z., sg. F. Fag., u. Kn. Fag. (r. sg., l. lt., l. f. fa., l. Kn. Fag.)

7) Wr. bg. sp. hc. stzd., Wch. 2 Or. A. Sw. Afw. Füg. (G. W.) u. (P. W.), zgl. 2 Ebg. Fag.

8) Str. kl. w. li. sth., Wch. Rf. Rc. Dh. (G. W.) u. (P. W.), zgl. kl. Hd. Fag. (r. str., l. kl., r. w.)

9) Kl. tf. ng. schu. sch. gg. sth., Wch. 2 A. Sw. Abw. Füg. (bis zur. spr. Stg.), (G. W.) u. Sw. Afw. Füg. (bis zur. str. Stg.), (P. W.), zgl. 2 Hd. Fag.

10) 2 snn. sz. sth., Ha.

§. 384. 4. Recept (diätetisches).

1) Str. tf. ng. schu. sth., act. Rf. Rc. Bu. (i. v. E.) (Im Ganzen 6 M.)

2) Snn. kl. so. hc. sth., act. B. Rc. Z. (Im Ganzen 6 M.) (r. snn., l. kl., l. so.)

3) Str. spr. ng. ga. sth., act. A. Sw. Afw. Füg. (Im Ganzen 6 M.) (r. str., l. spr., r. ga.)

4) Str. sr. w. schu. sth., act. Rf. Rc. Dh. (Im Ganzen 6 M.), (r. str., l. sr., r. w.)

5) Wr. lg. stzd., act. 2 Or. u. Ur. A. Strg. (4 M.), zgl. 2 F. Fag.

6) Str. wr. w. hb. lg. stzd., act. Or. A. Sw. Afw. Füg. (Im Ganzen 6 M.), (r. str., l. wr., r. w., l. hb. lg.)

7) Sun. sp. rf. lgd., act. 2 B. Eig. (4 M.)

8) Rk. b. lgd., act. 2 A. Kl. Str. Hb. Ro. (4 M.), zgl. 2 Ur. Sch. rs. Fag.

9) Smm. spr. lgd., act. A. Sw. Afw. Füg. (Im Ganzen 6 M.)

10) 2 sun. sz. sth., Ha.

3. Hohe Brust.

§. 385. Es werden Menschen beobachtet, welche, ohne an Lungenemphysem zu leiden, doch einen sehr hohen und breiten Brustkorb haben. Das Brustbein hat bei ihnen fortwährend eine mehr der Horizontale sich nähernde Richtung, und der ganze Brustkorb erscheint daher mehr fassartig. Es kommt dieser innormale Bau besonders bei Kindern unter 10 Jahren vor, welche dann noch frei von Lungenemphysem oder von Herzfehlern, überhaupt von bedeutenden Circulationsstörungen sein können. — Man erkennt in solchen Fällen primär in den Bewegungsorganen auftretende Retractions- und Relaxationszustände, die späterhin natürlich auch den visceralen Organen, namentlich der Brust, in emphysematischer Form sich mittheilen. Beim Asthma treten auf umgekehrte Weise in den visceralen Organen primär Relaxations- und Retractionszustände auf, die bei stärkerer Ausbildung auf die Bewegungsorgane namentlich des Brustkorbes übergehen.

§. 386. Die heilorganische Behandlungsweise der hohen Brust ohne Lungenemphysem ist natürlich der des wirklichen Asthma sehr ähnlich, und die dort angeführten heilorganischen Recepte sind mit geringen Abänderungen auch hier anwendbar. (§. 647 fgd.)

III. Verkrümmungen der Glieder.

§. 387. Die Verkrümmungen der Glieder oder die der Arme und Beine zerfallen, wie die des Rückgrats, nach den primär dabei leidenden Organen in musculare, ligamentöse und ossiculare. Zu den erstern, bei denen also die Musculatur primär an Retractionen und Relaxationen leidet, gehören besonders: die reinen Contracturen oder Ungelenkigkeiten des Schulter-, Ellenbogen-, Hand-, Hüft-,

Knie- und Fussgelenks; ferner der Pferde-, Platt- und Klumpfuss; so wie die nicht reponirten, veralteten Luxationen. Zu den ligamentösen gehört: das Säbelbein, und überhaupt die zugleich stark beweglichen Contracturen des Knie- und Fussgelenks; zu den ossicularen namentlich: das freiwillige Hinken, und die Knochenleiden verschiedener anderer Gelenke.

§. 388. Ist ein wirklicher entzündlicher Zustand bei diesen Uebeln vorhanden, so kann natürlich von einer heilorganischen Behandlung derselben nicht die Rede sein; sondern es muss den Verhältnissen gemäss ein anderes, entweder operatives oder medicamentöses Verfahren eingeschlagen werden.

§. 389. Ist kein entzündlicher Zustand, oder derselbe in sehr geringem Grade, gleichsam nur als eine chronische Reizung vorhanden: so wird die heilorganische Behandlung entweder sofort, oder nachdem chirurgische Operationen, namentlich Tenotomien der stark retrahirten Sehnen vorhergegangen sind, einzuleiten sein. Der Grund hiezu liegt darin: dass auch bei den aus Ligament- oder Knochenleiden primär hervorgehenden Gliederverkrümmungen die muscularen Relaxationen und Retractionen nicht ausbleiben, nur in dem einen Falle früher, in dem andern später erscheinen.

§. 390. Was die Maschinencur betrifft, so wird dieselbe meistentheils hier nicht so schädlich sein, wie bei den Rückgratsverkrümmungen; ja man kann annehmen, dass sie vielleicht einigermaassen sogar die Heilung befördern könne. Das aber, was die heilorganische Behandlungsweise leistet, vermag sie auch hier nicht zu geben. Will man daher namentlich nach der Tenotomie bei Gliederverkrümmungen Maschinen anwenden, so muss es nicht zugleich mit der heilorganischen Behandlungsweise, sondern vor derselben geschehen, da, wie schon erwähnt, beide Curarten im Principe sich entgegenstehen.

§. 391. Die Behandlung mit Electricität, welche, wenn namentlich Lähmung bei den Gliederverkrümmungen vorhanden ist, in neuerer Zeit so vielfach angewandt wurde, darf auch nicht zugleich mit der Heilorganik in Gebrauch kommen, weil auch diese Curart ihr, wie schon erwähnt, im Principe entgegensteht. Die Electrisirungscur will durch einen Uebergang in einen innormalen, also immer pathologisch-erregten Contractionszustand die Musculatur zu dem normalen zurückführen; die Heilorganik unmittelbar die Selbsterregung der Musculatur auf physiologische, nicht pathologische Weise wecken. (§. 216 b. u. Anhang.)

I. Contracturen der Glieder.

§. 392. Die Gliedercontracturen oder Gelenksteifigkeiten haben sehr verschiedene Ursachen; sind öfters als Nachkrankheiten zu betrachten, die nach rheumatischen, arthritischen Uebeln, nach Nervenlähmungen, nach nicht reducirten Luxationen, nach Gelenkentzündungen u. s. w. zurückbleiben. Sie kommen aber besonders als reine Contracturen, d. h. als Retractions- und Relaxationszustände des Synovialapparats und der die Gelenke umgebenden Muskeln häufig vor, und finden sich einigermaassen als solche in zwei Gelenken aller oder der meisten civilisirten Menschen (namentlich im höheren Alter und in den höheren Ständen), nämlich im Schulter- und Fussgelenk. An beiden Orten scheint die Bekleidung eine sehr wichtige Ursache abzugeben, indem sie mehr oder weniger die Schultern und die Füsse einzwängt, und die normalen Muskelcontractionen an beiden Orten nur unvollkommen gestattet. Deshalb leidet auch das weibliche Geschlecht besonders an Schulter-, das männliche an Fuss-Gelenk-Contracturen.

§. 393. Bisher hat man die Schädlichkeit dieser Uebel für den Organismus des Patienten wohl nur immer in sofern erwogen, als dadurch der Gebrauch der Glieder gehemmt, die Unbehülflichkeit des Patienten also gesteigert wurde. Daher hat man diese Uebel besonders für Handarbeiter als sehr beklagenswerth betrachtet, viel weniger aber für reiche Leute, die sich bedienen lassen konnten. — Dabei hat man aber die grosse Schädlichkeit, die die Contractur für den reichsten Mann mit sich führt, dass nämlich der Blutumlauf in und um das Gelenk, welches an einer Contractur leidet, gestört sei, ganz übersehen. Der reichste Mann kann aber nicht durch seinen Bedienten den Blutumlauf für sich besorgen lassen, und muss die Nachtheile: z. B. Anhäufungen des Bluts in andern Organen, daher bei Schultergelenk-Contractur im Gehirn, und dadurch Disposition zum Schlagfluss selbst tragen. (§. 215.)

§. 394. Da nun mehr oder weniger alle civilisirten Menschen an Gelenksteifigkeiten leiden, so liegt darin schon die Nothwendigkeit für Alle, mehr oder weniger die heilorganische Cur zu gebrauchen, wenn sie nicht früher oder später den Nachtheilen des gestörten Blutumlaufs erliegen wollen.

§. 395. Heilorganische und diätetische Recepte bei Contractur des rechten Schultergelenks, so wie bei nicht reducirten, veralteten Verrenkungen dieses Gelenks u. s. w., mit einigen Abänderungen anwendbar.

1. Recept.

1) H. fa. hk. hc. sth., Wch. Or. Sch. Strg. (G. W.) u. (P. W.), zgl. Kn. u. Kz. Fag. (r. hk., R. Or. Sch. Strg., r. Kn. Fag.)

2) R. str. hb. lgd., R. A. ps. Fic., zgl. r. Hd. u. l. Ach. Fag.

3) Str. kl. fl. (ng.) schu. sch. gg. sth., Wch. Rf. V. Ngg. (P. W.) u. Rc. Ngg. (P. W.), zgl. str. u. kl. Hd. Wch. Fag., K. Fag., u. 2 Hf. Fag.

4) H. rf. lgd., 2 B. Wch. Spg. (G. W.) u. Eig. (P. W.), zgl. 2 Hd. Z., u. 2 F. Fag.

5) R. wr. sp. hc. stzd., Wch. R. Or. u. Ur. A. Strg. (G. W.) u. Bu. (G. W.), (i. v. E.), zgl. r. Hd. u. l. Ach. Fag.

6) H. fa. so. (sg.) hc. sth., B. Wch. Rc. Z. (P. W.) u. V. Z. (P. W.), zgl. so. (sg.) F. Fag.; zgl. R. Sl., Ach. u. r. Or. A. afw. Hak. u. Seg. (m. r. Hd.)

7) Hb. kl. sf. sp. knd., Wch. Rf. S. Bu. (P. W.) u. (G. W.), zgl. kl. Hd. Fag., u. 2 Ur. Sch. Fag. [r. kl., r. sf., Rf. L. S. Bu. (P. W.) u. Rf. R. S. Bu. (G. W.)]

8) R. spr. sp. sch. lh. sth., R. A. Wch. Sw. Afw. Füg. (G. W.) u. (P. W.), zgl. r. Hd. Fag.

9) H. fa. k. sf. sth., K. Wch. S. Bu. (G. W.), zgl. K. u. Ach. Fag.

10) Sz. sp. sth., Ha., zgl. Rn. ls. afw. Hak. u. Seg. (m. r. Hd.)

§. 396. 2. Recept.

1) Kl. hb. lgd., 2 A. ps. Ro., zgl. 2 Hd. Z., u. 2 Ach. Fag.

2) Spr. schu. sch. lh. sth., Wch. 2 A. Sw. Afw. Füg. (G. W.) u. Vw. Afw. Füg. (G. W.), zgl. 2 Hd. Fag.

3) Snn. hgd., Wch. 2 B. Spg. (G. W.) u. Eig. (P. W.), zgl. 2 F. Fag.

4) R. str. r. w. sp. hc. stzd., ps. R. A. Fic., zgl. r. Hd. Fag., l. Ach. Fag., u. Kn. Rn. Dü.

5) Str. wr. tf. ng. schu. sch. gg. sth., Wch. Or. u. Ur. A. Strg. (G. W.) u. (P. W.), zgl. wr. Hd. Fag., u. 2 Slbt. Dü.

6) Str. sg. lt. f. fa. rf. lgd., B. Wch. Er. (G. W.) u. Sen. (P. W.), zgl. 2 Hd. Nr. Dü., sg. F. Fag., u. lt. Kn. Fag.

7) H. 2 or. a. inw. sp. sch. lh. sth., ps. 2 A. Pu., zgl. 2 Hd. Fag.

8) Str. w. schu. knd., Wch. Rf. Dh. (G. W.), zgl. 2 Hd. Z.

9) Spr. w. sp. hc. stzd., Wch. 2 A. Sw. Afw. Füg. (G. W.) u. (P. W.), zgl. r. Hd. Fag.

10) L. str. r. spr. bg. b. vw. lgd., Wch. R. A. Sw. Afw. Füg. (P. W.), u. Vw. Afw. Füg. (P. W.), zgl. r. Hd. Fag., u. 2 Ur. Sch. rs. Fag.

§. 397. 3. Recept.

1) Sr. hb. lgd., 2 A. ps. Ro., zgl. 2 Hd. Z., u. 2 Ach. Fag.

2) Rh. spr. ng. schu. sch. gg. sth., Wch. A. Sw. Afw. Füg. (G. W.) u. (P. W.), zgl. spr. Hd. Fag., r. Slbt. u. r. Ach. Hak. Sä. u. Seg. (m. l. Hd.)

3) Str. sp. knd., ps. 2 A. Fie., zgl. 2 Hd. Fag., u. Kn. Kz. Dü.

4) L. str. r. rk. lg. stzd., Wch. R. A. Strg. (G. W.) u. (P. W.), zgl. r. Hd. Fag., u. 2 F. Fag.

5) Kl. fa. so. f. inw. sth., Wch. B. Asw. Dh. (G. W.) u. (P. W.), zgl. so. F. Fag. (r. so., r. f. inw.)

6) R. sr. w. bg. schu. ur. sch. lh. sth., Wch. Rf. Dh. (G. W.), zgl. r. Hd. u. l. Ach. Fag.

7) Kl. hb. lgd., ps. 2 A. Ruw. Eü., zgl. 2 Hd. Fag., u. 2 Ach. Fag.

8) Snn. spr. fa. hk. or. sch. asw. sth., Wch. Or. Sch. Inw. Dh. (G. W.) u. (P. W.), zgl. Kn. u. F. Fag. (r. snn., l. spr. fa., l. hk., l. or. sch. asw., l. Kn. u. l. F. Fag.)

9) L. str. r. wr. fl. sp. hc. stzd., Wch. R. Or. u. Ur. A. (Sw.) Strg. (G. W.) u. R. Or. u. Ur. A. Fg. Strg. (G. W.), zgl. r. Hd. Fag.

10) L. str. r. wr. b. lgd., Wch. R. Or. u. Ur. A. (Sw.) Strg. (P. W.), u. R. Or. u. Ur. A. Fg. Strg. (P. W.), zgl. r. Hd. Fag., u. 2 Ur. Sch. rs. Fag.

§. 398. 4. Recept (diätetisches).

1) Spr. sp. sch. lh. sth., act. Wch. 2 A. Sw. Afw. Füg., u. Vw. Afw. Füg. (Im Ganzen 6 M.)

2) Kl. so. hc. sth., act. B. Sb. Sg. Hb. Ro. (Im Ganzen 6 M.)

3) Sr. ng. w. schu. sth., act. Rf. Rc. Bn. (Im Ganzen 6 M.)

4) Rk. lg. stzd., act. 2 A. Kl. Str. Hb. Ro. (4 M.)

5) Spr. schu. knd., act. A. Sw. Afw. Füg., zgl. A. Vw. Afw. Füg. (Im Ganzen 6 M.), (r. spr., r. A. Sw. Afw. Füg.; l. spr., l. A. Vw. Afw. Füg.)

6) Rk. k. kmm. ng. sp. sth., act. 2 A. Strg., zgl. K. Rc. Bu. (4 M.)

7) Snn. hgd., act. 2 B. Spg. (4 M.)

8) Wr. hb. lg. stzd., act. Wch. 2 Or. u. Ur. A. Strg., u. Or. u. Ur. A. Fg. Strg. (Im Ganzen 6 M.)

9) Str. spr. b. lgd., act. A. Sw. Abw. Füg., zgl. A. Sw. Afw. Füg. (4 M.), zgl. 2 Ur. Sch. rs. Fag. (r. str., r. A. Sw. Abw. Füg.; l. spr., L. A. Sw. Afw. Füg.)

10) Sz. k. kmm. sp. sth., act. K. Rc. Bu. (4 M.)

§. 399. Heilorganische und diätetische Recepte, bei Contractur des rechten Ellenbogen- und der rechten Fingergelenke anwendbar.

1. Recept

1) R. wrkl. sp. lh. sth., Wch. R. Ur. A. Strg. (G. W.) u. Bu. (G. W.), zgl. r. Fi. St. u. r. Ebg. Fag.

2) Str. sf. rf. lgd., Wch. 2 B. S. Füg. (G. W.) u. (P. W.), zgl. 2 Hd. Z., 2 Hf. Fag., u. 2 F. Fag. [r. sf., 2 B. L. S. Füg. (G. W.) u. (P. W.)]

3) R. kl. hb. lgd., Wch. R. Ur. A. Bu. (P. W.) u. Strg. (P. W.), zgl. r. Fi. St. u. r. Ebg. Fag.

4) Kl. fa. so. hc. sth., B. Wch. Rc. Z. (G. W.) u. (P. W.), zgl. so. F. Fag. unterarm Beugung u. Streckung

5) R. sr. hb. lgd., Wch. R. Ur. A. Bu. (G. W.) u. Strg. (P. W.), zgl. r. Fi. St. u. r. Ebg. Fag.

6) Str. fl. (ng.) schu. sch. gg. sth., Wch. Rf. V. Ngg. (G. W.) u. Rc. Bu. (G. W.), zgl. r. str. Hd. u. K. Fag., u. 2 Hf. Fag.

7) R. rk. r. hd. inw. hb. lgd., Wch. R. A. Asw. Dh. (G. W.) u. (P. W.), zgl. r. Hd. u. r. Ur. A. Fag.

8) Spr. schu. sch. lh. sth., 2 A. Wch. Sw. Afw. Füg. (G. W.) u. (P. W.), zgl. r. Hd. Fag.

9) Snn. hgd., 2 B. Wch. Spg. (G. W. u. Eig. (P. W.), zgl. 2 F. Fag.

10) 2 wrkl. 2 ebg. sü. stzd., Wch. 2 Ur. A. Strg. (P. W.) u. Bu. (G. W.), zgl. 2 Hd. u. 2 Or. A. Fag.

11) Str. bg. b. vw. lgd., Ha., zgl. 2 Ur. Sch. rs. Fag.

§. 400. 2. Recept.

1) R. h. r. hd. bg. hb. lgd., Wch. R. Hd. Strg. (G. W.) u. (P. W.), zgl. r. Fi. St. u. r. Ur. A. Fag.

2) R. fg. r. hd. inw. sp. lh. sth., Wch. R. Ur. A. Asw. Dh. (G. W.) u. (P. W.), zgl. r. Hd. u. r. Ebg. Fag.

3) Snn. bg. hk. sth., Or. Sch. Wch. Strg. (P. W.) u. Bu. (G. W.), zgl. Kn. u. Kz. Fag.

4) R. wrkl. r. ebg. sü. schu. stzd., ps. Wch. R. Ur. A. Strg. u. Bu. (Im Ganzen 12 M.); u. ps. R. Ur. A. Wch. Asw. u. Inw. Dh. (Im Ganzen 12 M.), zgl. r. Hd. u. r. Ebg. Fag.

5) Str. bg. w. schu. ur. sch. lh. sth., Wch. Rf. Dh. (P. W.), zgl. 2 Hd. Z.

6) R. sr. hb. lgd., ps. r. Hd. Ro. (Im Ganzen 24 M.), zgl. r. Fi. St. Z., u. r. Ur. A. Fag.

7) R. str. r. w. sp. hc. stzd., ps. R. A. Fie., zgl. r. Hd. u. l. Ach. Fag., u. Kn. Rn. Dü.

8) Kl. hb. lgd., 2 A. Ruw. Eü., zgl. 2 Hd. Fag., u. 2 Ach. Fag.

9) Rk. w. sp. knd., Wch. Rf. V. Dh. (G. W.) u. Rc. Dh. (P. W.), zgl. r. Hd. Fag., u. 2 Ur. Sch. Fag.

10) H. 2 or. a. inw. sp. sch. lh. sth., ps. 2 A. Pu., zgl. 2 Hd. Fag.

§. 401. 3. Recept (diätetisches).

1) R. spr. l. str. schu. sch. lh. sth., act. Wch. R. A. Sw. Afw. Füg., u. R. A. Vw. Afw. Füg. (Im Ganzen 6 M.)

2) Sr. 2 hd. str. ng. sp. sth., act. Rf. Rc. Bu. (4 M.)

3) Kl. so. sth., act. 2 A. Ro. (Im Ganzen 6 M.)

4) Smm. r. klwr. lgd., act. R. Ur. A. Strg. (4 M.)

5) R. kl. b. lgd., act. R. Ur. A. Bu. (4 M.), zgl. 2 Ur. Sch. rs. Fag.

6) Kl. fa. kl. so. hc. sth., act. B. Sb. Sg. Hb. Ro. (r. kl. fa., l. kl., l. so.)

7) R. kl. r. hd. inw. fl. lg. sp. stzd., act. R. A. Asw. Dh. (4 M.)

8) Snn. schu. hgd., act. 2 Or. u. Ur. A. Bu. (4 M.)

9) Wr. fa. hgd., act. 2 Or. u. Ur. A. Strg. (4 M.)

10) 2 snn. schu. sz. sth., Ha.

§. 402. Heilorganische und diätetische Recepte bei Contractur des rechten Hüftgelenks, bei Luxatio spontanea (nach abgelaufenem entzündlichen Stadium), und überhaupt bei nicht reducirten und nicht reducirbaren Schenkelverrenkungen anwendbar.

1. Recept.

1) Ö. fa. l. zh. fa. r. sg. (so.) hc. sth., R. B. Wch. V. Z. (G. W.) u. Rc. Z. (G. W.), zgl. r. F. Fag.

2) Rh. ga. sf. hf. lh. sth., Wch. Rf. S. Bu. (G. W.) u. (P. W.), zgl. Ebg. Wch. Fag., u. 2 Hf. Fag. [r. ga., l. sf., r. hf. lh., Rf. R. S. Bu. (G. W.) u. (P. W.)]

3) Str. rf. lgd., 2 B. Wch. Spg. (G. W.) u. Eig. (G. W.), zgl. 2 Hd. Z., u. 2 F. Z.

4) H. fa. ug. schu. sth., Wch. Hf. V. Bu. (G. W.) u. (P. W.), zgl. 2 Hf. Fag.

5) R. f. inw. sp. hb. lgd., R. B. Wch. Asw. Dh. (G. W.) u. (P. W.), zgl. r. F. u. r. Kn. Fag.

6) H. fa. so. hc. sth., B. Wch. Rc. Z. (P. W.) u. V. Z. (G. W.), zgl. so. F. Fag.

7) Spr. r. sg. sch. lh. sth., Wch. 2 A. Sw. Afw. Füg. (G. W.) u. (P. W.), zgl. r. Hd. Fag., u. 2 Hf. Fag.

8) Hb. lgd., ps. Sp. Ro. (m. r. B.), zgl. 2 Ach. Fag., l. Ur. Sch. Fag., u. r. Kn. u. r. F. Fag.

9) Hb. kl. w. sp. knd., Wch. Rf. V. Dh. (G. W.) u. Rc. Dh. (P. W.), zgl. kl. Hd. Fag., u. 2 Ur. Sch. Fag. (r. kl., r. w.)

10) Str. sp. rf. lgd., act. 2 B. Eig. (4 M.), zgl. 2 Hd. Fag.

§. 403. 2. Recept.

1) Snn. kl. fa. sb. hc. sth., B. Wch. Sw. Sen. (P. W.) u. Sw. Er. (G. W.), zgl. sb. F. Fag. (r. snn., l. kl. fa., l. sb.)

2) Str. e. fl. sp. sch. gg. sth., Wch. Rf. V. Ngg. (P. W.) u. Rc. Bu. (G. W.), zgl. str. Hd. u. K. Fag.

3) Sr. fa. bg. l. fs. fa. r. so. hc. sth., R. B. Wch. Sen. (P. W.) u. Er. (P. W.), zgl. r. F. Fag.

4) Str. kl. w. li. sth., Wch. Rf. Rc. Dh. (G. W.) u. (P. W.), zgl. kl. Hd. Fag. (r. str., l. kl., r. w.)

5) R. so. hb. lgd., R. B. Ruw. Eü., zgl. 2 Ach. Fag., l. F Fag., u. r. F. u. r. Ur. Sch. Fag.

6) Rh. ng. r. fs. sü. sth., Wch. Rf. Rc. Bu. (P. W.) u. V. Bu. (G. W.), zgl. r. F. u. r. Kn. Fag., u. 2 Ebg. Fag.

7) Snn. hgd., 2 B. Spg. (G. W.) u. Eig. (P. W.), zgl. 2 F. Fag., u. R. Hf. Gd. abw. Hak. (m. l. Hd.)

8) H. fa. r. sg. r. f. inw. hc. sth., R. B. Wch. Asw. Dh. (G. W.) u. (P. W.), zgl. r. F. u. r. Kn. Fag.

9) Hb. kl. sf. r. fkt. sü. sth., Wch. Rf. S. Bu. (G. W.) u. (P. W.), zgl. r. F. u. r. Kn. Fag., u. kl. Hd. Fag. [r. kl., r. sf., r. fkt. sü., Wch. Rf. L. S. Bu. (G. W.) u. (P. W.); l. kl., l. sf., r. fkt. sü., R. S. Bu. (G. W.) u. (P. W.)]

10) Sz. sp. sth., Ha.

§. 404. 3. Recept.

1) Kl. fa. r. so. hc. sth., R. B. Wch. Sb. Sg. Hb. Ro. (G. W.) u. (P. W.), zgl. r. F. Fag.

2) Rh. sf. r. tp. r. f. fa. sch. lh. sth., Wch. Rf. S. Bu. (G. W.) u. (P. W.), zgl. Ebg. Fag., u. r. kn. u. l. Hf. Fag. [r. sf., Rf. L. S. Bu. (G. W.) u. R. S. Bu. (P. W.), l. Ebg. Fag.]

3) H. fa. bg. r. hk. sth., R. Or. Sch. Strg. (G. W.), (i. v. E.), zgl. r. Kn. u. Kz. Fag.

4) Rh. bg. w. schu. ur. sch. lh. sth., Wch. Rf. Rc. Dh. (G. W.) u. V. Dh. (P. W.), zgl. 2 Ebg. Fag.

5) R. spu. r. or. sch. inw. hh. lgd., Wch. Or. Sch. Asw. Dh. (G. W.) u. (P. W.), zgl. r. F. u. r. Kn. Fag.

6) Rh. sf. s. h. lgd., Wch. Rf. S. Bu. (G. W.) u. (P. W.) zgl. 2 Ebg. Fag., u. 2 Ur. Sch. rs. Fag. [r. s. h. lgd., l. sf., Rf. R. S. Bu. (G. W.) u. (P. W.)]

7) Str. sf. rf. lgd., Wch. 2 B. So. Sf. Hb. Ro. (G. W.) u. (P. W.), zgl. 2 Hd. Z., 2 Hf. Fag., u. 2 F. Fag. (r. sf., 2 B. So. L. Sf. Hb. Ro.)

8) H. hb. lgd., ps. Sp. Ro. (m. r. B.), zgl. 2 Hd. Nr. Dü., r. Kn. u. r. F. Fag., u. l. Ur. Sch. Fag.

9) Snn. r. hk. bgd., R. Or. Sch. Strg. (P. W.), (i. v. E.), zgl. r. Kn. u. Kz. Fag.

10) Lgd., ps. R. Or. Sch. Wch. Bu. u. Strg.; u. Asw. u. Inw. Dh. (im Ganzen 20), zgl. 2 Ach. Fag., l. Ur. u. l. Or. Sch. Fag.; u. r. Kn. u. r. F. Fag.

§. 405. 4. Recept (diätetisches).

1) Kl. fa. r. so. hc. sth., act. R. B. Rc. Z. (i. v. E.) (Im Ganzen 6 M.)

2) Kl. fl. w. bg. sch. lh. schu. sth., act. Rf. Rc. Dh. (Im Ganzen 6 M.)

3) Str. sth., act. R. B. Sw. Er. (i. v. E.) (Im Ganzen 6 M.)

4) H. bg. r. spu. sth., act. R. Or. Sch. Strg. (4 M.)

5) H. fa. 2 sg. rf. lgd., act. 2 B. Er. (4 M.)

6) Str. r. sf. r. tp. r. f. fa. sth., act. Rf. L. S. Bu. (4 M.)

7) Snn. sp. hgd., act. 2 B. Eig. (4 M.)

8) Smm. lgd., act. R. B. Spg. (4 M.)

9) Kl. fa. r. sg. hc. sth., act. R. B. V. Z. (i. v. E.) (Im Ganzen 6 M.)

10) Sz. sth., Ha.

§. 406. Heilorganische und diätetische Recepte, bei Contractur des rechten Kniegelenks anwendbar.

1. Recept.

1) Str. rf. lgd., 2 B. Spg. (G. W.) u. Eig. (P. W.), zgl. 2 Hd. Z., u. 2 F. Z.

2) Rh. fl. (ng.) sp. knd., Wch. Rf. V. Ngg. (G. W.) u. Rf. Rc. Bu. (G. W.), zgl. 2 Ebg. Fag., u. 2 Ur. Sch. Fag.

3) H. fa. r. spu. sth., Wch. R. Ur. Sch. Strg. (G. W.) u. Bu. (G. W.); u. Wch. R. Ur. Sch. Strg. (P. W.) u. Bu. (P. W.), (im Ganzen 12 M.), zgl. r. Kn. u. r. F. Fag.

4) Kl. rf. ng. or. sch. ng. sehn. knd., Wch. Rf. Rc. Bu. (G. W.) u. (P. W.), zgl. 2 Rcsl. u. 2 Vsl. Wch. Fag., Kz. 2 Fag, u. 2 Ur. Sch. Fag.

5) Sp. hb. lgd., ps. 2 F. Ro. (24 M.), zgl. 2 F. u. 2 Ur. Sch. Fag.

6) R. spu. r. f. inw. hb. lgd., Wch. R. Ur. Sch. Asw. Dh. (G. W.) u. Inw. Dh. (G. W.), zgl. r. Kn. u. r. F. Fag., u. r. Kn. Gd. abw. Hak. u. Seg. (m. l. Hd.)

7) Str. ng. sp. fr. sth., Wch. Rf. Rc. Ngg. (G. W.) u. (P. W.), zgl. 2 Hd. Fag., u. 2 Hf. Fag.

8) Str. l. s. lgd., R. B. Sw. Er. (G. W.) u. Sw. Sen. (P. W.), zgl. 2 Hd. Z., r. Hf. Fag, u. r. F. Fag.

9) H. sp. 2 hk. lgd., Wch. 2 Or. Sch. Eig. (G. W.) u. (P. W.), zgl. 2 Hd. Nr. Dü., 2 Kn. u. 2 F. Fag.

10) Sr. fa. bg. l. fs. fa. r. so. hc. sth., R. B. Wch. Sen. (G. W.) u. (P. W.), zgl. so. F. Fag., u. Kz. Fag.

§. 407. 2. Recept.

1) Vw. lgd., R. Tibial-N. Dü. (in der r. Knkc.), (m. r. Hd.), zgl. Ur. Sch. Wch. Bu. (G. W.) u. Strg. (P. W.), zgl. F. Fag.

2) Si. sp. hgd., Wch. 2 B. Eig. (G. W.) u. (P. W.), zgl. 2 F. Z., u. 2 Hf. 2 Fag.

3) Ö. fa. l. zh. fa. r. lt. r. f. asw. hc. sth., Wch. R. Ur. Sch. Inw. Dh. (P. W.) u. Asw. Dh. (G. W.), zgl. r. F. u. r. Kn. Fag.

4) 2 wrkl. w. tf. ng. schu. sch. lh. knd., Wch. Rf. Dh. (P. W.), zgl. 2 Ebg. Fag., u. 2 Ur. Sch. Fag.

5) Dk. r. lt. r. or. sch. asw. vw. lgd., Wch. R. Ur. Sch. Strg. (G. W.) u. (P. W.), zgl. R. Or. Sch. Inw. Dh. (G. W.) u. (P. W.), zgl. r. F. u. r. Kn. Fag.

6) Sr. hb. lgd., R. B. Wch. Er. (G. W.) u. Sen. (P. W.), (im Ganzen 6 M.), zgl. r. F. Fag., u. 2 Hd. Nr. Dü.

7) Dk. vw. lgd., R. Ur. Sch. ps. Bu. u. Strg., u. ps. Asw. u. Inw. Dh., zgl. r. Kn. u. r. F. Fag.

8) Kl. fa. r. so. hc. sth., R. B. Wch. Rc. Z. (G. W.) u. (P. W.), (i. v. E.), (im Ganzen 6 M.), zgl. so. F. Fag.

9) Hb. rh. w. b. lgd., Wch. Rf. V. Dh. (G. W.) u. Rc. Dh. (P. W.), zgl. Ebg. Fag. u. Slbt. Dü. (r. rh., r. w., r. Ebg. Fag., u. l. Slbt. Dü.)

10) Str. 2 sg. rf. lgd., Wch. 2 B. Er. (P. W.) u. 2 B. Sen. (P. W.), zgl. 2 Hd. Z., u. 2 F. Fag.

§. 408. 3. Recept (diätetisches).

1). Snn. r. spu. bgd., act. R. Ur. Sch. Strg. (4 M.)

2) H. fa. sp. rf. lgd., act. 2 B. Eig. (4 M.)

3) Str. r. so. hc. sth., act. R. Ur. Sch. Bu. (4 M.)

4) Smm. r. sb. r. lt. r. f. inw. lgd., act. R. Ur. Sch. Asw. Dh. (4 M.)

5) Str. sf. schu. sth., act. Rf. S. Bu. (im Ganzen 6 M.), (r. sf., Rf. L. S. Bu.)

6) H. fa. 2 lt. rf. vw. lgd., act. 2 Or. Sch. Spg. (4 M.)

7) Str. kl. w. li. sth., act. Rf. Rc. Dh. (Im Ganzen 6 M.), (r. str., l. kl., r. w.)

8) Snn. bg. r. so. r. lt. hc. sth., act. R. Or. Sch. Sb. Sg. Hb. Ro.; u. r. Ur. Sch. Strg. (Im Ganzen 6 M.)

9) Spr. w. schu. sth., act. 2 A. Sw. Afw. Füg. (Im Ganzen 6 M.)

10) Sz. sp. sth., act. R. B. Er. (4 M.)

§. 409. Heilorganische und diätetische Recepte, bei Contractur der Füsse und zunächst des rechten Fusses anwendbar.

1. Recept.

1) Sp. hb. lgd., ps. 2 F. Ro. (24 M.), zgl. 2 F. u. 2 Ur. Sch. Fag.

2) H. fa. r. so. r. f. bg. sth., Wch. R. F. Strg. (P. W.) u. Bu. (G. W.), zgl. r. Fs. u. r. F. St. Fag.

3) Ö. fa. l. zh. fa. r. hk. r. f. asw. hc. sth., Wch. R. Ur. Sch. Inw. Dh. (P. W.) u. Asw. Dh. (G. W.), zgl. r. F. u. r. Kn. Fag.

4) Sp. r. f. bg. hb. lgd., R. F. Wch. Asw. Str. Hb. Ro. (G. W.) u. (P. W.), zgl. r. Fst. u. r. Fs. Fag., u. r. Frn. abw. Hak. (m. r. Hd.), (am unbeschuhten rechten Fusse).

5) Spr. zh. sch. lh. sth., Wch. 2 A. Sw. Afw. Füg. (G. W.) u. (P. W.), zgl. 2 Hd. Fag.

6) Sun. bg. r. spu. r. f. str. sth., Wch. R. F. Bu. (G. W.) u. (P. W.), zgl. r. Ur. Sch. u. r. Fst. Fag.

7) Wr. schu. sch. lh. sth., Wch. 2 Or. u. Ur. A. Strg. (G. W.) u. (P. W.), zgl. 2 Hd. Fag.

8) Sp. r. f. str. r. f. asw. hb. lgd., R. Fru. u. innere Fkt. Hak. (m. l. Hd.), zgl. r. Ur. Sch. Fag., u. r. Fst. Z. (Am unbeschuhten Fusse.)

9) H. fa. r. hk. r. f. str. hc. sth., R. Or. u. Ur. Sch. Strg. (P. W.), (i. v. E.), zgl. r. Kn. u. r. Fst. Fag.

10) Sr. smm. sp. lgd., Hf. Sen. (P. W.), zgl. Kz. Fag.

§. 410. 2. Recept.

1) R. so. r. f. inw. hb. lgd., Wch. R. B. Asw. Dh. (G. W.) u. Inw. Dh. (G. W.), zgl. r. Fst. u. r. Fs. Fag.

2) Spr. lg. 2 f. str. stzd., Wch. 2 A. Vw. Afw. Füg. (G. W.) u. (P. W.), zgl. 2 Hd. Fag., u. 2 Fst. Z.

3) R. so. hb. lgd., R. B. Ruw. Eü., zgl. 2 Ach. Fag., u. r. Fst. u. r. Fs. Fag.

4) Str. sf. rf. lgd., Wch. 2 B. S. Füg. (G. W.), zgl. 2 Hd. Z., 2 Hf. Fag., u. 2 F. Fag. [r. sf., 2 B. L. S. Füg. (G. W.), u. R. S. Füg. (G. W.)]

5) Snu. bg. r. spu. sth., ps. Wch. R. F. Bu. u. Strg., u. Ro. (im Ganzen 24 M.), zgl. r. Fst. u. r. Fs. Fag.

6) R. spu. r. f. bg. hb. lgd., R. Or. u. Ur. Sch. u. F. Strg. (P. W.), zgl. r. Fst. u. r. Kn. Fag., u. 2 Ach. Fag.

7) H. fa. r. lt. r. f. bg. sth., Wch. R. F. Strg. (P. W.) u. Bu. (P. W.), zgl. r. Ur. Sch. u. r. Fst. Fag.

8) Snn. sp. 2 f. str. hgd., Wch. 2 B. Eig. (G. W.) u. (P. W.), zgl. 2 Fst. Fag., u. Rn. ls. afw. Kog. u. Seg. (m. r. Hd.)

9) Rh. 2 f. str. lg. stzd., Wch. Rf. Sen. (P. W.) u. Rf. Er. (G. W.), zgl. 2 Ebg. Fag., u. 2 Fst. Fag.

10) Smm. r. sb. r. f. str. l. s. lgd., Wch. R. B. Sw. Sen. (P. W.) u. Sw. Er. (G. W.), zgl. r. Kn. u. r. Fst. Fag.

11) Sp. hb. lgd., ps. 2 F. Ro. (24 M.), zgl. 2 Ur. Sch. u. 2 F. Fag.

§. 411. 3. Recept (diätetisches).

1) Snn. sp. 2 f. str. hgd., act. 2 B. Eig. (4 M.)

2) H. fa. 2 f. bg. rf. lgd., act. 2 F. Strg. (9 M.)

3) Spr. zb. ki. sth., act. 2 A. Sw. Afw. Fug. (4 M.)

4) Str. sf. r. asfld., act. Rf. S. Bu. (im Ganzen 6 M.), (r. sf., Rf. L. S. Bu.)

5) Sr. r. so. hc. sth., act. R. F. Ro. (12 M.)

6) Ö. fa. l. zb. fa. r. sg. r. f. bg. hc. sth., act. R. F. Strg. (6 M.)

7) Snn. r. spu. bgd., act. R. F. Ro. (6 M.)

8) Str. r. hk. r. f. str. sth., act. R. Ur. Sch. Strg. (4 M.)

9) Str. r. so. r. f. str. r. f. inw. sth., act. R. B. Asw. Dh. (4 M.)

10) Sz. 2 f. str. sth., Ha.

2. Verrenkung des Hüftgelenks.

§. 412. Die Verrenkung des Schenkelbeins aus der Pfanne, mag dieselbe nun als Luxatio spontanea (als sogenanntes freiwilliges Hinken), oder als nicht reponirte gewaltsame Luxation auftreten und bleibend sein, kann Gegenstand heilorganischer Behandlung werden. Die Chirurgen werden zwar gewaltsame oder allmälige Repositionsversuche, oder blutige Operationen bei diesem Uebel für angemessener erachten, als die heilorganische Behandlung. Jedenfalls dürften aber doch noch eine Menge von Fällen [namentlich der Luxatio spontanea] übrig bleiben, in denen nach abgelaufenem entzündlichen Processe, und nachdem Maschinen, das Ferrum candens und das Messer vergeblich, oder doch nicht mit völligem Erfolge angewendet wurden, die heilorganische Behandlung doch noch an die Reihe kommt.

13*

§. 413. Durch dieselbe kann natürlich dann auch nicht eine vollkommene Herstellung, wohl aber das erreicht werden, dass der Patient [wenn er, wie so häufig durch Maschinen- und operative Cur von Kräften gekommen ist; wenn er mit dem luxirten Beine dann wenig oder gar nicht zu gehen vermag] wieder so stark, und zumal in Hinsicht des leidenden Beines so kräftig wird, dass er, wenn auch hinkend, die weitesten Touren zu gehen, und also das Leben, das ihm Operationen und Maschinen verbittert haben, wieder mehr zu geniessen vermag.

§. 414. Veraltete Luxationen des Hüftgelenks sind mehr oder weniger mit Ancylosen dieses Gelenks, mit atrophischen und Lähmungserscheinungen im Unterschenkel und Fusse u. s. w. verbunden. Daher ist es schwierig, genau passende heilorganische und diätetische Recepte für jeden Fall anzugeben; doch dürften die bei den Contracturen des Hüft-, des Knie- und des Fussgelenks angeführten (§. 402 fgd.) eine gute Anleitung an die Hand geben, wie solche Recepte zusammenzusetzen sind. Auch wird zugleich auf den Artikel „Lähmung eines Beins" hiebei verwiesen, wo auch mehr oder weniger brauchbare Recepte sich finden werden (§. 707).

3. Pferde-, Klump- und Plattfuss.

§. 414a. Beim Pferdefuss tritt der Patient nur mit der Spitze des Fusses (der Beugfläche der Zehen und dem Ballen) auf, während die Ferse mehr oder weniger über dem Erdboden erhoben bleibt. Hier liegen die Retractions- und Relaxationsverhältnisse hauptsächlich in den Längsfaser-Muskelgruppen. Zugleich ist die vordere Hälfte derselben, so weit sie die vordere Fläche des Unterschenkels und den Rücken des Fusses bedeckt, in Relaxations-, die hintere Hälfte derselben, so weit sie die Wade und die Fusssohle bildet, in Retractionszustand. Demgemäss werden bei der heilorganischen Behandlung concentrische und excentrische Streckungen des Unterschenkels und Beugungen des Fusses dienlich sein; also z. B.: 1) R. F. str. hb. lgd., R. F. Bu. (G. W.), zgl. r. Fst. u. r. Ur. Sch. Fag.; oder: 2) R. F. bg. hb. lgd., Wch. R. F. Strg. (P. W.) u. Bu. (G. W.), zgl. r. Fst. u. r. Ur. Sch. Fag.; oder: 3) R. F. str. hb. lgd., Wch. R. F. Bu. (G. W.) u. (P. W.), zgl. r. Fst. u. r. Ur. Sch. Fag.; oder: 4) R. F. bg. hb. lgd., Wch. R. F. Strg. (G. W.) u. Bu. P. W.), zgl. r. Fst. u. r. Ur. Sch. Fag.; oder:

5) R. F. str. hb. lgd., Wch. R. F. Bu. (G. W.) u. (P. W.), zgl. r. Fst. u. r. Kn. Fag., zgl. r. Frn. u. vordere Hä. des r. Ur. Sch. afw. Hak. (m. r. Hd.); oder: 6) R. F. bg. hb. lgd., Wch. R. F. Strg. (P. W.) u. Bu. (G. W.), zgl. r. Fst. u. r. Kn. Fag., zgl. r. Frn. u. vordere Hä. des Ur. Sch. afw. Kog. u. Seg. (m. r. Hd.); oder: 7) R. F. str. r. so. hb. lgd., act. R. F. Bu. (6 M.)

§. 415. Dass beim Pferdefuss die Tenotomie [namentlich der so bequem und leicht zu durchschneidenden Achillessehne] vorausgehen müsse, ehe die heilorganische Behandlungsweise einzuleiten ist, versteht sich wohl von selbst. Dagegen darf nicht eine Maschinencur, noch eine Anwendung des electrischen Stroms, wie jetzt so häufig geschieht, mit der Heilorganik verbunden werden. Denn diese Curmethoden sind unnöthig und schädlich, indem sie den Erfolg der Heilorganik aufhalten. Dagegen kann bei einem so localen Uebel wie dem Pferdefusse, eine passende heilorganische Bewegungsform auch öfters, ja vielmals des Tages wiederholt werden, um desto tiefer einzuwirken. Denn man darf nicht fürchten, dadurch den Organismus des Patienten zu sehr zu alteriren, so dass ausnahmsweise hier (§. 213) eine öftere Wiederholung an demselben Tage gut und zuträglich ist. Die §. 414 a. angegebenen Bewegungen sind nur die Grundbewegungen und können natürlich mannigfaltig durch andere Körperstellungen u. s. w. modificirt werden, wozu die bei den Contracturen des Fusses §. 409 fgd. angegebenen Beispiele von Recepten zugleich die beste Anweisung geben werden.

§. 416. Beim Klumpfusse tritt bekanntlich der Patient entweder nur mit der äusseren Kante der Fusssohle oder auch nicht mit dieser, vielmehr mit dem nach unten gebogenen Rücken des Fusses auf. Beim Plattfusse ist es einigermaassen umgekehrt, indem auf die innere, im natürlichen Zustande mehr ausgeschweifte und erhobene Kante der Fussohle der Patient nicht allein fest auftritt, sondern zuweilen sogar mehr noch auf diese, als auf die äussere Kante.

§. 417. Beim Klumpfusse sind meistentheils primär reine Retractions- und Relaxationsverhältnisse der eigentlichen Muskelfasern vorhanden, die später erst auf die Knochen, Bänder und dann auch auf das Neurilem der grösseren Nervenstämme des Fusses und Unterschenkels übergehen. Beim Plattfusse sind umgekehrt sehr bald Retractionen und Relaxationen der Nervenstämme vorhanden; daher Lähmungserscheinungen gewöhnlich gleich beim Beginn des Uebels beobachtet werden, während diese beim Klumpfusse erst bei sehr bedeutender Zunahme des Uebels ausnahmsweise auftreten.

§. 418. Die Retractionen und Relaxationen beschränken sich beim Klumpfusse nicht blos auf die Längsfasern der Muskeln, sondern gehen auch auf die Spiral-, und in den höchsten Graden selbst auf die Sternfasern über. — Beim Plattfusse werden dagegen meistentheils nur die Längsfasern an Retractionen und Relaxationen leiden, die Spiralfasern wenig, die Sternfasern gar nicht zu leiden haben.

§. 419. Beim Klumpfusse liegen die Muskelrelaxationen auf der äusseren Hälfte des Unterschenkels und Fusses, und die Retractionen auf der inneren. Gerade umgekehrt ist die Lage dieser pathologischen Processe bei dem Plattfusse. — Der heilorganischen Behandlung des Klumpfusses muss in den meisten Fällen die Tenotomie vorhergehen, welche die Achillessehne, die hintern Schienbeinigen, so wie den kurzen und langen Sammtzehbeuger gewöhnlich treffen muss. Die Maschinenbehandlung, wenn sie schon angewendet werden soll, kann jedoch jedenfalls nur so lange gestattet werden, bis der Kranke auf die äussere Kante der Fusssohle aufzutreten vermag. Ist dieses wegen geringen Grades des Klumpfusses vor Anfang der Behandlung möglich gewesen, oder ist dieses durch Tenotomie und Maschinenanwendung erreicht worden: so darf sofort nur allein die heilorganische Curmethode angewendet werden.

§. 420. Beim Plattfusse kann der heilorganischen Behandlung allenfalls eine electrische vorangehen, doch aber nicht mit ihr verbunden werden; da diese Methoden, wie erwähnt, im Principe sich widersprechen. — Maschinen werden beim Plattfusse meist immer schaden, und höchstens ein passend eingerichteter Schuh als diätetisches Mittel dabei zu tragen sein. Derselbe muss der Art angefertigt werden, dass er den mittleren Theil der Fusssohle und namentlich der inneren Fusskante stets erhoben zu sein zwingt.

§. 421. Die bei den Contracturen der Beine (§. 406 fgd.) angegebenen Recepte werden im Allgemeinen eine Anleitung geben, wie heilorganische und diätetische Recepte für Kranke, die an Platt- oder Klumpfüssen leiden, zu ordiniren sind. Hier werden daher nur einige Hauptbewegungen für diese Uebel angegeben werden. Von denselben gilt das beim Pferdefuss (§. 415) schon Gesagte, dass sie selbst vielmals des Tages und allein angewendet werden können, wenn man die Cur dieser Verkrümmungen besonders zu beschleunigen wünscht.

§. 422. Heilorganische und diätetische Hauptbewegungen, beim rechten Klumpfusse anwendbar.

1) Passive Fussrollung von innen nach aussen herum.

2) R. f. str. r. f. asw. hb. lgd., Wch. R. F. Bu. (G. W.) u. (P. W.), zgl. r. Fst. u. r. Ur. Sch. Fag.

3) R. f. str. r. f. inw. hb. lgd., Wch. R. F. Asw. Dh. (G. W.) u. (P. W.), zgl. r. Ur. Sch. u. r. Fst. Fag.

4) R. f. str. r. f. inw. hb. lgd., R. F. Sf. Asw. Bu. (P. W.), zgl. Flc. afw. Hak. u. Seg. (m. r. Hd.), zgl. r. Ur. Sch. u. r. Fst. Fag. (am unbeschuhten Fusse.)

5) R. f. bg. r. f. inw. hb. lgd., Wch. R. F. Str. F. Asw. F. Bg. Hb. Ro. (G. W.) u. (P. W.), zgl. r. Ur. Sch. u. r. Fst. Fag.

6) R. f. str. hb. lgd., R. F. Bu. (P. W.), (i. v. E.), zgl. r. Ur. Sch. u. r. Fst. Fag., zgl. Flc. afw. Hak. u. Seg. (m. r. Hd.)

7) Str. r. sb. r. f. bg. r. f. inw. sth., act. R. F. Hb. Ro. (nach unten und aussen herum.) (6 M.)

8) Str. ki. bg. sth., act. 2 Or. u. Ur. Sch. Strg. (6 M.)

§. 423. Heilorganische und diätetische Hauptbewegungen, bei rechtem Plattfusse anwendbar.

1) Passive Fussrollung nach innen herum.

2) R. f. bg. hb. lgd., Wch. R. F. Strg. (G. W.) u. (P. W.), zgl. r. Ur. Sch. u. r. Fst. Fag.

3) R. f. bg. r. f. asw. hb. lgd., Wch. R. F. Inw. Dh. (G. W.) u. (P. W.), zgl. r. Ur. Sch. u. r. Fst. Fag.

4) R. f. bg. hb. lgd., R. F. Strg. (P. W.) (i. v. E.), zgl. r. Frn. afw. Hak. (m. r. Hd.), zgl. r. Ur. Sch. u. r. Fst. Fag.

5) R. f. bg. hb. lgd., R. F. Strg. (G. W.) (i. v. E.), zgl. r. Frn. afw. Hak. (m. r. Hd.), zgl. r. Ur. Sch. u. r. Fst. Fag.

6) Str. sth., act. 2 Or. u. Ur. Sch. Sw. Bu. (Knickung) (6 M.)

7) R. so. r. f. asw. sth., act. R. F. Inw. Dh. (6 M.)

4. Verkürzung eines Beins.

§. 424. Schon vier Fälle sind mir aus meiner heilorganischen Casuistik bekannt, welche Patienten betrafen, die als Gelähmte, Scoliotische, an freiwilligem Hinken (Luxatio spontanea) Leidende u. s. w. mir zur Behandlung und Heilung zugeführt wurden; während sie in

Wahrheit nur an einem, im Uebrigen normalen, nur an Länge und Umfang ungleichen Baue der beiden unteren Extremitäten litten. — In allen vier Fällen schien das Uebel angeboren zu sein, und wurde von mir beobachtet, indem die Patienten 5—10 Jahre alt waren. — Sie hinkten sämmtlich nicht unbedeutend; und eine geringe scoliotische Verschiebung des Rückgrats im Lumbartheile mit der Convexität nach dem kürzeren Beine hin gerichtet, wurde natürlich wahrgenommen; Lähmungserscheinungen, Knochen- und Gelenkleiden dagegen aber gar nicht; Muskelretractionen und Relaxationen nur sparsam. Auch nicht eine besondere Weite der Pfanne des Hüftgelenks, eine besondere Beweglichkeit des Schenkelkopfs darin u. s. w. konnte ermittelt werden.

§. 425. Trotzdessen also, dass nur ein reiner Bildungsdefect hier vorlag, der sich wahrscheinlich auf hemmende Ursachen in der Fötalperiode zurückführen liess; — trotz dessen, sage ich, waren doch in zwei dieser Fälle von berühmten Chirurgen jahrelang dehnende Maschinen angewendet worden, um ein Bein (welche grob mechanische Ansicht) dem andern gleich zu recken. Natürlich war diese Absicht nicht erreicht worden; nein im Gegentheil wegen Schwächung der Muskeln durch die Maschinen war der hinkende Gang der Patienten verschlimmert worden.

§. 426. Die heilorganische Behandlung, die mir in diesen Fällen jedoch leider nur höchstens 6 Monate lang anzuwenden verstattet war, führte natürlich keine Heilung herbei; ja hätte diese wohl auch kaum nach jahrelanger Anwendung herbeizuführen vermocht. Doch aber wurde dadurch der Gang der Patienten um vieles weniger hinkend gemacht. Da in drei Fällen das linke, nur in einem Falle das rechte Bein defect war, so will ich hier einige Recepte, die für die linkseitigen Patienten gebraucht wurden, folgen lassen.

§. 427. 1. Recept.

1) Str. rf. lgd., Wch. 2 B. Spg. (G. W.) u. Eig. (P. W.), zgl. 2 Hd. Z., u. 2 F. Z.

2) Rh. l. sf. schu. sch. lh. stb., Rf. R. S. Bu. (G. W.), (i. v. E.), zgl. 2 Ebg. Fag., u. 2 Hf. Fag.

3) Str. rf. lgd., ps. Bk. Ro. (24 M.), zgl. 2 Hd. Z., 2 Hf. Fag., u. 2 F. u. 2 Ur. Sch. Fag.

4) Spr. schu. sth., Wch. 2 A. Sw. Afw. Fúg. (G. W.) u. (P. W.), zgl. r. spr. Hd. Fag.

5) Snn. sp. hgd., Wch. 2 B. Eig. (G. W.) u. (P. W.), zgl. 2 F. Fag.

6) Str. fl. (ng.) r. fs. sü. sth., Wch. Rf. V. Ngg. (G. W.) u. Rc. Bu. (G. W.), zgl. Hd. Wch. Fag., K. Fag., u. r. F. u. r. Kn. Fag.

7) Kl. fa. l. sb. hc. sth., L. B. Sw. Sen. (P. W.) (i. v. E.), zgl. l. F. Fag.

8) Str. l. sf. rf. lgd., Wch. 2 B. R. S. Füg. (G. W.) u. (P. W.), zgl. 2 Hd. Z., 2 Hf. Fag., u. 2 F. Fag.

9) Snn. bg. l. so. l. f. inw. sth., Wch. L. B. Asw. Dh. (G. W.) u. (P. W.), zgl. L. F. Fag.

10) Sr. smm. sp. lgd., Ha.

§. 428. 2. Recept.

1) Str. sp. rf. vw. lgd., Wch. 2 B. Eig. (P. W.) u. Spg. (G. W.), zgl. 2 Hd. Z., u. 2 F. Z.

2) Spr. r. fs. sü. sth., Wch. 2 A. Vw. Afw. Füg. (P. W.) u. 2 A. Sw. Afw. Füg. (P. W.), zgl. 2 Hd. Fag., u. r. F. u. r. Kn. Fag.

3) R. kl. fa. l. kl. l. sb. hc. sth., L. B. Sw. Sen. (G. W.) (i. v. E.), zgl. l. F. Fag., u. l. Hd. afw. Dü.

4) L. so. hb. lgd., ps. L. B. Ro. (24 M.), zgl. l. F. Z., 2 Ach. Z., u. r. Or. u. Ur. Sch. Fag.

5) Str. w. schu. sch. lh. sth., Wch. Rf. V. Dh. (G. W.) u. Rc. Dh. (P. W.), zgl. 2 Hd. Z. u. 2 Hf. Fag.

6) Kl. fa. l. sg. (so.) hc. sth., L. B. Wch. V. Z. (P. W.) u. Rc. Z. (P. W.), zgl. sg. F. Fag.

7) Snn. bg. l. hk. l. or. sch. asw. sth., Wch. L. Or. Sch. Inw. Dh. (G. W.) u. (P. W.), zgl. l. F. u. l. Kn. Fag.

8) R. kl. r. w. l. hb. lg. stzd., Wch. Rf. V. Dh. (G. W.) u. Rc. Dh. (P. W.), zgl. kl. Hd. Fag., l. Or. u. l. Ur. Sch. Fag., u. r. Kn. Fag.

9) Str. l. sg. r. lt. r. f. fa. rf. hc. lgd., Wch. L. B. Er. (G. W.) u. Sen. (P. W.), zgl. l. F. Fag., 2 Hd. Z., u. r. Kn. Fag.

10) Smm. l. sb. lgd., Wch. L. B. Eig. (G. W.) u. (P. W.), zgl. l. F. Fag.

§. 429. 3. Recept (diätetisches).

1) Str. l. sb. hc. sth., act. L. B. Sw. Sen. (4 M.)

2) Str. l. sf. schu. knd., act. Rf. R. S. Bu. (4 M.)

3) Str. sp. rf. lgd., aet. 2 B. Eig. (4 M.), zgl. 2 Hd. Z.
4) Spr. r. fs. sit. sth., aet. 2 A. Sw. Afw. Fug. (4 M.)
5) Sr. ng. r. fkt. sü. sth., aet. Rf. Rc. Bu. (4 M.)
6) Sm. hgd., aet. 2 B. Spg. (4 M.)
7) Str. l. w. r. ga. knd., aet. Rf. Rc. Dh. (4 M.)
8) Spr. r. w. sp. seh. lh. sth., aet. 2 A. Sw. Afw. Fug. (4 M.)
9) Kl. fl. r. zh. sü. sth., aet. Rf. V. Ngg. (4 M.)
10) Smm. l. sb. lgd., aet. L. B. Eig. (i. v. E.), (6 M.)

B. Vorfälle.

§. 430. **Vorfälle** nennt man bekanntlich solche pathologische Processe, durch die Organe des Menschenleibes aus Höhlungen desselben heraustreten; und zwar entweder der Art, dass sie nur zwischen den diese Höhlungen bedeckenden Muskel- und sehnigen Lagen hindurchtreten, aber noch von den auf diesen Körperregionen befindlichen Hautdecken verhüllt bleiben; oder der Art, dass sie vollkommen an's Tageslicht treten, indem sie durch die erschlafften Muskelsphincteren der natürlichen Oeffnungen des Leibes sich einen Ausweg suchen. Zu der ersteren Art gehören: die Brüche (Hernien), die vorzugsweise am Unterleibe vorkommen; zu der zweiten: die eigentlichen Vorfälle (Prolapsus) der Gebärmutter, der Scheide, des Mastdarms; in seltneren Fällen der Zunge, der Augen u. s. w.

Bei allen diesen Uebeln ist es derselbe pathologische Vorgang, der aber eine so sehr verschiedene Form annehmen kann, je nachdem die Stelle des Austritts eine mit Haut bedeckte, oder davon entblösste Region des Leibes betrifft. Muskelrelaxationen an dieser Stelle, Muskelretractionen davon entfernt, sind, wenn nicht im ersten Beginn des plötzlichen Vortritts, doch bestimmt sowohl bei langsamen, als lange dauernden stets vorhanden. — In der folgenden Darstellung werden nun zunächst die Vorfälle des Unterleibes berücksichtigt werden, da diese die heilorganische Casuistik mir nur vorführte; obschon auch die anderer Regionen, wie z. B. der Prolapsus bulbi, mit Heilorganik wahrscheinlich erfolgreicher, als mit Electricität oder mit Medicamenten dürfte behandelt werden können.

I. Hernien.

§. 431. Sämmtliche Hernien, sie mögen nun an den verschiedenen Regionen des Unterleibes und Beckens, oder in den seltneren Fällen an der Brust vorkommen, dürften für die heilorganische Behandlung sich eignen. Nur vielleicht solche Zustände, die unpassender Weise Brüche genannt werden, wie Hernia cerebralis, dürften davon auszunehmen sein. Da aber die heilorganische Casuistik bisher nur Leisten-, Schenkel- und Nabelbrüche (Hernia inguinalis, cruralis und umbilicalis) mir zur Behandlung brachte, so will ich meine Betrachtung auch nur auf diese drei Arten der Hernien zunächst ausdehnen.

§. 432. Die heilorganische Cur ist bei den Hernien entweder indicirt oder contraindicirt. Die Indication zerfällt aber in die eines Prophylacticums, in die eines Palliativ- und in die eines Radicalmittels, je nach den verschiedenen Zuständen des Bruches.

§. 433. Contraindicirt ist die heilorganische Cur bei incarcerirten Brüchen entweder vollkommen, oder sie ist wenigstens nur, wie bei anderen acuten Krankheiten, in Passivbewegungen, namentlich als Drückungen, Knetungen u. s. w. anwendbar. Doch haben immer in solchen Fällen andere Curarten, namentlich die operative (Herniotomie), ein Uebergewicht. — Indicirt ist die heilorganische Cur nun: erstens als prophylaktische, um den Eintritt der Hernien bei schwächlichen Menschen zu verhindern. Diesen Zweck vermag allenfalls schon das gewöhnliche Turnen [natürlich aber doch schon auf anatomisch-physiologischer Basis, also wenigstens als Leibesübungen nach Muskelfasergruppen geordnet] zu erfüllen.

§. 434. Bei sehr grossen Brüchen, die lange schon bestehen, bei denen daher bedeutende Desorganisationen des Bruchsackes, so wie der darin enthaltenen Eingeweide, namentlich des Netzes u. s. w. mit Bestimmtheit zu diagnosticiren sind, kann die heilorganische Behandlung natürlich nur ein palliatives Mittel sein, das den Fortschritt des Uebels aufhält und die Beschwerden so wie die Nachtheile, die dasselbe den Functionen des Organismus und namentlich denen der Unterleibsorgane bringt, einigermaassen mildert. Natürlich muss die heilorganische Cur in solchen Fällen mit dem Anlegen von Bruchbändern oder Suspensorien, Bauchbinden u. s. w. verbunden werden, trotzdem dadurch die Einwirkung der Heilorganik immer geschwächt wird.

§. 435. Zur vollkommenen Heilung dient die heilorganische

Cur bei nicht zu grossen, leicht reponibeln Brüchen namentlich der Kinder und junger Leute bis zum 30. Lebensjahre. Unter diesen Umständen ist die Heilung sowohl für Leisten- als für Schenkelbrüche mit gleicher Gewissheit zu prognosticiren. Ja man kann sogar annehmen, dass die Cur der letzteren meistentheils leichter von Statten gehe, als die der ersteren. — Ein Bruchband muss während der heilorganischen Behandlung entweder gar nicht gebraucht, oder, wenn bisher gebraucht, doch bald abgelegt werden, soll die Cur gelingen. Eine Incarceration des Bruches ist hiebei durchaus nicht zu befürchten, da die Heilorganik muskelstärkend wirkt. Deshalb ist auch der Zustand eines Menschen, der diese Curmethode anwendet, und ein bisher getragenes Bruchband plötzlich ablegt; und der eines Menschen, der ohne irgend etwas zur Stärkung namentlich seiner Bauchmuskeln anzuwenden, dieses thut, ein durchaus verschiedener.

§. 436. In Hinsicht der heilorganischen Bewegungsformen, die bei Brüchen zu brauchen sind, ist im Allgemeinen anzunehmen, dass die duplicirt-concentrischen Bewegungen der vorderen oder Bauchfläche-Muskelgruppen bei Nabel-, Leisten- und Schenkelbrüchen anwendbar sein werden. Nur dürften bei Nabelhernien die Rumpfvorbeugungen, bei Leisten- und Cruralbrüchen mehr die Rumpfvorneigungen, so wie die Bein- und Oberschenkelerhebungen, Vorziehungen u. s. w. anzuwenden sein. Die passiven Hackungen, Klatschungen, Klopfungen werden bei Nabelbrüchen mehr auf die Nabelgegend, bei Leistenbrüchen mehr auf den unteren Theil des Bauches, und bei Cruralbrüchen mehr auf den oberen Theil der Oberschenkel und den Schenkelring zu appliciren sein.

§. 437. Heilorganische und diätetische Recepte beim Leistenbruche rechter Seite anwendbar.

1. Recept.

1) Spr. fa. r. sg. hc. sth., R. B. V. Z. (G. W.), (i. v. E.), zgl. r. F. Fag. (6 M.)

2) Fü. fl. schu. sch. lh. sth., Wch. Rf. V. Ngg. (G. W.) u. (P. W.), zgl. Ach. Wch. Fag., K. Fag., u. 2 Hf. Fag.

3) H. fa. r. sg. hc. sth., Wch. R. B. V. Z. (G. W.) u. (P. W.), zgl. r. F. Fag.

4) Str. hh. lgd., Wch. 2 A. Sw. Abw. Füg. (G. W.) u. Vw. Abw. Füg. (G. W.), zgl. 2 Hd. Fag.

5) Rh. r. w. fl. schu. sch. lh. sth., Wch. Rf. V. Ngg. (G. W.) u. (P. W.), zgl. 2 Ebg. Fag., u. 2 Hf. Fag.

6) Sp. 2 f. asw. hb. lgd., Wch. 2 B. Inw. Dh. (G. W.) u. (P. W.), zgl. 2 F. Fag., u. 2 Kn. Fag.

7) Str. I. w. schu. sth., act. Rf. V. Dh. (4 M.)

8) Hb. kl. fl. schu. sch. lb. sth., Rf. V. Ngg. (G. W.), (i. v. E.), zgl. kl. Hd. u. K. Fag., u. 2 Hf. Fag.

9) So. hb. lgd., B. Wch. Sen. (P. W.) u. Er. (G. W.), zgl. so. F. Fag.

10) Sr. smm. schu. lgd., Ha.

§. 438. 2. Recept.

1) H. fa. sth., R. Or. Sch. Bu. (G. W.), (i. v. E.), zgl. r. Kn. Fag., u. Kz. Fag.

2) Rh. fl. schu. stzd., Wch. Rf. V. Ngg. (G. W.) u. (P. W.), zgl. 2 Ebg. Fag., u. 2 Kn. Fag.

3) Ki. hb. lgd., ps. Rf. Win. (6 M.)

4) Rh. fl. schu. knd., Rf. V. Ngg. (G. W.) u. (P. W.), zgl. 2 Ebg. Fag., u. 2 Ur. Sch. Fag.

5) Hb. kl. w. hb. lg. schu. stzd., Wch. Rf. V. Dh. (G. W.) u. (P. W.), zgl. kl. Hd. Fag., 2 Kn. Fag., u. Ur. Sch. rs. Fag. (r. kl., r. w., l. hb. lg. schu. stzd., l. Ur. Sch. rs. Fag.)

6) Snn. bg. hk. hc. sth., Wch. Or. Sch. Strg. (P. W.) u. Bu. (G. W.), zgl. Kn. u. Kz. Fag. [r. hk., R. Or. Sch. Strg. (P. W.) u. Bu. (G. W.), r. Kn. Fag.]

7) Hb. lgd., 2 B. Er. (G. W.), zgl. 2 F. Fag., u. 2 Ach. Fag.

8) Kl. fa. sth., R. Or. Sch. Bu. (G. W.) u. (P. W.), zgl. r. Kn. u. Kz. Fag.

9) Rk. str. schu. sth., A. Wch. Vw. Abw. Füg. (G. W.) u. (P. W.), zgl. str. Hd. Fag.

10) Sr. smm. schu. lgd., Hf. Wch. Sen. (P. W.) u. Er. (G. W.), zgl. Kz. Fag.

§. 439. 3. Recept.

1) H. so. hb. lgd., B. Wch. Sen. (P. W.) u. Er. (G. W.), zgl. 2 Hd. Nr. Dü., u. so. F. Fag.

2) Str. fl. r. w. schu. sch. gg. sth., Wch. Rf. V. Ngg. (G. W.) u. (P. W.), zgl. str. Hd. Wch. Fag., K. Fag. u. 2 Hf. Fag.

3) Spr. fa. r. sg. hc. sth., R. B. V. Z. (G. W.), (i. v. E.), zgl. sg. F. Fag., zgl. R. Utb. Hä. afw. q. Hak. (m. r. Hd.)

4) Rh. tf. ng. w. schu. sch. gg. sth., Rf. Wch. Dh. (G. W.), zgl. 2 Ebg. Fag., u. 2 Slbt. Dü.

5) Str. fl. lg. stzd., Wch. 2 A. Sw. Abw. Füg. (G. W.) u. Vw. Abw. Füg. (G. W.), zgl. 2 Hd. Fag., u. 2 Ur. Sch. rs. Fag.

6) H. fa. r. so. hc. sth., Wch. R. B. Rc. Z. (P. W.) u. V. Z. (G. W.), zgl. r. F. Fag., zgl. R. Uth. Hä. afw. Kla. (m. r. Hd.)

7) Rh. l. w. l. sf. schu. sch. lh. sth., Wch. Rf. R. Sf. V. Bu. (G. W.) u. (P. W.), zgl. 2 Ebg. Fag., u. 2 Hf. Fag.

8) Str. rf. sp. lgd., 2 B. Wch. Eig. (G. W.) u. (P. W.), zgl. 2 Hd. Z., u. 2 F. Z.

9) Rh. b. lgd., Wch. Rf. Er. (G. W.) u. (P. W.), zgl. 2 Ebg. Fag., 2 Ur. Sch. rs. Fag., u. Uth. Kog. (m. r. Ft.)

10) Snn. hgd., 2 B. Spg. (G. W.) u. Eig. (P. W.), zgl. 2 F. Fag.

§. 440. 4. Recept.

1) H. fa. hk. hc. sth., Or. Sch. Wch. Strg. (G. W.) u. Bu. (P. W.), zgl. Kn. u. Kz. Fag.

2) Rh. kl. w. schu. knd., Wch. Rf. Rc. Dh. (P. W.) u. V. Dh. (G. W.), zgl. Kl. Hd. Fag., 2 Ur. Sch. Fag., u. Uth. Kla. (m. gn. Hd.), [r. rh., l. kl., r. w., Uth. Kla., m. r. Hd.]

3) Kl. fa. r. hk. r. or. sch. asw. sth., Wch. R. Or. Sch. Inw. Dh. (G. W.) u. (P. W.), zgl. r. Kn. u. r. F. Fag.

4) Str. e. lg. stzd., Wch. Rf. Sen. (P. W.) u. Rf. Er. (G. W.), zgl. str. Hd. u. e. Ach. Fag., u. 2 Ur. Sch. rs. Fag.

5) R. sr. l. w. b. lgd., Wch. Rf. Rc. Dh. (P. W.) u. V. Dh. (G. W.), zgl. r. Hd. Fag., l. Slbt. Dü., u. 2 Ur. Sch. rs. Fag.

6) Rh. l. sf. rf. lgd., Wch. 2 B. R. S. Füg. (G. W.) u. (P. W.), zgl. 2 Ebg. Z., 2 Hf. Fag., u. 2 F. Z.

7) Str. kl. ng. schu. sch. lh. sth., Wch. Rf. Rc. Bu. (P. W.) u. V. Ngg. (G. W.), zgl. str. Hd. u. K. Fag., u. 2 Hf. Fag., zgl. r. Uth. Hä. Kog. (m. r. Hd.)

8) H. hk. or. sch. asw. lgd., Or. Sch. Wch. Inw. Dh. (G. W.) u. (P. W.), zgl. Kn. u. F. Fag., u. 2 Hd. Nr. Dü. (r. hk., r. or. sch. asw., r. Or. Sch. Inw. Dh., r. Kn. u. r. F. Fag.)

9) Dk. vw. lgd., 2 Ur. Sch. Bu. (G. W.) u. Strg. (P. W.), zgl. 2 F. Fag., u. Lnd. u. Kz. Gd. Kog. (m. r. Hd.)

10) Sz. sth., Ha.

§. 441. 5. Recept.

1) Hb. str. 2 ka. hb. lgd., A. Wch. Vw. Abw. Füg. (G. W.) u. (P. W.), zgl. str. Hd. Fag., zgl. Solar-N. Gfl. Dü. (m. gn. Hd.)

2) Snn. spr. fa. so. hc. sth., B. Wch. Rc. Z. (P. W.) u. V. Z. (G. W.), zgl. so. F. Fag. (r. snn., l. spr. fa., l. so.)

3) Hb. str. 2 ka. hb. lgd., Or. u. Ur. A. Wch. Bu. (G. W.) u. (P. W.), zgl. str. Hd. Fag., zgl. tf. Utb. N. Dü. (m. gn. Hd.)

4) Str. w. schu. sch. lh. sth., Rf. Wch. Dh. (G. W.), zgl. 2 Hd. Z., zgl. Kz. u. Lnd. Gd. afw. Kog. (m. r. Hd.)

5) Sr. 2 so. hb. lgd., Wch. 2 B. Sen. (P. W.) u. 2 B. Er. G. W.), zgl. 2 Hd. Z., u. 2 F. Fag.

6) 2 wrkl. ng. sp. hc. stzd., Wch. Rf. Rc. Bu. (P. W.) u. V. Ngg. (G. W.), zgl. 2-Ebg. Fag.

7) Snn. sp. bgd., 2 B. Wch. Eig. (G. W.) u. (P. W.), zgl. 2 F. Fag., u. r. Utb. Hä. Hak. (m. r. Hd.)

8) L. kl. l. w. r. fs. sü. sth., Wch. Rf. V. Dh. (G. W.) u. (P. W.), zgl. l. Hd. Fag., u. r. F. u. r. Kn. Fag.

9) Str. 2 so. 2 lt. hb. lgd., Wch. 2 Or. Sch. Sen. (P. W.) u. Er. (G. W.), zgl. 2 Hd. Z., u. 2 Kn. Fag.

10) Sz. schu. sth., Wch. Hf. Sen. (P. W.) u. Hf. Er. (G. W.), zgl. Kz. Fag., u. Rn. ls. afw. Hak. (m. r. Hd.)

§. 442. 6. Recept (diätetisches).

1) Kl. fa. r. sg. hc. sth., act. R. B. V. Z. (i. v. E.) (Im Ganzen 6 M.)

2) Sr. fl. schu. sth., act. Rf. V. Ngg. (4 M.)

3) Str. w. schu. sth., act. Rf. V. Dh. (Im Ganzen 6 M.)

4) Str. sg. hc. sth., act. B. Sb. So. Hb. Ro. (Im Ganzen 6 M.)

5) H. r. w. fl. schu. knd., act. Rf. V. Ngg. (4 M.)

6) Kl. fa. r. sg. r. lt. hc. sth., act. R. Or. Sch. V. Z. (bis zur Spu. Stg.) (4 M.)

7) Str. l. w. l. sf. schu. sth., act. Rf. R. Sf. V. Bu. (4 M.)

8) H. fa. sp. rf. lgd., act. 2 B. Eig. (4 M.)

9) Str. tf. bg. hc. sp. stzd., act. Rf. V. Ngg. (4 M.)

10) Sz. sth., Ha.

§. 443. Heilorganische und diätetische Recepte beim Schenkelbruche rechter Seite anwendbar.

1. Recept.

1) Snn. r. sg. hc. sth., R. B. V. Z. (G. W.), zgl. r. F. Fag.

2) Rh. fl. schu. sch. lh. sth., Rf. Wch. V. Ngg. (G. W.) u. (P. W.), (bis zur. tf. ng. Stg.), zgl. 2 Ebg. Fag., u. 2 Hf. Fag.

3) H. r. so. hb. lgd., R. B. Wch. Sen. (P. W.) u. Er. (G. W.), zgl. r. F. Fag., zgl. R. Or. Sch. afw. Hak. (an der vorderen Fläche), (m. r. Hd.)

4) Kl. ng. w. schu. sch. gg. sth., Wch. Rf. V. Dh. (G. W.) u. (P. W.), zgl. 2 Hd. Fag., u. Kz. Fag.

5) Hb. kl. hb. lgd., A. Wch. Bu. (G. W.) u. (P. W.), zgl. kl. Hd. Fag., zgl. R. Crural-N. Dü. (m. r. Hd. auf dem horizontalen Schambeinaste.)

6) Hb. lgd., ps. Sp. Ro., zgl. 2 Ach. Fag., u. 2 Kn. u. 2 F. Fag.

7) H. fa. r. so. r. f. asw. sth., Wch. R. B. Inw. Dh. (G. W.) u. (P. W.), zgl. r. F. Fag.

8) Str. fl. r. bk. r. f. fa. sth., Wch. Rf. V. Bu. (G. W.) u. (P. W.), zgl. 2 Hd. Fag., r. Kn. u. r. F. Fag., u. R. Utb. Hä. Kla. (m. r. Hd.)

9) Str. 2 so. sp. rf. lgd., Wch. 2 B. Eig. (G. W.) u. (P. W.), zgl. 2 Hd. Z., u. 2 F. Fag.

10) Smm. lgd., Wch. Hf. Sen. (P. W.) u. Hf. Er. (G. W.), zgl. Kz. Fag.

§. 444. 2. Recept.

1) H. fa. w. sth., Hf. V. Dh. (G. W.) u. (P. W.), zgl. 2 Hf. Fag.

2) Sm. hc. bgd., B. Er. (G. W.), (i. v. E.), zgl. R. Or. Sch. afw. Kla. (m. r. Hd.), u. F. Fag.

3) Str. 2 sg. 2 lt. rf. hc. lgd., 2 Or. Sch. Er. (G. W.), zgl. 2 Kn. Fag., u. 2 Hd. Z.

4) Str. e. bg. b. lgd., Rf. Er. (G. W.), (i. v. E.), zgl. str. Hd. u. e. Ach. Fag., u. 2 Ur. Sch. rs. Fag., zgl. r. Utb. Hä. Kog. (m. r. Hd.)

5) Rh. fl. sp. hc. stzd., Wch. Rf. Rc. Bu. (P. W.), (bis zur Tf. bg. Stg.) u. Rf. V. Ngg. (G. W.), (bis zur Tf. ng. Stg.), zgl. 2 Ebg. Fag.

6) Str. r. so. r. f. asw. rf. lgd., Wch. R. B. Inw. Dh. (G. W.) u. (P. W.), zgl. 2 Hd. Z., u. r. F. u. r. Ur. Sch. Fag.

7) Sn. r. w. ng. schu. sch. lh. sth., Rf. Rc. Bu. (P. W.) u. Rf. V. Ngg. (G. W.), zgl. 2 Hd. u. 2 Ur. A. Fag., u. 2 Hf. Fag.

8) Str. r. sg. r. f. asw. l. lt. l. f. fa. rf. hc. lgd., Wch. R. B. Inw. Dh. (G. W.) u. (P. W.), zgl. 2 Hd. Z., u. r. F. u. r. Ur. Sch. Fag.

9) Rh. w. tf. ng. schu. sth., Wch. Rf. V. Dh. (G. W.) u. (P. W.), zgl. 2 Ebg. Fag., u. 2 Slbt. Dü.

10) Str. b. lgd., Ha., zgl. 2 Ur. Sch. rs. Fag., zgl. R. Or. Sch. u. r. Utb. Hä. afw. Kog. u. Scg. (m. r. Hd.)

§. 445. 3. Recept.

1) H. ku. so. lt. f. fa. hc. stzd., Wch. B. Sen. (P. W.) u. Er. (G. W.), zgl. 2 Hd. Nr. Dü., so. F. Fag., u. lt. Kn. Fag. (r. so., l. lt., l. f. fa.)

2) Sp. hh. lgd., 2 B. Wch. Eig. (G. W.) u. (P. W.), zgl. 2 F. Fag., zgl. R. Crural-N. Dü. (m. r. Hd. auf dem horizontalen Schambeinaste.)

3) Rh. kl. w. ng. knd., Wch. Rf. Rc. Bu. (P. W.) u. V. Bu. (G. W.), zgl. kl. Hd. Fag., u. 2 Ur. Sch. Fag. (r. rh., l. kl., l. w.)

4) H. ku. sg. 2 lt. f. fa. hc. stzd., Or. Sch. Er. (G. W.), (i. v. E.), zgl. 2 Hd. Nr. Dü., 2 Kn. Fag., zgl. R. Or. Sch. u. r. Utb. Hä. afw. Hak. (m. r. Hd.), (r. sg. r. lt., l. lt., l. f. fa.)

5) Rh. w. sf. sp. hc. stzd., Wch. Rf. Sf. Rc. Bu. (P. W.) u. Sf. V. Bu. (G. W.), zgl. 2 Ebg. Fag. [r. w., l. sf. R. Sf. Rc. Bu. (P. W.) u. L. Sf. V. Bu. (G. W.)]

6) Str. tf. bg. schu. stzd., Rf. Er. (G. W.), (i. v. E.), zgl. 2 Hd. Z., u. 2 Kn. Fag. (Im Ganzen 6 M.)

7) Str. e. w. lg. sp. stzd., Wch. Rf. Sf. Rc. Bu. (P. W.) u. Sf. V. Bu. (G. W.), zgl. str. Hd. u. Ach. Fag., u. 2 Or. u. 2 Ur. Sch. Fag. (r. str., l. e., r. w.)

8) Snn. hgd., Wch. 2 B. Spg. (G. W.) u. Eig. (P. W.), zgl. Kz. Lnd. Gd. afw. Kog. (m. r. Hd.), u. 2 F. Fag.

9) H. 2 hk. sp. rf. lgd., Wch. 2 B. Eig. (G. W.) u. (P. W.), zgl. 2 Hd. Z., u. 2 Kn. u. 2 F. Fag.

10) Sz. sp. sth., Hf. Sen. (P. W.) u. Hf. Er. (G. W.), zgl. Kz. Fag.

11) Str. bg. b. lgd., act. Rf. Er., zgl. 2 Ur. Sch. rs. Fag. (4 M.)

§. 446. 4. Recept (diätetisches).

1) Snn. kl. bg. r. sg. hc. sth., act. R. B. V. Z. (i. v. E.), (r. snn., l. kl., r. sg.; l. snn., r. kl., r. sg.) (Im Ganzen 6 M.)

2) E. bg. schu. sth., act. Rf. V. Ngg. (bis zur. Tf. ng. Stg.), (4 M.)

3) Str. bg. sp. hc. stzd., act. 2 A. Vw. Abw. Füg., zgl. Rf. V. Ngg. (4 M.)

4) Snn. lh. r. lt. r. sg. bgd., act. R. Or. Sch. V. Z. (i. v. E.) (Im Ganzen 6 M.)

5) H. fa. 2 sg. rf. lgd., act. 2 B. Er. (4 M.)
6) Sn. r. w. fl. schu. sth., act. Rf. V. Ngg. (4 M.)
7) Str. w. schu. sth., act. Rf. V. Dh. (Im Ganzen 6 M.)
8) Str. kl. r. sg. hc. sth., act. R. B. V. Z. (4 M.)
9) Kl. bg. schu. sth., act. Rf. V. Ngg. (i. v. E.) (Im Ganzen 6 M.)
10) Sz. sth., Ha.
11) Str. r. so. hc. sth., act. R. B. Ro.

§. 447. **Heilorganische und diätetische Recepte beim Nabelbruche** (Hernia umbilicalis) anwendbar.

1. Recept.

1) E. fl. schu. sch. lh. sth., Rf. V. Bu. (G. W.), zgl. 2 Ach. Fag., u. 2 Hf. Fag.
2) Lgd., 2 B. Er. (G. W.), zgl. 2 Ach. Dü., u. 2 F. Fag.
3) Rk. w. fl. schu. sch. lh. sth., Rf. V. Bu. (G. W.), zgl. 2 Hd. Fag., u. 2 Hf. Fag.
4) Hb. kl. w. sch. lh. sth., Rf. V. Dh. (G. W.), zgl. kl. Hd. Fag., u. 2 Hf. Fag. (r. kl., r. w.)
5) Wr. fa. sg. hc. sth., B. V. Z. (G. W.), zgl. sg. F. Fag.
6) Lgd., ps. Bk. Win. (6 M.)
7) Rh. fl. sp. sch. lh. sth., Rf. V. Bu. (G. W.), zgl. 2 Ebg. Fag., u. 2 Hf. Fag.
8) H. fa. sg. lt. sth., Or. Sch. V. Z. (G. W.), zgl. Kn. u. Kz. Fag. (r. sg., r. lt., r. Kn. Fag.)
9) Str. fl. schu. stzd., Rf. V. Bu. (G. W.), zgl. 2 Hd. Fag., u. 2 Kn. Fag.
10) Sr. smm. schu. lgd., Ha.

§. 448. 2. Recept.

1) Snn. kl. fa. sg. sth., B. Wch. V. Z. (G. W.) u. (P. W.), zgl. sg. F. Fag. (r. snn., l. kl. fa., l. sg.)
2) Rh. kl. fl. schu. sch. lh. sth., Wch. Rf. V. Bu. (G. W.) u. (P. W.), zgl. kl. Hd. u. K. Fag., u. 2 Hf. Fag.
3) Rh. str. w. sp. hc. stzd., Wch. Rf. V. Bu. (G. W.) u. (P. W.), zgl. rh. Ebg. u. str. Hd. Fag. (r. rh., l. str., r. w.)
4) Hb. lgd., 2 B. Wch. Er. (G. W.) u. (P. W.), zgl. 2 Ach. Dü., u. F. Wch. Fag.

5) Rh. kl. w. schu. knd., Wch. Rf. V. Dh. (G. W.) u. (P. W.), zgl. kl. Hd. Fag., u. 2 Ur. Sch. Fag. (r. rh., l. kl., l. w.)

6) H. fa. bg. sg. hc. sth., B. Wch. V. Z. (G. W.) u. (P. W.), zgl. sg. F. Fag.

7) Str. bg. b. lgd., Wch. Rf. Er. (G. W.) u. (P. W.), zgl. 2 Hd. Z., u. 2 Ur. Sch. rs. Fag.

8) Spr. fa. bg. sg. lt. hc. sth., Or. Sch. Wch. V. Z. (G. W.) u. (P. W.), zgl. Kn. u. Kz. Fag. (r. sg., r. lt., r. Kn. Fag.)

9) Rh. w. schu. tf. ng. sth., Wch. Rf. V. Dh. (G. W.) u. (P. W.), zgl. 2 Ebg. Fag., u. 2 Slbt. Dü.

10) Hb. kl. w. hb. lg. stzd., Wch. Rf. V. Dh. (G. W.) u. (P. W), zgl. kl. Hd. Fag., 2 Kn. Fag., u. Ur. Sch. rs. Fag. (r. kl., r. w., l. hb. lg., l. Ur. Sch. rs. Fag.)

§. 449. 3. Recept.

1) Spr. fa. so. hc. sth., B. Wch. Rc. Z. (P. W.) u. V. Z. (G. W.), zgl. so. F. Fag.

2) Hb. kl. w. schu. sch. lh. sth., Wch. Rf. Rc. Dh. (P. W.) u. V. Dh. (G. W.), zgl. kl. Hd. Fag., u. 2 Hf. Fag. (r. kl., l. w.)

3) Rh. ng. schu. sch. lh. sth., Wch. Rf. Rc. Bu. (P. W.) u. V. Bu. (G. W.), zgl. 2 Ebg. Fag.

4) H. so. hb. lgd., B. Wch. Sen. (P. W.) u. Er. (G. W.), zgl. 2 Hd. Nr. Dü., u. so. F. Fag.

5) Hh. kl. w. ng. sp. hc. stzd., Wch. Rf. Rc. Bu. (P. W.) u. V. Bu. (G. W.), zgl. kl. Hd. u. K. Fag. (r. kl., r. w.)

6) Snn. bg. w. sth., Wch. Hf. Rc. Dh. (P. W.) u. Hf. V. Dh. (G. W.), zgl. 2 Hf. Fag.

7) Str. e. hb. lg. stzd., Wch. Rf. Sen. (P. W.) u. Rf. Er. (G. W.), zgl. str. Hd. u. e. Ach. Fag., 2 Kn. Fag., u. Ur. Sch. rs. Fag. (r. str., l. e., r. hb. lg., r. Ur. Sch. rs. Fag.)

8) Lgd., Hf. Wch. Dh. (G. W.), zgl. 2 Hf. Fag.

9) H. 2 so. hb. lgd., Wch. 2 B. Sen. (P. W.) u. 2 B. Er. (G. W.), zgl. 2 Hd. Z., u. 2 F. Fag.

10) H. fa. hk. or. sch. inw. sth., Wch. Or. Sch. Asw. Dh. (P. W.) u. Inw. Dh. (G. W.), zgl. Kn. u. F. Fag. (r. hk., r. or. sch. inw., r. Kn. u. r. F. Fag.)

§. 450. 4. Recept.

1) Rh. fl. hk. f. fa. sth., Rf. V. Bu. (G. W.), (i. v. E.), zgl. 2 Ebg. Fag., u. 2 Hf. Fag. (r. hk., r. f. fa.)

14*

2) H. hb. lgd., B. Er. (G. W.), (i. v. E.), zgl. 2 Hd. Nr. Dü., F. Fag. u. Utb. Kla. (m. l. Hd. in der Nabelgegend.)

3) Rh. ng. fs. sü. sth., Wch. Rf. Rc. Bu. (P. W.) u. V. Bu. (G. W.), zgl. 2 Ebg. Fag., u. Kn. u. F. Fag. (r. fs. sü., r. Kn. u. r. F. Fag.)

4) Hb. kl. w. schu. sch. lh. sth., Wch. Rf. V. Dh. (G. W.) u. (P. W.), zgl. kl. Hd. Fag., 2 Hf. Fag., zgl. Utb. afw. Hak. (m. l. Hd.) (r. kl., r. w.)

5) Str. c. w. sf. sp. hc. stzd., Wch. Rf. Sf. V. Bu. (G. W.) u. (P. W.), zgl. str. Hd. u. e. Ach. Fag. (r. str., l. e., r. sf., r. w.)

6) Rh. sr. w. sp. knd., Wch. Rf. Rc. Dh. (P. W.) u. V. Dh. (G. W.), zgl. rh. Ebg. u. sr. Hd. Fag., zgl. Utb. Kog. (in der Nabelgegend m. l. Ft.), (r. rh., l. sr., r. w.)

7) H. smm. bg. hc. sth., B. Er. (G. W.) (i. v. E.), zgl. F. Fag.

8) Lgd., ps. Bk. Win. (6 M.)

9) Hb. str. 2 bk. hb. lgd., A. Wch. Vw. Abw. Füg. (G. W.) u. (P. W.), zgl. str. Hd. Fag., zgl. Solar-N. Gfl. Dü. (m. gn. Hd.)

10) Hb. sr. w. b. lgd., Wch. Rf. Rc. Dh. (P. W.) u. V. Dh. (G. W.), zgl. sr. Hd. u. Slbt. Fag., 2 Ur. Sch. rs. Fag., u. Utb. afw. Kla. u. Seg. (m. l. Hd.), (r. sr., l. w., l. Slbt. Fag.)

11) Hb. lgd., ps. Sp. Ro., zgl. 2 Ach. Fag., 2 Kn. u. 2 F. Fag.

§. 451. 5. Recept (diätetisches).

1) E. fl. schu. sth., act. Rf. V. Bu. (4 M.)

2) Str. kl. w. schu. sth., act. Rf. V. Dh. (Im Ganzen 6 M.), (r. str., l. kl., l. w.)

3) H. fa. 2 sg. rf. lgd., act. 2 B. Er. (4 M.)

4) Rh. ng. w. schu. sth., act. Rf. V. Dh. (Im Ganzen 6 M.)

5) Rk. sth., act. Or. Sch. Bu. (bis zur spu. Stg.) (Im Ganzen 6 M.)

6) Str. fl. sp. knd., act. 2 A. Vw. Abw. Füg., zgl. act. Rf. V. Bu. (4 M.)

7) K. bg. rf. bg. schu. sth., act. K. V. Bu., zgl. Rf. V. Bu. (4 M.)

8) Snn. hgd., act. 2 Or. Sch. Bu. (bis zur spu. Stg.), (4 M.)

9) Smm. lgd., act. Hf. V. Dh. (Im Ganzen 6 M.)

10) Str. bg. b. lgd., act. Rf. Er. (4 M.), zgl. 2 Ur. Sch. rs. Fag. -

II. Vorfälle (Prolapsus).

§. 452. Hier sollen zunächst nur abgehandelt werden: der Vorfall der Gebärmutter mit oder ohne den der Scheide; und der des Mastdarms. Bei denselben muss man zwischen frisch entstandenen, nur einmal vorgetretenen, und öfters erschienenen, habituell gewordenen und zuweilen gar nicht mehr dauernd zurücktretenden unterscheiden. Die frisch entstandenen werden im Allgemeinen und besonders für den Anfang die heilorganische Behandlung contraindiciren, da sie vor Allem Ruhe und Bettlage des Patienten zu verlangen pflegen. Um aber Recidiven vorzubeugen, und um die Disposition zu solchen Uebeln zu heben, dazu wird die heilorganische Behandlung auch bei solchen frischen Fällen dienlich sein, und daher zur Anwendung kommen müssen, sobald der Patient das Bette verlässt.

§. 453. Da die habituell und überhaupt chronisch gewordenen Vorfälle stets bedeutende Muskelretractionen und Relaxationen in den Sphincteren und deren Umgebung zeigen; da Vorfälle durch Suspensorien und andere Vorrichtungen bekanntlich nur unvollkommen zurückgehalten werden; und da selbst chirurgische Operationen selten Heilung, noch seltener Schutz vor Recidiven zu geben vermögen: so ist die heilorganische Cur hier dringend angezeigt. Nur Schwangerschaft oder zu grosse Jugend der Patienten, so wie andere zugleich bestehende pathologische Processe könnten eine Contraindication abgeben. — Suspensorien, so wie andere Vorrichtungen zum Zurückhalten der Vorfälle müssen, wenn nicht gleich beim Anfange der Cur, doch sobald als möglich im Verlaufe derselben abgelegt werden, da sie stets muskelschwächend wirken, und daher den Erfolg der Heilorganik immer mehr oder weniger hemmen.

Sind Vorfälle bedeutend vorgeschritten; sind grosse Desorganisationen der zunächst leidenden Organe dadurch schon bewirkt worden: so wird natürlich nicht vollkommene Herstellung des Patienten, sondern nur Besserung seines Zustandes und Verringerung seiner Beschwerden durch Heilorganik zu bewirken sein; sonst aber vollkommene Heilung.

§. 454. Heilorganische und diätetische Recepte, bei Gebärmutter- und Scheidenvorfall anwendbar.

1. Recept.

1) Sp. hb. lgd., 2 B. Eig. (G. W.), zgl. 2 F. Fag.

2) Rh. ng. schu. sch. lh. sth., Rf. Rc. Bu. (G. W.), zgl. 2 Ebg. Fag., u. 2 Hf. Fag.

3) 2 wrkl. w. schu. sch. lh. sth., Rf. Wch. Dh. (G. W.), zgl. 2 Ebg. Fag.

4) Ki. hb. lgd., 2 Kn. Eig. (G. W.), zgl. 2 Kn. Fag.

5) Rh. w. ng. schu. sch. lh. sth., Rf. Rc. Bu. (G. W.), zgl. 2 Ebg. Fag., u. 2 Hf. Fag.

6) Str. sp. rf. lgd., act. 2 B. Eig. (4 M.), zgl. 2 Hd. Z.

7) H. fa. sth., Or. Sch. Bu. (G. W.), zgl. Kn. u. Kz. Fag. (r. Or. Sch. Bu., r. Kn. Fag.)

8) Snn. sp. hgd., 2 B. Eig. (G. W.), zgl. 2 F. Fag.

9) Str. sp. 2 hk. rf. lgd., 2 B. Eig. (G. W.), zgl. 2 Kn. u. 2 F. Fag.

10) Str. fl. lg. stzd., Ha., zgl. 2 Ur. Sch. rs. Fag.

§. 455. 2. Recept.

1) Str. sp. rf. lgd., Wch. 2 B. Eig. (G. W.) u. (P. W.), zgl. 2 Hd. Z., u. 2 F. Fag.

2) Str. kl. w. schu. sch. lh. sth., Wch. Rf. V. Dh. (G. W.) u. (P. W.), zgl. kl. Hd. Fag., u. 2 Hf. Fag. (r. str., l. kl., l. w.)

3) Str. sp. 2 hk. rf. lgd., Wch. 2 B. Eig. (G. W.) u. (P. W.), zgl. 2 Hd. Nr. Dü., 2 Kn. u. 2 F. Fag.

4) Sr. ng. schu. sch. lh. sth., Wch. Rf. Rc. Bu. (G. W.) u. (P. W.), zgl. sr. Hd. Wch. Fag., K. Fag., u. 2 Hf. Fag.

5) H. hb. ki. hb. lgd., Wch. Kn. Eig. (G. W.) u. (P. W.), zgl. 2 Hd. Nr. Dü., Kn. u. F. Fag., u. Ur. Sch. Fag. (r. ki., r. Kn. u. r. F. Fag., l. Ur. Sch. Fag.)

6) Spr. w. schu. sch. lh. sth., Wch. 2 A. Sw. Afw. Fug. (G. W.) u. (P. W.), zgl. 2 Hd. Fag.

7) Rh. w. ng. schu. stzd., Wch. Rf. Rc. Bu. (G. W.) u. (P. W.), zgl. Ebg. Fag., u. 2 Kn. Fag. (r. w., r. Ebg. Fag.)

8) Snn. sp. hgd., 2 B. Wch. Eig. (G. W.) u. (P. W.), zgl. 2 F. Fag.

9) Str. e. ng. b. vw. lgd., Wch. Rf. Er. (G. W.) u. (P. W.), zgl. str. Hd. Fag., K. Fag., u. 2 Ur. Sch. rs. Fag.

10) Hb. kl. w. hb. lg. stzd., Wch. Rf. V. Dh. (G. W.) u. (P. W.), zgl. kl. Hd. Fag., 2 Kn. Fag., u. Ur. Sch. rs. Fag. (r. kl., r. w., l. hb. lg., l. Ur. Sch. rs. Fag.)

§. 456. 3. Recept.

1) Sr. 2 ka. hb. lgd., Wch. 2 Kn. Spg. (G. W.) u. Eig. (P. W.), zgl. 2 Hd. Nr. Dü., u. 2 Kn. Fag.

2) Rh. fl. schu. sch. lh. sth., Rf. Wch. V. Ngg. (G. W.) u. Rc. Bu. (P. W.), zgl. 2 Ebg. Fag., u. 2 Hf. Fag.

3) Si. hgd., 2 B. Wch. Spg. (G. W.) u. Eig. (P. W.), zgl. 2 F. Fag., u. 2 Hf. 2 Fag.

4) Rh. ug. schu. knd., Rf. Rc. Bu. (G. W.), (i. v. E.), zgl. 2 Ebg. Fag., u. 2 Ur. Sch. Fag.

5) Snn. hk. sth., Or. Sch. Wch. Strg. (P. W.) u. Bu. (G. W.), zgl. Kn. Fag., u. Kz. Fag. (r. hk., r. Or. Sch. Strg., r. Kn. Fag.)

6) Kl. rh. w. schu. knd., Wch. Rf. Rc. Dh. (P. W.) u. V. Dh. (G. W.), zgl. kl. Hd. Fag., u. 2 Ur. Sch. Fag. (r. kl., l. rh., l. w.)

7) Snn. hgd., 2 B. Wch. Spg. (P. W.) u. Eig. (G. W.), zgl. 2 F. Fag.

8) Str. bg. b. vw. lgd., Wch. Rf. Sen. (P. W.) u. Rf. Er. (G. W.), zgl. str. Hd. Wch. Fag., K. Fag., u. 2 Ur. Sch. rs. Fag.

9) Wr. w. schu. sch. lh. sth., Wch. 2 Or. u. Ur. A. Strg. (P. W.) u. 2 Or. u. Ur. A. Fg. Strg. (P. W.), zgl. 2 Hd. Fag.

10) H. 2 so. hb. lgd., Wch. 2 B. Sen. (P. W.) u. Er. (G. W.), zgl. 2 Hd. Nr. Dü., u. 2 F. Fag.

§. 457. 4. Recept.

1) Rh. kl. w. schu. knd., Wch. Rf. V. Dh. (G. W.) u. (P. W.), zgl. kl. Hd. Fag., 2 Ur. Sch. Fag., zgl. Utb. Kla. (m. l. Hd.), (r. rh., l. kl., l. w.)

2) Hb. spr. 2 hk. hb. lgd., A. Wch. Sw. Afw. Füg. (G. W.) u. (P. W.), zgl. spr. Hd. Fag., zgl. tf. Utb. N. Dü. (m. gn. Hd.)

3) Ö. fa. zh. fa. sg. hc. sth., B. V. Z. (G. W.), (i. v. E.), zgl. sg. F. Fag.

4) Rh. fl. sch. lh. schu. sth., Wch. Rf. V. Ngg. (P. W.) u. Rf. Rc. Bu. (G. W.), zgl. Ebg. Wch. Fag., 2 Hf. Fag., zgl. Utb. Hak. afw. (m. l. Hd.)

5) Str. w. schu. sch. lh. sth., Rf. Wch. Dh. (G. W.), zgl. 2 Hd. Z., u. 2 Hf. Fag.

6) Str. rf. lgd., Wch. 2 B. Spg. (P. W.) u. Eig. (G. W.), zgl. 2 Hd. Z., 2 F. Z., zgl. Utb. Kog. (m. l. Hd.)

7) Snn. bg. w. lh. sth., Hf. Wch. Dh. (G. W.), zgl. 2 Hf. Fag., u. 2 F. Süg.

8) Str. e. lg. stzd., Rf. Sen. (P. W.), (i. v. E.), zgl. str. Hd. u. Ach. Fag., u. 2 Ur. Sch. rs. Fag. (r. str. Hd. Fag., u. l. Ach. Fag.)

9) Sp. 2 f. asw. hb. lgd., Wch. 2 B. Inw. Dh. (G. W.) u. (P. W.), zgl. 2 F. Fag., u. 2 Kn. Fag.

10) Str. h. lgd., Ha., zgl. Utb. Kog. (m. l. Ft.), zgl. 2 Ur. Sch. rs. Fag.

§. 458. 5. Recept (diätetisches).

1) Str. sb. hc. sth., act. B. Sw. Sen. (Im Ganzen 6 M.)

2) 2 rhe. w. schu. sth., act. Rf. Rc. Dh. (Im Ganzen 6 M.)

3) H. fa. sp. rf. lgd., act. 2 B. Eig. (4 M.)

4) Str. tf. ng. schu. sth., act. Rf. Rc. Bu. (4 M.)

5) Kl. so. hc. sth., act. B. Rc. Z. (Im Ganzen 6 M.)

6) Spr. w. schu. sth., act. 2 A. Vw. Afw. Füg. (Im Ganzen 6 M.)

7) Str. kl. w. sf. schu. sth., act. Rf. Sf. Rc. Bu. (Im Ganzen 6 M.), (r. str., l. kl., r. w., l. sf., R. Sf. Rc. Bu.)

8) Str. ka. schu. sth., act. 2 Or. u. Ur. Sch. Strg. (4 M.)

9) Str. kl. w. schu. hb. lg. stzd., act. Rf. Rc. Dh. (im Ganzen 6 M.), (r. str., l. kl., r. w., l. hb. lg.)

10) Str. lg. stzd., act. Rf. Sen. (4 M.), zgl. 2 Ur. Sch. rs. Fag.

§. 459. 6. Recept (diätetisches).

1) Str. sp. 2 sg. rf. lgd., act. 2 B. Eig. (4 M.), zgl. 2 Hd. Z.

2) Rh. su. w. schu. knd., act. Rf. V. Dh. (im Ganzen 6 M.), r. rh., l. su., l. w.)

3) Spr. schu. fl. sth., act. 2 A. Wch. Sw. Afw. Füg. u. Vw. Afw. Füg. (Im Ganzen 8 M.)

4) H. sg. lt. hc. sth., act. Or. Sch. V. Z. u. Ur. Sch. Strg. (Im Ganzen 6 M.), (r. sg., r. lt., R. Or. Sch. V. Z., r. Ur. Sch. Strg.)

5) Snn. sp. hgd., act. 2 B. Eig. (4 M.)

6) Str. tf. ng. schu. sth., act. Rf. Rc. Bu. (i. v. E.) (Im Ganzen 6 M.)

7) Kl. so. hc. sth., act. B. Rc. Z. (i. v. E.) (Im Ganzen 6 M.)

8) Str. sb. hc. sth., act. B. Sw. Sen. (i. v. E.) (Im Ganzen 6 M.)

9) Wr. w. lg. stzd., act. 2 Or. u. Ur. A. Strg. (4 M.)

10) Str. ng. schu. stzd., act. Rf. Rc. Bu. (bis zur tf. bg. Stg.) (4 M.)

§. 460. Heilorganische und diätetische Recepte bei Mastdarm-Vorfall anwendbar.

1. Recept.

1) Su. ki. schu. sth., 2 Or. u. Ur. Sch. Strg. (G. W.), zgl. 2 Hd. u. 2 Ebg. Fag.

2) Str. e. fl. schu. sch. lh. sth., Wch. Rf. V. Ngg. (P. W.) u. Rc. Bu. (G. W.), zgl. str. Hd. u. K. Fag.

3) Snn. w. schu. bgd., Hf. Wch. Dh. (G. W.), zgl. 2 Hf. Fag. u. 2 F. Süg.

4) Rh. bg. ki. sth., 2 Or. u. Ur. Sch. Strg. (G. W.), zgl. 2 Ebg. Fag, u. Kn. Kz. Dü.

5) Str. sp. rf. lgd., Wch. 2 B. Eig. (G. W.) u. (P. W.), zgl. 2 F. Fag., u. 2 Hd. Z.

6) Fü. ki. sth., 2 Or. u. Ur. Sch. Strg. (G. W.), zgl. 2 Hf. Fag., u. Kn. Kz. Dü.

7) Str. ng. schu. sth., Wch. Rf. Rc. Bu. (G. W.) u. (P. W.), zgl. 2 Hd. Fag., u. 2 Hf. Fag.

8) Spr. w. schu. knd., Wch. 2 A. Sw. Afw. Füg. (G. W.) u. (P. W.), zgl. 2 Hd. Fag.

9) Ö. fa. zh. fa. ki. hc. sth., Wch. Or. u. Ur. Sch. Strg. (G. W.) u. (P. W.), zgl. F. u. Kn. Fag. (r. zh. fa., l. ki., l. F. u. l. Kn. Fag.)

10) Sz. schu. sth., Ha.

§. 461. 2. Recept.

1) Snn. bg. so. hc. sth., Wch. Or. u. Ur. Sch. Bu. (G. W.) u. Strg. (P. W.), zgl. so. F. Fag., u. Kz. Fag.

2) Rh. sr. w. fl. schu., knd., Wch. Rf. Rc. Dh. (P. W.) u. V. Dh. (G. W.), zgl. rh. Ebg. u. sr. Hd. Fag., u. Kn. Kz. Dü. (r. rh., l. sr., r. w.)

3) Str. vw. lgd., Wch. 2 Ur. Sch. Bu. (G. W.) u. Strg. (P. W.), zgl. 2 Hd. Nr. Dü., 2 F. Fag., u. Kz. u. Lnd. Gd. afw. Kog. (m. r. Ft.)

4) H. 2 sg. rf. lgd., Wch. 2 B. Spg. (G. W.) u. Eig. (P. W.), zgl. 2 Hd. Nr. Dü., u. 2 F. Fag.

5) Rhc. kl. w. ng. schu. sch. lh. sth., Wch. Rf. Rc. Bu.

(G. W.) u. (P. W.), zgl. kl. Ud. u. K. Fag., u. 2 Hf. Fag. (r. rhe., l. kl., l. w.)

6) Ö. fa. zh. fa. so. hc. sth., B. Rc. Z. (G. W.), (i. v. E.), zgl. so. F. Fag., zgl. Rn. ls. q. afw. Hak. (m. r. Hd.), (r. zh. fa., l. so.)

7) Dk. spr. vw. lgd., Wch. A. Sw. Afw. Füg. (G. W.) u. (P. W.), zgl. Ischiadisch-N. Dü. (zwischen grossem Rollhügel und Sitzbeinknorren mit gn. Hd.), (r. spr., l. dk. l. Ischiadisch-N. Dü. m. l. Hd.)

8) Hb. lgd., Wch. 2 Or. u. Ur. Sch. Bu. (G. W.) u. Strg. (P. W.), zgl. 2 Ach. Z., u. 2 F. Z.

9) Sr. fa. bg. w. fs. fa. so. sth., Wch. Rf. Rc. Dh. (G. W.) u. (P. W.), zgl. so. F. Fag. (r. w., l. so., r. fs. fa.)

10) 2 snn. sz. schu. sth., Ha., zgl. Rn. ls. afw. Kog. (m. r. Ft.)

§. 462. 3. Recept (diätetisches).

1) Kl. ki. sth., act. 2 Or. u. Ur. Sch. Strg. (4 M.)

2) Str. ng. schu. sth., act. Rf. Rc. Bu. (i. v. E.) (Im Ganzen 6 M.)

3) H. fa. sp. rf. lgd., act. 2 B. Eig. (4 M.)

4) Spr. ki. sth., act. 2 Or. u. Ur. Sch. Strg., zgl. act. 2 A. Sw. Afw. Füg. (4 M.)

5) Str. kl. w. hb. lg. stzd., act. Rf. Rc. Dh. (Im Ganzen 6 M.), (r. str., l. kl., r. w., r. hb. lg.)

6) H. fa. ki. rf. lgd., act. 2 Or. u. Ur. Sch. Strg. (4 M.)

7) Kl. w. schu. knd., act. Rf. Rc. Dh. (Im Ganzen 6 M.)

8) Hb. str. ng. b. lgd., act. Rf. Er. (4 M.), zgl. 2 Ur. Sch. rs. Fag., zgl. Uth. Kla. (mit der eigenen Hand.)

9) 2 wrkl. w. b. lgd., act. Rf. V. Dh. (4 M.), zgl. 2 Ur. Sch. rs. Fag.

10) Snn. sp. hgd., act. 2 B. Eig. (4 M.)

C. Gefässerweiterungen.

§. 463. Vom heilorganischen Standpunkte aus werden hier zunächst nur abzuhandeln sein: chronische Erweiterungen der Venen, die als Varicositäten sich darstellen, und solche der Arterien, die die Aneurysmen bilden. Ob alle hieher gehörigen, so sehr verschiedenen Krankheitsarten heilorganisch mit Vortheil behandelt werden können, dürfte schon jetzt wohl schwer zu entscheiden sein; und will ich hierin mein Urtheil noch zurückhalten. Doch unterliegt es keinem Zweifel, wie meine Casuistik hier gelehrt hat, dass Varicositäten eines Beines, Varicocele in einer Scrotalhälfte, und aneurysmatische Ausdehnung der Subclavia mit Vortheil heilorganisch behandelt werden können. Daher sollen zunächst nur diese drei hieher gehörigen, speciellen Uebel näher betrachtet werden.

I. Varicositäten.

§. 464. Dieselben kommen an den Beinen und im Scrotum am häufigsten und am stärksten ausgebildet vor. Sie sind häufig in causalem Zusammenhange mit Krankheiten visceraler Organe, namentlich der Leber; und in sofern mehr zu den medicinischen, als chirurgischen Krankheiten zu rechnen. Da sie aber auch öfters unmittelbar aus Relaxationen und Retractionen der Bein- und zum Theil auch Rumpfmuskeln hervorgehen, so können sie auch unter den chirurgischen Krankheiten eine Stelle finden.

§. 465. Die heilorganische Behandlung dieser Uebel wird nur dann contraindicirt sein, wenn starke Entzündung der varicösen Venen, oder sogar ulcerative Processe in denselben jede Bewegung zu schmerzhaft machen. — Bei der Varicocele (Krampfaderbruch) wird das Suspensorium, das solche Patienten gewöhnlich zu tragen pflegen, bald abzulegen sein, indem die Beschwerden, die durch dasselbe gehoben werden sollen, durch die heilorganische Behandlung gewöhnlich besser und namentlich dauernder gehoben werden können. Natürlich ist es der Heilorganik auch nicht möglich, die starken Ausdehnungen, Verdickungen, Verkreidungen u. s. w. der Venenwände zu heilen, wohl aber den Capillarkreislauf in ihnen zu regeln. Dadurch aber können die neuralgischen Schmerzen in und um die Varicositäten gehoben, der Entzündung derselben vorgebeugt, und die Nachtheile, die sie durch Druck, durch Verdrängung der benachbarten Organe u. s. w. ausüben, wenigstens bedeutend gemildert werden; ein Vortheil, der in dieser Art weder durch Medicamente, Wasser- oder Brunnencur, noch durch Bandagen, z. B. Schnürstrümpfe, Leibbinden u. s. w. zu erreichen ist.

§. 466. Heilorganische und diätetische Recepte bei Varicositäten des rechten Beines anwendbar.

1. Recept.

1) H. fa. r. so. r. f. inw. (r. f. asw.) sth., R. B. Wch. Asw. Dh. (G. W.) u. Inw. Dh. (G. W.), zgl. r. F. Fag.

2) Rh. su. fl. (ng.) schu. sth., Wch. Rf. V. Bu. (G. W.) u. Rc. Bu. (G. W.), zgl. rh. Ebg. u. su. Hd. Fag., u. 2 Hf. Fag.

3) Ö. fa. l. zh. fa. r. sg. (r. so.) hc. sth., R. B. Wch. V. Z. (G. W.) u. Rc. Z. (G. W.), zgl. r. F. Fag.

4) Hb. kl. w. fs. sü. sth., Wch. Rf. V. Dh. (G. W.) u. Rc. Dh. (G. W.), zgl. kl. Hd. Fag., u. Kn. u. F. Fag. (r. kl., r. w., l. fs. sü., l. Kn. u. l. F. Fag.)

5) R. sb. r. f. bg. [r. f. str.] hb. lgd., R. F. Wch. Strg. (G. W.) u. Bu. (G. W.); u. R. F. Asw. Hb. Ro. (G. W.) u. Inw. Hb. Ro. (G. W.), zgl. r. Ur. Sch. u. r. Fst. Fag.

6) H. fa. bg. sth., R. Or. Sch. Bu. (G. W.) u. Strg. (G. W.), zgl. r. Kn. Fag., u. Kz. Fag.

7) Str. vw. lgd., Wch. 2 Ur. Sch. Bu. (G. W.) u. Strg. (G. W.), zgl. 2 Hd. Nr. Dü., u. 2 F. Fag.

8) Snn. kl. fa. r. sg. r. f. inw. (r. f. asw.) hc. sth., Wch. R. B. Asw. Dh. (G. W.) u. Inw. Dh. (G. W.), zgl. r. F. Fag.

9) Hb. str. fl. (ng.) schu. stzd., Wch. Rf. V. Ngg. (G. W.) u. Rc. Bu. (G. W.), zgl. str. Hd. u. K. Fag., u. 2 Kn. Fag.

10) Sr. smm. schu. lgd., Ha., zgl. Rn. ls. afw. Hak. (m. r. Hd.)

§. 467. 2. Recept.

1) H. fa. bg. r. hk. r. or. sch. inw. (r. or. sch. asw.) sth., Wch. R. Or. Sch. Asw. Dh. (G. W.), u. Inw. Dh. (G. W.), zgl. r. Kn. u. r. F. Fag.

2) Sr. hb. lgd., R. B. Er. (G. W.) (i. v. E.), zgl. 2 Hd. Nr. Dü., u. F. Fag.

3) Rh. fl. r. tp. r. f. fa. sth., Wch. Rf. V. Ngg. (P. W.) u. Rc. Bu. (G. W.), zgl. Ebg. Wch. Fag., u. l. Hf. u. r. Kn. Fag.

4) Kl. fa. r. so. hc. sth., Wch. R. B. Rc. Z. (P. W.) u. V. Z. (G. W.), zgl. so. F. Fag.

5) Sr. r. sb. r. f. inw. hb. lgd., R. B. Wch. Asw. Dh. (P. W.) u. Inw. Dh. (G. W.), zgl. 2 Hd. Nr. Dü., r. Kn. u. r. F. Fag.

6) H. fa. r. sg. r. f. asw. hc. sth., R. B. Wch. Inw. Dh. (P. W.) u. Asw. Dh. (G. W.), zgl. r. Ur. Sch. u. r. F. Fag.

7) Hb. kl. w. hb. lg. stzd., Wch. Rf. Rc. Dh. (P. W.) u. V. Dh. (G. W.), zgl. kl. Hd. Fag., 2 Kn. Fag., u. Ur. Sch. rs. Fag. (r. kl., l. w., l. hb. lg., l. Ur. Sch. rs. Fag.)

8) Sr. hb. lgd., Wch. R. Ur. Sch. Bu. (P. W.) u. Strg. (G. W.), zgl. 2 Hd. Nr. Dü., r. Kn. u. r. F. Fag.

9) Snn. r. sg. hc. sth., R. B. Wch. V. Z. (P. W.) u. Rc. Z. (G. W.), zgl. r. F. Fag.

10) Str. w. r. fs. sü. sth., Rf. Wch. Dh. (P. W.), zgl. 2 Hd. Z., r. Kn. u. r. F. Fag.

§. 468. 3. Recept.

1) Snn. kl. fa. r. so. hc. sth., Wch. R. B. Rc. Z. (P. W.) u. (G. W.), zgl. so. F. Fag.

2) Rh. w. schu. knd., Wch. Rf. Rc. Dh. (P. W.) u. (G. W.), zgl. Ebg. Fag., u. 2 Ur. Sch. Fag. [r. w., l. Ebg. Fag.]

3) Sp. hb. lgd., ps. 2 F. Ro. (24 M.), zgl. 2 F. u. 2 Ur. Sch. Fag.

4) Spr. r. fkt. sü. sth., Wch. 2 A. Sw. Afw. Füg. (P. W.) u. Vw. Afw. Füg. (P. W.), zgl. 2 Hd. Fag.

5) H. fa. r. sg. (r. so.) hc. sth., Wch. R. B. V. Z. (G. W.) u. Rc. Z. (G. W.), zgl. Kz. Kog. (m. l. Hd.)

6) Str. e. fl. sp. hc. stzd., Wch. Rf. V. Bu. (G. W.) u. Rc. Bu. (P. W.), zgl. str. Hd. u. K. Fag.

7) Vw. lgd., Wch. R. Ur. Sch. Bu. (G. W.) u. Strg. (G. W.), zgl. r. F. u. r. Knke. Fag., zgl. R. Ischiadisch-N. Dü. (zwischen grossem Rollhügel und Sitzbeinknorren mit l. Hd.)

8) Str. rf. lgd., 2 B. Wch. Spg. (G. W.) u. Eig. (G. W.), zgl. 2 F. Fag., u. 2 Hd. Nr. Dü.

9) Rh. l. sf. r. ga. r. hf. lh. sth., Wch. Rf. R. S. Bu. (G. W.) u. (P. W.), zgl. 2 Ebg. Fag., u. 2 Hf. Fag.

10) Snn. sp. hgd., 2 B. Eig. (P. W.) u. Spg. (G. W.), zgl. 2 F. Fag., u. Kz. Lnd. Gd. afw. Kog. (m. l. Ft.)

§. 469. 4. Recept.

1) Snn. r. hk. bgd., Wch. R. Or. Sch. Strg. (P. W.) u. Bu. (G. W.), zgl. r. Kn. u. Kz. Fag.

2) Sr. fl. (ng.) sp. sth., Wch. Rf. V. Ngg. (G. W.) u. Rc. Bu. (G. W.), zgl. 2 Hd. u. 2 Hf. Fag.

3) R. f. bg. hb. lgd., R. F. Wch. Strg. (G. W.) u. Bu. (G. W.), zgl. r. Ur. Sch. u. r. Fst. Fag., zgl. r. Crural-N. Dü. (auf dem horizontalen Schambeinaste mit l. Hd.)

4) Hb. spr. hb. lgd., A. Wch. Vw. Afw. Füg. (G. W.) u. Sw. Abw. Füg. (G. W.), zgl. spr. Hd. Fag., zgl. R. Or. Sch. Abw. Hak. (m. l. Hd.)

5) R. snn. l. spr. fa. r. so. r. f. inw. sth., Wch. R. B. Asw. Dh. (G. W.) u. (P. W.), zgl. r. F. Fag.

6) Ki. hb. lgd., Weh. 2 Kn. Eig. (G. W.) u. (P. W.), zgl. 2 Kn. Fag., u. 2 F. Süg.

7) Rh. w. bg. ur. sch. lh. schu. sth., Weh. Rf. Dh. (G. W.), zgl. 2 Ebg. Fag.

8) Dk. vw. lgd., L. Ur. Sch. Weh. Bu. (P. W.) u. Strg. (P. W.), zgl. l. F. Fag., zgl. R. Ur. Sch. abw. Hak. u. Seg. (m. l. Hd.)

9) Str. sp. rf. lgd., act. 2 B. Eig. (4 M.)

10) Spr. b. lgd., 2 A. Weh. Sw. Afw. Füg. (G. W.) u. (P. W.), zgl. spr. Hd. Weh. Fag.

§. 470. 5. Recept (diätetisches).

1) Str. l. s. lgd., act. R. B. Sw. Er. (4 M.)

2) Str. w. schu. stzd., act. Rf. Rc. Dh. (Im Ganzen 6 M.)

3) Str. kl. w. ng. schu. sth., act. Rf. Rc. Bu. (Im Ganzen 6 M.), (r. str., l. kl., l. w.)

4) Str. r. sg. hc. sth., act. R. B. V. Z. (i. v. E.) (Im Ganzen 6 M.)

5) Rh. kl. w. schu. sth., act. Rf. V. Dh. (r. rh., l. kl., l. w.) (Im Ganzen 6 M.)

6) Kl. r. bk. sth., act. R. Ur. Sch. Strg. (4 M.)

7) Spr. w. schu. sth., act. 2 A. Sw. Afw. Füg. (Im Ganzen 6 M.)

8) Str. r. so. r. f. inw. sth., act. R. B. Asw. Dh. (4 M.)

9) Smm. r. sb. r. f. asw. lgd., act. R. B. Inw. Dh. (4 M.)

10) Sun. bgd., act. 2 B. Spg. (4 M.)

§. 471. Heilorganische und diätetische Recepte bei Varicocele anwendbar.

1. Recept.

1) Sp. hb. lgd., Weh. 2 B. Eig. (G. W.) u. (P. W.), zgl. 2 F. Fag.

2) H. fa. sg. hc. sth., B. V. Z. (G. W.) (i. v. E.), zgl. sg. F. Fag.

3) Rh. ng. schu. sch. lh. sth., Rf. Rc. Bu. (P. W.) u. V. Bu. (G. W.), zgl. Ebg. Weh. Fag., 2 Hf. Fag., zgl. Uth. Kla. (m. l. Hd.)

4) Spr. w. schu. sth., Weh. 2 A. Sw. Afw. Füg. (G. W.) u. (P. W.), zgl. spr. Hd. Fag. (r. w., r. spr. Hd. Fag.)

5) Rh. w. fs. sü. sth., Weh. Rf. V. Dh. (P. W.) u. Rc. Dh. (G. W.), zgl. 2 Ebg. Fag., u. Kn. u. F. Fag. (r. w., l. fs. sü., r. Kn. u. r. F. Fag.)

6) Hb. wr. 2 hk. hb. lgd., Wch. Or. u. Ur. A. Strg. (G. W.) u. (P. W.), zgl. tf. Uth. N. Dü. (m. ugn. Hd.)

7) Ki. hb. lgd., 2 Kn. Wch. Eig. (G. W.) u. (P. W.), zgl. 2 Kn. Fag., u. 2 F. Süg.

8) Spr. w. lg. stzd., Wch. 2 A. Sw. Afw. Füg. (G. W.) u. (P. W.), zgl. 2 Hd. Fag., u. 2 F. Fag.

9) Ö. fa. zh. fa. sg. hc. sth., B. Wch. V. Z. (G. W.) u. (P. W.), zgl. sg. F. Fag., zgl. Kz. Gd. Kog. (m. r. Hd.)

10) Str. hg. b. vw. lgd., Ha., zgl. 2 Ur. Sch. rs. Fag.

§. 472. 2. Recept (diätetisches).

1) Spr. sb. hc. sth., act. 2 A. Sw. Afw. Füg., zgl. B. Sw. Sen. (Im Ganzen 6 M.)

2) H. fa. sp. rf. lgd., act. 2 B. Eig. (4 M.)

3) Spr. w. schu. sth., act. 2 A. Sw. Afw. Füg. (Im Ganzen 6 M.)

4) Str. ng. ki. sth., act. Rf. Rc. Bu., zgl. 2 Or. u. Ur. Sch. Strg. (4 M.)

5) Kl. w. lg. stzd., act. Rf. Rc. Dh. (Im Ganzen 6 M.)

6) Sr. sg. hc. sth., act. B. V. Z. (Im Ganzen 6 M.)

7) Kl. spr. w. schu. ur. sch. lh. sth., act. Rf. Rc. Dh., zgl. A. Sw. Afw. Füg. (Im Ganzen 6 M.), (r. kl., l. spr., l. w.)

8) Snn. sp. hgd., act. 2 B. Eig. (4 M.)

9) 2 snn. sz. sth., Ha.

II. Aneurysma.

§. 473. Obwohl mir erst einmal die Gelegenheit geboten war, die heilorganische Behandlung bei einem Aneurysma anwenden zu können: so wage ich doch, auf den vollkommenen Erfolg, den dieselbe hiebei hatte, gestützt, sie auch für andere Fälle ähnlicher Art zu empfehlen; und zwar um so mehr, da operative und electrische Curmethode nicht gerade grosser Erfolge bei den aneurysmatischen Processen sich zu rühmen haben. — In dem in Rede stehenden Falle war ein Aneurysma der linken Subclavia vorhanden, welches wahrscheinlich schon einige Monate bestand, und so weit ausgebildet war, dass die linke Subclaviculargegend in den Weichtheilen nicht unbedeutend gegen die rechte aufgetrieben, aber weder geröthet, noch überhaupt entzündet erschien. Die schwirrenden Pulsationen hieselbst nahm nicht nur der zufühlende Finger wahr, sondern auch das Auge bemerkte dieselben durch ein isochronisch mit dem Pulse stattfindendes Heben und Senken der Weichtheile. Die Kranke, ein schwächliches, an Tuberkeln in den Lungen leidendes Mädchen von 22 Jahren, stammte sogar aus einer der Phthisis pulmonalis hereditär verfallenen Familie.

Folgende heilorganische Recepte wurden dabei angewandt; dadurch binnen 4 Monaten die vollständige Heilung des Aneurysma herbeigeführt, und binnen Jahr und Tag im Erfolge bewährt; nur eine etwas stärkere Weichtheillage blieb in der linken Subclaviculargegend für immer zurück.

§. 474. 1. Recept.

1) Spr. fa. so. (sg.) hc. sth., B. Wch. Rc. Z. (P. W.) u. V. Z. (P. W.), zgl. so. (sg.) F. Fag.

2) Rk. w. sp. hc. stzd., Wch. Rf. Dh. (G. W.), zgl. 2 Hd. Fag.

3) Fg. hh. lgd., B. Wch. Er. (G. W.) u. Sen. (P. W.), zgl. 2. Hd. Nr. Dü., u. F. Fag.

4) Sp. hb. lgd., ps. 2 F. Ro. (24 M.), zgl. 2 F. u. 2 Ur. Sch. Fag.

5) Wr. sf. ga. hf. lh. sth., Wch. Rf. S. Bu. (G. W.), zgl. K. Fag., u. 2 Hf. Fag. (r. sf., l. ga., l. hf. lh.)

6) Hb. kl. hb. lgd., Wch. A. Bu. (G. W.) u. (P. W.), zgl. kl. Hd. Fag., u. L. obere Br. Hä. Pug. (m. r. Hd.)

7) Fg. fa. sb. hc. sth., B. Wch. Sw. Sen. (P. W.) u. Sw. Er. (G. W.), zgl. sh. F. Fag.

8) Wr. li. w. sth., Rf. Wch. Dh. (G. W.), zgl. 2 Ach. Fag.

9) Wr. hh. lgd., 2 B. Wch. Spg. (G. W.) u. Eig. (P. W.), zgl. 2 Hd. Nr. Dü., u. 2 F. Fag.

10) Wr. fa. so. hc. sth., B. Wch. Rc. Z. (P. W.) u. V. Z. (G. W.), zgl. so. F. Fag., u. L. obere Br. Hä. Pug. (m. r. Hd.)

§. 475. 2. Recept.

1) L. rk. r. kl. w. schu. sch. lh. sth., Wch. Rf. V. Dh. (G. W.) u. Rc. Dh. (P. W.), zgl. 2 Hd. Fag., u. 2 Hf. Fag.

2) Wr. w. sf. sp. hc stzd., Wch. Rf. Sf. V. Bu. (G. W.) u. Sf. Rc. Bu. (P. W.), zgl. 2 Ach. Fag. (r. w., r. sf., Rf. L. Sf. V. Bu., u. R. Sf. Rc. Bu.)

3) Str. hh. lgd., Wch. 2 Or. u. Ur. A. Fg. Bu. (G. W.), zgl. 2 Hd. Fag., u. L obere Br. Hä. Pug. (m. r. Hd.)

4) Fg. w. fl. sp. hc. stzd, Wch. Rf. V. Ngg. (G. W.) u. Rc. Bu. (P. W.), zgl. 2 Hd. Fag.

5) Sp. hb. lgd., ps. 2 F. Ro. (24 M.), zgl. 2 F. u. 2 Ur. Sch. Fag.

6) Kl. hb. lgd., L. A. Bu. (G. W.), zgl. l. Hd. Fag., r. Hd. Nr. Dü., u. l. obere Br. Hä. Pug. (m. r. Hd.)

7) R. snn. l. rk. l. w. bg. sp. sth., Wch. Rf. V. Dh. (G. W.) u. (P. W.), zgl. l. Hd. Fag., Kz. 2 Fag., u. 2 F. Süg.

8) Str. fl. sp. sch. lh. sth., 2 A. Sw. Abw. Füg. (G. W.), zgl. 2 Hd. Fag., u. 2 Hf. Fag.

9) Fg. fa. k. r. w. schu. sth., Wch. K. V. Dh. (G. W.) u. (P. W.), zgl. K. u. Ach. Fag.

10) Wr. bg. b. vw. lgd., Ha.

§. 476. 3. Recept.

1) H. fa. sg. hc. sth., B. Wch. V. Z. (G. W.) u. (P. W.), zgl. sg. F. Fag.

2) 2 wrrk. lg. stzd., Wch. Rf. Sen. (G. W.) u. (P. W.), zgl. 2 Ebg. Fag., 2 Slbt. Fag., u. 2 Ur. Sch. rs. Fag.

3) L. wrrk. r. kl. sf. schu. sth., Wch. Rf. S. Bu. (G. W.) u (P. W.), zgl. kl. Hd. Fag. u. 2 Hf. Fag. [r. sf., Rf. L. S. Bu. (G. W.) u. (P. W.)]

4) 2 wrkl. w. b. vw. lgd., Wch. Rf. Dh. (G. W.), zgl. 2 Ebg. Fag., u. 2 Ur. Sch. rs. Fag.

5) Wr. hb. lgd., B. Wch. Er. (G. W.) u. Sen. (P. W.), zgl. 2 Hd. Nr. Dü., u. F. Fag.

6) Sprrc. ng. sp. sch. lh. sth., Wch. 2 A. Spraf. Rk. Hb. Ro. (G. W.) u. (P. W.), zgl. 2 Hd. Fag., u. 2 Hf. Fag.

7) H. sf. tf. ng. schu. sch. gg. sth., Wch. Rf. S. Bu. (G. W.), zgl. 2 Hd., u. 2 Hf. Fag. [r. sf., Rf. L. S. Bu. (G. W.) u. Rf. R. S. Bu. (G. W.)]

8) L. wr. r. kl. r. w. l. lg. stzd., Wch. Rf. V. Dh. (G. W.) u. Rc. Dh. (G. W.), zgl. kl. Hd. Fag., 2 Kn. Fag., u. l. Ur. Sch. rs. Fag.

9) Str. hb. lgd., 2 A. Wch. Kl. Rk. Hb. Ro. (G. W.) u. (P. W.), zgl. 2 Hd. Fag., u. 2 Br. Hä. Kla. (m. ugn. Hd.)

10) Sp. hb. lgd., ps. 2 F. Ro. (24 M.), zgl. 2 F. u. 2 Ur. Sch. Fag.

11) Str. tf. ng. schu. sch. gg. sth., Wch. 2 Or. u. Ur. A. Bu.

(G. W.) u. (P. W.), zgl. 2 Hd. Fag., zgl. 2 Rn. Hä. u. 2 Rp. S. Kla. (m. ngn. Hd.)

Als diätetische Bewegung wurde sehr oft des Tages von der Patientin die „Klrc. schu. sth., act. 2 A. Bn. (i. v. E.)“ ausgeführt.

II. ABSCHNITT.

II. CAPITEL.

Therapie der medicinischen Krankheiten vom heilorganischen Standpunkte.

§. 477. Aus §. 191 fgd. geht hervor, dass unter medicinischen Krankheiten solche verstanden werden, bei denen die pathologischen Retractionen und Relaxationen primär in visceralen Organen entstehen, und erst secundär die Bewegungsorgane, namentlich die Muskeln befallen. Da nun der Zweck der Heilorganik überhaupt ist, Retractions- und Relaxationsprocesse zu heben, so folgt hieraus, dass die medicinischen Krankheiten ebenfalls Curobject dieser Behandlungsweise schon im Allgemeinen sein müssen.

§. 478. Dass dieselben viel später als die chirurgischen, und namentlich als die Verkrümmungen, für die heilorganische Cur von den Aerzten geeignet erachtet wurden; und dass es bis auf den heutigen Tag unter diesen noch manche giebt, die bei medicinischen Krankheiten jede erspriessliche Einwirkung der Heilorganik bezweifeln: findet seine Erklärung, einmal in der falschen Auffassung des Wesens dieser Curmethode überhaupt, und andererseits in der vollkommenen Unkunde der Retractions- und Relaxationsverhältnisse des Menschenleibes; so wie der von diesem Standpunkte aus gleichen Natur der Verkrümmungen und der medicinischen Krankheiten.

§. 479. Zufolge des §. 56 Entwickelten werden natürlich auch von den letzteren nur die chronischen zur heilorganischen Behandlung sich eignen; und von diesen im Folgenden nur die aufgeführt und besprochen werden, welche in der heilorganischen Casuistik bisher vorkamen. In Hinsicht der Benennung derselben, der Beschreibung ihrer Symptome, ihres Verlaufs u. s. w. wird die §. 184 fgd. angeführte Verfahrungsweise auch hier maassgebend sein. Die Eintheilung der abzuhandelnden Krankheiten wird zunächst nach dem Körperregionsverhältnisse geschehen. Hiernach werden dieselben in zwei Classen, in allgemeine und locale zerfallen, je nachdem sie mehr an allen Körpertheilen, oder nur an bestimmten zunächst vorzukommen pflegen. Die localen werden noch in Kopf-, Rumpf- und Gliederkrankheiten eingetheilt werden.

Es ist diese Classificirung aus keinem anderen Grunde gewählt worden, als um einigermaassen einen Leitfaden für die abzuhandelnden Gegenstände zu haben, da sonst zugegeben werden muss, dass sie mangelhaft sei. Denn es leuchtet z. B. ein, dass bei den zuerst local in einem bestimmten Körpertheile auftretenden, visceralen Retractions- und Relaxationsverhältnissen doch bald der übrige Leib sowohl in den Bewegungs-, als visceralen Organen mitleidend sein wird. Erst die Zukunft kann eine genauere Eintheilung der chronischen Krankheiten vom heilorganischen Standpunkte aus bringen, wenn es feststehen wird, wie weit das Gebiet der Heilorganik als Behandlungsweise dieser Leiden sich eigentlich erstreckt.

A. Allgemeine medicinische Krankheiten.

§. 480. Hier werden zunächst folgende Krankheiten abzuhandeln sein: 1) Hysterie; 2) Hypochondrie; 3) Melancholie; 4) Blödsinn; 5) Bleichsucht; 6) Skrofeln; 7) Gicht; 8) Rheumatismus; 9) Epilepsie; 10) Veitstanz; 11) Muskelschwäche; 12) Wassersucht, und 13) Marasmus.

1. Hysterie.

§. 481. Diese proteusartige Krankheit namentlich des weiblichen Geschlechts besteht, so verschieden auch ihre Symptomatik sich darstellen mag, doch zunächst in einem Ueberwiegen der sensibeln Nervensphäre über die motorische. Da nämlich bei der Erziehung unserer weiblichen Jugend der Fehler beinahe überall begangen wird, dass den heranwachsenden Mädchen Gefühlseindrücke im Uebermaass, stärkere körperliche Bewegungen aber nicht, oder doch nicht im entsprechenden Verhältnisse als compensirendes Agens geboten werden: so müssen in der sensibeln Nervensphäre Relaxationen, in der motorischen Retractionen bei den meisten so behandelten Mädchen sich ausbilden. Hat die Hysterie längere Zeit gedauert, so gehen die reinen Nervenstörungen auch auf die Zellen der Gewebe anderer visceralen Organe über; keineswegs aber immer vorwaltend auf die Geschlechtssphäre; weshalb der Name Hysterie schlecht gewählt ist. Endlich nehmen auch die Bewegungsorgane, namentlich die Muskeln, an solchen Retractionen und Relaxationen Theil, indem in diesen anfangs geringfügige, aber sehr weit verbreitete, später tiefer eindringende Retractions- und Relaxationsverhältnisse sich ausbilden. Dieselben wurden bisher als Muskelschwäche, Gelenksteifigkeit, ungraziöse Haltung des Körpers, Ungeschicklichkeit überhaupt u. s. w. bezeichnet; und werden bei diagnostischer Anwendung heilorganischer Bewegungen (§. 68) leicht erkannt. Zum Beispiel: eine Arm-Seitwärts-Aufwärts-Führung (G. W.) u. (P. W.) ermittelt eine Contractur des Schultergelenks sehr bald, eine Rumpf-Drehung (G. W.) u. (P. W.) Retractionen der Spiral-Muskelfaser-Gruppen des Rumpfes u. s. w.

§. 482. Dass die heilorganische, auf die motorische Nervensphäre so speciell Einwirkung habende Curmethode bei der Hysterie, namentlich wenn sie längere Zeit gedauert hat, die zunächst und allein helfende sein werde, liegt nach der eben gegebenen Auseinandersetzung zu sehr auf der Hand, als dass es noch eines besonderen Beweises bedürfte.

Bei Patienten, die noch nicht das dreissigste Jahr überschritten haben, und bei denen das Uebel noch nicht über zehn Jahre andauert, wird die Prognose bei Anwendung der heilorganischen Behandlung eine so günstige sein, dass deren Herstellung (vorausgesetzt, dass die heilorganische Cur Jahre lang gebraucht, und so wenig wie möglich durch andere im Principe ihr widersprechende Heilmethoden gestört werde) mit Sicherheit vorherzusagen ist. Hat dagegen die Hysterische nicht bloss dreissig, sondern selbst vierzig Jahre erreicht; haben ihre Beschwerden dabei nicht ab-, nein sogar zugenommen: dann ist die Herstellung auch durch Heilorganik sehr zweifelhaft.

§. 483. So mannigfaltig die Symptome der Hysterie sein können; so sehr dabei z. B. die Menstruation gehemmt, oder im Uebermaasse; die Leibesöffnung retardirt, oder diarrhoeartig; der Appetit darniederliegend oder sehr rege u. s. w. sein kann: so wird doch das erwähnte Retractions- oder Relaxationsverhältniss der Nerven stets vorwaltend bleiben. Die heilorganische Behandlung wird daher zwar auf die hervorstechendsten Symptome auch Rücksicht nehmen, und die zu ihrer Bekämpfung dienlichen Bewegungsformen in die Recepte aufnehmen; doch aber das eigentliche Nervenleiden dabei als normgebend erachten. Deshalb werden z. B. die duplicirt-concentrischen Bewegungen vorwaltend in den Recepten vertreten sein. Die folgenden Beispiele derselben können deshalb auch nur zunächst diese allgemeinen Retractions- und Relaxationsverhältnisse berücksichtigen.

§. 484. Da häufig hysterische Patienten vorkommen, deren Nervensystem sogar so stark afficirt ist, dass sie, wenn sie die schwächsten heilorganischen Bewegungen ausführen sollen, in Thränen ausbrechen: so ist es bei deren Behandlung besonders nöthig, genau die Steigerung der schwerer und schwerer auszuführenden Bewegungsformen, je nachdem dieselben in Gebrauch kommen, abzupassen.

Hierzu werden die folgenden Recepte auch Anleitung geben.

§. 485. 1. Recept.

1) Hb. lgd., Wch. 2 B. Spg. (G. W.) u. Eig. (P. W.), zgl. 2 F. Fag.

2) Spr. sp. sch. lh. sth., Wch. 2 A. Sw. Afw. Füg. (G. W.) u. Vw. Afw. Füg. (G. W.), zgl. 2 Hd. Fag., u. 2 Hf. Fag.

3) Rh. fl. (ng.) sp. hc. stzd., Wch. Rf. V. Ngg. (G. W.) u. Rc. Bu. (G. W.), zgl. 2 Ebg. Fag.

4) Sp. hb. lgd., ps. 2 F. Ro. (24 M.), zgl. 2 F. Fag., u. 2 Ur. Sch. Fag.

5) Rh. sf. ga. hf. lh. sth., Wch. Rf. S. Bu. (G. W.) u. (P. W.), zgl. 2 Ebg. Fag., u. 2 Hf. Fag. [r. sf., l. ga., l. hf. lh., Rf. L. S. Bu. (G. W.) u. (P. W.)]

6) Ö. fa. sg. hc. sth., Wch. B. V. Z. (G. W.) u. Rc. Z. (P. W.), zgl. F. Fag. (r. sg., r. F. Fag.)

7) Kl. hb. lgd., ps. 2 A. Ro. (18 M.), zgl. 2 Hd. Fag. u. Z., u. 2 Ach. Fag.

8) Wr. sp. hc. stzd., Wch. 2 Or. u. Ur. A. Strg. (P. W.) u. Bu. (G. W.), zgl. 2 Hd. Fag., u. Kn. Rn. Dü.

9) Lt. f. fa. so. hb. lgd., Ur. Sch. Wch. Bu. (P. W.) u. Strg. (P. W.), zgl. Kn. u. F. Fag. (r. Ur. Sch. Bu. u. Strg., r. Kn. u. r. F. Fag., l. lt., l. f. fa., r. so.)

10) Hb. kl. w. sp. sch. lh. sth., Wch. Rf. V. Dh. (G. W.) u. (P. W.), zgl. kl. Hd. u. fit. Ebg. Fag., u. 2 Hf. Fag. (r. kl., r. w.)

§. 486. 2. Recept.

1) Ö. fa. zh. fa. sb. hc. sth., B. Sw. Sen. (P. W.), (i. v. E.), zgl. sb. F. Fag.

2) Rh. sr. w. bg. sp. knd., Wch. Rf. Rc. Dh. (G. W.) u. (P. W.), zgl. rh. Ebg. u. sr. Hd. Fag., u. Kn. Kz. Dü. (r. rh., l. sr., r. w.)

3) Snn. rk. ga. sth., Wch. A. Strg. (G. W.) u. (P. W.), zgl. rk. Hd. Fag., u. rk. Slbt. Dü.

4) Sr. hb. lgd., ps. 2 A. Ro., zgl. 2 Hd. Fag. u. Z., zgl. 2 Ach. Fag.

5) Str. w. sp. ur. sch lh. sth., Wch. 2 A. Sw. Abw. Füg. (G. W.) u. Sw. Afw. Füg. (P. W.), zgl. 2 Hd. Fag.

6) H. hb. lgd., B. Wch. Er. (G. W.) u. Sen. (P. W.), zgl. 2 Hd. Nr. Dü., u. F. Fag.

7) Rh. w. fl. sp. hc. stzd., Wch. Rf. Rc. Dh. (P. W.) u. V. Dh. (G. W.), zgl. 2 Ebg. Fag. (Der Gymnast steht bei der Bewegung hinter dem Patienten.)

8) Hb. lgd., ps. Sp. Ro., zgl. 2 Ach. Fag., Or. u. Ur. Sch. Fag., Kn. u. F. Fag. (r. Sp. Ro., l. Or. u. l. Ur. Sch. Fag., r. Kn. u. r. F. Fag.)

9) Str. e. ng. sch. lh. sp. sth., Wch. Rf. Rc. Bu. (G. W.) u. (P. W.), zgl. str. Hd. u. e. Ach. Fag., u. 2 Hf. Fag.

10) Sr. smm. sp. lgd., Ha.

§. 487. 3. Recept.

1) Snn. bg. sth., Or. Sch. Wch. Bu. (G. W.) u. Strg. (P. W.), zgl. Kn. Fag., u. Kz. Dü.

2) Rk. sp. sth., Wch. 2 A. Kl. Str. Hb. Ro. (G. W.) u. (P. W.), zgl. rk. Hd. Wch. Fag.

3) Rh. sf. w. sp hc. stzd., Wch. Rf. Sf. V. Bu. (G. W.) u. Sf. Rc. Bu. (P. W.), zgl. Ebg. Fag. (r. sf., r. w., l. Ebg. Fag.)

4) Rh. w. tf. ng. schu. sch. gg. sth., Wch. Rf. Dh. (G. W.), zgl. 2 Ebg. Fag., u. 2 Slbt. Dü.

5) Str. w. sp. hc. stzd., ps. 2 A. Fic., zgl. 2 Hd. Fag., u. Kn. Rn. Dü.

6) Wr. lg. stzd., act. 2 Or. u. Ur. A. Strg. (4 M.), zgl. 2 F. Fag.

7) Rh. bg. b. vw. lgd., Ha., zgl. 2 Ur. Sch. rs. Fag.

8) Snn. kl. fa. so. hc. sth., B. Wch. Rc. Z. (G. W.) u. (P. W.), zgl. Rn. ls. abw. Seg. (m. l. Hd.), zgl. so. F. Fag.

9) Sr. fl. sp. sch. gg. sth., Wch. Rf. V. Ngg. (P. W.) u. Rc. Bu. (G. W.), zgl. sr. Hd. Wch. Fag., K. Fag., u. 2 Hf. Fag.

10) Str. sf. schu. sth., act. Rf. S. Bu. (Im Ganzen 6 M.)

§. 488. 4. Recept.

1) Snn. kl. bg. w. sp. lh. sth., Wch. Rf. V. Dh. (G. W.) u. Rc. Dh. (P. W.), zgl. kl. Hd. Fag., Kz. 2 Fag., u. 2 F. Süg. (r. snn., l. kl., l. w.)

2) Spr. bg. b. vw. lgd., Wch. 2 A. Sw. Afw. Füg. (G. W.) u. (P. W.), zgl. spr. Hd. Wch. Fag., u. 2 Ur. Sch. rs. Fag.

3) H. kn. lt. f. fa. sg. hc. stzd., Wch. B. Er. (G. W.) u. Sen. (P. W.), zgl. sg. F. Fag., lt. Kn. Fag., u. 2 Hd. Nr. Dü. (r. sg., l. lt., l. f. fa.)

4) Str. kl. w. lg. sp. stzd., Wch. Rf. Sf. Rc. Bu. (G. W.) u. (P. W.), zgl. str. Hd. Fag., 2 Or. u. 2 Ur. Sch. Fag. [r. str., l. kl., r. w., Rf. R. Sf. Rc. Bu. (G. W.) u. (P. W.)]

5) Kl. tf. bg. sp. hc. stzd., Wch. Rf. V. Bu. (G. W.) u. Rc. Bu. (P. W.) (bis in die tf. bg. Stg.), zgl. 2 Hd. Fag.

6) Str. smm. bg. hc. sth., B. Wch. Er. (G. W.) u. Sen. (P. W.), zgl. F. Fag.

7) Hb. kl. w. hb. lg. stzd., Wch. Rf. V. Dh. (G. W.) u. Rc. Dh. (P. W.), zgl. kl. Hd. Fag., 2 Kn. Fag., u. Ur. Sch. rs. Fag. (r. kl., r. w., l. hb. lg., l. Ur. Sch. rs. Fag.)

8) Str. ng. sp. sth., Wch. Rf. Rc. Bu. (G. W.) u. (P. W.), zgl. 2 Hd. Fag., u. 2 Hf. Fag.

9) Str. spr. tf. ng. schu. sch. gg. sth., Wch. A. Sw. Afw. Füg. (G. W.) u. (P. W.), zgl. spr. Hd. Fag.

10) Sz. sth., Ha.

§. 489. 5. Recept (diätetisches).

1) Spr. lg. stzd., act. 2 A. Sw. Afw. Füg. (4 M.)

2) Str. sf. w. schu. sth., act. Rf. Sf. Rc. Bu. (Im Ganzen 6 M.), (r. sf., l. w., Rf. L. Sf. Rc. Bu.)

3) H. fa. 2 sg. rf. hc. lgd., act. 2 B. Er. (4 M.)

4) Kl. w. ki. sth., act. 2 A. Ro. (4 M.)

5) Str. e. hd. inw. rf. w. sf. sp. sth., act. A. Asw. Dh. (Im

Ganzen 6 M.), (r. str., l. e., r. hd. inw., rf. r. w., rf. r. sl., R. A. Asw. Dh.)

6) Spr. ng. sp. knd., act. Rf. Rc. Bu., zgl. act. 2 A. Vw. Afw. Füg. (4 M.)

7) Str. hc. sth., act. B. Sw. Er. (i. v. E.) (Im Ganzen 12 M.)

8) Kl. w. schu. sth., act. Rf. Rc. Dh. (Im Ganzen 6 M.)

9) Sun. spu. hc. bgd., act. Or. Sch. Strg. (Im Ganzen 6 M.) (r. spu., r. Or. Sch. Strg.)

10) Sz. sth., Ha.

2. Hypochondrie.

§. 490. Die Hypochondrie, die beim männlichen Geschlechte viel öfterer, als beim weiblichen vorkommt, ist in ihren Symptomen so mannigfaltig, wie die Hysterie. Psychische Alienation, wenn auch nur in geringem Maasse, ist bei ersterer häufiger, als bei der letzteren; ja, es dürfte kaum ein Fall von Hypochondrie vorkommen, der ganz frei von Seelenstörung sei. Die nächste Ursache dieses Uebels sind vorwaltend Retractionszustände in den Zellen des sympathischen Nervensystems. Besteht die Hypochondrie längere Zeit, so bilden sich meistentheils sehr bedeutende Retractions- und Relaxationszustände in den Bewegungsorganen, und namentlich in den Muskeln. Die Fuss- und Schultergelenke zeigen meistentheils deutliche Contracturen; zugleich fehlt besondere Trägheit des Stuhlgangs, auf Retractionen in der Darmmuskel- und Schleimhaut beruhend, selten.

§. 491. Die heilorganische Behandlung muss möglichst allein bei diesem Uebel angewendet werden. Verbindung derselben mit einer medicamentösen bringt nicht leicht Vortheil. So wie aber der Hypochonder bei Anwendung jeder Curart leicht zum Extrem schreitet, so auch bei der heilorganischen. Ist jedoch der Patient im Alter vorgerückt, so wird um so mehr nöthig sein, denselben von allen Uebertreibungen beim Gebrauche der heilorganischen Bewegungsformen abzuhalten; und ihm überhaupt in der oft gewünschten Veränderung und Steigerung der Bewegungen nicht allen Willen zu thun. — Auch in dieser Hinsicht unterscheidet sich der Hypochonder von der Hysterischen gar sehr. Die letztere befolgt die Vorschriften des heilorganischen Arztes auf das Genaueste, und erlaubt sich nicht leicht Eingriffe in die Cur. — Sobald es nun aber doch gelingt, den Hypochonder länger als ein halbes Jahr bei einer regelmässigen heilorganischen Behandlung festzuhalten, so wird die Heilung meistentheils gesichert sein. In den folgenden Recepten werden natürlich, den bei Hypochondrie vorwaltenden Retractionszuständen gemäss, die duplicirt-excentrischen Bewegungsformen auch vorwaltend sein.

§. 492. 1. Recept.

1) Snn. sg. hc. sth., Wch. B. V. Z. (G. W.) u. Rc. Z. (P. W.), zgl. sg. F. Fag.

2) Spr. sp. sth., act. 2 A. Sw. Afw. Füg. (4 M.)

3) Str. kl. w. li. sth., Wch. Rf. V. Dh. (G. W.) u. Rc. Dh. (P. W.), zgl. kl. Hd. Fag. (r. str., l. kl., l. w.)

4) Snn. spr. fa. bg. sth., Or. Sch. Wch. Bu. (G. W.) u. Strg. (P. W.), zgl. Kn. u. Kz. Fag. (r. snn., l. spr. fa., r. Or. Sch. Bu.)

5) Rh. sf. w. sp. hc. stzd., Wch. Rf. Sf. V. Bu. (P. W.) u. Sf. Rc. Bu. (P. W.), zgl. 2 Ebg. Fag. (r. sf., r. w., L. Sf. V. u. R. Sf. Rc. Bu.)

6) Sp. hb. lgd., ps. 2 F. Ro. (24 M.), zgl. 2 F. u. 2 Ur. Sch. Fag.

7) Str. sr. sp. hc. stzd., ps. Sr. A. Ro., zgl. Hd. Fag., u. Ach. Fag., u. Kn. Rn. Dü. (r. str., l. sr., L. A. Ro., l. Hd. Fag., u. r. Ach. Fag.)

8) K. kmm. sp. fr. sth., K. Rc. Bu. (G. W.), (i. v. E.), zgl. Hrk. 2 Fag., u. 2 Ach. Fag.

9) Sr. fa. w. bg. so. fs. fa. sth., Wch. Rf. V. Dh. (G. W.) u. Rc. Dh. (P. W.), zgl. so. F. Fag. (r. w., r. so., l. fs. fa.)

10) Rk. tf. ng. sp. sth., act. 2 A. Kl. Str. Hb. Ro., zgl. act. Rf. Rc. Bu. (4 M.)

§. 493. 2. Recept.

1) H. 2 or. a. inw. sp. sch. lh. sth., ps. 2 A. Pu. (18 M.), zgl. 2 Hd. Fag.

2) Str. lt. f. fa. sg. rf. lgd., Wch. B. Er. (G. W.) u. Scn. (P. W.), zgl. lt. Kn. u. sg. F. Fag., u. 2 Hd. Z. (r. lt., r. f. fa., l. sg.)

3) Wr. bg. sp. hc. stzd., Wch. 2 Or. u. Ur. A. Strg. (G. W.) u. (P. W.), zgl. Hd. Wch. Fag., u. 2 Ur. Sch. rs. Fag.

4) Snn. kl. fa. sg. f. inw. hc. sth., Wch. Sg. B. Asw. Dh. (P. W.) u. Inw. Dh. (P. W.), zgl. sg. F. u. Ur. Sch. Fag. (r. snn., l. kl. fa., l. sg., l. f. inw.)

5) H. kl. w. sp. sth., Wch. Rf. Rc. Dh. (G. W.) u. (P. W.), zgl. kl. Hd. Fag., u. 2 Hf. Fag. (r. h., l. kl., r. w.)

6) Sr. lt. hb. lgd., Wch. Ur. Sch. Strg. (G. W.) u. Bu. (P. W.), zgl. lt. F., u. lt. Kn. Fag., u. 2 Hd. Nr. Dü.

7) Rh. klwr. w. sp. knd., Wch. Rf. V. Dh. (G. W.) u. Rc. Dh. (P. W.), zgl. klwr. Ebg. Fag., u. 2 Ur. Sch. Fag. (r. rh., l. klwr., l. w.)

8) Ö. fa. f. bg. f. asw. hc. sth., Wch. F. Strg. (G. W.) u. (P. W.), zgl. Fst. u. Ur. Sch. Fag. (r. f. bg., r. f. asw., r. Fst. u. r. Ur. Sch. Fag.)

9) Rh. str. w. ng. sp. sch. lh. sth., Wch. Rf. Rc. Bu. (G. W.) u. (P. W.), zgl. rh. Ebg. u. str. Hd. Fag., u. 2 Hf. Fag. (r. rh., l. str., l. w.)

10) Str. spr. bg. sp. hc. stzd., Wch. Spr. A. Sw. Afw. Fûg. (G. W.) u. (P. W.), zgl. spr. Hd. Fag.

§. 494. 3. Recept.

1) H. fa. spr. fa. bg. so. hc. sth., B. Wch. Rc. Z. (G. W.) u. (P. W.), zgl. so. F. Fag., u. Kz. Dü.

2) Rh. ng. w. sp. sch. lh. sth., Wch. Rf. Rc. Bu. (G. W.) u. (P. W.), zgl. 2 Hd. Fag., 2 Hf. Fag., u. K. ls. Hak. (m. l. Hd.)

3) Str. s. lgd., Wch. B. Sw. Er. (G. W.) u. Sw. Sen (P. W.), zgl. F. Fag., u. str. Hd. Nr. Dü. (r. s. lgd., l. B. Sw. Er. u. Sen., l. F. Fag., l. str. Hd. Nr. Dü.)

4) Sm. spr. fa. ng. schu. sth., Wch. Hf. V. Bu. (P. W.) u. (G. W.), zgl. 2 Hf. Fag.

5) Rh. lg. stzd., Wch. Rf. Sen. (P. W.) u. (G. W.), zgl. 2 Ebg. Fag., u. 2 Ur. Sch. rs. Fag.

6) H. smm. bg. sg. hc. sth., B. Wch. V. Z. (G. W.) u. Rc. Z. (P. W.), zgl. sg. f. Fag.

7) Hb. lgd., ps. Sp. Ro., zgl. 2 Ach. Fag., Or. u. Ur. Sch. Fag., u. Kn. u. F. Fag. (R. Sp. Ro., l. Or. u. l. Ur. Sch. Fag., r. F. u. r. Kn. Fag.)

8) Str. bg. sp. hc. stzd., Wch. Rf. V. Ngg. (G. W.) u. Rc. Bu. (P. W.), zgl. 2 Hd. Fag.

9) Hb. h. or. a. inw. 2 hk. hb. lgd., Wch Or. A. Asw. Dh. (G. W.) u. (P. W.), zgl. Hd. u. Ebg. Fag., zgl. Solargfl. Dü. (m. ugn. Hd.), (r. h., r. or. a. inw., r. Hd. u. r. Ebg. Fag.)

10) Str. ng. b. vw. lgd., act. Rf. Er. (4 M.), zgl. 2 Ur. Sch. rs. Fag.

§. 495. 4. Recept (diätetisches).

1) Rk. k. kmm. rf. ng. sp. sth., act. 2 A. Kl. Str. Hb. Ro., zgl. act. K. Rc. Bu., zgl. act. Rf. Rc. Bu. (4 M.)

2) Rh. str. so. hc. sth., act. B. Rc. Z. (Im Ganzen 6 M.), r. rh., l. str., l. so.)

3) Hb. str. hd. inw. rf. w. sf. sp. sth., act. A. Asw. Dh. (Im Ganzen 6 M.), (r. str., r. hd. inw., r. w., r. sf.)

4) H. fa. 2 spu. rf. lgd., act. 2 Or. u. Ur. Sch. Strg. (4 M.)

5) Str. kl. w. schu. sth., act. Rf. Rc. Dh. (Im Ganzen 6 M.) (r. str., l. kl., r. w.)

6) Spr. schu. st. kmmd., act. 2 A. Vw. Afw. Füg., zgl. act. Rf. Rc. Bu. (4 M.)

7) Str. w. sf. schu. sth., act. Rf. Sf. Rc. Bu. (Im Ganzen 6 M.), (r. w., l. sf., Rf. R. Sf. Rc. Bu.)

8) Kl. fa. so. hc. sth., act. B. Rc. Z. (i. v. E.) (Im Ganzen 12 M.)

9) Str. sf. s. b. hc. lgd., act. Rf. Sw. Er. (Im Ganzen 6 M.), zgl. 2 Ur. Sch. rs. Fag. (r. sf., r. s. b. lgd., Rf. L. Sw. Er.)

10) Sz. k. kmm. sp. sth., act. K. Rc. Bu. (4 M.)

3. Melancholie.

§. 496. Die Melancholie, öfters aus Hypochondrie, seltener aus Hysterie hervorgehend, eignet sich, so lange sie noch nicht in sehr hohem Grade ausgebildet ist, sehr wohl zur heilorganischen Behandlung. Meistentheils ist der Melancholische, welcher nicht leicht mehr zu anderer geregelten Beschäftigung zu brauchen ist, doch noch zur Ausführung geregelter heilorganischer Bewegungen sehr wohl zu bewegen. Jedenfalls würde die heilorganische Cur eine günstigere Prognose gewähren, wenn es möglich wäre, solche Kranke auch heilorganisch abgesondert von allen anderen zu behandeln, und ihre Lebensweise überhaupt ihrer psychischen Affection gemäss einzurichten. Dieses könnte natürlich nur zunächst in ordentlich eingerichteten Irrenanstalten geschehen. So viel mir aber bekannt, sind zwar Leibesübungen, jedoch meistentheils ungeregelte, rohe, turnerische, nur bisher in solche Krankenhäuser eingeführt worden, während nur sehr wenige Irrenärzte sich um die Principien, Technik u. s. w. der eigentlichen Heilorganik überhaupt bekümmert haben.

§. 497. Wenn es nun aber schon schwer ist, für Melancholiker die passenden Medicamente auszuwählen: so hat dieses um so mehr seine Schwierigkeit bei den für solche Kranke dienlichen Leibesübungen. Es ist hier gar nöthig, die physiologische Wirkung derselben genau zu studiren, und danach die passenden zu finden. Wie wenig geschieht dieses aber wohl bis jetzt in den meisten Irrenanstalten. Nicht wollte ich daher den Schaden zu verantworten haben, der jetzt so manchem Geisteskranken durch rohes Turnen zugefügt wird. Wann kommt die Zeit, dass jeder Irrenarzt der Einsicht sein wird, dass, so wie ein fälsch angewandter Aderlass, wie ein unpassend gebrauchtes Opiumpulver, so auch eine schnelle active Bewegung statt einer duplicirt-concentrischen, statt einer passiven Kopfhackung u. s. w. dem Irren Nachtheil zu bereiten vermöge?

§. 498. Bei der Melancholie sind stets Retractionen der Zellen der Hirnfasern, die die psychischen Functionen zunächst vermitteln, primär vorhanden. Daher finden sich im Gehirne der Leichen Geisteskranker so häufig bedeutende Degenerationen. (Siehe Gauster, Zeitschrift der Aerzte zu Wien, 1855. Mai, Juni. S. 257 fgde.) Die entfernteren Ursachen der Melancholie können im Unterleibe oder an anderen Orten liegen. Besteht dieses Leiden längere Zeit, so bilden sich in den Bewegungsorganen secundär Retractionen und Relaxationen aus, und diese geben zunächst den bestimmten Habitus dem Geisteskranken.

§. 499. Die heilorganische Behandlung wird nun vorwaltend (namentlich in Hinsicht des Gehirns) excentrisch sein müssen; in Hinsicht aber der übrigen, secundär bei der Melancholie auftretenden Retractionen und Relaxationen (namentlich der Bewegungsorgane und Muskeln) sehr mannigfaltige theils con-, theils excentrische Bewegungsformen anwenden können. Auf solche Weise hat die rationelle heilorganische Behandlung meistentheils einen viel sicherern Plan, als dieses der medicamentösen nachgesagt werden kann; Ursache genug, um die Irrenärzte endlich zu bewegen, die Heilorganik genau zu studiren. Die folgenden Recepte werden natürlich nur eben als Beispiele zu betrachten sein, wie etwa dergleichen zu componiren sind. Die grösste Kunst des heilorganischen Arztes wird erfordert werden, in dem speciellen Falle die eigentlich passenden und nicht schadenden Bewegungsformen zu finden.

§. 500. 1. Recept.

1) So. hh. lgd., B. Sen. (P. W.), (i. v. E.), zgl. F. Fag.

2) Hh. spr. sp. sch. lh. sth., A. Wch. Vw. Afw. Fög. (G. W.), zgl. spr. Hd. Fag. (r. spr., l. fü., R. A. Vw. Afw. Fög.)

3) Str. e. w. sp. knd., Wch. Rf. V. Dh. (G. W.) u. Rc. Dh. (P. W.), zgl. str. Hd. u. e. Ach. Fag., u. Kn. Kz. Dü. (r. str., l. e., r. w.)

4) Snn. bg. bk. sth., Kn. Wch. Strg. (P. W.), zgl. Kn. u. Kz. Fag.

5) K. sf. rf. b. hh. lgd., Wch. K. S. Bu. (P. W.), zgl. K. ls. Kla. (von vorn nach hinten, m. l. Hd.), zgl. K. S. Fag., zgl. 2 Ach. Fag.

6) Sh. hh. lgd., ps. F. Wch. Ro., zgl. F. u. Ur. Sch. Fag. (r. sh., r. F. Ro., r. F. u. r. Ur. Sch. Fag.)

7) Hh. wrkl. sf. ga. hf. lh. sth., Wch. Rf. S. Bu. (G. W.) u. (P. W.), zgl. wrkl. Ebg. Fag., K. Fag., u. 2 Hf. Fag. [r. wrkl., r. sf., l. ga., r. hf. lh., Rf. L. S. Bu. (G. W.) u. R. S. Bu. (P. W.)]

8) Str. wr. sp. lg. stzd., Wch. Or. u. Ur. A. Strg. (P. W.) u. (G. W.), zgl. wr. Hd. Fag., 2 Or. Sch. u. 2 Ur. Sch. Fag.

9) Hh. kl. hh. lgd., Wch. 2 B. Er. (G. W.) u. Sen. (P. W.), zgl. kl. Hd. u. fü. Ach. Nr. Dü., 2 F. Fag., zgl. K. ls. u. q. Hak. (m. l. Hd.), (r. kl., r. Hd. u. l. Ach. Nr. Dü.)

10) Str. w. bg. sp. hc. stzd., act. Rf. V. Dh. (Im Ganzen 6 M.)

§. 501. 2. Recept.

1) Kl. fa. so. hc. sth., Wch. B. Rc. Z. (P. W.), zgl. so. F. Fag.

2) Rh. str. w. sp. hc. stzd., ps. A. Fie., zgl. Ebg. u. Hd. Fag., u. Kn. Rn. Dü. (r. rh., l. str., l. w., r. Ebg. Fag., l. Hd. Fag., l. A. Fie.)

3) Kl. fa. h. fa. k. kmn. schu. sth., K. Rc. Bu. (P. W.), (i. v. E.), zgl. Sn. u. Ach. Fag.

4) H. hh. lgd., B. Wch. Er. (G. W.) u. Sen. (P. W.), zgl. 2 Hd. Nr. Dü., zgl. F. Fag., zgl. Sel. Kog. (m. l. Hd.)

5) Wr. fl. w. sp. sch. lh. sth., Wch. 2 Or. u. Ur. A. Strg. (P. W.) u. Bu. (G. W.), zgl. 2 Hd. Fag., Kn. Rn. Dü., u. 2 Hf. Fag.

6) Snn. kl. fa. ng. sp. sth., Wch. Hf. V. Bu. (G. W.) u. (P. W.), zgl. 2 Hf. Fag., u. 2 F. Süg.

7) H. fa. k. w. hk. sth., Wch. K. Dh. (G. W.), zgl. 2 K. S. Fag., u. 2 Ach. Fag.

8) Str. kl. sf. sp. fr. sth., Rf. Wch. S. Bu. (G. W.) u. (P. W.), zgl. kl. Hd. Fag. (r. str., l. kl., r. sf.)

9) Snn. hg. hk. or. sch. asw. sth., Wch. Or. Sch. Inw. Dh. (G. W.) u. (P. W.), zgl. F. u. Kn. Fag. [r. hk., r. or. sch. asw., R. Or. Sch. Inw. Dh. (G. W.) u. (P. W.), r. F. u. r. Kn. Fag.].

10) Sr. smm. k. hg. sp. lgd., Wch. K. V. Bu. (G. W.) u. K. Rc. Bu. (P. W.), zgl. Sn. u. Ach. Fag.

§. 502. 3. Recept.

1) H. fa. kl. fa. k. kmm. tp. f. fa. sth., K. Rc. Bu. (P. W.), (I. v. E.), zgl. Sn. u. Ach. Fag. (r. h. fa., l. kl. fa., l. tp., l. f. fa., l. Ach. Fag.)

2) Str. 2. sg. rf. lgd., Wch. 2 B. Spg. (G. W.) u. Eig. (P. W.), zgl. 2 Hd. Z., u. 2 F. Fag.

3) Str. spr. w. sp. knd., Wch. A. Sw. Afw. Füg. (P. W.), zgl. spr. Hd. Fag. (r. str., l. spr., r. w., l. Hd. Fag., L. A. Sw. Afw. Füg.)

4) K. w. k. sf. sp. hc. stzd., K. Wch. Sf. V. Bu. (G. W.) u. Sf. Rc. Bu. (P. W.), zgl. Sel. u. Ach. Fag. (k. r. sf., k. l. w., K. L. Sf. V., u. R. Sf. Rc. Bu.)

5) Str. fl. sp. sch. lh. sth., Wch. Rf. V. Ngg. (G. W.) u. Rc. Bu. (P. W.), zgl. 2 Hd. Fag., u. 2 Hf. Fag.

6) Sr. smm. k. kmm. sp. lgd., K. Rc. Bu. (P. W.), (i. v. E.), zgl. Sel. Kog., zgl. Sn. u. Ach. Fag.

7) Hb. h. or. a. inw. s. lgd., ps. A. Pu., zgl. hd. Fag., u. Hf. Fag. (r. h., r. or. a. inw., l. s. lgd., r. A. Pu., r. Hd. u. r. Hf. Fag.)

8) Fl. sp. sff. stzd., ps. K. Ro. (24 M.), zgl. Sel. 2 Fag., 2 Ach. Fag., 2 Kn. 2 Slbt. Süg.

9) Hb. rh. w. b. lgd., Wch. Rf. V. Dh. (G. W.) u. Rc. Dh. (P. W.), zgl. rh. Ebg. Fag. u. Slbt. Dü., u. 2 Ur. Sch. rs. Fag. (r. rh., r. w., r. Ebg. Fag., u. l. Slbt. Dü.).

10) 2 snn. sz. sth., Ha., zgl. Ru. ls. q. abw. Hak. (m. l. Hd.)

§. 503. 4. Recept (diätetisches).

1) Str. rk. w. ng. sp. hc. stzd., act. Rf. Rc. Bu. (Im Ganzen 6 M.), (r. str., l. rk., r. w.)

2) Str. so. hc. sth., act. B. Sb. Sg. Hb. Ro. (Im Ganzen 6 M.)

3) Spr. w. sp. sth., act. 2 A. Sw. Afw. Füg. (Im Ganzen 6 M.)

4) Smm. so. lgd., act. B. Er. (Im Ganzen 6 M.)

5) H. fa. rf. lgd., act. 2 B. Spg. (4 M.)

6) Str. rk. bg. h. vw. lgd., act. A. Kl. Str. Hb. Ro., zgl. 2 Ur. Sch. rs. Fag. (Im Ganzen 4 M.)

7) Snn. hgd., act. 2 B. Spg. (4 M.)

8) Smm. spr. lgd., act. A. Sw. Afw. Füg. (Im Ganzen 4 M.)

9) Str. ng. sp. hc. stzd., act. Rf. Rc. Bu. (bis zur tf. bg. Stg.) (4 M.)

10) Sr. smm. k. bg. sp. lgd., act. K. Rc. Bu. (i. v. E.)

4. Blödsinn.

§. 504. Der **Blödsinn** (Fatuitas) eignet sich in den meisten Fällen zur heilorganischen Behandlung. Nur wenn dieses Uebel gar zu stark ausgebildet ist, und daher den Patienten vollkommen thierisch und vernunftlos macht, findet die heilorganische Behandlung in der Unmöglichkeit der praktischen Ausführung ihre Contraindication. Da sie aber in sehr vielen anderen Fällen sehr wohl anwendbar ist, und auch nicht ohne Erfolg angewendet zu werden pflegt: so ist es um so mehr zu beklagen, dass die Anstalten, die speciell der Pflege und Heilung von Blödsinnigen und Cretinen geöffnet sind, von der Heilorganik (wohl unterschieden vom rohen Turnen) noch keinen oder nur sehr ungeregelten Gebrauch gemacht haben.

§. 505. Da bei dem Blödsinn mehr oder weniger Atrophie (Retraction) des Gehirns, und namentlich des kleinen, so wie des verlängerten Markes sich vorfindet; da bei längerem Bestehen des Uebels immer sehr bedeutende Retractions- und Relaxationszustände auch in den Bewegungsorganen, namentlich in den Muskeln, sich ausbilden: so hat die heilorganische Behandlung meistentheils sehr bestimmte Indicationen. Der fehlenden Neubildung im kleinen Gehirn und im verlängerten Marke entsprechen natürlich zunächst duplicirt-excentrische Bewegungsformen, namentlich die des Kopfes, verbunden mit Hackungen, Klopfungen des Hinterkopfes u. s. w. Doch finden sich bei Blödsinnigen natürlich auch anderweitige, krankhafte Störungen, auf die die heilorganische Behandlung auch Rücksicht zu nehmen hat: so dass es schwierig ist, für alle Fälle passende, heilorganische Recepte im Allgemeinen aufzustellen. Deshalb werden die folgenden nur eben als Beispiele dienen können.

§. 506. 1. Recept.

1) H. fa. k. knm. schn. sth., K. Rc. Bu. (P. W.), (i. v. E.), zgl. Sn. u. Ach. Fag., zgl. Hrk. u. Nk. abw. Hak. (m. l. Hd.)

2) 2 hk. hb. lgd., Wch. 2 Kn. Spg. (P. W.) u. Eig. (P. W.), zgl. 2 Kn. Fag., u. 2 F. Süg.

3) Fl. sp. sff. stzd., ps. K. Ro. (24 M.), zgl. Sel. 2 Fag., 2 Kn. 2 Slbt. Süg., u. 2 Ach. Fag.

4) Spr. sp. sch. lh. sth., Wch. 2 A. Sw. Afw. Füg. (G. W.) u. (P. W.), zgl. 2 Hd. Fag.

5) Rh. w. bg. vw. lgd., Wch. Rf. Rc. Dh. (G. W.) u. (P. W.), zgl. 2 Ur. Sch. rs. Fag., 2 Ebg. Fag.

6) Hb. spr. schn. sch. lh. sth., Wch. A. Sw. Afw. Füg. (P. W.) u. Vw. Afw. Füg. (P. W.), zgl. spr. Hd. Fag., zgl. Hrk. q. Hak. (m. r. Hd.)

7) Str. sp. hb. lgd., Ha., zgl. ps. 2 F. Ro. (24 M.), zgl. 2 F. u. 2 Ur. Sch. Fag.

8) Rh. fl. sp. sch. gg. sth., Wch. Rf. V. Ngg. (P. W.) u. Rc. Bu. (G. W.), zgl. 2 Ebg. Fag., u. 2 Hf. Fag.

9) K. sf. rf. b. hb. lgd., Wch. K. S. Bu. (P. W.), zgl. K. S. Wch. Fag., u. 2 Ach. Fag.

10) Kl. sg. hc. sth., act. B. V. Z. (Im Ganzen 6 M.)

§. 507. 2. Recept.

1) Ö. fa. zh. fa. sb. hc. sth., B. Sw. Sen. (P. W.), (i. v. E.), zgl. sb. F. Fag.

2) K. sf. rf. b. lgd., Wch. K. S. Bu. (G. W.) u. (P. W.), zgl. Sel. Fag., u. 2 Ach. Fag. [r. k. sf., L. K. S. Bu. (G. W.) u. R. K. S. Bu. (P. W.)]

3) Rh. kl. w. hb. lg. stzd., Wch. Rf. V. Dh. (G. W.) u. Rc. Dh. (P. W.), zgl. kl. Hd. Fag., 2 Kn. Fag., u. Ur. Sch. rs. Fag. (r. rh., l. kl., l. w., r. hb. lg. stzd., r. Ur. Sch. rs. Fag.)

4) Kl. fa. str. ga. sth., ps. A. Fie., zgl. Hd. u. Ach. Fag. (r. kl. fa., l. str., r. ga., l. A. Fie., l. Hd. u. r. Ach. Fag.)

5) K. w. h. fa. schu. sth., Wch. K. V. Dh. (G. W.) u. K. Rc. Dh. (P. W.), zgl. Sn. u. Hrk. Fag. [r. k. w., K. L. Dh. (G. W.) u. K. R. Dh. (P. W.)]

6) Snn. sp. hgd., Wch. 2 B. Eig. (G. W.) u. (P. W.), zgl. 2 F. Fag.

7) H. fa. k. w. k. bg. schu. sth., Wch. K. V. Bu. (P. W.), zgl. Hrk. u. Ach. Fag.

8) Wr. w. sp. hc. stzd., Wch. 2 Or. u. Ur. A. Strg. (P. W.) u. Bu. (G. W.), zgl. 2 Hd. Fag., u. Kn. Rn. Dü.

9) Snn. spr. fa. so. f. inw. sth., Wch. B. Asw. Dh. (G. W.) u. (P. W.), zgl. so. F. Fag. (r. snn., l. spr. fa., r. so.)

10) Sr. smm. k. kmm. sp. lgd., K. Rc. Bu. (P. W.), (i. v. E.), zgl. Hrk. Fag., u. Rn. ls. afw. q. Hak. u. Seg. (m. r. Hd.)

§. 508. 3. Recept.

1) Sp. stzd., K. Hak. (Sn. u. l. K. Hä., m. l. Hd.; Hrk. u. r. K. Hä., m. r. Hd.), u. Sn. u. Hrk. Dü. (m. gn. Hd.), u. 2 A. u. 2 K. S. afw. Seg. (m. gn. Hd.)

2) Str. ku. 2. so. stzd., Wch. 2 B. Spg. (G. W.) u. Eig. (P. W.), zgl. 2 F. Fag.

3) Rh. fl. w. sch. lh. sp. sth., Wch. Rf. V. Ngg. (G. W.) u. Rc. Bu. (P. W.), zgl. 2 Ebg. Fag., u. 2 Hf. Fag.

4) Ö. fa. so. (sg.) zh. fa. hc. sth., B. Wch. Rc. Z. (P. W.) u. V. Z. (P. W.), zgl. so. (sg.) F. Fag. [r. so. (sg.), l. zh. fa.]

5) Sr. hb. lgd., ps. 2 A. Ro., zgl. 2 Hd. Z., u. 2 Ach. Fag.

6) Str. e. fl. (ng.) sp. hc. stzd., Wch. Rf. V. Ngg. (P. W.) u. Rf. Rc. Ngg. (P. W.), zgl. str. Hd. u. K. Fag.

7) Hb. spr. hb. lgd., A. Wch. Sw. Afw. Füg. (P. W.) u. Vw. Afw. Füg. (P. W.), zgl. spr. Hd. Fag., u. Sel. Kog. (m. l. Hd.)

8) Str. s. lgd., B. Wch. Sw. Er. (G. W.) u. Sw. Sen. (P. W.), zgl. 2 Hd. Z., Hf. Fag., u. F. Fag. (r. s. lgd., L. B. Sw. Er., l. Hf. u. l. F. Fag.)

9) Kl. hb. lgd., 2 A. Rnw. Eü., zgl. 2 Hd. Fag., u. 2 Ach. Fag.

10) H. k. bg. rf. w. sp. hc. stzd., Wch. K. V. Bu. (P. W.) u. K. Rc. Bu. (P. W.), zgl. Sel. u. Ach. Fag., u. 2 Hd. Nr. Dü.

5. Bleichsucht.

§. 509. Unter diesem Namen wird hier zunächst nur die Krankheit verstanden, die namentlich bei Mädchen in der Entwickelungsperiode aufzutreten pflegt, und Pubertäts-Chlorose auch wohl genannt wird. Zur Heilung dieses Uebels ist die Gymnastik oder eigentlich das Turnen schon lange empfohlen worden. Jedenfalls müssen aber, wie namentlich auch Richter (Grundriss der innern Klinik 3. Aufl., Bd. I., S. 164) ausspricht, die hier anzuwendenden Leibesübungen physiologisch begründet sein, sollen sie nicht mehr schaden, als nützen; sie müssen also zur heilorganischen Behandlungsweise gehören. Eine Verbindung derselben mit einer medicamentösen Curart durch Eisenmittel, durch Roborantia überhaupt, stört nicht allein nicht die heilorganische Behandlung, sondern erhöht ihre Einwirkung sogar. Es werden nämlich alsdann die schwerer verdaulichen Eisenpräparate besser vertragen.

§. 510. Obschon die Chlorose aus Relaxationen und Retractionen der Blutzellen (Blutkörperchen) primär hervorgeht, und daher sehr bald in vielen visceralen Organen ähnliche pathologische Processe hervorruft: so bleibt sie doch meistentheils dabei nicht stehen, sondern bringt in den Bewegungsorganen, namentlich dem ligamentösen und synovialen Apparate, in den Muskeln und endlich auch in den Knochen sowohl Relaxationen, als Retractionen hervor. Deshalb fehlen bei längerer Andauer der Bleichsucht Contracturen der Gelenke und wirkliche Verkrümmungen der Wirbelsäule bei den meisten derartigen Patienten nicht leicht.

§. 511. Die heilorganische Behandlung hat daher auch grösstentheils sehr viele und sehr specielle Indicationen zu erfüllen; doch wird die Concentricität der zu brauchenden Bewegungsformen wegen der Anfangs vorwaltenden Relaxation in der Bleichsucht stets vorherrschend sein müssen. Die folgenden Beispiele von heilorganischen und diätetischen Recepten können daher nur zunächst in dieser Hinsicht ein Bild geben; alle speciellen Indicationen der Casuistik anheimstellend.

§. 512. 1. Recept.

1) Hb. lgd., Ur. Sch. Wch. Bu. (P. W.) u. Strg. (P. W.), zgl. Kn. u. F. Fag. (r. Ur. Sch. Bu., r. Kn. u. r. F. Fag.)

2) Hb. str. fl. fs. sü. sth., Wch. Rf. V. Ngg. (P. W.) u. Rc. Bu. (G. W.), zgl. Hd. u. Ach. Fag., Kn. u. F. Fag. (r. str., l. fs. sü., r. Hd. u. l. Ach. Fag., l. Kn. u. l. f. Fag.)

3) Hb. kl. w. schu. sch. lh. sth., Wch. Rf. V. Dh. (P. W.) u. Rc. Dh. (G. W.), zgl. Hd. u. Ebg. Fag., u. 2 Hf. Fag. (r. kl., r. w., r. Hd. u. l. Ebg. Fag.)

4) Sb. hb. lgd., ps. F. Ro., zgl. F. u. Ur. Sch. Fag. (r. sb., r. F. Ro., r. F. u. r. Ur. Sch. Fag.)

5) Sr. hb. lgd., ps. 2 A. Ro., zgl. 2 Hd. Z., u. 2 Ach. Fag.

6) H. fa. so. (sg.) hc. sth., B. Wch. Rc. Z. (G. W.) u. V. Z. (G. W.); zgl. so. (sg.) F. Fag.

7) K. kmm. ga. fr. sth., K. Rc. Bu. (G. W.), (i. v. E.), zgl. Hrk. 2 Fag., u. 2 Ebg. 2 Vsl. Dü.

8) Hb. kl. sf. ga. hf. lh. sth., Wch. Rf. S. Bu. (G. W.), zgl. kl. Hd. Fag., u. 2 Hf. Fag. [r. kl., r. sf., l. ga., l. hf. lh., Rf. L. S. Bu. (G. W.) u. Rf. R. S. Bu. (G. W.)]

9) Spr. w. schu. ur. sch. lh. sth., act. 2 A. Sw. Afw. Füg. (Im Ganzen 6 M.)

10) Rh. bg. b. vw. lgd., Ha., zgl. 2 Ur. Sch. rs. Fag.

§. 513. 2. Recept.

1) Snn. kl. fa. sb. f. inw. hc. sth., Wch. B. Asw. Dh. (G. W.) u. (P. W.), zgl. sb. F. Fag. (r. sb., r. f. inw.)

2) Rh. sr. w. sp. knd., Wch. Rf. Rc. Dh. (G. W.) u. V. Dh. (G. W.), zgl. rh. Ebg. u. sr. Hd. Fag., u. Kn. Kz. Dü. (r. rh., l. sr., r. w.)

3) Smm. kl. hd. inw. lgd., Kl. A. Wch. Asw. Dh. (G. W.) u. (P. W.), zgl. kl. Hd. Z., u. kl. Ach. Fag. (r. kl., r. hd. inw.)

4) Str. sp. hb. lgd., Ha., zgl. ps. 2 F. Ro., zgl. 2 F. Fag., u. 2 Ur. Sch. Fag.

5) Str. wrkl. fl. (ng.) sp. hc. stzd., Wch. Rf. V. Ngg. (G. W.) u. Rc. Bu. (G. W.), zgl. K. u. wrkl. Ebg. Fag.

6) Snn. sg. (so.) hc. sth., B. Wch. V. Z. (G. W.) u. Rc. Z. (G. W.), zgl. sg. (so.) F. Fag.

7) Rh. w. sf. sp. hc. stzd., Wch. Rf. Fl. Sf. W. Hb. Ro. (G. W.) u. (P. W.), zgl. 2 Ebg. Fag. (r. w., l. sf., Rf. Fl. L. W. R. Sf. Hb. Ro.)

8) H. fa. k. bg. schu. sth., Wch. K. V. Bu. (P. W.) u. K. Rc. Bu. (G. W.), zgl. Hrk. u. Ach. Fag.

9) Str. sf. rf. lgd., Wch. 2 B. S. Füg. (G. W.) u. (P. W.), zgl. 2 Hd. Z., 2 Hf. Fag., u. 2 F. Z.

10) Sr. smm. sp. lgd., Ha., zgl. Rn. ls. abw. Hak. u. Seg. (m. l. Hd.)

§. 514. 3. Recept.

1) Snn. bg. w. sth., Hf. Wch. V. Dh. (G. W.) u. (P. W.), zgl. 2 Hf. Z., u. 2 F. Süg.

16*

2) Hb. str. lgd., ps. A. Fie., zgl. Hd. u. Ach. Fag. (r. str., r. Hd. u. l. Ach. Fag.)

3) K. kmm. rf. b. lgd., K. Rc. Bu. (G. W.), (i. v. E.), zgl. Hrk. Fag., u. 2 Ach. Fag.

4) H. ku. 2 sg. sp. stzd., Ha., zgl. ps. 2 F. Ro., zgl. 2 Hl. Fag., u. 2 F. u. 2 Ur. Sch. Fag.

5) Hb. str. w. ng. sp. hc. stzd., Rf. Sf. Fl. W. Hb. Ro. (G. W.), zgl. str. Hd. u. Ach. Fag. (r. w., Rf. L. Sf. Fl. R. W. Hb. Ro.)

6) Snn. hgd., Wch. 2 B. Spg. (G. W.) u. Eig. (P. W.), zgl. 2 F. Fag.

7) Str. spr. b. vw. lgd., Wch. Spr. A. Sw. Afw. Füg. (G. W.) u. Vw. Afw. Füg. (G. W.), zgl. spr. Hd. Fag., u. 2 Ur. Sch. rs. Fag.

8) Hb. kl. ng. sp. sch. lh. sth., Rf. Rc. Ngg. (G. W.), (i. v. E.), zgl. kl. Hd. u. K. Fag.

9) Ö. fa. zh. fa. bk. hc. sth., Or. Sch. Wch. Strg. (P. W.) u. Bu. (G. W.), zgl. Kn. u. Kz. Fag. (r. hk., r. Or. Sch. Strg., r. Kn. Fag.)

10) Rh. bg. b. vw. lgd., Wch. Rf. Sen. (P. W.) u. Rf. Er. (G. W.), zgl. 2 Ebg. Fag., u. 2 Ur. Sch. rs. Fag.

§. 515. 4. Recept.

1) Hb. wr. 2 hk. hb. lgd., Wch. Or. u. Ur. A. Strg. (P. W.) u. Bu. (G. W.), zgl. wr. Hd. Fag., zgl. Utb. q. abw. Kog. u. Seg. (m. r. Hd.)

2) Snn. sp. hgd., Wch. 2 B. Eig. (G. W.) u. Spg. (G. W.), zgl. 2 F. Fag.

3) Hb. rk. 2 hk. sp. hb. lgd., Wch. A. Strg. (G. W.) u. Bu. (G. W.), zgl. rk. Hd. Fag., zgl. tf. Utb. N. Gfl. Dü. (m. ugn. Hd.)

4) Hb. kl. w. tf. ng. schu. sch. gg. sth., Wch. Rf. Db. (G. W.), zgl. kl. Hd. Fag., u. Sel. Fag., zgl. Hrk. u. Nk. u. 2 Slbt. q. Hak. u. Seg. (m. r. Hd.)

5) Kl. fa. sb. hc. sth., B. Sen. (G. W.), (i. v. E.), zgl. sb. F. Fag.

6) Snn. h. fa. ng. schu. sth., Hf. Wch. V. Bu. (G. W.) u. (P. W.), zgl. 2 Hf. Fag.

7) Str. sg. lt. f. fa. rf. lgd., Wch. Sg. B. Er. (P. W.) u. Sen. (G. W.), zgl. sg. F. Fag., lt. Kn. Fag., 2 Hd. Z., zgl. Utb. Kla. (m. l. Hd.), (r. sg., l. lt., l. f. fa.)

8) Str. b. lgd., Wch. 2 A. Vw. Abw. Fūg. (P. W.) u. Vw. Afw. Fūg. (G. W.), zgl. Hd. Wch. Fag., u. 2 Ur. Sch. rs. Fag.

9) H. hb. lgd., ps. Sp. Ro., zgl. 2 Hd. Nr. Dū., Or. u. Ur. Sch. Fag., u. Kn. u. F. Fag. (R. B. Sp. Ro., r. Kn. u. r. F. Fag., l. Or. u. Ur. Sch. Fag.)

10) Str. b. lgd., Ha., zgl. Utb. Kla. (m. l. Hd.), zgl. 2 Ur. Sch. rs. Fag.

§. 516. 5. Recept (diätetisches).

1) Str. spr. ng. sp. sth., act. A. Sw. Afw. Fūg. (Im Ganzen 6 M.)

2) Rhe. kl. w. sp. sth., act. Rf. Rc. Dh. (Im Ganzen 6 M.), (r. rhe., l. kl., r. w.)

3) Kl. fa. kl. hc. sb. sth., act. B. Sw. Sen. (i. v. E.), (Im Ganzen 12 M.), (r. kl. fa., l. kl., l. sb.)

4) Rk. k. kmn. rf. ng. sp. knd., act. 2 A. Strg., zgl. act. K. Rc. Bu., zgl. act. Rf. Rc. Ngg. (4 M.)

5) Snn. so. f. inw. sth., act. B. Asw. Dh. (Im Ganzen 6 M.) (r. so., r. f. inw., R. B. Asw. Dh.)

6) Wr. lg. sp. stzd., act. 2 Or. u. Ur. A. Strg. (4 M.)

7) Str. spr. sb. s. lgd., act. Spr. A. Sw. Afw. Fūg., zgl. act. Sb. B. Sw. Sen. (r. str., l. spr., l. sb., r. s. lgd.)

8) Rh. w. tf. ng. sp. sth., act. Rf. Rc. Dh. (Im Ganzen 6 M.)

9) Snn. kl. spu. hc. sth., act. Or. Sch. Rc. Z. (Im Ganzen 6 M.), (r. snn., l. kl., l. spu., L. Or. Sch. Rc. Z.)

10) Hb. str. tf. bg. sp. hc. stzd., Ha., zgl. Utb. Kla. (durch die eigene Hand des Patienten.)

6. Skrofeln.

§. 517. Die Skrofeln oder die Skrofelkrankheit, hauptsächlich ein Leiden der Kinder und junger Leute, besteht in primären Relaxationen der Zellen der Unterleibsdrüsen und der Lymphdrüsen überhaupt; und ist eine von der Tuberculosis, und namentlich Tuberculosis der Lungen, durchaus verschiedene Krankheit. — Haben sich bei skrofulösen Patienten in den Drüsen der Haut Geschwüre ausgebildet, und sind überhaupt die Kranken bettlägerig: so kann von einer heilorganischen Behandlung derselben natürlich nicht weiter die Rede sein; und es muss die zweckentsprechende medicamentöse oder anderweitige Curmethode eingeleitet werden.

§. 518. Ist dagegen der Patient nicht in so hohem Grade an Skrofeln leidend, dann ist die Heilorganik um so mehr angezeigt, als sie sehr wohl mit der Anwendung medicamentöser Mittel, namentlich auch mit der des in der Skrofelkrankheit so gebräuchlichen Stockfisch-Leberthrans verbunden werden kann. — Da aus den Drüsenzellen-Relaxationen sich bald ähnliche Zustände in den visceralen und Bewegungsorganen entwickeln; da namentlich meistentheils Relaxation der Bauchmuskeln, Retraction der Beinmuskeln u. s. w. sich ausbildet: so hat die Heilorganik bei der Skrofelkrankheit meistentheils sehr bestimmte Indicationen zu erfüllen.

§. 519. Heilorganische und diätetische Recepte für skrofelkranke Kinder (mit Vorwalten der concentrischen Bewegungsformen als Heilmittel gegen die vorwaltende Drüsen-Relaxation solcher Patienten).

1. Recept.

1) Hb. kl. w. schu. sch. lh. sth., Wch. Rf. Rc. Dh. (G. W.) u. V. Dh. (G. W.), zgl. kl. Hd. Fag. (r. kl., l. w.)

2) Sr. hb. lgd., B. Wch. Er. (P. W.) u. Sen. (G. W.), zgl. F. Fag., zgl. Utb. Kla. (m. l. Hd.)

3) Rk. sp. hc. stzd., Wch. 2 A. Kl. Str. Hb. Ro. (G. W.), zgl. 2 Hd. Fag., u. Kn. Rn. Dü.

4) Dk. sp. rf. vw. lgd., ps. 2 F. Ro., zgl. 2 F. u. 2 Ur. Sch. Fag.

5) Str. fl. sp. sch. lh. sth., ps. 2 A. Fic., zgl. 2 Hd. Fag., u. 2 Ach. Fag.

6) Rh. fl. ng. sp. hc. stzd., Wch. Rf. V. Ngg. (G. W.) u. Rc. Bu. (G. W.), zgl. 2 Ebg. Fag.

7) Spr. hb. lgd., Wch. 2 A. Sw. Afw. Füg. (G. W.) u. (P. W.), zgl. 2 Hd. Fag., zgl. Utb. Kog. u. Seg. (m. l. Ft.)

8) Rh. w. bg. schu. ur. sch. lh. sth., Wch. Rf. Rc. Dh. (P. W.) u. V. Dh. (G. W.), zgl. 2 Ebg. Fag., u. 2 Kn. Fag.

9) Str. sf. hb. asfl. knd., Rf. S. Bu. (G. W.) (i. v. E.), zgl. 2 Hd. Fag., Ur. Sch. u. Hf. Fag. (r. sf., r. asfl., l. knd., Rf. L. S. Bu., l. Ur. Sch. u. l. Hf. Fag.)

10) Str. rf. lt. f. la. sg. hc. lgd., Sg. B. Wch. Er. (G. W.) u. Sen. (G. W.), zgl. 2 Hd. Z., lt. Kn. Fag., u. sg. F. Fag. (r. lt., r. f. fa., l. sg.)

§. 520. 2. Recept.

1) Ö. fa. zh. fa. sb. hc. sth., B. Wch. Sw. Sen. (P. W.) u. Sw. Er. (G. W.), zgl. sb. F. Fag. (r. zh. fa., l. sb.)

2) Wr. bg. b. vw. lgd., Wch. 2 Or. u. Ur. A. Strg. (G. W.) u. (P. W.). zgl. wr. Hd. Wch. Fag., u. 2 Ur. Sch. rs. Fag.

3) Hb. kl. w. hb. f. kt. sü. knd., Wch. Rf. V. Dh. (P. W.) u. Rc. Dh. (G. W.), zgl. kl. Hd. Fag., Ur. Sch. u. Hf. Fag. (r. kl., r. w., l. knd., r. f. kt. sü., l. Ur. Sch. u. r. Hf. Fag.)

4) Rb. fl. b. lgd., Wch. Rf. Er. (G. W.) u. (P. W.), zgl. 2 Ebg. Z., 2 Ur. Sch. rs. Fag., u. Utb. abw. q. Hak. (m. l. Hd.)

5) Snn. sp. hgd., 2 B. Wch. Eig. (P. W.) u. Spg. (G. W.), zgl. 2 F. Fag.

6) Fü. b. lgd., ps. Rf. Ro., zgl. 2 Ur. Sch. rs. Fag., zgl. 2 Ebg. Fag., u. 2 Slbt. Dü.

7) Str. kl. fl. schu. sch. lh. sth., Rf. V. Ngg. (G. W.), (i. v. E.), zgl. str. Hd. u. K. Fag., u. 2 Hf. Fag.

8) Sr. tf. ng. schu. sch. gg. sth., ps. 2 A. Ro., zgl. 2 Hd. Z., zgl. 2 Ach. Fag.

9) Str. rhe. ng. sp. knd., Rf. Rc. Bu. (G. W.), zgl. str. Hd. u. rhe. Ebg. Fag., u. 2 Ur. Sch. Fag., zgl. Utb. Kog. (m. l. Ft.)

10) Str. rf. lgd., act. 2 B. Spg. (4 M.), zgl. 2 Hd. Fag.

§. 521. 3. Recept.

1) Hb. lgd., B. Er. (G. W.), (i. v. E.), zgl. F. Fag., zgl. Hs. S. abw. Hak. (m. ugn. Hd.), (r. B. Er., L. Hs. S. Hak., m. r. Hd.)

2) Str. 2 hk. hb. lgd., Utb. abw. q. Kog. u. Seg. (m. l. Hd.)

3) Sr. fa. bg. fs. fa. sth., Or. Sch. Bu. (G. W.), (i. v. E.), zgl. Kn. Fag., u. Kz. Dü. (r. fs. fa., l. Or. Sch. Bu., l. Kn. Fag.)

4) Kl. ki. hb. lgd., Rf. Win. (6 M.), zgl. 2 Ach. Fag., u. 2 F. Süg.

5) Wm. q. 2 so. stzd., Wch. 2 Ur. Sch. Bu. (G. W.) u. Strg. (P. W.), zgl. 2 Kn. u. 2 F. Fag.

6) Rb. sf. sp. sch. lh. sth., Wch. Rf. Ng. Sf. Hb. Ro. (G. W.) u. (P. W.), zgl. 2 Ebg. Fag., u. 2 Hf. Fag. (r. sf., Rf. Ng. L. Sf. Hb. Ro.)

7) Sgl. end. 2 so. stzd., Wch. 2 B. Sen., zgl. Spg. (P. W.) u. Er., zgl. Eig. (G. W.), zgl. 2 Kn. u. 2 Ur. Sch. Fag., u. 2 Ach. Fag., zgl. Utb. Kog. (m. l. Hd.)

8) Str. lg. stzd., Wch. Rf. Sen. (P. W.) u. Rf. Er. (G. W.), zgl. 2 Hd. Z., u. 2 Ur. Sch. rs. Fag.

9) Str. c. sf. sp. hc. stzd., Wch. Rf. S. Bu. (G. W.), zgl. str. Hd. Fag. [r. str., l. c., r. sf., Rf. L. S. Bu. (G. W.) u. Rf. R. S. Bu. (G. W.)]

10) Sr. smm. schu. lgd., Ha., zgl. Rn. ls. abw. Hak. u. Seg. (m. l. Hd.)

§. 522. 4. Recept (diätetisches).

1) H. fa. 2 sg. 2 lt. rf. lgd., act. 2 Or. Sch. Er. (4 M.)

2) 2 rhe. w. schu. sth., act. Rf. Rc. Dh. (Im Ganzen 6 M.)

3) Spr. tf. ng. spz. stzd., act. 2 A. Sw. Afw. Fag. (4 M.)

4) Str. sf. fs. sü. sth., act. Rf. S. Bu. (Im Ganzen 6 M.), (r. sf., r. fs. sü., Rf. L. S. Bu.)

5) Str. bg. b. lgd., act. Rf. Er. (4 M.), zgl. 2 Ur. Sch. rs. Fag.

6) Smm. sb. lgd., act. Sb. B. Eig. (i. v. E.) (Im Ganzen 6 M.)

7) Rh. w. tf. ng. schu. sth., act. Rf. V. Dh. (Im Ganzen 6 M.)

8) Str. w. ki. sth., act. 2 Or. u. 2 Ur. Sch. Strg. (4 M.)

9) Sr. 2 hd. asw. rf. bg. sp. knd., act. 2 A. Inw. Dh., zgl. act. Rf. V. Bu. (4 M.)

10) Str. sg. hc. sth., act. Sg. B. V. Z. (i. v. E.) (Im Ganzen 6 M.)

7. Gicht und 8. Rheumatismus.

§. 523. In sofern die Gicht (Arthritis) durch Anschwellungen in den Gelenken sich documentirt, und in sofern der Rheumatismus in den sehnigen Umhüllungen der Muskeln zunächst seinen Sitz hat, in sofern wären diese Krankheiten eigentlich mehr als chirurgische, denn als medicinische zu betrachten. Da aber beiden Krankheiten, und besonders der Gicht, eine Dyskrasie zum Grunde liegt; da also in ihnen die Blutzellen primär an Retractionen und Relaxationen leiden, und erst secundär in den Geweben der Bewegungsorgane die ähnlichen Zustände erscheinen: so sind Gicht und Rheumatismus zu den medicinischen Krankheiten mit Recht bisher gerechnet worden.

§. 524. Da aus beiden Uebeln Contracturen der Gelenke hervorgehen, so ist die heilorganische Behandlung schon zur Bekämpfung und Heilung dieser bestimmt angezeigt. Weil aber auch ohne gichtische oder rheumatische Anlage primär aus Muskelretractionen und Relaxationen Contracturen zu entstehen pflegen: so wurden diese pathologischen Processe schon unter den chirurgischen Krankheiten (§. 392 fgde.) aufgeführt. Daher wird auf jenen Artikel hier verwiesen.

§. 525. Acute Anfälle der Gicht werden natürlich die heilorganische Behandlung contraindiciren. Weniger allgemein wird dieses beim Rheumatismus angenommen werden können. Sehr acutes, mit starken Schmerzen, mit lebhaftem Fieber verknüpftes Auftreten des Rheumatismus wird zwar auch, indem es den Patienten bettlägerig macht, die heilorganische Cur verbieten, oder auf die Anwendung weniger gelinder, passiver Bewegungen beschränken. Dagegen werden selbst plötzlich auftretende rheumatische Schmerzen, wie sie kleinere Körperregionen, z. B. eine Schulter, das Kreuzbein, kleine Regionen zwischen den Rippen, eine Halsseite, den Nacken, eine Kopfhälfte, einzelne Theile des Gesichts, zunächst nach einer Erkältung zu befallen pflegen, am bestimmtesten durch Heilorganik geheilt werden, wenn eben Fieber damit nicht verbunden ist. Solche rheumatische Uebel pflegen wohl auch in wenigen Tagen bei Ruhe des Patienten, durch Schwitzen, Auflegen von Blasenpflastern, Ansetzen von Blutegeln u. s. w. vorüberzugehen; öfters aber auch in geringerem Maasse und chronisch geworden jahrelang anzuhalten, und dann jeder medicamentösen und operativen Behandlungsweise zu trotzen. Die heilorganische Cur solcher frisch entstandener Uebel ist nun jedenfalls angenehmer, und zugleich sicherer; und erfordert noch dazu öfters nur eine Bewegungsform, die an demselben Tage zu verschiedenen Stunden mehrere Male, oder einige Tage hintereinander angewandt, den Patienten bald wieder herstellt.

§. 526. Besonders wirksam pflegt in solchem Falle zu sein eine duplicirt-concentrische Bewegung (einer der schmerzenden Körperregion benachbarten Muskelfasergruppe), verbunden mit Hackungen, Sägungen und Streichungen, welche auf die schmerzhafte Stelle selbst applicirt werden. So z. B. ist bei rheumatischer Affection der vorderen Regionen des Kopfes, des Halses, der Brust, besonders dienlich die Bewegungsform: Hh. spr. hb. lgd., Wch. Spr. A. Sw. Afw. Fűg. (G. W.) u. Sw. Abw. Fűg. (G. W.), zgl. spr. Hd. Fag., zgl. Sel. Hak., Sä., u. Seg. (m. I. Hd.); oder: Hh. spr. hb. lgd., Wch. A. Sw. Afw. Fűg. (G. W.) u. Vw. Afw. Fűg. (G. W.), zgl. spr. Hd. Fag., zgl. Hs. S. abw. Hak. u. Seg. (m. ugn. Hd.), (r. spr., l. Hs. S. Hak., m. r. Hd.); oder: Kl. spr. ng. schn. sch. gg. sth., A. Weh. Sw. Afw. Füg. (G. W.) u. Sw. Abw. Füg. (G. W.), zgl. spr. Hd. Fag., zgl. Sl. Hak., Sä. u. Seg. (m. ugn. Hd.), (r. kl., l. spr., r. Sl. Hak., m. l. Hd.)

§. 527. Bei rheumatischen Schmerzen im Kreuzbein wendet man an: Dk. bg. vw. lgd., Weh. 2 Ur. Sch. Bu. (G. W.) u. Strg. (G. W.), zgl. 2 F. Fag., zgl. Kz. Gd. Kog., Sä., u. Seg. (m. l. Hd.); oder: Str. dk. bg. vw. lgd., Weh. Str. A. Sw. Abw. Füg. (G. W.) u. Sw. Afw. Füg. (G. W.), zgl. str. Hd. Fag., zgl. Kz. Gd. Hak., Sä. u. Seg. (m. l. Hd.) Bei rheumatischen Schmerzen der rechten Rippenseite wendet man an: R. rk. l. dk. l. s. lgd., Weh. R. A. Strg. (G. W.) u. Bu. (G. W.), zgl. R. Rp. S. Abw. Hak., Sä. u. Seg. (m. l. Hd.); oder: Dk. l. s. lgd., Weh. R. B. Sw. Er. (G. W.) u. Sw. Sen. (G. W.), zgl. r. F. u. r. Hf. Fag., zgl. R. Rp. S. abw. Hak., Sä., u. Seg. (m. l. Hd.)

§. 527a. Es mögen nun hier noch einige Beispiele zusammengesetzterer heilorganischer Recepte folgen, wie sie a) bei rheumatischen Beschwerden im rechten Oberarm und der rechten Schulter; b) bei rheumatischen Kreuz- und Lendenschmerzen; und c) bei gichtischer Affection der Finger und Arme passend sein dürften.

§. 528. a) Bei rheumatischen Beschwerden im rechten Oberarm und der rechten Schulter:

1. Recept.

1) Kl. fa. so. hc. sth., B. Weh. Rc. Z. (G. W.) u. (P. W.), zgl. so. F. Fag., u. r. Or. A. u. Sl. Sä., Hak. u. Seg. (m. l. Hd.)

2) Spr. hb. lgd., Weh. 2 A. Sw. Afw. Füg. (G. W.) u. Sw. Abw. Füg. (G. W.), zgl. 2 Hd. Fag.

3) Rh. w. sp. sch. ih. sth., Weh. Rf. Dh. (G. W.), zgl. 2 Ebg., u. 2 Hf. Fag.

4) Dk. bg. vw. lgd., Weh. 2 Ur. Sch. Bu. (G. W.) u. Strg. (P. W.), zgl. F. Weh. Fag., u. R. Slbt. Gd. Sä., Kog. u. Seg. abw. (m. l. Hd.)

5) Hb. rh. sf. schn. hf. lh. sth., Weh. Rf. S. Bu. (G. W.), zgl. rh. Ebg. Fag., u. 2 Hf. Fag. [r. rh., r. sf., L. S. Bu., u. R. S. Bu.]

6) Sp. hb. lgd., ps. 2 F. Ro. (24 M.), zgl. 2 F. u. 2 Ur. Sch. Fag.

7) Str. klwr. w. schn. sch. lh. sth., Weh. Rf. V. Dh. (G. W.)

u. Rc. Dh. (G. W.), zgl. klwr. Ebg. Fag., 2 Hf. Fag., u. R. Sl. u. Or. A. Sä. Kla. u. Seg. abw. (m. l. Hd.) (r. str., l. klwr., l. w.)

8) R. rk. l. snu. r. ga. sth., R. A. Strg. (G. W.) u. Bu. (G. W.), (i. v. E.), zgl. r. Hd. Fag.

9) Kl. hb lgd., ps. 2 A. Ro., zgl. 2 Hd. Z., u. 2 Ach. Fag.

10) Str. fl. lg. sp. stzd., Ha., zgl. 2 Or. Sch. u. 2 Ur. Sch. Fag.

§. 529. 2. Recept.

1) R. str. hb. lgd., ps. R. A. Fie., zgl. r. Hd. u. l. Ach. Fag., u. Kn. Kz. Dfl.

2) H. fa. w. bg. schu. sth., Wch. Hf. Dh. (G. W.), zgl. 2 Hf. Fag., u. 2 F. Süg.

3) Spr. fa. so. (sg.) hc. sth., B. Wch. V. Z. (P. W.) u. Rc. Z. (P. W.), zgl. so. F. Fag.

4) Sr. fl. (ng.) schu. sch. gg. sth., Wch. Rf. V. Bu. (G. W.) u. Rc. Bu. (G. W.), zgl. sr. Hd. Wch. Fag., u. 2 Hf. Fag.

5) Hb. lgd., B. Wch. Er. (G. W.) u. Scu. (P. W.), zgl. R. A. N. Gfl. Dfl. (m. l. Hd.)

6) R. b. r. or. a. inw. sp. sch. lh. sth., ps. R. A. Pu., zgl. r. Hd. Fag., l. Ach. Fag., u. 2 Hf. Fag.

7) R. str. l. kl. ng. sp. hc. stzd., Rf. Rc. Bu. (G. W.) u. (P. W.), zgl. r. u. l. Hd. Wch. Fag., zgl. R. Or. A. u. Sl. Sä. u. Seg. abw. (m. l. Hd.)

8) Sff. fl. sp. stzd., ps. K. Ro., zgl. Sel. 2 Fag., 2 Ach. Fag., u. 2 Kn. Ru. Süg. (24 M.)

9) Wr. fl. schu. stzd., Wch. 2 Or. u. Ur. A. Strg. (G. W.) u. (P. W.), zgl. 2 Hd. Fag.

10) R. spr. schu. sch. lh. sth., R. A. Wch. Vw. Afw. Füg. (G. W.) u. Sw. Abw. Füg. (G. W.), zgl. r. Hd. Fag., zgl. r. Sl. u. r. Or. A. Sä. Hak. u. Seg. abw. (m. l. Hd.)

§. 530. b) Recepte bei rheumatischen Kreuz- und Lendenschmerzen anwendbar.

1. Recept.

1) H. fa. so. (sg.) hc. sth., B. Wch. Rc. Z. (G. W.) u. V. Z. (G. W.), zgl. so. F. Fag.

2) Rh. bg. hb. lg. stzd., Rf. V. Bu. (G. W.), (i. v. E.), zgl. 2 Ebg. Fag., 2 Kn. Fag., u. Ur. Sch. rs. Fag. (r. hb. lg., r. Ur. Sch. rs. Fag.)

3) Dk. bg. vw. lgd., Ur. Sch. Bu. (G. W.) u. Strg. (P. W.), zgl. F. Fag., zgl. Kz. u. Lnd. Gd. q. abw. Sä. u. Seg. (m. l. Hd.)

4) H. fa. ng. sth., Wch. Or. Sch. Bu. (G. W.) u. (P. W.), zgl. Kn. Fag. (r. Or. Sch. Bu., r. Kn. Fag.)

5) H. fa. w. sth., Hf. Wch. Dh. (G. W.), zgl. 2 Hf. Fag.

6) 2 wrkl. sf. schu. stzd., Wch. Rf. S. Bu. (G. W.) u. (P. W.), zgl. 2 Ebg., u. 2 Kn. Fag. [r. sf., Rf. L. S. Bu. (G. W.) u. (P. W.)]

7) Wr. sp. hc. stzd., Wch. 2 Or. u. Ur. A. Strg. (P. W.) u. Bu. (G. W.), zgl. 2 Ebg. Fag., u. Kn. Rn. Dü.

8) Sp. hb. lgd., 2 B. Wch. Eig. (G. W.) u. (P. W.), zgl. 2 F. Fag.

9) Hb. kl. w. sp. sch. lh. sth., Rf. Wch. V. Dh. (G. W.) u. Rc. Dh. (G. W.), zgl. kl. Hd. Fag., u. 2 Hf. Fag., zgl. Kz. u. Lnd. Gd. abw. Kog. u. Seg. (m. l. Hd.)

10) Sr. smm. sp. lgd., Ha., zgl. Lnd. u. Kz. Gd. abw. Hak. u. Seg. (m. l. Hd.)

§. 531. 2. Recept.

1) Ö. fa. str. w. sp. sth., Wch. Rf. V. Dh. (G. W.), u. Rc. Dh. (G. W.), zgl. str. Hd. Fag., ö. fa. Ach. Fag., u. Kz. 2 Fag. (r. ö. fa., l. str., l. w.)

2) Spr. dk. vw. lgd., A. Wch. Sw. Afw. Füg. (G. W.) u. Sw. Abw. Füg. (G. W.), zgl. spr. Hd. Fag., zgl. Lnd. u. Kz. Gd. abw. Dü. u. Seg. (m. l. Hd.)

3) Snn. sp. hgd., Wch. 2 B. Eig. (G. W.) u. (P. W.), zgl. 2 F. Fag.

4) Rh. w. tf. ng. schu. sch. gg. sth., Wch. Rf. V. Dh. (G. W.) u. Rc. Dh. (G. W.), zgl. 2 Ebg. Fag., 2 Slbt. Dü., u. Lnd. u. Kz. Gd. Sä., Hak., u. Seg. abw. (m. l. Hd.)

5) Spr. lg. stzd., act. 2 A. Sw. Afw. Füg. (6 M.), zgl. 2 F. Fag.

6) Sr. sp. 2 f. asw. hb. lgd., Wch. 2 B. Inw. Dh. (G. W.) u. Asw. Dh. (G. W.), zgl. 2 Hd. Nr. Dü., 2 Kn. u. 2 F. Fag.

7) Rh. bg. b. vw. lgd., Wch. Rf. Sen. (P. W.) u. Rf. Er. (G. W.), zgl. 2 Ebg. Fag., 2 Ur. Sch. rs. Fag., u. Lnd. u. Kz. abw. Kog. u. Seg. (m. l. Hd.)

8) Smm. sb. lgd., B. Wch. Eig. (G. W.) u. (P. W.), zgl. F. Fag.

9) Rh. sp. hc. stzd., ps. Rf. Ro. (24 M.), zgl. 2 Ebg. Fag., 2 Slbt. Dü., u. 2 Kn. Fag.

10) Sp. si. hgd., 2 B. Wch. Eig. (G. W.) u. (P. W.), zgl. 2 F. Fag., 2 Hf. 2 Fag., u. Lnd. u. Kz. abw. Sä. u. Seg. (m. l. Hd.)

§. 532. c) Recepte bei gichtischer Affection der Finger, so wie der Arme anwendbar.

1. Recept.

1) Spr. kl. sp. sch. lh. sth., A. Wch. Sw. Afw. Füg. (G. W.) u. (P. W.), zgl. spr. Hd. Fag., u. kl. Hd. abw. u. afw. Wch. Dü.

2) Sr. hh. lgd., 2 Ur. Sch. Wch. Bu. (P. W.) u. Strg. (G. W.), zgl. 2 F. Fag., u. 2 Hd. Nr. Dü.

3) Rh. schu. w. sch. lh. sth., Wch. Rf. V. Dh. (G. W.) u. Rc. Dh. (P. W.), zgl. 2 Ebg. u. 2 Hf. Fag.

4) 2 wrkl. 2 ebg. sü. schu. stzd., Wch. 2 Ur. A. Strg. (G. W.) u. Bu. (G. W.), zgl. 2 Hd. u. 2 Or. A. Fag., zgl. Hrk. u. Nk. q. Hak. (m. l. Hd.)

5) H. rf. lgd., act. 2 B. Spg. (6 M.), zgl. 2 Hd. Nr. Dü.

6) Sr. hh. lgd., ps. 2 A. Ro., zgl. 2 Hd. Z., u. 2 Ach. Fag.

7) H. fa. sg. hc. sth., B. Wch. V. Z. (G. W.) u. Rc. Z. (P. W.), zgl. F. Fag.

8) K. sf. 2 wrkl. rf. b. hh. lgd., K. Wch. S. Bu. (P. W.) u. (G. W.), zgl. 2 Ebg. Fag., u. K. 2 Fag. [r. k. sf., K. L. S. Bu. (P. W.) u. K. r. S. Bu. (G. W.)]

9) Hb. lgd., ps. F. Ro., zgl. F. u. Ur. Sch. Fag. (r. F. Ro., r. F. u. r. Ur. Sch. Fag.)

10) Str. sf. schu. sth., act. Rf. S. Bu. (3 M. nach jeder Seite), (r. sf., Rf. L. S. Bu.)

§. 533. 2. Recept.

1) Hb. str. sp. hc. stzd., ps. A. Fie., zgl. str. Hd. u. Ach. Fag., u. Kn. Rn. Dü. (r. str., r. Hd. u. l. Ach. Fag.)

2) Str. s. lgd., B. Wch. Sw. Er. (G. W.) u. Sw. Sen. (P. W.), zgl. F. Fag., 2 Hd. Z., u. Dmgd. afw. Hak. u. Seg. (m. gn. Hd.), (r. s. lgd., L. B. Sw. Er., l. Dmgd. Hak., m. l. Hd.)

3) Hb. lgd., ps. Sp. Ro. (24 M.), zgl. 2 Ach. Fag., Kn. u. Ur. Sch. Fag., u. Kn. u. F. Fag. (r. Sp. Ro., r. Kn. u. r. F. Fag., l. Kn. u. l. Ur. Sch. Fag.)

4) Kl. wrkl. w. sp. sch. lh. sth., Wch. Rf. V. Dh. (G. W.) u. (P. W.), zgl. kl. Hd., wrkl. Ebg. u. 2 Hf. Fag. (r. kl., l. wrkl., r. w.)

5) Rf. b. hb. lgd., ps. K. Ro. (24 M.), zgl. Sel. 2 Fag., 2 Ach. Fag.

6) Hb. spr. bk. hb. lgd., A. Wch. Sw. Afw. Füg. (G. W.) u. (P. W.), zgl. spr. Hd. Fag., u. tf. Utb. Dü. (m. gn. Hd.)

7) Hb. str. ng. sp. sch. lh. sth., Wch. Rf. Rc. Bu. (G. W.) u. (P. W.), zgl. str. Hd. u. K. Fag., 2 Hf. Fag.

8) Hb. lgd., 2 B. Wch. Er. (G. W.) u. Sen. (P. W.), zgl. 2 F. Fag., u. 2 Ach. Fag.

9) H. 2 or. a. inw. sp. sch. lh. sth., ps. 2 A. Pu., zgl. 2 Hd. Fag., u. 2 Hf. Fag.

10) Sun. so. hc. sth., B. Wch. Rc. Z. (P. W.) u. V. Z. (G. W.), zgl. so. F. Fag., u. Utb. Kla. (m. l. Hd.)

§. 534. 3. Recept.

1) H. bk. or. sch. inw. sth., Or. Sch. Wch. Asw. Dh. (G. W.) u. (P. W.), zgl. Kn. u. F. Fag. (r. bk., r. Or. Sch. inw., R. Or. Sch. Asw. Dh., r. Kn. u. r. F. Fag.)

2) H. 2 or. a. inw. hb. lgd., Wch. 2 Or. A. Asw. Dh. (G. W.) u. (P. W.), zgl. 2 Hd. u. 2 Or. A. Fag.

3) Str. 2 sg. sp. rf. lgd., 2 B. Wch. Eig. (G. W.) u. (P. W.), zgl. 2 F. Fag., u. 2 Hd. Z.

4) Spr. schu. sch. lh. sth., Wch. 2 A. Vw. Afw. Füg. (G. W.) u. Sw. Abw. Füg. (G. W.), zgl. 2 Hd. Fag., u. 2 Hf. Fag.

5) Rh. w. b. lgd., Wch. Rf. V. Dh. (G. W.) u. Rc. Dh. (P. W.), zgl. 2 Ebg. Fag., 2 Ur. Sch. rs. Fag., u. Utb. Kog. (m. l. Ft.)

6) H. ku. sg. 2 lt. f. fa. stzd., Or. Sch. Er. (G. W.) u. Sen. (P. W.), zgl. 2 Hd. Nr. Dü., u. 2 Kn. Fag. (r. sg., l. f. fa., R. Or. Sch. Er.)

7) Wr. schu. sch. lh. sth., Wch. 2 Or. u. Ur. A. Fg. Strg. (P. W.) u. Or. u. Ur. A. Bu. (nicht Fg.), (G. W.), zgl. 2 Hd. Fag., u. 2 Hf. Fag.

8) H. fa. k. sf. k. w. schu. sth., Wch. K. Sf. V. Bu. (G. W.) u. Sf. Rc. Bu. (G. W.), zgl. K. u. Ach. Fag. (r. k. sf., r. k. w., K. L. Sf. V. Bu., u. R. Sf. Rc. Bu.)

9) 2 wrk. hb. lgd., Wch. 2 Or. A. Klwr. Rhc. Hb. Ro. (G. W.) u. (P. W.), zgl. 2 Ebg. Fag.

10) Sr. smm. k. kmm. schu. lgd., K. Rc. Bu. (G. W.), zgl. Hrk. Fag.

§. 535. 4. Recept (diätetisches).

1) Rhe. hd. bg. rf. sf. rf. w. sp. sth., act. Ur. A. Strg., zgl. act. Hd. Strg. (Im Ganzen 12 M.), (r. rhe., r. hd. bg., r. Ur. A. Strg., r. Hd. Strg.)

2) Snn. spr. hc. sth., act. A. Sw. Afw. Füg., zgl. B. Sw. Er. (Im Ganzen 6 M.) (r. snn., l. spr., l. B. Er.)

3) Rk. 2 hd. bg. rf. ng. sp. knd., act. 2 A. Strg., zgl. act. 2 Hd. Strg., zgl. act. Rf. Rc. Bu. (4 M.)

4) Hb. kl. hd. str. a. inw. hb. lgd., act. A. Asw. Dh., zgl. act. B. Er. (i. v. E.), [r. kl., r. hd. str., r. a. inw., R. A. Asw. Dh., l. B. Er. (i. v. E.)]

5) Str. ng. b. vw. lgd., act. Rf. Er. (4 M.), zgl. 2 Ur. Sch. rs. Fag.

6) Str. 2 hd. bg. rf. w. schn. sth., act. Rf. Rc. Dh. (Im Ganzen 6 M.)

7) Wr. 2 hd. str. lg. sp. stzd., act. 2 Or. u. Ur. A. Strg. (4 M.)

8) Kl. fa. spr. so. hc. sth., act. A. Wch. Vw. Afw. Füg., u. Sw. Afw. Füg., zgl. So. B. Rc. Z. (i. v. E.) (Im Ganzen 12 M.), (r. kl. fa., l. spr., r. so.)

9) Kl. 2 hd. str. tf. ng. spz. stzd., act. Rf. Rc. Bu. (bis zur tf. bg. Stg.)

10) Sz. sth., Ha.

9. Epilepsie oder Fallsucht.

§. 536. Da in den Leichen der Epileptischen Desorganisationen des Gehirns und seiner Häute meistentheils gefunden werden; da die Fallsucht bei längerem Bestehen und bei öfteren, nur durch kleine Zeiträume getrennten Anfällen gewöhnlich Blödsinn nach sich zu ziehen pflegt; da ferner die Symptome der Epilepsie der Art sind, dass zunächst die motorischen Nerven dabei in innormale Thätigkeit gerathen: so unterliegt es keinem Zweifel, dass die Zellen des Gehirns und der Nervenausbreitungen, namentlich so weit sie motorische Fäden enthalten, hier an Retractionen und Relaxationen leiden. Anfangs werden die letzteren, später aber die ersteren Zustände mehr vorwaltend sein; und dadurch also das Atrophische der längeren Krankheit, sowie der Leichenerscheinungen überhaupt zu Wege gebracht werden.

§. 537. Durch den sogenannten Habitus epilepticus, oder durch den Anblick, den ein schon längere Zeit an der Epilepsie leidender Kranker zu gewähren pflegt, zeigt sich deutlich, dass nicht bloss die Nerven und die Gewebe visceraler Organe, sondern auch die Bewegungsorgane an Retractionen und Relaxationen bei Epileptischen secundär zu leiden beginnen.

§. 538. Nicht die acute Form der Epilepsie oder der aus einer besonderen Ursache zum ersten Male hervorgerufene Anfall dieses Uebels; und eben so wenig der Paroxysmus überhaupt der chronischen, schon lange bestehenden Fallsucht eignet sich zur Anwendung der heilorganischen Behandlung, sondern nur die freie Zwischenzeit zwischen den Anfällen. — Da aber die Naturkraft allein die Epilepsie nicht zu heilen pflegt; da ferner die arzneiliche, die hydropathische und andere Curmethoden bisher doch nur sehr geringe Erfolge bei diesem Uebel aufzuweisen haben: so würde schon deshalb die heilorganische Behandlung hier zu versuchen sein. Es kommt nun aber bei dieser Methode noch hinzu, dass sie bestimmt einwirkende Bewegungsformen besitzt, die, jahrelang angewandt, die Structur des Gehirns in Nervenfasern, Gefässen und Häuten zu ändern vermögen; und dass sie bestimmt selbst in der längsten Anwendung eine gesundmachende, alle Organe erregende, aber nicht schadende Wirkung gewährt. Welches Medicament, selbst aus der Classe der roborirenden und specifischen gewählt, könnte das Gleiche von sich behaupten? Welches sollte nicht durch den längeren Gebrauch wenigstens die Verdauungsorgane belästigen?

§. 539. Da aber die Cur der Epileptischen meistentheils in besonderen, für Nervenkranke geöffneten Anstalten zu geschehen pflegt; und da es überhaupt leicht Uebelstände herbeiführt, wenn man Epileptische zu den allgemeinen heilorganischen Curstunden zulässt: so ist um so mehr zu wünschen, dass jene für Nervenkranke geöffneten Anstalten die Heilorganik unter ihre Curmethoden aufnehmen möchten. So lange dort (wie es jetzt wohl überall der Fall ist) nur Turnen als diätetisches Mittel angewendet wird; so lange überhaupt von einer speciell nach physiologischen Gründen geleiteten heilorganischen Cur kaum eine Spur in diesen Anstalten zu finden ist: so lange kann man natürlich gar nicht wissen, welche wichtige Hülfe die Heilorganik gerade in der so schwer zu bekämpfenden Epilepsie gewähren würde, wenn eben ihre Anwendung mehrere Jahre hindurch regelmässig stattfände.

Hoffentlich kommt die Zeit, dass die Heilorganik, wie sie es durchaus verdient, bei der Cur der Fallsucht die souveraine Methode wird, und den lächerlichen oder schädlichen Wust von sympathetischen oder anderen Mitteln verdrängt.

§. 540. Da bei der Epilepsie (ausser der im Beginne meistentheils vorwaltenden Relaxation und später Retraction der Nervenzellen, ausser den also für den Anfang passenden duplicirt-concentrischen und später excentrischen Bewegungsformen) meistentheils noch gar mannigfaltige, anderweitige Indicationen zu erfüllen sind: so muss es der Casuistik überlassen bleiben, für jeden Fall die passenden heilorganischen Recepte zu componiren. Die folgenden sind gebraucht worden für eine junge Dame, die ausser Fallsucht an Menstruations-Retention, an bedeutender Fettsucht, an Contracturen im Schulter- und Fussgelenke litt; ein halbes Jahr lang die Wassercur schon gebraucht, und zwei Jahre lang zur Bekämpfung der Fettsucht keine Fleischspeisen genossen hatte.

§. 541. 1. Recept.

1) Ö. fa. zh. fa. so. (sg.) hc. sth., B. Wch. Rc. Z. (P. W.) u. V. Z. (P. W.), zgl. so. (sg.) F. Fag.

2) Rh. fl. sp. sch. lh. sth., Wch. Rf. V. Ngg. (G. W.) u. Rc. Bu. (P. W.), zgl. Ebg. Wch. Fag., u. 2 Hf. Fag.

3) Sp. hb. lgd., ps. 2 F. Ro., zgl. 2 F. u. 2 Ur. Sch. Fag.

4) Hb. kl. w. sp. sch. lh. sth., Wch. Rf. V. Dh. (G. W.) u. Rc. Dh. (P. W.), zgl. kl. Hd. Fag., u. 2 Hf. Fag. (r. kl., r. w.)

5) Sr. hb. lgd., B. Wch. Er. (G. W.) u. Sen. (P. W.), zgl. 2 Hd. Nr. Dü., u. F. Fag.

6) Rh. str. w. fl. sp. sch. lh. sth., Wch. Rf. V. Ngg. (G. W.) u. Rc. Bu. (P. W.), zgl. str. Hd. u. rh. Ebg. Fag., u. 2 Hf. Fag. (r. rh., l. str., r. w.)

7) Str. wm. q. 2 lt. f. fa. stzd., Wch. Ur. Sch. Strg. (P. W.) u. Ur. Sch. Bu. (P. W.), zgl. Kn. u. F. Fag. (r. lt., r. f. fa., l. lt., L. Ur. Sch. Strg. u. Bu., l. Kn. u. l. F. Fag.)

8) Str. 2 lhk. hb. lgd., Wch. 2 Or. u. Ur. A. Bu. (G. W.) u. Strg. (P. W.), zgl. 2 Hd. Fag., zgl. Solar-N. Gfl. Dü. (m. gn. Hd.)

9) Spr. str. bg. sp. sch. lh. sth., act. A. Sw. Afw. Fug. (Im Ganzen 6 M.)

10) H. fa. sg. hc. sth., B. Wch. V. Z. (G. W.) u. Rc. Z. (P. W.), zgl. sg. F. Fag., zgl. Hrk. u. Rn. ls. q. abw. Hak. (m. l. Hd.)

§. 542. 2. Recept.

1) Str. sf. rf. lgd., Weh. 2 B. S. Füg. (P. W.), zgl. 2 Hd. Z., 2 Hf. Fag., u. F. Weh. Fag.

2) Sr. ng. sp. sch. lh. sth., Weh. Rf. Rc. Bu. (G. W.) u. (P. W.), zgl. sr. Hd. Weh. Fag., K. Fag., u. 2 Hf. Fag.

3) Snn. kl. fa. sb. hc. sth., B. Sw. Sen. (P. W.), (i. v. E.), zgl. sb. F. Fag., zgl. Sel. Kog. (m. l. Ft.), (r. snn., l. kl. fa., l. sb.)

4) Str. kl. w. sp. knd., Weh. Rf. V. Dh. (G. W.) u. Rc. Dh. (P. W.), zgl. kl. Hd. Fag., u. 2 Ur. Sch. Fag. (r. str., l. kl., l. w.)

5) Sr. kn. 2 so. stzd., Weh. 2 B. Spg. (G. W.) u. Eig. (P. W.), zgl. 2 F. Fag., zgl. Sn., Sel. u. Hrk. ls. Hak. (m. l. Hd.)

6) Rh. str. sf. ga. hf. lh. sth., Weh. Rf. S. Bu. (G. W.) u. (P. W.), zgl. str. Hd. u. K. Fag., u. 2 Hf. Fag. [r. rh., l. str., l. sf., l. ga., l. hf. lh., Rf. L. S. Bu. (G. W.) u. R. S. Bu. (P. W.)]

7) Snn. sg. f. inw. hc. sth., Sg. B. Weh. Asw. Dh. (P. W.) u. Inw. Dh. (P. W.), zgl. sg. F. Fag. (r. sg., r. f. inw.)

8) Str. e. ng. sp. hc. stzd., Rf. Rc. Bu. (P. W.), (i. v. E.), zgl. str. Hd. u. K. Fag.

9) Str. rf. lgd., ps. Bk. Ro. (24 M.), zgl. 2 Hd. Z., 2 Hf. Fag., u. 2 F. Z., zgl. Utb. Kla. (m. r. Hd.)

10) Snn. hgd., 2 B. Spg. (G. W.) u. Eig. (P. W.), zgl. 2 F. Fag.

11) Str. bg. b. vw. lgd., Ha., zgl. Rn. ls. abw. Hak. u. Seg. (m. l. Hd.), zgl. 2 Ur. Sch. rs. Fag.

§. 543. 3. Recept.

1) H. fa. bg. sth., Or. Sch. Weh. Er. (G. W.) u. Sen. (P. W.), zgl. Kn. u. Kz. Fag.

2) Spr. bg. b. vw. lgd., act. 2 A. Sw. Afw. Füg. (4 M.), zgl. 2 Ur. Sch. rs. Fag.

3) Str. sp. hb. lgd., Ha., zgl. ps. 2 F. Ro., zgl. 2 F. u. 2 Ur. Sch. Fag.

4) Snn. bg. so. f. inw. hc. sth., B. Weh. Asw. Dh. (G. W.) u. (P. W.), zgl. so. F. Fag., zgl. Rn. ls. abw. Seg. (m. l. Hd.)

5) Rh. w. sf. sp. hc. stzd., Weh. Rf. Fl. W. Sf. Hb. Ro. (G. W.) u. (P. W.), zgl. 2 Ebg. Fag. (r. w., l. sf., Fl. L. W. R. Sf. Hb. Ro.)

6) Ö fa. zh. fa. hk. hc. sth., Or. Sch. Rc. Z. (P. W.), (i. v. E.), zgl. Kn. Fag., zgl. K. q. Hak. (m. l. Hd.), (r. zh. fa., l. hk., L. Or. Sch. Rc. Z., l. Kn. Fag.)

7) Str. sp. hc. stzd., ps. 2 A. Fie., zgl. 2 Hd. Fag., u. Kn. Rn. Dü.

8) Str. s. lgd., B. Wch. Sw. Er. (G. W.) u. Sw. Sen. (P. W.), zgl. 2 Hd. Z., u. F. Fag. (r. s. lgd., L. B. Er.)

9) Str. 2 sg. rf. lgd., Wch. 2 B. Er. (G. W.) u. Sen. (P. W.), zgl. 2 Hd. Z., u. 2 F. Z.

10) Sz. sth., Ha., zgl. Rn. ls. abw. Hak. u. Seg. (m. l. Hd.)

11) Dk. bg. sp. rf. vw. lgd., ps. 2 F. Ro., zgl. 2 F. u. 2 Ur. Sch. Fag.

§. 544. 4. Recept.

1) Str. e. fl. fs. sü. sth., Wch. Rf. V. Ngg. (P. W.) u. Rc. Bu. (G. W.), zgl. str. Hd. u. K. Fag., u. F. u. Kn. Fag. (r. str., l. e., l. fs. sü., l. F. u. l. Kn. Fag.)

2) Str. 2 hk. lgd., Wch. 2 B. Spg. (P. W.) u. 2 B. Eig. (P. W.), zgl. 2 Kn. u. 2 F. Fag., zgl. 2 Hd. Z.

3) Str. spr. bg. schu. ur. sch. lh. sth., Wch. Spr. A. Sw. Afw. Flg. (G. W.) u. (P. W.), zgl. spr. Hd. Fag.

4) H. 2 hk. hb. lgd., Wch. 2 Kn. Spg. (P. W.) u. Eig. (P. W.), zgl. 2 Hd. Nr. Dü., u. 2 Kn. Fag.

5) Snn. bg. so. hc. sth., B. Wch. Rc. Z. (G. W.) u. (P. W.), zgl. so. F. Fag.

6) Str. w. fl. sp. sch. lh. sth., ps. 2 A. Fie., zgl. 2 Hd. Fag., u. 2 Ach. Fag.

7) Snn. hgd., 2 B. Spg. (G. W.) u. Eig. (P. W.), zgl. 2 F. Fag., zgl. Rn. ls. abw. Kog. u. Seg. (m. l. Hd.)

8) Snn. bg. so. hc. sth., ps. F. Ro., zgl. F. u. Ur. Sch. Fag. (r. so., r. F. Ro., r. F. u. r. Ur. Sch. Fag.)

9) Rh. sr. w. sp. knd., Wch. Rf. V. Dh. (G. W.) u. Rc. Dh. (P. W.), zgl. rh. Ebg. u. sr. Hd. Fag., Kn. Kz. Dü., u. Utb. Kla. (m. r. Hd.), (r. rh., l. sr., l. w.)

10) Str. smm. bg. hc. sth., B. Wch. Er. (G. W.) u. Sen. (P. W.), zgl. F. Fag. u. K. ls. Hak. (m. l. Hd.), (r. B. Er., r. F. Fag.)

11) H. ku. 2 so. sp. stzd., ps. 2 F. Ro., zgl. 2 F. u. 2 Ur. Sch. Fag.

10. Veitstanz.

§. 545. Der Veitstanz, in Muskelkrämpfen oder ungeordneten, unwillkürlichen Bewegungen der sonst der Willkür gehorchenden Muskeln bestehend, ist eine Krankheit, welche als Hauptmittel die

Heilorganik verlangt. Selbst in den sehr bösartigen Fällen, wo der Kranke zu keiner willkürlichen activen Muskelbewegung zu bringen ist, oder doch keine active Bewegung harmonisch und zweckmässig auszuführen vermag, kann er den passenden Widerstand bei duplicirt-excentrischen Bewegungen meistentheils sehr wohl noch abgeben. Man kann daher in Hinsicht der anzuwendenden heilorganischen Bewegungen zwei Grade des Veitstanzes unterscheiden; einen schwächeren, in dem der Patient active und duplicirt-concentrische Bewegungen mehr oder weniger mit allen Muskelgruppen wenigstens zeitweise auszuführen vermag; und einen stärkeren, wo nur passive und duplicirt-excentrische Bewegungsformen mit dem Patienten noch geübt werden können. Bei dem ersteren Grade wird der Retractionszustand des Neurilems der motorischen Nerven geringer, beim zweiten stärker ausgebildet und in Desorganisationen übergegangen sein.

§. 546. Da man in den schwierigen Fällen des zweiten Grades duplicirt-excentrische Bewegungen mit passiven verbinden kann: so stehen doch auch hier noch der heilorganischen Behandlung sehr kräftige Bewegungsformen zu Gebote. Daher mag es auch wohl kommen, dass nach meiner Erfahrung die Prognose des Veitstanzes bei heilorganischer Behandlung sehr günstig zu stellen ist.— Weil nun aber auch bei diesem Uebel wegen damit verbundener Contracturen der Gelenke, wegen Kälte der Extremitäten, wegen Leibesverstopfung und wegen anderer Zustände oft sehr mannigfaltige Indicationen zu erfüllen sind; und weil der Grad der Krankheit einzelne Bewegungen noch ausführen lassen, andere aber als unausführbar verbieten wird: können die folgenden Recepte nur eine allgemeine Anleitung geben, wie man dergleichen zu componiren habe.

§. 547. 1. Recept.

1) Hb. lgd., Wch. 2 B. Spg. (P. W.) u. Eig. (P. W.), zgl. 2 F. Fag.

2) Str. e. sf. sp. hc. stzd., Wch. Rf. S. Bu. (P. W.), zgl. str. Hd. Fag.

3) Sp. hb. lgd., ps. 2 F. Ro., zgl. 2 F. u. 2 Ur. Sch. Fag.

4) Hb. spr. sp. sch. lh. sth., Wch. A. Sw. Afw. Füg. (P. W.) u. Vw. Afw. Füg. (P. W.), zgl. spr. Hd. Fag.

5) Rb. fl. w. sp. hc. stzd., Rf. Wch. Dh. (P. W.), zgl. 2 Ebg. Fag.

6) Ö. fa. zh. fa. so. (sg.) hc. sth., B. Wch. Rc. Z. (P. W.) u. V. Z. (P. W.), zgl. so. (sg.) F. Fag., zgl. Rn. ls. q. abw. Hak. u. Seg. (m. l. Hd.)

7) Wr. hb. lgd., Wch. 2 Or. u. Ur. A. Strg. (P. W.) u. 2 Or. u. Ur. A. Fg. Strg. (P. W.), zgl. 2 Hd. Fag.

8) H. fa. so. hc. sth., B. Rc. Z. (P. W.), (i. v. E.), zgl. so. F. Fag., u. Hrk. q. abw. Hak. (m. l. Hd.)

9) Rh. w. sf. sp. sch. lh. sth., Wch. Rf. Sf. V. Bu. (P. W.) u. Sf. Rc. Bu. (P. W.), zgl. 2 Ebg. Fag., u. 2 Hf. Fag. (r. w., r. sf., L. Sf. V. Bu., u. R. Sf. Rc. Bu.)

10) Str. ng. sp. sth., act. Rf. Rc. Bu. (4 M.)

§. 548. 2. Recept.

1) H. fa. so. hc. sth., B. Sb. Sg. Hb. Ro. (P. W.), zgl. so. F. Fag.

2) Str. kl. fl. fs. sü. sth., Rf. Wch. V. Ngg. (P. W.) u. Rc. Ngg. (P. W.), zgl. str. Hd. u. K. Fag., u. Kn. u. F. Fag. (r. str., l. kl., r. fs. sü., r. Kn. u. r. F. Fag.)

3) Ö. fa. zh. fa. so. (sg.) hc. sth., B. Wch. Sb. Sg. Hb. Ro. (P. W.), u. Sb. So. Hb. Ro. (P. W.), zgl. so. (sg.) F. Fag.

4) Str. sp. rf. lgd., ps. 2 F. Ro., zgl. 2 F. u. 2 Ur. Sch. Fag.

5) Hh. kl. w. sp. sch. lh. sth., Wch. Rf. V. Dh. (G. W.) u. (P. W.), zgl. kl. Hd. u. fü. Ebg. Fag., u. 2 Hf. Fag.

6) Hb. lgd., ps. Sp. Ro., zgl. 2 Ach. Fag., Or. u. Ur. Sch. Fag., Kn. u. F. Fag. (R. Sp. Ro., r. Kn. u. r. F. Fag., l. Or. u. Ur. Sch. Fag.)

7) Str. bg. sp. sch. lh. sth., ps. 2 A. Fie., zgl. 2 Hd. Fag., u. 2 Ach. Fag.

8) Snn. kl. fa. so. hc. sth., B. Wch. Rc. Z. (G. W.) u. (P. W.), zgl. so. F. Fag. (r. snn., l. kl. fa., l. so.)

9) Hb. kl. sf. sp. hc. stzd., Wch. Rf. S. Bu. (G. W.) u. (P. W.), zgl. kl. Hd. Fag. (r. kl., r. sf.)

10) Rh. bg. b. vw. lgd., Ha.

§. 549. 3. Recept.

1) Str. hb. lgd., ps. A. Fie., zgl. Hd. Nr. Dü., u. Hd. Fag. (r. A. Fie., r. Hd. Fag., l. Hd. Nr. Dü.)

2) H. fa. snn. sg. hc. sth., B. Wch. V. Z. (G. W.) u. Rc. Z. (P. W.), zgl. sg. F. Fag. (r. h. fa., l. snn., l. sg.)

3) Str. sp. hc. stzd., Wch. 2 Or. u. Ur. A. Bu. (G. W.) u. Strg. (P. W.), zgl. 2 Hd. Fag., u. Kn. Rn. Dü.

4) Str. e. sf. ga. bf. lh. sth., Wch. Rf. S. Bu. (G. W.) u. (P. W.), zgl. str. Hd. Fag., u. 2 Hf. Fag. [r. str., l. e., l. sf., r. ga., r. bf. lh., Rf. R. S. Bu. (G. W.) u. (P. W.)]

5) Rh. tf. ug. schu. sch. gg. sth., ps. Rf. Ro., zgl. 2 Ebg. Z., 2 Slbt. Fag., u. 2 Hf. Fag.

6) H. fa. k. kmm. schu. sth., K. Rc. Bu. (G. W.), (i. v. E.), zgl. Hrk. u. Ach. Fag.

7) H. 2 so. hb. lgd., 2 B. Sen. (P. W.), zgl. 2 Hd. Z., 2 F.

8) Hb. h. or. a. inw. hb. lgd., ps. A. Pu. (12 M.), zgl. Hd. Fag. u. Ach. Fag. (r. h., r. or. a. inw., r. A. Pu., r. Hd. Fag., l. Ach. Fag.)

9) Snn. hgd., 2 B. Wch. Spg. (G. W.) u. Eig. (P. W.), zgl. 2 F. Fag., u. Rn. ls. abw. Kog. (m. l. Ft.)

10) Sr. smm. sp. lgd., Ha.

§. 550. 4. Recept.

1) Dk. bg. sp. 2 lt. vw. lgd., ps. 2 F. Ro. (24 M.), zgl. 2 F. Fag., u. 2 Ur. Sch. Fag.

2) Dk. spr. s. lgd., Wch. A. Sw. Afw. Füg. (P. W.) u. Vw. Afw. Füg. (P. W.), zgl. spr. Hd. Fag., u. Hf. Fag. (r. dk., l. spr., r. s. lgd., L. A. Sw. Afw. u. Vw. Afw. Füg., l. Hd. u. l. Hf. Fag.)

3) Fü. bg. b. vw. lgd., ps. K. Ro. (24 M.), zgl. Sel. 2 Fag., 2 Ach. Fag., u. 2 Ur. Sch. rs. Fag.

4) Rh. fl. w. sp. sch. lb. sth., Wch. Rf. V. Ngg. (P. W.) u. Rc. Ngg. (G. W.), zgl. 2 Ebg. Fag., u. 2 Hf. Fag.

5) Rh. sr. w. sp. knd., Wch. Rf. V. Dh. (G. W.) u. Rc. Dh. (P. W.), zgl. rh. Ebg. u. sr. Hd. Fag., u. Kn. Kz. Dü. (r. rh., l. sr., l. w.)

6) Sr. hb. lgd., ps. 2 A. Ro., zgl. 2 Hd. Z., u. 2 Ach. Fag.

7) H. fa. bg. hk. hc. sth., Wch. Or. Sch. Strg. (P. W.) u. Bu. (G. W.), zgl. Kn. u. Kz. Fag.

8) Rh. sf. w. sp. hc. stzd., Wch. Rf. Fl. Sf. W. Hb. Ro. (P. W.), zgl. 2 Ebg. Fag. [r. sf., l. w. stzd., Rf. Fl. L. Sf. R. W. Hb. Ro. (P. W.), u. Rf. Fl. R. Sf. L. W. Hb. Ro. (P. W.)]

9) H. ku. lt. f. fa. sg. hc. stzd., Wch. B. Er. (G. W.) u. Sen. (P. W.), zgl. F. Fag., Kn. Fag., u. 2 Hd. Nr. Dü. (r. lt., r. f. fa., l. sg., r. Kn. Fag., l. F. Fag.)

10) Sz. sth., Ha., zgl. Hrk. u. Nk. abw. q. Hak. (m. l. Hd.)

II. Muskelschwäche.

§. 551. Unter Muskelschwäche wird hier weder wirkliche Lähmung (Paralysis und Paresis), noch auch Muskelschwund (progressive Muskelatrophie, Muskelverfettung) verstanden. Die Lähmungen, so weit sie als incomplete zur heilorganischen Behandlung sich eignen, werden zum grössten Theil unter den Gliederkrankheiten eine Stelle finden. Die progressive Muskelatrophie (in meiner Casuistik noch nicht vorgekommen) dürfte vielleicht auch durch die heilorganische Behandlung ebenso, wie durch andere Heilmethoden schwer aufzuhalten, und noch weniger zu heilen sein. Die Muskelschwäche, von der hier die Rede ist, besteht in einer meistentheils angebornen, geringen Ausbildung sämmtlicher willkürlichen Muskeln. Ein solcher Zustand giebt sich besonders durch schnelle Ermüdung und durch grosse Ungeschicklichkeit kund, so dass schwierigere Bewegungen von einem solchen Patienten nur unvollkommen ausgeführt werden können. Eigentliche Lähmungserscheinungen, also vollkommene Unmöglichkeit, bestimmte Bewegungen zu üben, fehlen dagegen immer. Im Uebrigen kann der Patient einer ziemlich guten Gesundheit geniessen und seinen Geschäften im Allgemeinen vorzustehen vermögen. Auch pflegt ein solcher Schwächezustand trotz jahrelanger Andauer sich nicht leicht zu verschlimmern. Seinem eigentlichen Wesen nach ist derselbe eine beginnende Relaxation aller Muskelzellen, wofür der Beweis sich einmal darin findet, dass die duplicirt-concentrischen Bewegungen zunächst als Heilmittel dieses Zustandes dienen; die excentrischen aber erst späterhin gebraucht werden dürfen.

§. 552. Zweitens dient aber auch als Beweis, dass die eine Art der Ermüdung, die nach Körperhaltungen einzutreten pflegt, bei den muskelschwachen Patienten sich bald einstellt; viel weniger aber die zweite Art, oder die aus Innervations- (Od-) Verbrauch durch wiederholte schnelle Bewegungen. — Wir haben nämlich in unserer Sprache nur das eine Wort „Ermüdung der Muskelkraft“, obwohl damit zwei durchaus verschiedene Zustände bezeichnet werden. Wenn Jemand eine active Bewegung, z. B. eine Armbeugung und Streckung, sehr oft und sehr schnell wiederholt: so tritt bald ein Zeitpunkt der Ermüdung ein; d. h. er muss mit der Bewegung aufhören, und nun auch nicht andere Bewegungen vornehmen, sondern sich ruhig verhalten, womöglich sich setzen u. s. w. Denn er hat seine Innervation (sein Od) in den spinalen Nerven der bewegten Muskelfasern verbraucht, und er muss also einige Zeit körperliche Ruhe geniessen, damit die Innervation (das Od) sich erst wieder ansammeln könne.

§. 553. Hält dagegen Jemand seinen ganzen Körper in „IIb. kl. sth., IIa.“ längere Zeit, und vollkommen unverrückt: so dauert es auch nicht gar zu lange, bis er in dieser festen Stellung nicht weiter auszuharren vermag, sie verlassen und den Körper, um ihn von dem unangenehmen Gefühl der Ermüdung schnell zu befreien, ruhen? — nein, im Gegentheil stark bewegen muss. Denn durch die feste Körperhaltung ist die Innervation (das Od) so wenig verbraucht worden, dass sie (vom Ode weiss man es ganz gewiss) sogar mehr angestaut ist. Dagegen aber wurde der Blutumlauf durch die feste Körperhaltung gestört; und dieser wird durch Bewegungen viel schneller, oder vielmehr allein, nicht aber durch passive Ruhe wieder hergestellt. — Diese Art der Ermüdung tritt daher auch dann ein, wenn ein Mensch, um von sich ein Lichtbild abnehmen zu lassen, in der bequemsten Körperstellung, z. B. sitzend und Kopf und Arme aufgestützt, in absolut derselben Lage nur eine Minute lang verharren muss. Innervation verbraucht er dabei gewiss nicht viel, wohl aber befördert er die Blutströmung durch Muskelwirkung durchaus nicht mehr; und daher tritt auch dann das unangenehme Gefühl der Ermüdung ein, was sich hebt, sobald der Mensch umherzugehen beginnt.

§. 554. Diese Auseinandersetzung giebt wieder einen Beleg für meine schon öfters ausgesprochene Behauptung, dass die Heilorganik durch ihr genaueres Betrachten der organischen Muskelwirkung so Manches, was Mikroskop, chemisches Reagenz und selbst Experiment an vivisecirten Thieren nicht aufzuklären vermag, leicht und mit vollkommener Gewissheit darlegt.

§. 555. Die Ermüdung durch Blutcirculationsstörung (oder nach fester Körperhaltung) tritt nun, wie erwähnt, bei dem an Muskelschwäche leidenden Patienten viel schneller ein, als die Ermüdung nach oft wiederholten activen Bewegungen. Das gewöhnliche Turnen, als Heilmittel bei Muskelschwäche angewandt, hilft natürlich nichts, ja schadet sogar noch, weil es eben keine festen Körperhaltungen kennt und anwendet; und noch weniger allein Concentricität durch Bewegungen hervorzurufen versteht. Nun aber giebt es leider eine grosse Menge von muskelschwachen Knaben, die bei unseren jetzigen Turnbestimmungen ohne Auswahl dem gewöhnlichen rohen Turnen zugetheilt werden, unbekümmert, ob dasselbe (wie auch der Erfolg lehrt) ihr Uebel heben oder vermehren werde. Dieselben müssten natürlich, um muskelstark zu werden, nur heilorganische Leibesübungen machen; wovon aber unsere Turnlehrer noch gar wenig wissen wollen.

§. 556. Da mancherlei Indicationen bei muskelschwachen Menschen zu erfüllen sind, so können die folgenden heilorganischen Bewegungsrecepte für solche Patienten nur einigermassen ein Bild geben, wie dergleichen überhaupt componirt werden können.

1. Recept.

1) H. hb. lgd., B. Er. (G. W.), (i. v. E.), zgl. 2 Hd. Nr. Dü., u. F. Fag.

2) Spr. schu. sch. lh. sth., Wch. 2 A. Sw. Afw. Füg. (G. W.) u. Vw. Afw. Füg. (G. W.), zgl. 2 Hd. Fag.

3) Rh. w. fl. (ng.) schu. sth., Wch. Rf. V. Ngg. (G. W.) u. Rc. Bu. (G. W.), zgl. 2 Ebg. Fag., u. 2 Hf. Fag.

4) H. fa. so. hc. sth., B. Rc. Z. (G. W.), (i. v. E.), zgl. so. F. Fag.

5) Str. kl. sf. sp. hc. stzd., Wch. Rf. S. Bu. (G. W.), zgl. str. Hd. Fag., u. K. Fag.

6) Snn. hgd., 2 B. Wch. Spg. (G. W.) u. Eig. (G. W.), zgl. 2 F. Fag.

7) Wrkl. kl. w. sp. knd., Wch. Rf. V. Dh. (G. W.) u. Rc. Dh. (G. W.), zgl. kl. Hd. Fag., u. 2 Ur. Sch. Fag. (r. wrkl., l. kl., l. w.)

8) Wr. fl. sch. lh. schu. sth., Wch. 2 Or. u. Ur. A. Strg. (G. W.) u. Bu. (G. W.), zgl. 2 Hd. Fag.

9) Ö. fa. zh. fa. so. (sg.) sth., B. Wch. Rc. Z. (G. W.) u. V. Z. (G. W.), zgl. so. (sg.) F. Fag.

10) Sr. smm. k. kmm. schu. lgd., K. Rc. Bu. (G. W.)

§. 557. 2. Recept.

1) H. fa. hg. sth., Or. Sch. Wch. Er. (G. W.), zgl. Kz. Fag., u. Wch. Kn. Fag.

2) H. w. schu. sch. lh. sth., Rf. Wch. Dh. (G. W.), zgl. 2 Hd. Fag., u. 2 Hf. Fag.

3) Hb. str. w. sf. fs. sü. sth., Rf. Wch. Sf. V. Bu. (G. W.) u. Sf. Rc. Bu. (G. W.), zgl. str. Hd. u. Ach. Fag., u. Kn. u. F. Fag. [r. str., r. w., r. sf., l. fs. sü., Rf. L. Sf. V. Bu. u. R. Sf. Rc. Bu., r. Hd. u. l. Ach. Fag., l. Kn. u. l. F. Fag.]

4) Kl. w. ku. sp. stzd., ps. 2 F. Ro. (24 M.), zgl. 2 Ur. Sch. u. 2 F. Fag.

5) Str. smm. bg. hc. sth., B. Wch. Er. (G. W.) u. (P. W.), zgl. F. Fag., u. F. Süg. (r. B. Er., r. F. Fag., l. F. Süg.)

6) Str. e. bg. b. vw. lgd., Wch. Rf. Sen. (P. W.) u. Rf. Er. (G. W.), zgl. str. Hd. u. K. Fag., u. 2 Ur. Sch. rs. Fag.

7) Str. rf. lgd., 2 B. Wch. Spg. (G. W.) u. Eig. (G. W.), zgl. 2 Hd. Z., u. 2 F. Z.

8) Rhe. klwr. w. fl. schu. knd., Rf. Wch. V. Ngg. (G. W.), zgl. 2 Ebg. Fag., u. 2 Ur. Sch. Fag. [r. rhe., l. klwr., r. w., Rf. V. Ngg. (G. W.); r. rhe., l. klwr., l. w., Rf. V. Ngg. (G. W.)]

9) Smm. sb. lgd., B. Wch. Eig. (G. W.) u. Spg. (G. W.), zgl. sb. F. Fag.

10) Spr. bg. sp. hc. stzd., Wch. 2 A. Sw. Afw. Füg. (G. W.) u. Vw. Afw. Füg. (G. W.), zgl. spr. Hd. Wch. Fag.

§. 558. 3. Recept.

1) Sun. spr. fa. so. hc. sth., B. Wch. Rc. Z. (G. W.) u. (P. W.), zgl. so. F. Fag.

2) Rh. str. w. sp. knd., Wch. Rf. V. Dh. (G. W.) u. Rc. Dh. (P. W.), zgl. rh. Ebg. u. str. Hd. Fag., u. Kn. Kz. Dü. (r. rh., l. str., l. w.)

3) Ö. fa. zh. fa. spu. hc. sth., Wch. Or. Sch. Strg. (P. W.) u. Bu. (G. W.), zgl. Kn. Fag. (r. zh. fa., l. spu., L. Or. Sch. Strg., l. Kn. Fag.)

4) H. sp. 2 f. inw. hh. lgd., Wch. 2 B. Asw. Dh. (G. W.) u. (P. W.), zgl. 2 F. Fag., 2 Kn. Fag., u. 2 Hd. Nr. Dü.

5) 2 klwr. 2 ebg. sü. sp. stzd., Wch. 2 Or. A. Strg. (G. W.) u. Bu. (G. W.), zgl. 2 Hd. Fag., 2 Or. A. Fag.

6) Sun. bg. w. sp. sth., Hf. Wch. Dh. (G. W.), zgl. 2 Hf. Fag. u. Z., u. 2 F. Süg.

7) Str. 2 so. hh. lgd., Wch. 2 B. Sen. (P. W.) u. Er. (G. W.), zgl. 2 Hd. Z., u. F. Wch. Fag.

8) H. 2 or. a. inw. hh. lgd., Wch. 2 Or. A. Asw. Dh. (G. W.) u. Inw. Dh. (G. W.), zgl. Hd. u. Or. A. Fag.

9) Rh. sr. w. b. lgd., Wch. Rf. Rc. Dh. (P. W.) u. V. Dh. (G. W.), zgl. rh. Ebg. u. sr. Hd. Fag., u. 2 Ur. Sch. rs. Fag. (r. rh., l. sr., r. w.)

10) Str. spr. bg. b. vw. lgd., Wch. Spr. A. Sw. Afw. Füg.

(G. W.) u. Sw. Abw. Füg. (G. W.), zgl. spr. Hd. Fag., u. 2 Ur. Sch. rs. Fag.

12. Wassersucht.

§. 559. Theils die acute Wassersucht, theils die chronische, wenn sie in den grösseren Höhlungen des Körpers auftritt, wird sich für die heilorganische Behandlung nicht leicht eignen. Dagegen ist die Anlage zur Wassersucht, die sogenannte Weissblütigkeit, so wie ödematische Anschwellungen einzelner Glieder, so z. B. das Oedem der Füsse durch Heilorganik sehr wohl zu heben. Auch als Unterstützungsmittel anderer Curarten, namentlich der die Diuresis befördernden Medicamente kann die Heilorganik gebraucht werden.

§. 560. Da jede Weissblütigkeit und jede hydropische Anschwellung auf Relaxation der Zellen beruht, so sind in heilorganischer Hinsicht zunächst die duplicirt-concentrischen Bewegungen (in Haltungen, namentlich Stemmhaltungen) gebraucht hiebei indicirt. Verstärkt werden dieselben durch eine Verbindung mit Rein-Passiv-Bewegungen, namentlich mit Hackungen, Punktirungen, Klatschungen, Klopfungen. Durch solche Bewegungsformen ist es möglich, namentlich Oedem der Füsse selbst in den Fällen zu heben, wo es deuteropathisch auftritt, und das Grundübel nicht einmal zu heilen ist; so z. B. bei Tuberculose der Lunge. Natürlich erscheint es in solchen Fällen, sobald die heilorganische Behandlung einige Zeit ausgesetzt wird, wohl wieder; doch ist auch zum zweiten und dritten Male, wie meine Casuistik mir ergeben, auf dieselbe Weise dem Patienten wenigstens Erleichterung zu verschaffen. Die Heilorganik wirkt hier also nur palliativ, und ist an die Seite zu stellen den bei ödematösen Leiden sonst angewendeten Scarificationen der Oberhaut der Füsse. Welch' ein grosser Vorzug muss aber vor dieser operativen, verletzenden, geringe Milderung nur gebenden, andererseits aber den Kranken des Gebrauchs seiner Füsse mehr oder weniger beraubenden Curmethode der sanften, angenehmen und kräftigenden, heilorganischen Behandlungsweise hier zugestanden werden.

13. Marasmus.

§. 561. Die Cur des Marasmus (Alterschwäche) ist ein Thema, welches in therapeutischen Lehrbüchern gewöhnlich nicht abgehandelt wird, und auch mit Recht, da wohl anerkannt die Bestrebungen der bisherigen Medicin zur Heilung oder Vorbeugung gegen dieses Uebel von geringem oder gar keinem Erfolge gewesen sind. Man hat daher dasselbe der Diätetik und speciell der Macrobiotik überwiesen, und früher, wie Hufeland[1]) meinte, durch Sparung des Lebensöles, und jetzt, wie Schulz-Schulzenstein[2]) lehrt, durch wechselnde Organerregung aufzuhalten gesucht. — Wer meine Schriften mit Aufmerksamkeit durchlesen, und also erkannt hat, dass es der Heilorganik möglich sei, jedes Organ beliebig in allen seinen Theilen zu erregen und zu üben, der wird auch die Behauptung nicht gewagt finden, dass, wenn das jetzt mehr oder weniger kranke Menschengeschlecht ein gesünderes werden soll; wenn öfter als jetzt, wo kaum unter Tausend und abermals Tausend Menschen einer eines natürlichen Todes stirbt[3]), das höchste Lebensziel ohne pathologischen Process erreicht werden soll: die Heilorganik die Grundlage der physischen Erziehung und Ausbildung des Menschen werden, und ihn mehr oder weniger durch das ganze Leben begleiten muss, um die zahllosen schädlichen Einwirkungen der verschiedenen Beschäftigungen und Lebensweisen wieder unschädlich zu machen.

§. 562. Die vollkommene Gesundheit ist ein seltenes Gut, und es finden meistentheils nur mehr oder weniger Näherungsstufen an dieselbe statt. Dass die bisher befolgte Diätetik nicht das leistet, was man von ihr verlangen kann, ist wohl klar. Hoffentlich wird die wahre Heilorganik sich nun um so schneller über alle civilisirten Staaten verbreiten, und dadurch Gelegenheit geboten werden, wenn auch nur in der Reihe der Jahre ihre Einwirkung auf die Mortalitätsverhältnisse des Menschengeschlechts zu studiren. Dass diese dann günstiger als bisher sich gestalten werden, vorausgesetzt, dass die Staatsregierungen diese Angelegenheit in die Hand nehmen, und dadurch einer grossen Menge Bürger die Wohlthat heilorganisch-diätetischer Leibesübung zu Theil werden lassen, leidet keinen Zweifel.

(In einem besonderen Werke über diätetische Leibesübung gedenke ich dieses Thema noch gründlicher zu behandeln.)

§. 563. Es sollen nun noch einige heilorganische und diäte-

1) Die Kunst das menschliche Leben zu verlängern. Jena, 1797.

2) Die Verjüngung des menschlichen Lebens. II. Aufl. Berlin, 1851.

3) Carus, System der Physiologie. II. Aufl. Bd. I, S. 407.

tische Recepte folgen, die bei 60- bis 70jährigen Greisen angewendet wurden. Bei Componirung solcher Vorschriften ist besonders eine allmälige Steigerung der schwieriger und immer schwieriger auszuführenden Bewegungsformen genau zu beobachten, will man nicht mehr schaden, als nützen.

§. 564. 1. Recept.

1) Sp. hb. lgd., 2 B. Wch. Eig. (G. W.) u. (P. W.), zgl. 2 F. Fag.

2) H. fa. sth., Or. Sch. Wch. Er. (G. W.) u. (P. W.), zgl. Kn. Fag., u. Kz. Fag.

3) Rh. fl. (ug.) sp. hc. stzd., Wch. Rf. V. Ngg. (G. W.) u. Rc. Bu. (G. W.), zgl. 2 Ebg. Fag.

4) Hb. kl. w. sp. sch. lh. sth., Wch. Rf. V. Dh. (G. W.) u. Rc. Dh. (P. W.), zgl. kl. Hd. u. fü. Ebg. Fag., u. 2 Hf. Fag. (r. kl., r. w.)

5) Spr. hb. lgd., Wch. 2 A. Sw. Afw. Füg. (G. W.) u. (P. W.), zgl. 2 Hd. Fag.

6) Sp. hb. lgd., ps. 2 F. Ro. (24 M.), zgl. 2 F. u. 2 Ur. Sch. Fag.

7) Hb. str. sf. sp. hc. stzd., Wch. Rf. S. Bu. (G. W.) u. (P. W.), zgl. str. Hd. u. Ach. Fag. [r. str., r. sf., Rf. L. S. Bu. (G. W.) u. (P. W.), r. Hd. u. l. Ach. Fag.]

8) Ö. fa. zh. fa. sg. hc. sth., Wch. B. V. Z. (G. W.) u. (P. W.), zgl. sg. F. Fag.

9) Hb. kl. ng. sp. hc. stzd., Wch. Rf. Rc. Ngg. (G. W.) u. (P. W.), zgl. kl. Hd. u. fü. Ach. Fag.

10) Hb. lgd., Wch. B. Er. (G. W.) u. (P. W.), zgl. F. Fag.

§. 565. 2. Recept.

1) H. fa. sg. hc. sth., Wch. B. V. Z. (G. W.) u. Rc. Z. (P. W.), zgl. sg. F. Fag.

2) Rh. str. sf. sp. hc. stzd., Wch. Rf. S. Bu. (G. W.), zgl. str. Hd. u. rh. Ebg. Fag. [r. rh., l. str., r. sf., Rf. L. S. Bu. (G. W.) u. R. S. Bu. (G. W.)]

3) Sr. hb. lgd., ps. 2 A. Ro., zgl. 2 Hd. Z., u. 2 Ach. Fag.

4) Hb. lgd., Wch. 2 B. Er. (G. W.) u. Sen. (P. W.), zgl. 2 F. Fag., u. 2 Ach. Dü.

5) Spr. hb. lgd., Wch. 2 A. Sw. Afw. Füg. (G. W.) u. (P. W.), zgl. spr. Hd. Wch. Fag.

6) Kl. e. w. schu. sch. lh. sth., Wch. Rf. Rc. Dh. (P. W.) u. V. Dh. (G. W.), zgl. kl. Hd. Fag., e. Ach. Fag., u. 2 Hf. Fag. (r. kl., l. e., l. w.)

7) Sun. rk. schu. sth., Wch. A. Strg. (G. W.) u. (P. W.), zgl. rk. Hd. Fag., u. rk. Slbt. Fag.

8) Hb. kl. fl. (ug.) sp. hc. stzd., Wch. Rf. V. Ngg. (G. W.) u. Rc. Bu. (G. W.), zgl. kl. Hd. Fag., u. fü. Ebg. Fag., zgl. K. ls. Hak. (m. l. Hd.)

9) Lt. hb. lgd., Wch. Ur. Sch. Strg. (G. W.) u. Bu. (P. W.), zgl. lt. Kn. Fag., u. lt. F. Fag.

10) Str. sf. schu. sth., act. Rf. S. Bu. (Im Ganzen 6 M.), (r. sf., Rf. L. S. Bu.)

§. 566. 3. Recept.

1) Sp. 2 f. inw. hb. lgd., Wch. 2 B. Asw. Dh. (G. W.) u. (P. W.), zgl. 2 F. Fag., u. 2 Kn. Fag.

2) Kl. spr. hb. lgd., Spr. A. Wch. Sw. Afw. Füg. (G. W.) u. (P. W.), zgl. kl. Hd. Nr. Dü., u. spr. Hd. Fag.

3) Rh. w. sp. knd., Wch. Rf. V. Dh. (G. W.) u. Rc. Dh. (P. W.), zgl. 2 Ebg. Fag., u. Kn. Kz. Dü.

4) H. fa. kl. fa. sg. hc. sth., Wch. B. V. Z. (G. W.) u. Rc. Z. (P. W.), zgl. sg. F. Fag. (r. h. fa., l. kl. fa., r. sg.)

5) Rk. sp. hc. stzd., Wch. 2 A. Kl. Str. Hb. Ro. (G. W.) u. (P. W.), zgl. 2 Hd. Fag., u. Kn. Rn. Dü.

6) Str. e. fl. sp. sch. lh. sth., Wch. Rf. V. Ngg. (G. W.) u. Rc. Bu. (P. W.), zgl. str. Hd. u. e. Ach. Fag., u. 2 Hf. Fag.

7) H. fa. k. w. schu. sth., K. Wch. V. Dh. (G. W.) u. Rc. Dh. (P. W.), zgl. Sn. u. Hrk. Fag.

8) Sr. w. fl. sp. hc. stzd., Wch. Rf. V. Ngg. (G. W.) u. Rc. Bu. (P. W.), zgl. sr. Hd. Wch. Fag., K. Fag., u. 2 Hf. Fag.

9) Sun. kl. w. bg. sp. sth., Wch. Rf. V. Dh. (G. W.) u. Rc. Dh. (P. W.), zgl. kl. Hd. Fag., Kz. 2 Fag., u. 2 F. Süg.

10) Wr. ng. schu. sch. gg. sth., Wch. 2 Or. u. Ur. A. Strg. (G. W.) u. (P. W.), zgl. 2 Hd. Fag., zgl. Rn. ls. abw. Hak. u. Seg. (m. l. Hd.)

§. 567. 4. Recept (diätetisches).

1) Spr. sp. sch. lh. sth., act. 2 A. Vw. Afw. Füg. (4 M.)

2) H. fa. so. hc. sth., act. B. Rc. Z. (Im Ganzen 6 M.)

3) Hb. kl. sf. schu. sth., act. Rf. S. Bu. (Im Ganzen 6 M.) (r. kl., r. sf., Rf. L. S. Bu.)

4) Spr. sp. knd., act. 2 A. Sw. Afw. Füg. (4 M.)

5) Rh. sp. tf. ng. sth., act. Rf. Rc. Bu. (4 M.)

6) Kl. fa. hc. sth., act. B. Sw. Er. (Im Ganzen 6 M.)

7) Str. kl. w. sp. sth., act. Rf. Rc. Dh. (Im Ganzen 6 M.) (r. str., l. kl., r. w.)

8) Wr. fl. sp. sch. lh. sth., act. 2 Or. u. Ur. A. Strg. (4 M.)

9) Sun. kl. fa. so. hc. sth., act. B. Rc. Z. (Im Ganzen 6 M.)

10) Str. sf. schu. sth., act. Rf. S. Bu. (Im Ganzen 6 M.), (r. sf., Rf. L. S. Bu.)

§. 568. 5. Recept (diätetisches).

1) H. fa. sp. rf. lgd., act. 2 B. Eig. (4 M.)

2) Rh. kl. w. ng. sp. sth., act. Rf. Rc. Bu. (Im Ganzen 6 M.), (r. rh., l. kl., r. w.)

3) Sp. hb. lgd., act. 2 F. Ro. (6 M.)

4) Wr. lg. stzd., act. 2 Or. u. Ur. A. Strg. (4 M.)

5) Kl. so. hc. sth., act. B. Rc. Z. (Im Ganzen 6 M.)

6) Str. w. schu. sth., act. Rf. Rc. Dh. (Im Ganzen 6 M.)

7) Rh. w. sf. sp. knd., act. Rf. Sf. Rc. Bu. (Im Ganzen 6 M.), (r. w., l. sf., Rf. R. Sf. Rc. Bu.)

8) Sr. ng. schu. sth., act. Rf. Rc. Bu. (4 M.)

9) Sun. hgd., act. 2 B. Spg. (4 M.)

10) Str. bg. sp. hc. stzd., Ha.

§. 569. 6. Recept (diätetisches).

1) Str. sg. hc. sth., act. B. V. Z. (Im Ganzen 6 M.)

2) Kl. fa. so. hc. sth., act. B. Sb. Sg. Hb. Ro. (Im Ganzen 6 M.)

3) Spr. w. schu. sth., act. Wch. 2 A. Sw. Afw. Füg., u. Vw. Afw. Füg. (Im Ganzen 6 M.)

4) Rh. ng. w. sp. sth., act. Rf. Rc. Dh. (Im Ganzen 6 M.)

5) Str. kl. so. hc. sth., act. B. Rc. Z. (i. v. E.), (Im Ganzen 12 M.) (r. str., l. kl., r. so.)

6) Rk. fl. sp. hc. stzd., act. 2 A. Strg. (i. v. E.), (Im Ganzen 6 M.)

7) Spr. ng. sp. sth., act. 2 A. Sw. Afw. Füg., zgl. act. Rf. Rc. Bu. (4 M.)

8) Hb. kl. w. hb. lg. stzd., act. Rf. Rc. Dh. (Im Ganzen 6 M.), (r. kl., l. w., l. hb. lg.)

9) Sz. sth., Ha.

10) Rk. w. ng. sp. sth., act. 2 A. Kl. Str. Hb. Ro., zgl. act. Rf. Rc. Bu. (Im Ganzen 6 M.)

B. Locale medicinische Krankheiten.

§. 570. Dieselben haben ihren Sitz mehr im Kopfe, Halse, der Brust, dem Unterleibe oder den Gliedern, und werden danach in drei Abtheilungen, in Kopf-, Rumpf- und Gliederkrankheiten zerfallen.

I. Medicinische Kopfkrankheiten.

§. 571. Unter den Kopfkrankheiten sind abzuhandeln: 1) Kopfschmerz; 2) Apoplexie; 3) Augenentzündung und Augenschwäche; 4) Taubheit; 5) chronische Nasenkrankheiten; 6) Zahnschmerz und 7) Lähmung einer Gesichtshälfte.

1. Kopfschmerz.

§. 572. Das bekannte Uebel, welches das weibliche Geschlecht mit wenigen Ausnahmen zu peinigen pflegt, aber auch beim männlichen nicht selten vorkommt; welches entweder nur vorübergehend und einmal durch gerade störende Einflüsse hervorgerufen wird; oder welches periodisch wiederzukehren pflegt, und dann als habituell bezeichnet wird; welches entweder den ganzen Kopf mehr oder weniger einnimmt, oder sich nur auf eine ganz kleine Stelle des Schädels beschränkt; — dieses Uebel kann meistentheils durch heilorganische Behandlung entweder vollkommen gehoben, oder wenigstens bedeutend gebessert werden.

§. 573. Die Fälle von Kopfschmerz, denen wirkliche, sogenannte organische Hirnleiden zum Grunde liegen, werden natürlich die heilorganische Behandlung entweder ganz verbieten, oder doch gar sehr beschränken. Dagegen wird zunächst der anämische oder nervöse Kopfschmerz in der Heilorganik ein grosses Hülfsmittel finden; und auch dann selbst, wenn er schon viele Jahre angedauert hat, vorausgesetzt, dass die heilorganische Cur den Verhältnissen gemäss längere Zeit fortgebraucht wird.

§. 574. Die sogenannte anämische oder nervöse Cephalalgie besteht ihrem eigentlichen Wesen nach im Beginne in Relaxationen der Gewebe des Hirns, namentlich der Gehirnhäute, während später, wenn das Uebel chronisch und habituell geworden, die Retractionen in den Zellen derselben Gewebe das Uebergewicht gewinnen.

Daher sind für frische Fälle von Kopfschmerz mehr concentrische, für veraltete mehr excentrische Bewegungsformen indicirt. Oefters ist beim weiblichen Geschlechte der Kopfschmerz mit Menstruationsstörungen, beim männlichen mit Leibesverstopfung verbunden. Auch die Bewegungsorgane, und zwar nicht allein am Kopfe, sondern auch an anderen Körpertheilen, nehmen in Retractionen und Relaxationen bald Antheil, weshalb bei chronischem Kopfschmerz die zu erfüllenden Indicationen der heilorganischen Behandlungsweise sehr mannigfaltig sein können.

§. 575. Die folgenden heilorganischen Recepte werden deshalb nur im Allgemeinen einen Anhalt bieten, wie dergleichen überhaupt, namentlich für Fälle habituellen Kopfschmerzes, zu componiren sind.

1. Recept.

1) Ö. fa. zh. fa. hc. sth., B. Wch. Sw. Er. (G. W.) u. Sw. Sen. (P. W.), zgl. F. Fag.

2) Str. fl. sp. sch. lh. sth., Wch. 2 Or. u. Ur. A. Bu. (G. W.) u. Strg. (P. W.), zgl. 2 Hd. Fag., u. 2 Hf. Fag.

3) H. fa. k. kmm. schu. sth., K. Rc. Bu. (G. W.), (i. v. E.), zgl. Hrk. u. Ach. Fag.

4) Sp. hb. lgd., ps. 2 F. Ro. (24 M.), zgl. 2 F. u. 2 Ur. Sch. Fag.

5) Sr. fl. sp. sch. gg. sth., Wch. Rf. V. Ngg. (P. W.) u. Rc. Bu. (G. W.), zgl. sr. Hd. Wch. Fag., K. Fag., u. 2 Hf. Fag.

6) Hb. lgd., B. Wch. Er. (G. W.) u. Sen. (P. W.), zgl. F. Fag.

7) Hb. str. sf. ga. hf. lh. sth., Wch. Rf. S. Bu. (G. W.) u. (P. W.), zgl. str. Hd. u. 2 Hf. Fag. [r. str., r. sf., l. ga., l. hf. lh., Rf. L. S. Bu. (G. W.) u. (P. W.)]

8) Sr. sp. hb. lgd., Wch. 2 B. Eig. (G. W.) u. (P. W.), zgl. 2 Hd. Nr. Dü., u. 2 F. Fag.

9) Hb. kl. w. li. sth., Wch. Rf. V. Dh. (G. W.) u. Rc. Dh. (P. W.), zgl. kl. Hd. u. 2 Hf. Fag. (r. kl., r. w.)

10) Sff. stzd., K. Hak., u. K. Dü., u. K. u. 2 A. abw. Seg.

(Sn. u. r. K. S. Hak., m. l. Hd.; Hrk. u. l. K. S. Hak., m. r. Hd.; Sn. Dü., m. l. Hd.; Hrk. Dü., m. r. Hd.; Seg., m. ugn. Hd.)

§. 576. 2. Recept.

1) Snn. sg. hc. sth., B. Wch. V. Z. (G. W.) u. Rc. Z. (P. W.), zgl. F. Fag.

2) Rh. sr. w. sp. knd., Wch. Rf. V. Dh. (G. W.) u. Rc. Dh. (P. W.), zgl. rh. Ebg. u. sr. Hd. Fag., u. Kn. Kz. Dü. (r. rh., l. sr., l. w.)

3) Spr. schu. sch. lh. sth., Wch. 2 A. Sw. Afw. Fag. (G. W.) u. (P. W.), zgl. Hd. Wch. Fag., u. K. ls. Hak. (m. l. Hd.)

4) Hb. kl. hb. lgd., B. Wch. Er. (G. W.) u. Sen. (P. W.), zgl. F. Fag., u. kl. Hd. Nr. Dü. (r. kl., l. B. Er.)

5) Rh. wrkl. w. sp. sch. lh. sth., Wch. Rf. Rc. Dh. (G. W.) u. (P. W.), zgl. Ebg. Wch. Fag., u. 2 Hf. Fag. (r. rh., l. wrkl., r. w.)

6) Rh. sf. tp. f. fa. sth., Rf. Wch. S. Bu. (G. W.) u. (P. W.), zgl. 2 Ebg. Fag., Kn. u. Hf. Fag. (r. sf., l. tp., l. f. fa., L. Kn. u. l. Hf. Fag.)

7) Wr. tf. ng. schu. sch. gg. sth., act. 2 Or. u. Ur. A. Strg. (4 M.)

8) H. fa. so. (sg.) sth., B. Wch. Rc. Z. (P. W.) u. V. Z. (P. W.), zgl. so. (sg.) F. Fag., zgl. K. q. Hak. (von einem Ohr zum andern, m. l. Hd.)

9) K. bg. schu. fr. sth., Wch. K. V. Bu. (P. W.) u. Rc. Bu. (G. W.), zgl. Hrk. 2 Fag., 2 Ebg. 2 Vsl. Dü.

10) Sr. smm. sp. lgd., Ha., zgl. Hrk. u. Nk. abw. q. Hak. u. Seg. (m. l. Hd.)

§. 577. 3. Recept.

1) Kl. fa. kl. hc. sth., B. Wch. Sw. Er. (G. W.) u. Sw. Sen. (P. W.), zgl. F. Fag., u. kl. Hd. afw. Dü. (r. kl. fa., l. kl., l. B. Sw. Er., l. F. Fag., l. Hd. afw. Dü.)

2) Kl. wrkl. w. fkt. sü. sth., Wch. Rf. V. Dh. (G. W.) u. Rc. Dh. (P. W.), zgl. kl. Hd. Fag., Kn. u. F. Fag., zgl. K. q. Hak. (von einem Ohr zum andern) u. Hrk. q. abw. Hak. (m. l. Hd.), (r. kl., l. wrkl., r. w., l. fkt. sü., l. Kn. u. l. F. Fag.)

3) Str. rh. sf. sp. knd., Wch. Rf. S. Bu. (G. W.) u. (P. W.), zgl. str. Hd. u. rh. Ebg. Fag., u. 2 Ur. Sch. Fag. (r. str., l. rh., r. sf.)

4) Fl. sff. stzd., ps. K. Ro. (24 M.), u. ps. K. V. u. Rc. Bu. (3 M.), zgl. Sel. 2 Fag., 2 Ach. Fag., u. 2 Kn. 2 Slbt. Sög.

5) Rh. kl. w. sf. sp. hc. stzd., Wch. Rf. Sf. Rc. Bu. (G. W.) u. (P. W.), zgl. kl. Hd. u. rh. Ebg. Wch. Fag. (r. rh., l. kl., l. sf., r. w.)

6) Spr. w. sp. sch. lh. sth., Wch. 2 A. Sw. Afw. Füg. (P. W.) u. Vw. Afw. Füg. (P. W.), zgl. spr. Hd. Fag. (r. w., r. spr. Hd. Fag.)

7) H. fa. so. f. inw. hc. sth., Wch. B. Asw. Dh. (G. W.) u. (P. W.), zgl. so. F. Fag., zgl. K. ls. Hak. (m. l. Hd.), (r. so., r. f. inw.)

8) Kl. lh. sp. stzd., ps. 2 A. Ro., zgl. 2 Hd. Z., u. 2 Ach. Fag.

9) Str. e. bg. b. vw. lgd., Wch. Rf. Sen. (P. W.) u. Rf. Er. (G. W.), zgl. str. Hd. u. K. Fag., u. 2 Ur. Sch. rs. Fag.

10) Ö. fa. kl. w. bg. sp. sth., Wch. Rf. V. Dh. (G. W.) u. Rc. Dh. (P. W.), zgl. kl. Hd. Fag., Ach. Fag., u. Kz. 2 Dü. (r. ö. fa., l. kl., l. w., r. Ach. Fag.)

§. 578. 4. Recept.

1) Hb. spr. hb. lgd., A. Wch. Sw. Afw. Füg. (G. W.) u. Sw. Abw. Füg. (G. W.), zgl. spr. Hd. Fag., u. K. ls. Hak. (m. l. Hd.)

2) Str. tf. ng. w. schu. sch. gg. sth., Wch. Rf. Dh. (G. W.), zgl. 2 Hd. u. 2 Ach. Fag., u. 2 Slbt. Dü.

3) Rk. lt. hb. lgd., Wch. Ur. Sch. Strg. (P. W.) u. Bu. (P. W.), zgl. 2 Hd. asw. Dü., u. lt. Kn. u. lt. F. Fag. (r. lt., r. Ur. Sch. Strg., r. Kn. u. r. F. Fag.)

4) Hb. kl. tf. bg. sp. hc. stzd., Rf. Wch. V. Bu. (G. W.) u. Rc. Bu. (P. W.), zgl. kl. Hd. Fag.

5) H. fa. k. sf. schu. sth., Wch. K. S. Bu. (G. W.) u. (P. W.), zgl. K. u. Ach. Fag., zgl. K. ls. Hak. (m. l. Hd.), [r. K. sf., K. L. S. Bu. (G. W.) u. K. R. S. Bu. (P. W.)]

6) Ö. fa. str. w. sp. sth., Wch. Rf. Rc. Dh. (P. W.) u. V. Dh. (G. W.), zgl. ö. Ach. Fag., str. Hd. Fag., u. Kz. 2 Dü. [r. ö. fa. l. str., r. w.]

7) Rk. sp. hc. stzd., Wch. 2 A. Kl. Str. Hb. Ro. (G. W.) u. (P. W.), zgl. rk. Hd. Wch. Fag.

8) Sr. fl. sp. sch. gg. sth., Wch. Rf. V. Ngg. (P. W.) u. Rc. Bu. (G. W.), zgl. sr. Hd. Wch. Fag., u. 2 Hf. Fag.

18*

9) Str. kl. w. ng. sp. hc. stzd., Wch. Rf. V. Dh. (G. W.) u. Rc. Dh. (P. W.), zgl. kl. Hd. Fag. (r. str., l. kl., l. w.)

10) H. fa. hk. or. sch. asw. sth., Wch. Or. Sch. Inw. Dh. (G. W.) u. (P. W.), zgl. Kn. u. F. Fag. (r. hk., r. or. sch. asw., R. Or. Sch. Inw. Dh., r. Kn. u. r. F. Fag.)

11) Str. b. lgd., act. 2 A. Sw. Abw. Füg. (4 M.), zgl. 2 Ur. Sch. rs. Fag.

§. 579. 5. Recept.

1) Snn kl. sth., B. Wch. Sw. Er. (G. W.) u. Sw. Sen. (P. W.), zgl. kl. Hd. Nr. Dü., u. F. Fag. (r. snn., l. kl., L. B. Sw. Er., l. F. Fag.)

2) 2 wrkl. k. sl. rf. b. hb. lgd., Wch. K. S. Bu. (G. W.) u. (P. W.), zgl. 2 Ebg. Nr. Dü., Hrk. u. Sn. Fag., u. K. S. abw. Hak. [r. k. sf., K. L. S. Bu. (G. W.) u. (P. W.), r. K. S. Hak. (m. l. Hd.)]

3) Str. sg. lt. f. fa. rf. lgd., Wch. B. Er. (G. W.) u. Sen. (P. W.), zgl. 2 Hf. Fag., lt. Kn. Fag., u. sg. F. Fag. (r. sg., l. lt., l. f. fa.)

4) Hb. rh. w. b. lgd., Wch. Rf. V. Dh. (G. W.) u. Rc. Dh. (P. W.), zgl. rh. Ebg. Fag., Slbt. Dü., u. 2 Ur. Sch. rs. Fag. (r. rh., r. w., r. Ebg. Fag., l. Slbt. Dü.)

5) Lt. f. fa. sg. ku. stzd., Wch. B. Er. (G. W.) u. (P. W.), zgl. sg. F. Fag., lt. Kn. Fag., zgl. K. Dü. (Sn., m. r. Hd.; Hrk., m. l. Hd.), (r. lt., r. f. fa., l. sg.)

6) Su. w. b. vw. lgd., Wch. Rf. Dh. (G. W.), zgl. 2 Ur. Sch. rs. Fag., 2 Hd. u. 2 Ur. A. Fag., u. Hrk. u. Nk. q. abw. Hak. u. Seg. (m. l. Hd.)

7) H. fa. sg. f. inw. hc. sth., Wch. B. Asw. Dh. (G. W.) u. (P. W.), zgl. sg. F. Fag. (r. sg., r. f. inw.)

8) Snn. rk. ga. sth., Wch. A. Strg. (G. W.) u. (P. W.), zgl. rk. Hd. Fag., u. rk. Slbt. Dü. (r. snn., l. rk., l. ga.)

9) Rh. fl. (ng.) hk. f. fa. sth., Wch. Rf. V. Ngg. (P. W.) u. Rc. Ngg. (P. W.), zgl. 2 Ebg. Fag., hk. Kn. u. hk. F. Fag. (r. hk., r. f. fa.)

10) Sr. smm. k. kmn. sp. lgd., K. Rc. Bu. (G. W.), zgl. Hrk. Fag., zgl. Sn. q. abw. Hak. (m. r. Hd.)

§. 580. 6. Recept.

1) Kl. fa. ng. sp. sth., Wch. Hf. V. Bu. (G. W.) u. (P. W.), zgl. 2 Hf. Fag., u. Sn. q. Hak. (m. r. Hd.)

2) Spr. lg. stzd., act. 2 A. Sw. Afw. Füg. (4 M.)

3) Hb. lgd., B. Wch. Er. (G. W.) u. Sen. (P. W.), zgl. F. Fag., u. K. ls. Hak. (m. l. Hd.)

4) Rh. w. fl. sp. hc. stzd., Wch. Rf. Rc. Dh. (G. W.) u. (P. W.), zgl. Ebg. Fag. (r. w., Rf. L. Dh., l. Ebg. Fag.)

5) H. fa. k. w. schu. sth., K. Wch. Dh. (G. W.), zgl. Hrk. u. Ur. Kf. Fag., u. K. S. abw. Hak. (r. Ur. Kf. u. l. Hrk. Fag., R. K. S. Hak., m. l. Hd.)

6) Kl. lt. f. fa. so. ku. stzd., ps. F. Ro. (12 M.), zgl. F. u. Ur. Sch. Fag. (r. lt., r. f. fa., l. so., l. F. Ro., l. F. u. l. Ur. Sch. Fag.)

7) Sr. bg. b. vw. lgd., Ha., zgl. 2 Ur. Sch. rs. Fag., zgl. Hrk. afw. Hak. (m. l. Hd.)

8) Str. kl. sf. hf. lh. ga. sth., Wch. Rf. S. Bu. (G. W.) u. (P. W.), zgl. str. Hd. u. kl. Hd. Wch. Fag., u. 2 Hf. Fag. [r. str., l. kl., r. sf., l. hf. lh., l. ga., Rf. L. S. Bu. (G. W.) u. R. S. Bu. (P. W.)].

9) Hb. spr. hb. lgd., A. Wch. Sw. Afw. Füg. (G. W.) u. Vw. Afw. Füg. (P. W.), zgl. spr. Hd. Fag., zgl. Sel. Kog. (m. l. Ft.)

10) Smm. sb. lgd., Wch. B. Eig. (G. W.) u. (P. W.), zgl. 2 K. S. u. 2 A. abw. Seg. (m. ugn. Hd.), zgl. sb. F. Fag.

§. 581. 7. Recept.

1) Su. kl. fl. sp. sch. lh. sth., Rf. Wch. V. Ngg. (G. W.) u. Rc. Bu. (G. W.), zgl. su. Hd. u. kl. Hd. Wch. Fag., u. 2 Hf. Fag.

2) Kl. hb. lgd., 2 A. Ruw. Eü. (45 M.), zgl. 2 Hd. Fag., u. 2 Ach. Fag., zgl. Sel. Kla. (m. l. Hd.)

3) Hb. sr. w. fl. lg. sp. stzd., Wch. Rf. V. Dh. (G. W.) u. Rc. Dh. (P. W.), zgl. sr. Hd. u. Slbt. Fag., 2 Or. Sch. u. 2 Ur. Sch. Fag. (r. sr., r. w., r. sr. Hd., u. l. Slbt. Fag.)

4) Ö. fa. zh. fa. so. hc. sth., B. Wch. Rc. Z. (G. W.) u. (P. W.), so. F. Fag., zgl. Sel. Hrk. u. Nk. abw. Kla. (m. l. Hd.)

5) Spr. str. b. lgd., Wch. Spr. A. Sw. Afw. Füg. (G. W.) u. (P. W.), zgl. spr. Hd. Fag., u. 2 Ur. Sch. rs. Fag.

6) Sr. lt. f. fa. sg. ku. hc. stzd., Wch. B. Er. (G. W.) u. Sen. (P. W.), zgl. 2 Hd. Nr. Dü., lt. Kn. u. sg. F. Fag., zgl. Utb. Kla. (m. r. Hd.), (r. lt., r. f. fa., l. sg.)

7) Sr. hb. lgd., 2 A. Ruw. Eü. (45 M.), zgl. 2 Hd. u. 2 Ach. Fag., zgl. Sel. Kog. (m. l. Ft.)

8) Sgl. end. 2 sg. sp. stzd., Wch. 2 B. Er., zgl. Eig. (G. W.) u. Sen., zgl. Spg. (P. W.), zgl. 2 F. u. 2 Kn. Fag., u. 2 Ach. Fag.

9) Sff. stzd., K. ls. Seg. (in der Richtung des Sinus longitudinalis major und der beiden Sinus transversi), (m. ugn. Hd.)

10) H. fa. sg. hc. sth., B. Wch. V. Z. (G. W.) u. Rc. Z. (P. W.), zgl. sg. F. Fag., zgl. Sn. u. Hrk. Dü. (Sn., m. r. Hd.; Hrk., m. l. Hd.)

2. Apoplexie.

§. 582. Von allen den Arten des Schlagflusses, welche die specialisirende Pathologie der Neuzeit aufgestellt hat, und wozu in neuester Zeit auch noch die Apoplexia embolica (eine wohl sehr problematische, nur der neueren mechanischen Anschauungsweise des Lebensprocesses ihren Ursprung verdankende Abart) gekommen ist; — von allen diesen Specialitäten wird zunächst nur der Schlagfluss bejahrter Leute, auf Retractionen der Zellen des Gehirns und seiner Umgebungen beruhend, die heilorganische Behandlung indiciren. Natürlich wird dieselbe wenig oder gar nicht während des apoplektischen Anfalles selbst, desto mehr aber als Vorbeugungsmittel gegen den ersten oder die Erneuerung der folgenden Anfälle anzuwenden, und dann von der grössten Wichtigkeit sein.

§. 583. Da namentlich bei im Alter vorgerückten Personen die eigentlich nächste Ursache des Schlagflusses (also eigentlich auch der Grund der Retractionen der Zellen des Gehirns und seiner Umgebungen) ein Erlöschen der Nerven- (Od-) Strömungen sein; andererseits aber das Blutsystem dabei durch Congestionen nach dem Kopfe, durch Anstauen des Blutes in den Hirnsinus, durch Ergiessen desselben aus den Capillaren in die Hirnsubstanz eine wichtige Rolle spielen wird: so ist die heilorganische Behandlungsweise um so mehr hier indicirt, als es dadurch allein möglich ist, einerseits die Nervenströmungen im Gange zu erhalten, und die Erregbarkeit der Organe überhaupt zu heben; andererseits aber das Blutsystem zugleich weder zu schwächen, noch die Säftemasse überhaupt zu verringern. — Nur auf diese Art ist es also erlaubt, den Widerspruch zu vermeiden, der in der gewöhnlichen Heilart des Schlagflusses mit Aderlässen, mit schwächenden, laxirenden Medicamenten, mit Entziehung der spirituösen Getränke, der nahrhaften Speisen überhaupt für jeden denkenden Arzt bei einem Uebel liegen muss, dessen Wesen eben auf einem Erlöschen der Nervenströmungen beruht.

§. 584. Die folgenden heilorganischen Recepte sind besonders für zum Schlagfluss geneigte Personen höheren Alters componirt. Und nicht leicht dürfte selbst sehr hohes Alter die Anwendung der darin vorgeschriebenen Leibesübungen verbieten, obschon das Vorurtheil des ärztlichen, so wie des nichtärztlichen Publicums dieses leicht annehmen dürfte.

§. 585. 1. Recept.

1) Hb. lgd., B. Wch. Er. (G. W.) u. Sen. (P. W.), zgl. F. Fag.

2) Rh. fl. sp. hc. stzd., Wch. Rf. V. Ngg. (G. W.) u. Rc. Bu. (P. W.), zgl. 2 Ebg. Fag.

3) H. fa. sg. hc. sth., B. Wch. V. Z. (G. W.) u. Rc. Z. (P. W.), zgl. sg. F. Fag.

4) K. sf. sp. hc. stzd., Wch. K. S. Bu. (G. W.) u. (P. W.), zgl. K. u. Ach. Fag. [r. k. sf., K. L. S. Bu. (G. W.) u. K. R. S. Bu. (P. W.)]

5) Sp. hb. lgd., ps. 2 F. Ro. (24 M.), zgl. 2 F. u. 2 Ur. Sch. Fag.

6) Hb. spr. w. sp. hc. stzd., Wch. A. Sw. Afw. Füg. (G. W.) u. (P. W.), zgl. spr. Hd. Fag. (r. spr., r. w.)

7) Kl. hb. lgd., ps. 2 A. Ro., zgl. 2 Hd. Z., u. 2 Ach. Fag.

8) Snn. h. fa. sth., Wch. Or. Sch. Er. (G. W.) u. Sen. (P. W.), zgl. Kn. Fag., u. Kz. Dü. (r. snn., l. h. fa., L. Or. Sch. Er., l. Kn. Fag.)

9) Sr. ng. sp. hc. stzd., Wch. Rf. Rc. Bu. (G. W.) u. (P. W.), zgl. 2 Hd. Fag.

10) Str. fl. lg. stzd., Ha., zgl. 2 Ur. Sch. rs. Fag.

§. 586. 2. Recept.

1) H. so. hb. lgd., B. Sen. (P. W.), (i. v. E.), zgl. so. F. Fag., u. 2 Hd. Nr. Dü.

2) H. fa. k. bg. sp. sth., K. Wch. V. Bu. (P. W.) u. Rc. Bu. (G. W.), zgl. Hrk. u. Ach. Fag.

3) Ö. fa. ng. schu. sth., Ru. Ls. Abw. Hak. u. Seg. (m. l. Hd.)

4) Sff. fl. stzd., ps. K. Ro. (24 M.), u. ps. K. V. u. Rc. Bu. (3 M.), zgl. Sel. 2 Fag., 2 Ach. Fag., u. 2 Kn. 2. Slbt. Süg.

5) Hb. kl. ng. sp. hc. stzd., Rf. Rc. Ngg. (P. W.), (i. v. E.), zgl. kl. Hd. u. K. Fag.

6) K. w. rf. b. hb. lgd., Wch. K. Dh. (G. W.), zgl. 2 K. S. Fag., u. 2 Ach. Fag.

7) Rh. w. fl. sp. sch. lh. sth., Rf. Wch. Dh. (G. W.), zgl. 2 Ebg. Fag.

8) K. kmm. h. fa. so. hc. sth., B. Wch. Rc. Z. (G. W.) u. (P. W.), zgl. act. K. Rc. Bu., zgl. so. F. Fag.

9) K. kmm. fl. sp. hc. stzd., K. Rc. Bu. (G. W.), (i. v. E.), zgl. Hrk. 2 Fag., u. 2 Ach. Fag.

10) Sr. snnn. k. hg. sp. lgd., K. Wch. V. Bu. (P. W.) u. Rc. Bu. (G. W.), zgl. Hrk. Fag., u. Ach. Fag.

§. 587. 3. Recept.

1) H. fa. k. kmm. schu. sth., K. Rc. Bu. (G. W.), (i. v. E.), zgl. Hrk. Fag., zgl. Sn. u. Sel. Hak. (m. r. Hd.)

2) Str. e. sf. sp. hc. stzd., Wch. Rf. S. Bu. (G. W.) u. (P. W.), zgl. str. Hd. u. K. Fag. [r. str., l. e., r. sf., Rf. L. S. Bu. (G. W.) u. (P. W.)]

3) Kl. fl. sp. sch. lh. sth., ps. 2 A. Ro., zgl. 2 Hd. Z., u. 2 Ach. Fag.

4) Hb. spr. hb. lgd., A. Wch. Sw. Afw. Füg. (G. W.) u. Vw. Afw. Füg. (G. W.), zgl. spr. Hd. Fag., zgl. Sel. Kog. (m. l. Hd.)

5) K. w. k. sf. kl. fa. schu. sth., K. Wch. Sf. V. Bu. (G. W.) u. Sf. Rc. Bu. (P. W.), zgl. Sel. Fag., u. Ach. Fag. [k. r. w., k. r. sf., K. L. Sf. V. Bu. (G. W.), K. R. Sf. Rc. Bu. (P. W.)]

6) Kl. ng. sp. hc. stzd., 2 A. Rnw. Eü., zgl. 2 Hd. Fag., u. 2 Ach. Fag.

7) Snn. bg. sth., Or. Sch. Wch. Bu. (G. W.) u. Strg. (P. W.), zgl. Kn. Fag., u. Kz. Dü., zgl. K. q. Hak. (von einem Ohr zum andern, m. r. Hd.)

8) Hb. str. ng. sp. hc. stzd., Wch. Rf. Rc. Bu. (G. W.) u. (P. W.), zgl. str. Hd. u. K. Fag., zgl. Hrk. q. abw. Hak. (m. l. Hd.)

9) Spr. lg. sp. stzd., act. 2 A. Sw. Afw. Füg. (4 M.)

10) Sz. sth., Ha., zgl. Rn. ls. Nk. u. Hrk. afw. q. Hak. (m. r. Hd.)

3. Augenentzündung und Augenschwäche.

§. 588 Wenn ich zu behaupten wage, dass chronische Augenübel heilorganisch mit Vortheil behandelt werden können: so stütze ich mich hiebei sowohl auf meine heilorganische Casuistik, als auch auf die Ansicht, dass, ebenso wie die Krankheiten anderer visceraler Organe, so auch die des Auges aus Retractionen und Relaxationen der Zellen seiner Gewebe und Flüssigkeiten hervorgehen.

§. 589. Bei der Entzündung dieses Organs leiden primär die Blutzellen an solchen pathologischen Zuständen; secundär und besonders wenn das Uebel chronisch geworden ist, die Zellen der zusammengesetzteren Gewebe. Bei den sogenannten Nachkrankheiten der Inflammationen der Augenhäute und Augenflüssigkeiten, welche durch Hülfe des Augenspiegels, des Mikroskops, der chemischen Reagenzien u. s. w. nun schon bis zu einer Legion angeschwollen sind, ist doch immer wieder derselbe pathologische Process, Retraction und Relaxation der Zellen, nur nach den Geweben verschiedenartig vertheilt, vorhanden. Dauern die Augenübel sehr lange Zeit, so nehmen auch die Bewegungsorgane, namentlich die Muskeln, und zwar zuerst die des Auges, dann aber auch die aller übrigen Körpertheile, an der Retraction und Relaxation Antheil. Hierauf beruht die auch dem Nichtarzte kenntliche Einwirkung der Augenkrankheiten auf den ganzen Habitus des Patienten.

§. 590. Verglichen mit den so gar mannigfaltigen medicamentösen, operativen, electrischen u. s. w. Curarten der angeblich so sehr verschiedenen Augenkrankheiten ist die heilorganische Behandlung dieser Uebel natürlich sehr einfach. Denn sie allein hat Heilmittel, die auf Retraction und Relaxation der Zellen, also auf die nächste Ursache der Augenübel bestimmt einwirken. Deshalb braucht sie aber auch nicht so sehr zu suchen und umherzutappen, sondern kann sicheren Fusses vorschreiten.

§. 591. Natürlich ist aus praktischen Gründen (§. 56) die acute Augenentzündung für die heilorganische Behandlung auch nicht geeignet. Dagegen giebt es nicht leicht eine chronische Augenkrankheit, in der diese Curart, wenn nicht allein, so doch abwechselnd mit chirurgischen Operationen, mit Medicamenten u. s. w. gebraucht, nicht heilsam sein sollte. Denn so wie nach chirurgischen Operationen überhaupt, so namentlich auch nach denen der Augen dürfte die heilorganische Behandlung jedesmal indicirt sein, um die nach der Vernarbung der Wunden zurückbleibenden, functionellen Störungen schneller und vollkommener zu heben, als dieses die Naturkraft allein vermag.

§. 592. Bei den chronisch-entzündlichen Augenleiden werden die Relaxationen vorwalten, und daher die duplicirt-concentrische Curmethode indicirt sein; bei den atrophischen und Schwächezuständen der Augen werden dagegen die Retractionen mehr ausgebildet sein, und daher die duplicirt-excentrische Curmethode angewendet werden müssen. Es zerfallen daher hiernach die folgenden, für diese Uebel dienenden heilorganischen Recepte in zwei Theile.

§. 593. a) Dergleichen, bei chronisch-entzündlichen Augenleiden anwendbar.

1. Recept.

1) Ö. fa. zh. fa. so. hc. sth., B. Wch. Rc. Z. (G. W.) u. (P. W.), zgl. so. F. Fag. (r. zh. fa., l. so.)

2) Spr. w. sp. sch. lh. sth., act. 2 A. Sw. Afw. Fug. (Im Ganzen 6 M.)

3) Hb. lgd., Wch. 2 B. Spg. (G. W.) u. (P. W.), zgl. 2 F. Fag., u. 2 Ag. Pug. (m. ugn. Hd.)

4) Hb. kl. w. li. sth., Wch. Rf. Rc. Dh. (G. W.) u. (P. W.), zgl. kl. Hd. Fag. (r. kl., r. w.)

5) H. fa. k. bg. rf. bg. sp. sth., K. Wch. V. Bu. (P. W.) u. Rc. Bu. (G. W.), zgl. Hrk. u. Ach. Fag., zgl. 2 Ag. Pug. (m. ugn. Hd.).

6) Str. hb. lgd., Wch. 2 Or. u. Ur. A. Bu. (G. W.) u. Strg. (P. W.), zgl. 2 Hd. Fag.

7) Hb. kl. sf. sp. fr. sth., Wch. Rf. S. Bu. (G. W.) u. (P. W.), zgl. kl. Hd. Fag. (r. kl., r. sf., Rf. L. S. Bu.)

8) Kl. fa. sth., Or. Sch. Wch. Bu. (G. W.) u. Strg. (P. W.), zgl. Kn. u. Kz. Fag., zgl. Ag. Pug. (r. Or. Sch. Bu., r. Kn. Fag., l. Ag. Pug., m. r. Hd.)

9) Rh. fl. sp. sch. gg. sth., Rf. Wch. V. Ngg. (P. W.) u. Rc. Bu. (G. W.), zgl. Ebg. Wch. Fag., u. 2 Hf. Fag.

10) Sr. smm. sp. lgd., Ha., zgl. Hrk. u. Sel. Hak. (m. l. Hd.)

§. 594. 2. Recept.

1) Ö. fa. zh. fa. lt. hc. sth., Wch. Or. Sch. Bu. (G. W.) u. Strg. (P. W.), zgl. Kn. Fag., zgl. Hrk. u. Nk. abw. q. Hak. (m. l. Hd.) (r. zh. fa., l. lt., L. Kn. Fag.)

2) Str. w. sp. sch. lh. sth., Wch. Or. u. Ur. A. Fg. Bu. (G. W.) u. Fg. Strg. (P. W.), zgl. Hd. u. 2 Hf. Fag., zgl. Ag. Pug. (m. ugn. Hd.), (r. w., R. Or. u. Ur. A. Fg. Bu. u. Strg., r. Hd. Fag., l. Ag. Pug., m. r. Hd.)

3) Str. ku. 2 lt. hc. stzd., Wch. 2 Or. Sch. Spg. (G. W.) u. Eig. (P. W.), zgl. 2 Hd. Nr. Dn., 2 Kn. u. 2 F. Fag.

4) Str. e. ng. sp. knd., Wch. Rf. Rc. Bu. (G. W.) u. (P. W.), zgl. str. Hd. Fag., K. Fag., u. 2 Ur. Sch. Fag., zgl. 2 Ag. Pug. (m. ugn. Hd.).

5) H. sp. hb. lgd., ps. 2 F. Ro. (24 M.), zgl. 2 F. u. 2 Ur. Sch. Fag., zgl. Sn. q. afw. Hak. (m. r. Hd.)

6) Str. kl. w. sp. knd., Wch. Rf. V. Dh. (P. W.) u. Rc. Dh. (G. W.), zgl. kl. Hd. Fag., 2 Ur. Sch. Fag., u. 2 Ag. Pug. (m. ugn. Hd.), (r. kl., r. w.)

7) Snn. sg. hc. sth., B. Wch. V. Z. (G. W.) u. (P. W.), zgl. sg. F. Fag., zgl. Hrk. u. Sel. q. abw. Hak. (m. l. Hd.)

8) Sr. lt. hb. lgd., Ur. Sch. Wch. Strg. (P. W.) u. Bu. (P. W.), zgl. 2 Hd. Nr. Dü., u. Kn. u. F. Fag. (r. lt., r. Ur. Sch. Strg., r. Kn. u. r. F. Fag.)

9) Kl. fa. snn. k. sf. schu. sth., K. Wch. S. Bu. (P. W.) u. (G. W.), zgl. K. S. Fag., u. Ach. Fag. [r. kl. fa., l. snn., r. k. sf., K. L. S. Bu. (P. W.) u. R. S. Bu. (G. W.), K. r. S. Fag.]

10) Str. fl. lg. sp. stzd., Ha.

§. 595. 3. Recept.

1) Spr. (str.) kl. sp. sch. lh. sth., A. Wch. Sw. Afw. Füg. (G. W.) u. Sw. Abw. Füg. (G. W.), zgl. kl. Hd. Nr. Dü., zgl. spr. Hd. Fag., zgl. 2 Ag. Pug. (m. ugn. Hd.)

2) Ö. fa. zh. fa. so. hc. sth., B. Wch. Rc. Z. (G. W.) u. V. Z. (P. W.), zgl. F. Fag. (r. zh. fa., l. so., l. F. Fag.)

3) Wr. kl. sp. sch. lh. sth., Wch. Or. u. Ur. A. Strg. (G. W.) u. (P. W.), zgl. wr. Hd. Fag., zgl. kl. Hd. Abw. u. Afw. Wch. Dü., zgl. Ag. Pug. (r. wr., l. kl., l. Ag. Pug., m. r. Hd.)

4) Kl. fa. so. hc. sth., Wch. B. Sb. Sg. Hb. Ro. (G. W.) u. (P. W.), zgl. so. F. Fag.

5) Spr. w. hb. lg. stzd., act. 2 A. Sw. Afw. Füg. (4 M.), (r. w., l. hb. lg.)

6) Rh. ng. schu. sch. lh. sth., Wch. Rf. Sf. Fl. Hb. Ro. (G. W.) u. (P. W.), zgl. Ebg. Wch. Fag., zgl. 2 Hf. Fag., zgl. Ag. Pug. (ng., Rf. R. Sf. Fl. Hb. Ro., r. Ag. Pug., m. l. Hd.)

7) Str. kl. sf. hb. lg. stzd., Wch. Rf. S. Bu. (G. W.) u. (P. W.), zgl. str. u. kl. Hd. Wch. Fag., Kn. Fag., zgl. Ur. Sch. rs. Fag. (r. str., l. kl., l. sf., l. hb. lg. stzd., r. Kn. Fag., u. l. Ur. Sch. rs. Fag.)

8) Sr. sb. f. inw. hb. lgd., Wch. B. Asw. Dh. (G. W.) u. (P. W.), zgl. 2 Hd. Nr. Dü., zgl. fst. u. fs. Fag. (r. sb., r. f. inw., R. B. Asw. Dh., r. Fst. u. r. Fs. Fag.)

9) H. fa. k. w. schu. sth., K. Wch. Dh. (P. W.), zgl. 2 Ag. Pug. (m. ugn. Hd.), zgl. Hrk. u. Kf. Fag.

10) Str. fkt. sü. ng. sth., Rf. Rc. Bu. (G. W.), zgl. str. Hd. Wch. Fag., u. Ur. Sch. u. Kn. Fag. (r. fkt. sü., r. Ur. Sch. u. r. Kn. Fag.)

11) Str. so. hc. sth., act. B. Sb. Sg. Hb. Ro. (Im Ganzen 6 M.)

§. 596. 4. Recept.

1) Snn. bgd., 2 Or. Sch. Bu. (G. W.), zgl. 2 Kn. u. 2 Hf. Fag., zgl. Sn. q. afw. Hak. (m. r. Hd.)

2) Spr. w. ng. schu. sch. lh. sth., Wch. 2 A. Sw. Afw. Fug. (G. W.) u. (P. W.), zgl. 2 Hd. u. 2 Hf. Fag.

3) Su. kl. w. sp. sch. lh. sth., Wch. Rf. V. Dh. (G. W.) u. Rc. Dh. (P. W.), zgl. kl. Hd. u. su. Hd. Wch. Fag., u. 2 Hf. Fag. (r. su., l. kl., l. w.)

4) Hb. lgd., 2 B. Wch. Er. (G. W.) u. Sen. (P. W.), zgl. F. Wch. Fag., u. 2 Ach. Fag., zgl. 2 Ag. Sn. u. 2 obere Gt. Hä. Pug. u. Hak. (m. ugn. Hd.)

5) Rk. tf. ng. schu. sch. gg. sth., Rf. Rc. Bu. (G. W.), zgl. 2 Hd. Z., u. 2 Hf. Fag.

6) Snn. wrrk. asfld., Or. A. Wch. Strg. (G. W.) u. (P. W.), zgl. Ebg. u. Slbt. Fag. (r. snn., l. wrrk., l. asfld., L. Or. A. Strg., u. l. Ebg. u. l. Slbt. Fag.)

7) H. fa. k. w. k. kmm. schu. sth., K. Rc. Bu. (G. W.), zgl. Hrk. u. Ach. Fag., u. Ag. Pug. (r. k. w., l. Ag. Pug., m. r. Hd.)

8) Snn. kl. fa. sg. hc. sth., B. V. Z. (G. W.), (i. v. E.), zgl. sg. F. Fag. (r. snn., l. kl., l. sg.)

9) Wr. bg. hc. sp. stzd., Wch. 2 Or. u. Ur. A. Strg. (P. W.) u. (G. W.), zgl. Hd. Wch. Fag.

10) Sz. k. kmm. sp. sth., K. Rc. Bu. (G. W.), zgl. Hrk. u. Ach. Fag.

§. 597. 5. Recept.

1) H. lt. f. fa. sg. ku. stzd., Wch. B. Er. (G. W.) u. Sen. (P. W.), zgl. 2 Hd. Nr. Dü., sg. F. Fag., u. lt. Kn. Fag., zgl. 2 Ag. Pug. (m. ugn. Hd.) (r. sg., l. lt., l. f. fa.)

2) Str. w. li. sth., Wch. Rf. Dh. (G. W.), zgl. str. Hd. Wch. Fag.

3) Kl. rhe. ug. schu. stzd., Wch. Rf. Rc. Bu. (G. W.) u. (P. W.),

zgl. kl. Hd. u. rhe. Ebg. Wch. Fag., 2 Kn. Fag., u. Ag. Pug. (r. kl., l. rhe., l. Ag. Pug., m. r. Hd.)

4) Str. kl. ng. vw. b. lgd., act. Rf. Er. (4 M.), zgl. 2 Ur. Sch. rs. Fag.

5) Sff. fl. stzd., ps. K. Ro. (24 M.), zgl. Sel. 2 Fag., 2 Ach. Fag., u. 2 Kn. 2 Slbt. Süg.

6) 2 hk. hb. lgd., 2 Kn. Spg. (P. W.) u. Eig. (P. W.), zgl. 2 Kn. Fag., u. 2 F. Süg.

7) H. k. sf. sp. hc. stzd., K. Wch. S. Bu. (P. W.) u. (G. W.), zgl. 2 Hd. Nr. Dü., K. S. u. Ach. Fag., u. 2 Ag. u. Sn. Pug. u. Hak. (m. ugn. Hd.) [K. r. sf., K. L. S. Bu. (P. W.) u. K. R. S. Bu. (G. W.), K. R. S. Fag.]

8) Spr. fa. so. f. inw. sth., B. Wch. Asw. Dh. (G. W.) u. (P. W.), zgl. so. F. Fag. (r. so., r. f. inw.)

9) Str. e. fl. tp. f. fa. sth., Wch. Rf. V. Ngg. (P. W.) u. Rc. Bu. (G. W.), zgl. str. Hd. u. Hrk. Fag., u. Kn. u. Hf. Fag. (r. str., l. e., l. tp., l. f. fa., l. Kn. u. r. Hf. Fag.)

10) Spr. b. lgd., act. 2 A. Sw. Afw. Füg. (4 M.), zgl. 2 Ur. Sch. rs. Fag.

§. 598. 6. Recept (diätetisches).

1) Str. so. hc. sth., act. B. Rc. Z. (i. v. E.) (Im Ganzen 6 M.)

2) Spr. str. w. sp. sth., act. A. Sw. Afw. Füg. (Im Ganzen 6 M.), (r. spr., l. str., r. w.)

3) Str. kl. hc. sth., act. B. Sw. Er. (i. v. E.), (im Ganzen 6 M.) (r. str., l. kl., R. B. Er.)

4) Rk. bg. b. vw. lgd., act. 2 A. Kl. Str. Hb. Ro. (4 M.), zgl. 2 Ur. Sch. rs. Fag.

5) Kl. w. schu. sth., act. Rf. Rc. Dh. (Im Ganzen 6 M.)

6) Spr. str. k. knm. sp. sth., act. Spr. A. Vw. Afw. Füg., zgl. act. K. Rc. Bu. (Im Ganzen 6 M.)

7) Su. so. hc. sth., act. B. Rc. Z. (Im Ganzen 6 M.)

8) Spr. fl. lg. sp. stzd., 2 A. Vw. Afw. Füg. (4 M.), zgl. 2 F. Fag.

9) Rh. w. ng. sp. sth., act. Rf. Rc. Dh. (Im Ganzen 6 M.)

10) H. fa. rf. lgd., act. 2 B. Spg. (4 M.)

§. 599. b) Heilorganische Recepte bei atrophischen und

lähmungsartigen Zuständen der Augäpfel und der Augenmuskeln anwendbar.

1. Recept.

1) Hb. lgd., B. Wch. Er. (G. W.) u. Sen. (P. W.), zgl. F. Fag.

2) Rh. w. sp. knd., Wch. Rf. V. Dh. (G. W.) u. Rc. Dh. (P. W.), zgl. 2 Ebg. Fag., u. Kn. Kz. Dü.

3) Str. ng. (fl.) sp. sch. lh. sth., Wch. Rf. Rc. Ngg. (P. W.) u. V. Ngg. (P. W.), zgl. str. Hd. Wch. Fag., K. Fag., u. 2 Hf. Fag., zgl. 2 Ag. Pug. (m. ugn. Hd.)

4) Hb. lgd., ps. 2 F. Ro. (24 M.), zgl. 2 F. u. 2 Ur. Sch. Fag.

5) Hb. spr. (str.) fkt. sü. sth., A. Wch. Sw. Afw. Füg. (P. W.) u. Sw. Abw. Füg. (P. W.), zgl. spr. Hd. Fag., f. u. Ur. Sch. Fag. (r. spr. l. fkt. sü. sth., l. F. u. l. Ur. Sch. Fag.)

6) H. fa. snn. k. sf. sp. sth., K. Wch. S. Bu. (P. W.), zgl. K. u. Ach. Fag., u. 2 Ag. Pug. (m. ugn. Hd.)

7) Hb. kl. bk. f. fa. sf. sth., Wch. Rf. S. Bu. (G. W.) u. (P. W.), zgl. kl. Hd., tp. Kn. u. tp. F. Fag. (r. kl., l. bk., l. f. fa., l. sf., Rf. R. S. Bu.)

8) Snn. sp. hgd., 2 B. Wch. Eig. (P. W.) u. Spg. (P. W.), zgl. 2 F. Fag.

9) Rh. ng. schu. sch. lh. sth., Rf. Sf. Fl. Hb. Ro. (P. W.), zgl. 2 Ebg. u. 2 Hf. Fag. (ng. sth., Rf. R. Sf. Fl. Hb. Ro.)

10) Sz. sth., Ha.

§. 600. 2. Recept.

1) Spr. sp. sch. lh. sth., act. 2 A. Sw. Afw. Füg. (4 M.)

2) H. fa. bg. sth., Or. Sch. Wch. Bu. (G. W.) u. Strg. (P. W.), zgl. Kn. Fag. u. Kz. Dü., zgl. K. ls. Hak. (m. l. Hd.)

3) Sr. fa. bg. w. fs. fa. so. sth., Rf. V. Dh. (G. W.) u. Rc. Dh. (P. W.), zgl. so. F. Fag. (r. w., r. so., l. fs. fa. sth.)

4) Str. e. ng. (fl.) hc. sp. stzd., Wch. Rf. Rc. Ngg. (P. W.) u. V. Ngg. (P. W.), zgl. str. Hd. u. K. Fag.

5) Ku. 2 so. stzd., Wch. 2 B. Spg. (P. W.) u. Eig. (P. W.), zgl. 2 F. u. 2 Ur. Sch. Fag., u. 2 Ag. Pug. (m. ugn. Hd.)

6) Sff. fl. stzd., ps. K. Ro. (24 M.), u. K. V. Bu. (P. W.) u. Rc. Bu. (P. W.), zgl. Sel. 2 Fag., 2 Ach. Fag., u. 2 Kn. 2 Slbt. Süg.

7) Str. kl. ng. (fl.) w. sp. sch. lh. sth., Wch. Rf. Rc. Ngg. (P. W.) u. V. Ngg. (P. W.), zgl. str. Hd. u. kl. Hd. Wch. Fag., K. Fag., u. 2 Hf. Fag.

8) Snn. sg. hc. sth., B. Wch. V. Z. (G. W.) u. Rc. Z. (P. W.), zgl. sg. F. Fag.

9) Hb. kl. sf. hc. sp. stzd., Wch. Rf. S. Bu. (G. W.) u. (P. W.), zgl. kl. Hd. Fag. [r. kl., r. sf., L. S. Bu. (G. W.) u. R. S. Bu. (P. W.)]

10) Str. bg. b. vw. lgd., Ha.

§. 601. 3. Recept.

1) Snn. kl. fa. hk. sth., Or. Sch. Strg. (P. W.), (i. v. E.), zgl. Kz. u. Kn. Fag. (r. snn., l. kl. fa., r. hk., r. Kn. Fag.)

2) H. fa. k. bg. (k. kmm.) ga. sth., Wch. K. V. Bu. (P. W.) u. Rc. Bu. (P. W.), zgl. K. u. Ach. Fag., u. 2 Ag. Pug. (m. ugn. Hd.)

3) Str. (wr.) fl. lg. stzd., Wch. 2 Or. u. Ur. A. Bu. (P. W.) u. Strg. (P. W.), zgl. 2 Hd. Fag., u. 2 Ur. Sch. rs. Fag.

4) Str. sf. rf. lgd., 2 B. Wch. S. Füg. (P. W.), zgl. 2 Hd. Z., 2 Hf. Fag., u. F. Wch. Fag.

5) Str. e. sf. w. fs. sü. sth., Wch. Rf. Sf. V. Bu. (P. W.) u. Sf. Rc. Bu. (P. W.), zgl. str. Hd., Kn. u. F. Fag. (r. str., l. e., r. w., r. sf., l. fs. sü. sth., L. Kn. u. L. F. Fag.)

6) K. w. rf. b. hb. lgd., K. Wch. Dh. (P. W.), zgl. K. u. 2 Ach. Fag., zgl. 2 Ag. Pug. (m. ugn. Hd.)

7) Sr. hb. lgd., ps. 2 F. Ro. (24 M.), zgl. 2 F. u. 2 Ur. Sch. Fag.

8) Str. ng. schu. sch. gg. sth., Wch. Rf. Rc. Bu. (G. W.) u. V. Ngg. (P. W.), zgl. str. Hd. Wch. Fag., K. Fag., u. 2 Hf. Fag., zgl. Hrk. q. Hak. (m. l. Hd.)

9) Hb. kl. w. ng. (fl.) hb. lg. stzd., Wch. Rf. Rc. Ngg. (P. W.) u. V. Ngg. (P. W.), zgl. kl. Hd. Fag., K. Fag., u. Ur. Sch. rs. Fag. (r. kl., r. w., l. hb. lg. stzd., r. Kn. Fag., u. l. Ur. Sch. rs. Fag.)

10) Str. r. so. hc. sth., act. B. Sb. Sg. Hb. Ro. (Im Ganzen 6 M.)

4. Taubheit.

§. 602. So wie die Augenärzte meistentheils annehmen, dass die Heilorganik in ihrem Curgebiete keine Geltung haben könne;

ebenso, ja wohl noch mehr die Ohrenärzte von dem ihrigen. Nun ist es aber doch bestimmt wahr, dass die usuelle Behandlung der Ohrenkrankheiten (und namentlich sobald dieselben die inneren und innersten Organe des Ohrs betreffen) nicht leicht grossen Erfolges sich rühmen darf. Man sollte also meinen, dass die Ohrenärzte jede neue Methode, die einen besseren Erfolg verspricht, mit Begierde ergreifen würden. Bis jetzt ist mir aber nur erst ein Ohrenarzt von Renommé vorgekommen, der sich um die Erfolge der Heilorganik bei Ohrenkrankheiten zu bekümmern schien. Ob er aber deshalb diese Methode in seiner Praxis wirklich angewandt habe, ist mir nicht bekannt geworden. Mir hat die Erfahrung ergeben, dass wenn der äussere Gehörgang frei von fremden Körpern, Eiter u. s. w. war; wenn die Tuba Eustachii wegsam erschien; und doch eine bedeutende Schwäche des Gehörs vorhanden war; wenn also, wie die Gehörärzte zu sagen pflegen, eine nervöse Schwerhörigkeit sich zeigte: dass dann eine ordentlich angewendete, und ein halbes Jahr und länger fortgeführte heilorganische Behandlung in mehreren Fällen von dem besten Erfolge gekrönt wurde. Auf solche Weise konnte ich mehrere junge Mädchen, im Alter von 15—18 Jahren stehend, die wegen Scoliosen oder andern Uebeln die heilorganische Cur eigentlich gebrauchten, von ihrer Schwerhörigkeit zugleich befreien.

§. 603. War das Ohrübel mehr erethischer Natur; war starkes, schmerzliches Ohrenklingen, Congestionen des Blutes nach dem Kopfe und speciell nach dem Ohre; war also vorwaltende Relaxation in den Zellen der Ohrgewebe vorhanden: so wurde die Cur mit duplicirt-concentrischen Bewegungen des Kopfes und Halses begonnen, und überhaupt die rückbildende und schmerzstillende Curmethode angewandt. War dagegen das Ohrenleiden mehr torpide, also vorwaltende Retraction in den Zellen der Ohrgewebe vorhanden; fehlte die Schmerzhaftigkeit; war der Patient schon im Alter vorgerückt; dauerte das Uebel schon lange, und war die Empfänglichkeit des Gehörnerven für Töne bedeutend gesunken: dann wurden die duplicirt-excentrischen Bewegungen, und überhaupt die neubildende und erregende Curmethode gebraucht.

§. 604. Heilorganische Recepte bei erethischen Ohrleiden anwendbar.

1. Recept.

1) Ö. fa. zh. fa. hc. sth., B. Wch. Sw. Er. (G. W.) u. Sw. Sen. (P. W.), zgl. F. Fag.

2) Hb. spr. hb. lgd., A. Wch. Sw. Afw. Fűg. (G. W.) u. (P. W.), zgl. spr. Hd. Fag.

3) Hb. lgd., B. Wch. Er. (G. W.) u. Sen. (P. W.), zgl. F. Fag.

4) Hb. kl. w. sp. sch. lh. sth., Wch. Rf. V. Dh. (G. W.) u. Rc. Dh. (P. W.), zgl. kl. Hd. u. 2 Hf. Fag. (r. kl., r. w.)

5) H. fa. sg. hc. sth., B. Wch. V. Z. (G. W.) u. (P. W.), zgl. sg. F. Fag., zgl. Ohr. Gd. Pug. (m. ugn. Hd.), (r. sg., l. Ohr. Gd. Pug.)

6) Hb. kl. sf. ga. hf. lh. sth., Wch. Rf. S. Bu. (G. W.) u. (P. W.), zgl. kl. Hd. u. 2 Hf. Fag. (r. kl., r. sf., l. ga., l. hf. lh., L. S. Bu.)

7) Snn. k. bg. schu. sth., K. Wch. V. Bu. (P. W.) u. Rc. Bu. (G. W.), zgl. Hrk. u. Ach. Fag.

8) Hb. lgd., ps. 2 F. Ro., zgl. 2 F. u. 2 Ur. Sch. Fag.

9) Rh. sp. fl. (ng.) fr. sth., Wch. Rf. V. Ngg. (G. W.) u. Rc. Bu. (G. W.), zgl. 2 Ebg. Fag.

10) Hb. lgd., Ur. Sch. Wch. Bu. (P. W.) u. Strg. (P. W.), zgl. F. u. Kn. Fag., zgl. Ohr. Gd. Pug. (r. Ur. Sch. Bu. u. Strg., r. F. u. r. Kn. Fag., r. Ohr. Gd. Pug.)

§. 605. 2. Recept.

1) Kn. 2 so. stzd., 2 B. Wch. Spg. (G. W.) u. Eig. (P. W.), zgl. 2 F. u. 2 Ur. Sch. Fag.

2) Hb. spr. (hb. str.) hb. lgd., A. Wch. Sw Afw. Fűg. (G. W.) u. Sw. Abw. Fűg. (G. W.), zgl. spr. Hd. Fag., zgl. Ohr. Gd. Pug. (m. ugn. Hd.), [r. spr. (str.), r. Ohr. Gd. Pug.]

3) H. fa. sth., Or. Sch. Wch. Er. (G. W.) u. Sen. (P. W.), zgl. Kn. u. Kz. Fag. (r. Or. Sch. Er., r. Kn. Fag.)

4) Rh. kl. w. sp. hc. stzd., Wch. Rf. V. Dh. (G. W.) u. Rc. Dh. (P. W.), zgl. kl. Hd. Fag. (r. rh., l. kl., l. w.), zgl. K. q. Hak. (von einem Ohr zum andern, m. l. Hd.)

5) Str. e. sf. tp. f. fa. sch. lh. sth., Wch. Rf. S. Bu. (G. W.), zgl. str. Hd. Fag., Kn. u. Hf. Fag. [r. str., l. e., r. sf., l. tp., l. f. fa., Rf. L. S. Bu. (G. W.) u. Rf. R. S. Bu. (G. W.), l. Kn. u. r. Hf. Fag.]

6) Sr. hb. lgd., 2 A. ps. Ro., zgl. 2 Hd. Z., u. 2 Ach. Fag.

7) Lt. rf. b. hb. lgd., Or. Sch. Wch. Er. (G. W.), (i. v. E.), zgl. Kn. u. 2 Ach. Fag., u. Ohr. Gd. Pug. (m. ugn. Hd.), (r. lt., r. Kn. Fag., u. r. Ohr. Gd. Pug.)

8) H. hb. lgd., Ha., zgl. ps. 2 F. Ro., zgl. 2 F. u. 2 Ur. Sch. Fag.

9) Hb. str. fl. sp. hc. stzd., Wch. Or. u. Ur. A. Bu. (G. W.) u. (P. W.), zgl. str. Hd. Fag., u. Ohr. Gd. Pug. (r. str., l. Ohr. Gd. Pug., m. r. Hd.)

10) Snn. lgd., 2 B. Wch. Spg. (G. W.) u. Eig. (P. W.), zgl. 2 F. Fag.

§. 606. 3. Recept.

1) Sr. fl. schn. sch. lh. sth., Wch. Rf. V. Ngg. (P. W.) u. Rc. Bu. (G. W.), zgl. sr. Hd. Wch. Fag., u. 2 Hf. Fag.

2) Hb. sg. hc. knd., Wch. B. V. Z. (G. W.), u. (P. W.), zgl. sg. F. Fag., 2 Ach. Fag., u. Ohr. Gd. Hak. (r. sg., r. Ohr. Gd. Hak., m. l. Hd.)

3) Spr. lg. stzd., act. 2 A. Sw. Afw. Fug. (4 M.)

4) Hb. kl. w. li. sth., Wch. Rf. Dh. (G. W.), zgl. kl. Hd. Fag., u. Ohr. Gd. Pug. (r. kl., r. w., l. Ohr. Gd. Pug., m. r. Hd.)

5) Rh. w. sf. sp. sch. lh. sth., Wch. Rf. Sf. Rc. Bu. (G. W.) u. (P. W.), zgl. rh. Ebg. Wch. Fag., u. 2 Hf. Fag. (r. w., l. sf.)

6) Str. smm. bg. sth., Wch. Or. Sch. Er. (G. W.) u. Sen. (P. W.), zgl. Kn. Fag., u. K. q. Hak. (von einem Ohre zum andern, m. l. Hd.)

7) 2 klwr. w. fl. sch. lh. sp. sth., Wch. Rf. V. Ngg. (G. W.) u. Rc. Ngg. (P. W.), zgl. Ebg. Wch. Fag., K. u. 2 Hf. Fag.

8) Str. e. sf. ga. hf. lh. sth., Wch. Rf. S. Bu. (P. W.), zgl. str. Hd. Fag., 2 Hf. Fag., u. Ohr. Gd. Pug., [r. str., l. e., r. sf., l. ga., l. hf. lh. sth., Rf. L. S. Bu. (P. W.) u. R. S. Bu. (P. W.), l. Ohr. Gd. Pug., m. r. Hd.]

9) Sr. ng. b. vw. lgd., act. Rf. Er. (4 M.), zgl. 2 Ur. Sch. rs. Fag.

10) Snn. kl. fa. hk. or. sch. asw. sth., Or. Sch. Wch. Inw. Dh. (G. W.) u. (P. W.), zgl. Kn. u. F. Fag. (r. snn., l. kl. fa., r. hk., r. or. sch. asw., r. Or. Sch. Inw. Dh., r. Kn. u. r. F. Fag.)

§. 607. 4. Recept.

1) Ö. fa. zh. fa. so. hc. sth., B. Wch. Sb. Sg. Hb. Ro. (G. W.) u. (P. W.), zgl. so. F. Fag., (r. zh. fa., l. so.)

2) Spr. str. w. hc. sp. stzd., A. Wch. Sw. Afw. Fug. (G. W.)

u. (P. W.), zgl. Ohr. Gd. Kog., spr. Hd. Fag., u. str. Hd. Nr. Dü. (r. spr., l. str., l. w., r. Ohr. Gd. Kog., m. l. Hd.)

3) H. k. bg. sp. knd., Wch. K. V. Bu. (P. W.), u. Rc. Bu. (G. W.), zgl. 2 Hd. Nr. Dü., zgl. Hrk. u. Ach. Fag.

4) Kl. hb. lgd., ps. 2 A. Ruw. Eü., zgl. 2 Hd. u. 2 Ach. Fag.

5) Str. sf. rf. lgd., Wch. 2 B. S. Füg. (G. W.) u. (P. W.), zgl. 2 Hd. Z., 2 Hf. u. 2 F. Fag. (r. sf., 2 B. L. S. Füg.)

6) K. kmm. sp. fr. sth., K. Rc. Bu. (G. W.), (i. v. E.), zgl. Hrk. u. Ach. Fag., u. K. q. Hak. (von einem Ohr zum andern, m. l. Hd.)

7) Rh. fl. w. sp. hc. stzd., Wch. Rf. Rc. Dh. (G. W.) u. (P. W.), zgl. 2 Ebg. Fag.

8) Snn. rk. ga. sth., A. Wch. Kl. Str. Hb. Ro. (G. W.) u. (P. W.), zgl. rk. Hd. u. rk. Slbt. Fag., u. Ohr. Gd. Pug., (r. snn., l. rk., l. ga., l. Ohr. Gd. Pug., m. r. Hd.)

9) Hb. str. s. lgd., B. Wch. Sw. Er. (G. W.) u. Sen. (P. W.), zgl. F. u. Hf. Fag. (r. str., l. s. lgd., R. B. Er., r. F. u. r. Hf. Fag.)

10) Hb. klwr. sf. sp. hc. stzd., Wch. Rf. Sf. V. Bu. (G. W.) u. (P. W.), zgl. Ebg. Wch. Fag., K. Fag., u. Ohr. Gd. Pug. (r. klwr., r. sf., r. w., Rf. L. Sf. V. Bu., l. Ohr. Gd. Pug., m. r. Hd., r. Ebg. Fag.)

§. 608. 5. Recept.

1) Hb. sr. sp. hb. lgd., 2 B. Wch. Eig. (P. W.) u. Spg. (G. W.), zgl. 2 F. Fag.

2) Hb. spr. bg. o. vw. lgd., A. Wch. Sw. Afw. Füg. (G. W.) u. (P. W.), zgl. spr. Hd. Fag., 2 Ur. Sch. rs. Fag., u. Ohr. Gd. Hak. (r. spr., r. Ohr. Gd. Hak., m. l. Hd.)

3) Rh. sf. sp. sch. lh. sth., Wch. Rf. Fl. Sf. Hb. Ro. (G. W.) u. (P. W.), zgl. 2 Ebg. u. 2 Hf. Fag. (r. sf. sth., Fl. L. Sf. Hb. Ro.)

4) 2 wrkl. rf. b. hb. lgd., Wch. 2 B. Er. (G. W.) u. (P. W.), zgl. 2 Ach. Fag., 2 Ebg. Wch. abw. u. afw. Dü., F. Wch. Fag., u. Ohr. Gd. Pug. (m. ugn. Hd.)

5) 2 hk. hb. lgd., Wch. 2 Kn. Spg. (P. W.) u. Eig. (G. W.), zgl. 2 Kn. u. 2 F. Fag.

6) Kl. fa. w. schu. sth., Wch. Hf. V. Dh. (G. W.) u. (P. W.), zgl. 2 Hf. Fag., u. K. q. Hak. (von einem Ohr zum andern, m. l. Hd.)

19*

7) F. bg. hb. lgd., F. Wch. Asw. Hb. Ro. (G. W.) u. (P. W.), zgl. F. u. Ur. Sch. Fag. (r. F. Hb. Ro., r. F. u. r. Ur. Sch. Fag.)

8) H. fa. k. sf. schm. sth., K. Wch. S. Bu. (G. W.), zgl. Ohr. Gd. Hak. (m. ugn. Hd.)

9) Str. w. sf. sp. hc. stzd., Wch. Rf. Sf. V. Bu. (G. W.) u. Sf. Rc. Bu. (P. W.), zgl. str. Hd. Wch. Fag. [r. sf., r. w., L. Sf. V. Bu. (G. W.) u. R. Sf. Rc. Bu. (P. W.)]

10) Sr. smm. k. bg. sp. lgd., K. V. Bu. (P. W.), zgl. Hrk. Fag., u. Nk. q. Hak. (m. l. Hd.)

§. 609. 6. Recept.

1) H. fa. kl. sth., B. Wch. Sw. Er. (G. W.) u. Sen. (P. W.), zgl. F. Fag., u. kl. Hd. Nr. Dü. (r. h. fa., l. kl., L. B. Sw. Er.)

2) Str. sf. lg. stzd., act. Rf. S. Bu. (2 M. nach jeder Seite), zgl. 2 F. u. 2 Ur. Sch. Fag. (r. sf., L. S. Bu.)

3) K. w. rf. b. hb. lgd., K. Wch. V. Dh. (G. W.) u. Rc. Dh. (P. W.), zgl. Sn. u. Hrk. Fag., 2 Ach. Fag., u. Ohr. Gd. Pug. (r. k. w., l. Ohr. Gd. Pug., m. r. Hd.)

4) Spr. kl. sp. knd., act. A. Sw. Afw. Füg. (4 M.), zgl. kl. Hd. Nr. Dü., u. 2 Ur. Sch. Fag.

5) 2 wrkl. bg. b. vw. lgd., Ha., zgl. 2 Ohr. Gd. Hak. (m. ugn. Hd.), u. 2 Ur. Sch. rs. Fag.

6) Snn. spr. fa. bg. sth., Or. Sch. Er. (G. W.) u. Sen. (P. W.), zgl. Kn. u. Kz. Fag. (r. snn., l. spr. fa., R. Or. Sch. Er., r. Kn. Fag.)

7) Str. e. fl. sch. gg. sth., Wch. Rf. V. Ngg. (P. W.) u. Rc. Bu. (G. W.), zgl. str. Hd. u. Hrk. Fag., u. 2 Hf. Fag.

8) Hb. rh. w. b. lgd., Wch. Rf. V. Dh. (G. W.) u. Rc. Dh. (P. W.), zgl. rh. Ebg. u. Slbt. Fag., 2 Ur. Sch. rs. Fag., u. Ohr. Gd. Pug. (r. rh., r. w., r. Ebg. u. l. Slbt. Fag., l. Ohr. Gd. Pug., m. r. Hd.)

9) H. fa. hk. sth., Ur. Sch. Wch. Strg. (G. W.) u. (P. W.), zgl. F. Fag., u. Kz. Dü. (r. hk., r. Ur. Sch. Strg., u. r. F. Fag.)

10) Fl. sff. stzd., ps. K. Ro. (24 M.), u. K. V. Bu. (P. W.) u. K. Rc. Bu. (P. W.), zgl. 2 Ach. Fag., Sel. 2 Fag., u. Kn. 2 Slbt. Süg.

5. Chronische Nasenkrankheiten.

§. 610. Die Krankheiten der Nasenhöhle werden theils acute, namentlich rein entzündliche sein, und dann die heilorganische Behandlung ausschliessen; theils werden es solche sein, die eine chirurgische Operation indiciren, z. B. Nasenpolypen; und die dann während und gleich nach der Operation die heilorganische Behandlung ebenfalls nicht gestatten. Dagegen die dritte Classe der Nasenkrankheiten die chronisch-entzündlichen Zustände der Schleimhaut der Nasenhöhle, seien sie nun nach der Operation der Nasenpolypen u. s. w. zurückgeblieben, seien sie aus protopathischen, catarrhalischen Leiden hervorgegangen, werden in der Anwendung der Heilorganik eine gegründete Hülfe finden.

§. 611. Auch das idiopathische oder sympathische Nasenbluten wird meistentheils durch Heilorganik, und namentlich durch Punktirungen und Hakungen der Nasengegend [ohne und mit duplicirt-concentrischen (resorbirenden) Bewegungen der Nacken- und Halsmuskeln], im Anfalle, so wie nach demselben angewandt, gehoben werden können.

Die folgenden heilorganischen Recepte werden in zwei Theile sich theilen, und zwar in solche, die bei mehr entzündlichen, erethischen, also Relaxations- —; und in solche, die bei mehr torpiden, atrophischen, also Retractionszuständen der Nasenorgane brauchbar sind. In den erstern werden natürlich die duplicirt-concentrischen, in den letztern die duplicirt-excentrischen Bewegungen namentlich des Kopfes und Halses vorherrschend zur Anwendung kommen.

§. 612. Heilorganische Recepte, bei chronisch-entzündlichen Nasenübeln anwendbar.

1. Recept.

1) Ö. fa. zh. fa. so. hc. sth., B. Wch. Rc. Z. (G. W.) u. (P. W.), zgl. so. F. Fag.

2) Hb. sr. hd. inw. hb. lgd., A. Wch. Asw. Dh. (G. W.) u. (P. W.), zgl. Hd. u. Ach. Fag. [r. sr., r. hd. inw., r. A. Asw. Dh., r. Hd. u. r. Ach. Fag.]

3) Hb. lgd., B. Wch. Er. (G. W.) u. Sen. (P. W.), zgl. F. Fag., u. Ns. Gd. Hak. (m. r. Hd.)

4) Str. tf. ng. sp. sth., act. Rf. Rc. Bu. (4 M.)

5) Sp. hb. lgd., ps. 2 F. Ro. (24 M.), zgl. 2 F. u. 2 Ur. Sch. Fag.

6) H. fa. hk. sth., Wch. Or. Sch. Strg. (P. W.) u. Bu. (G. W.), zgl. Kn. Fag., u. Kz. Dü., Sn. 2 Be. Ns. Gd. Hak. (m. r. Hd.)

7) Rk. sp. sch. lh. sth., 2 A. Wch. Strg. (G. W.) u. (P. W.), zgl. 2 Hd. u. 2 Hf. Fag.

8) Hb. str. sf. ga. bf. lh. sth., Wch. Rf. S. Bu. (G. W.) u. (P. W.), zgl. str. Hd. u. K. Fag., u. 2 Hf. Fag. (r. str., l. sf., r. ga., r. bf. lh., R. S. Bu.)

9) Rh. kl. w. sp. knd., Wch. Rf. V. Dh. (G. W.) u. Rc. Dh. (P. W.), zgl. kl. Hd. u. 2 Ur. Sch. Fag. (r. kl., r. w.)

10) Sr. smm. sp. lgd., Ha.

§. 613. 2. Recept.

1) Rh. bg. sp. hc. stzd., Wch. Rf. V. Bu. (G. W.) u. Rc. Bu. (G. W.), zgl. Ebg. Wch. Fag.

2) Wr. fl. lg. stzd., act. 2 Or. u. Ur. A. Strg. (4 M.), zgl. 2 F. Fag.

3) Hb. spr. hb. lgd., A. Wch. Sw. Afw. Füg. (G. W.) u. (P. W.), zgl. spr. Hd. Fag., Sn. 2 Be. u. Ns. Pug. (m. r. Hd.)

4) Hb. kl. w. sp. knd., Wch. Rf. V. Dh. (G. W.) u. Rc. Dh. (P. W.), zgl. kl. Hd. u. 2 Ur. Sch. Fag. (r. kl., r. w.)

5) Wr. kl. sp. sch. lh. sth., Wch. Or. A. Sw. Afw. Füg. (G. W.) u. (P. W.), zgl. wr. Ebg. Fag., u. kl. Hd. abw. u. afw. Wch. Dü., zgl. Ns. Gd. Hak. (m. r. Hd.)

6) Snn. sp. hgd., Wch. 2 B. Eig. (P. W.) u. Spg. (G. W.), zgl. 2 F. Fag.

7) Rh. ng. fs. sü. sth., Wch. Rf. Rc. Bu. (G. W.) u. (P. W.), zgl. Ebg. Wch. Fag., Kn. u. F. Fag. [r. fs. sü., r. Kn. u. r. F. Fag.]

8) Spr. bg. b. vw. lgd., act. 2 A. Sw. Afw. Füg. (4 M.), zgl. 2 Ur. Sch. rs. Fag.

9) Hb. kl. w. li. sth., Wch. Rf. V. Dh. (G. W.) u. Rc. Dh. (P. W.), zgl. kl. Hd. Fag., Sn. 2 Be. u. Ns. Hak. (m. r. Hd.), (r. kl., r. w.)

10) Str. kl. w. sp. lg. stzd., Ha. (r. str., l. kl., r. w.)

§. 614. 3. Recept.

1) Str. sf. rf. lgd., 2 B. Wch. S. Füg. (G. W.), zgl. 2 Hf. u. 2 F. Fag.

2) Str. e. fl. sp. sch. lh. sth., Wch. Rf. V. Ngg. (G. W.) u. (P. W.), zgl. str. Hd. u. K. Fag., 2 Hf. Fag., u. Ns. Gd. Pug. (m. r. Hd.)

3) H. fa. so. hc. sth., B. Wch. Sb. Sg. Hb. Ro. (G. W.) u. (P. W.), zgl. so. F. Fag.

4) Rk. sp. hc. stzd., 2 A. Wch. Kl. Str. Hb. Ro. (G. W.) u. (P. W.), zgl. 2 Hd. Fag., u. Kn. Rn. Dü.

5) Rh. sf. w. fs. sü. sth., Wch. Rf. Sf. Rc. Bu. (G. W.) u. Sf. V. Bu. (P. W.), zgl. 2 Ebg. Kn. u. F. Fag., zgl. Ns. Pug. (m. l. Hd.), (r. sf., l. w., r. fs. sü., r. Kn. u. r. F. Fag.)

6) Sr. ng. b. vw. lgd., act. Rf. Er. (4 M.), zgl. 2 Ur. Sch. rs. Fag.

7) Smm. sb. lgd., Wch. B. Eig. (G. W.) u. (P. W.), zgl. sb. F. Fag.

8) Sr. k. bg. sp. knd., Wch. K. V. Bu. (P. W.) u. Rc. Bu. G. W.), zgl. 2 Hd. Nr. Dü., K. u. Ach. Fag.

9) Str. lg. stzd., Wch. Rf. Sen. (P. W.) u. Rf. Er. (G. W.), zgl. str. Hd. Wch. Fag., 2 Ur. Sch. rs. Fag., Sn. u. Ns. Hak. (m. r. Hd.)

10) Sz. sp. sth., Ha., zgl. Rn. ls. afw. Hak. (m. r. Hd.)

§. 615. 4. Recept.

1) H. fa. k. sf. schu. sth., K. Wch. S. Bu. (G. W.) u. (P. W.), zgl. K. S. u. Ach. Fag., Ns. Gd. Hak. (m. l. Hd.), [r. k. sf., K. L. S. Bu. (G. W.) u. K. R. S. Bu. (P. W.), l. K. S. u. r. Ach. Fag.]

2) Hk. hb. lgd., 2 Kn. Wch. Spg. (G. W.) u. Eig. (P. W.), zgl. 2 Kn. u. 2 F. Fag.

3) Hb. rh. w. b. lgd., Wch. Rf. V. Dh. (G. W.) u. Rc. Dh. (P. W.), zgl. Ebg. u. Slbt. Fag., 2 Ur. Sch. rs. Fag. (r. rh., r. w., r. Ebg. u. l. Slbt. Fag.)

4) Smm. spr. lgd., A. Wch. Sw. Afw. Füg. (G. W.) u. (P. W.), zgl. spr. Hd. Fag.

5) K. w. sp. hc. stzd., Wch. K. V. Dh. (P. W.) u. Rc. Dh. (G. W.), zgl. K. u. Ach. Fag., u. Ns. Gd. Pug. (m. l. Hd.)

6) Hb. str. tf. ng. schu. sch. gg. sth., Rf. Wch. Rc. Bu. (G. W.) u. V. Ngg. (P. W.), zgl. str. Hd. u. Hrk. Fag., u. 2 Hf. Fag.

7) Snn. bg. hk. sth., Or. Sch. Sen. (P. W.), (i. v. E.), zgl. hk. Kn. u. Kz. Fag.

8) Kl. fa. k. w. k. sf. schu. sth., K. Wch. Sf. V. Bu. (G. W.) u. Sf. Rc. Bu. (G. W.), zgl. K. u. Ach. Fag., u. Ns. Gd. Pug. (m. r. Hd.), (K. r. w., k. r. sf.)

9) Su. w. vw. b. lgd., Wch. Rf. Dh. (G. W.), zgl. 2 Hd. u. 2 Ur. A. Fag., u. 2 Ur. Sch. rs. Fag.

10) K. bg. (k. kmm.) fl. sp. hc. stzd., Wch. K. V. Bu. (G. W.)

u. K. Rc. Bu. (G. W.); u. k. sf. fl. sp. hc. stzd., Wch. K. S. Bu. (G. W.), zgl. Sel. Fag., u. 2 Ach. Fag. (Im Ganzen 12 M.)

§. 616. Heilorganische Recepte, bei chronisch-nervösem Schnupfen (Retractionszustand der Nasenschleimhaut) anwendbar.

1. Recept.

1) Sr. hb. lgd., Ur. Sch. Wch. Bu. (P. W.) u. Strg. (P. W.), zgl. 2 Hd. Nr. Dtt., u. Kn. u. F. Fag.

2) Rf. b. hb. lgd., ps. K. Ro. (24 M.), zgl. Sel. 2 Fag., 2 Ach. Fag., u. 2 Kn. 2 Slbt. Sūg.

3) H. fa. so. (sg.) hc. sth., B. Wch. Rc. Z. (P. W.) u. V. Z. (P. W.), zgl. so. F. Fag., u. K. ls. Hak. (m. l. Hd.)

4) Rh. str. fl. sp. knd., Wch. Rf. V. Ngg. (G. W.) u. Rc. Bu. (P. W.), zgl. str. Hd. u. rh. Ebg. Wch. Fag., u. 2 Ur. Sch. Fag.

5) Hb. spr. bg. b. vw. lgd., A. Wch. Vw. Afw. Fūg. (G. W.) u. (P. W.), zgl. spr. Hd. Fag., 2 Ur. Sch. rs. Fag., u. Hrk. q. Hak. (m. l. Hd.)

6) Str. sp. rf. lgd., Ha., zgl. ps. 2 F. Rq. (24 M.), zgl. 2 F. u. 2 Ur. Sch. Fag.

7) Kl. wrkl. w. sp. sch. lh. sth., Wch. Rf. V. Dh. (G. W.) u. Rc. Dh. (P. W.), zgl. kl. Hd. Fag., 2 Hf. Fag., Sn. 2 Bc. u. Ns. Hak. (m. r. Hd.), (r. kl., l. klwr., r. w.)

8) Sr. ng. b. vw. lgd., act. Rf. Er. (4 M.), zgl. 2 Ur. Sch. rs. Fag.

9) H. fa. hk. or. sch. asw. sth., Wch. Or. Sch. Inw. Dh. (G. W.) u. (P. W.), zgl. Kn. u. F. Fag. (r. hk., r. or. sch. asw., r. Kn. u. r. F. Fag.)

10) Str. sf. schu. sth., act. Rf. S. Bu. (Im Ganzen 6 M.) (r. sf., L. S. Bu.)

§. 617. 2. Recept.

1) Str. sf. hk. f. fa. sth., Rf. Wch. S. Bu. (G. W.) u. (P. W.), zgl. str. Hd. Wch. Fag., K. Fag., Kn. u. F. Fag. [r. sf., l. hk., l. f. fa., L. S. Bu. (G. W.) u. (P. W.), l. Kn. u. l. F. Fag.]

2) H. fa. k. sf. schu. sth., K. Wch. S. Bu. (P. W.), zgl. K. u. Ach. Fag., u. Ns. Gd. Pug. (m. r. Hd.)

3) Str. 2 lt. vw. lgd., Wch. 2 Ur. Sch. Strg. (G. W.) u. (P. W.), zgl. 2 Hd. Nr. Dtt., u. 2 F. Fag.

4) Rh. kl. w. sp. hc. stzd., Wch. Rf. V. Dh. (G. W.) u. Rc. Dh. (G. W.), zgl. kl. Hd. Fag. (r. rh., l. kl., l. w.)

5) Spr. fa. schu. k. kmm. sth., K. Wch. Rc. Bu. (P. W.) u.

V. Bu. (P. W.), zgl. K. u. Ach. Fag., Sn. 2 Bc. u. Ns. Hak. (m. r. Hd.)

6) Snn. sp. bgd., 2 B. Wch. Eig. (P. W.) u. Spg. (G. W.), zgl. 2 F. Fag.

7) Kl. hb. lgd., 2 A. Ruw. Eü., zgl. 2 Hd. Fag., u. 2 Ach. Fag.

8) K. w. rf. b. lgd., K. Wch. Dh. (P. W.), zgl. K. u. 2 Ach. Fag., Sn. u. Ns. Gd. Hak. (m. r. Hd.)

9) Snn. kl. hc. sth., B. Wch. Sw. Er. (G. W.) u. Sw. Sen. (P. W.), zgl. f. Fag., u. kl. Hd. Nr. Dü. (r. snn., l. kl., L. B. Sw. Er.)

10) Spr. b. lgd., act. 2 A. Sw. Afw. Füg. (4 M.)

6. Zahnschmerz.

§. 618. Wie die Augen- und Ohrenärzte (§. 602), so kümmern auch die Zahnärzte sich wohl noch wenig um die Heilorganik. Da nun aber der Zahnschmerz, so verschieden sein causales Moment auch zu sein scheint, doch in Wahrheit nur in Retractionen oder Relaxationen der Gewebe des Zahns und seiner Umgebung begründet ist; da er deshalb durch Heilorganik, und zwar ohne Zerstörung des schmerzenden Organs, meistentheils gehoben werden kann; und da er, obwohl pathologisch betrachtet, nur ein Symptom, doch dasjenige ist, um das oder um dessen Vertreibung sich die ganze Zahnheilkunde mehr oder weniger zu drehen pflegt: so, sollte man denken, müssten die Zahnärzte gar sehr dem Studium der Heilorganik obliegen. Dass dagegen dieses so selten geschieht, dazu mögen wohl viele andere Gründe beitragen; in einzelnen Fällen vielleicht auch, dass die Zahnärzte einsehen, dass es ihnen wie den Orthopäden bei der Cur der Rückgratsverkrümmungen ergehen könnte, dass nämlich, wenn sie die Heilorganik anerkennen wollten, ihr jetziges Gewerbe bedeutend geschmälert, ja mehr oder weniger als unnütz anerkannt werden würde; und sie daher aus sehr beschäftigten Zahnärzten in wenig beschäftigte heilorganische Aerzte sich verwandelten.

§. 619. Wenigstens eine Menge von Patienten, die jetzt eifrig bemüht sind, erst durch Zahnextractionen, durch Zahnfeilen, Plombiren, überhaupt durch Zerstören des Organs; dann aber durch Aufbauen und Einsetzen künstlicher Zähne und Gebisse dem Zahnarzte die reichlichste Beschäftigung zu geben: würden bei ordentlichem Gebrauche der Heilorganik wohl bald jenem Künstler untreu werden.

§. 620. Die folgenden, für Zahnkranke bestimmten, heilorganischen Recepte zerfallen in drei Classen, je nachdem sie: 1) bei cariösen und schmerzenden Zähnen ohne bedeutende Entzündung des Zahnfleisches und der Gesichtstheile überhaupt (Retractionen und Relaxationen in den Zellen der Zahnnerven und der Zahnpulpa); 2) je nachdem sie beim Zahnschmerze mit Anschwellung des Zahnfleisches und der Backe (Relaxationen und Retractionen der Blutzellen); und 3) je nachdem sie bei eigentlichen Neuralgien (Tic douloureux) in den Bahnen des fünften Nervenpaars (Relaxationen der Zellen des Neurilems der sensibeln Fäden des fünften Nervenpaars) anwendbar sind.

§. 621. Heilorganische Recepte bei schmerzenden, cariösen Zähnen ohne bedeutende Entzündung des Zahnfleisches und der Gesichtstheile überhaupt, anwendbar.

1. Recept.

1) H. fa. sg. hc. sth., B. Wch. V. Z. (G. W.) u. Rc. Z. (P. W.), zgl. sg. F. Fag.

2) Hb. lgd., R. Ur. Kf. Abw. Hak. (m. l. Hd.)

3) Ö. fa. zh. fa. hc. sth., B. Wch. Sw. Er. (G. W.) u. Sw. Sen. (P. W.), zgl. F. Fag. (r. zh. fa., L. B. Sw. Er., l. f. Fag.)

4) K. l. w. k. r. sf. sff. hb. lgd., R. Trigeminus-N. Dü. (unterhalb der rechten Ohröffnung), (m. l. Hd.)

5) Rh. w. li. sth., Wch. Rf. Dh. (G. W.), zgl. Ebg. Fag. (r. w., r. Ebg. Fag.)

6) Hb. spr. (hb. str.) sp. knd., Wch. A. Sw. Afw. Füg. (G. W.) u. Sw. Abw. Füg. (G. W.), zgl. R. Sfe. u. r. Gt. Hä. abw. Hak. (m. l. Hd.)

7) Ku. 2 so. stzd., 2 B. Wch. Spg (G. W.) u. Eig. (P. W.), zgl. 2 F. Fag.

8) Snn. kl. bg. w. sp. sth., Wch. Rf. V. Dh. (G. W.) u. Rc. Dh. (G. W.), zgl. kl. Hd. Fag., Kz. 2 Fag., u. 2 F. Süg. (r. snn., l. kl., l. w.)

9) H. ku. lt. f. fa. sg. stzd., B. Wch. Er. (G. W.) u. Sen. (P. W.), zgl. 2 Hd. Nr. Dü., sg. F. u. lt. Kn. Fag., u. R. Gt. Hä. abw. Hak. (m. l. Hd.), (r. sg., l. lf., l. f. fa.)

10) Spr. w. schu. sth., act. 2 A. Sw. Afw. Füg. (Im Ganzen 6 M.)

§. 622. 2. Recept.

1) Ki. hb. lgd., 2 Kn. Wch. Eig. (P. W.) u. Spg. (G. W.), zgl. 2 Kn. Fag., u. 2 F. Stg.

2) 2 wrkl. 2 ebg. st. stzd., Wch. 2 Ur. A. Strg. (P. W.) u. Bu. (P. W.), zgl. 2 Hd. u. 2 Or. A. Fag.

3) H. fa. sg. hc. sth., B. Wch. V. Z. (G. W.) u. Rc. Z. (P. W.), zgl. sg. F. Fag., u. L. Gt. Hä. abw. Hak. (m. r. Hd.)

4) Rh. w. fl. sp. sch. lh. sth., Wch. Rf. V. Ngg. (G. W.) u. Rc. Bu. (P. W.), zgl. Ebg. Wch. Fag., u. 2 Hf. Fag.

5) Wr. lg. sp. stzd., act. 2 Or. u. Ur. A. Strg. (4 M.)

6) Hb. kl. w. hb. lg. stzd., Wch. Rf. V. Dh. (G. W.) u. Rc. Dh. (P. W.), zgl. kl. Hd. Fag., Kn. Fag., u. Ur. Sch. rs. Fag., zgl. L. Gt. Hä. abw. Hak. u. Seg. (m. r. Hd.), (r. kl., r. w., l. hb. lg. stzd., r. Kn. Fag., u. l. Ur. Sch. rs. Fag.)

7) Hb. str. ng. sp. hc. stzd., Rf. Rc. Bu. (G. W.), (i. v. E.), zgl. str. Hd. u. Hrk. Fag.

8) Snn. spr. fa. so. hc. sth., B. Wch. Rc. Z. (G. W.) u. (P. W.), zgl. so. F. Fag. (r. snn., l. spr. fa., r. so.)

9) R. s. lgd., L. B. Wch. Sw. Er. (G. W.) u. Sw. Sen. (P. W.), zgl. l. F. u. l. Hf. Fag., zgl. L. Gt. Hä. abw. Hak. u. Seg. (m. r. Hd.)

10) Sr. smm. k. hg. sp. lgd., K. Wch. V. Bu. (P. W.) u. Rc. Bu. (G. W.), zgl. Hrk. Fag., u. Nk. q. Hak. (m. l. Hd.)

§. 623. Heilorganisches Recept, anwendbar beim Zahnschmerz, der aus entzündlicher Anschwellung des Zahnfleisches und der Backe rechter Seite entsteht, jedoch nicht mit Fieber verknüpft ist, und daher den Patienten auch nicht das Bette zu hüten zwingt.

1) Hb. lgd., 2 B. Wch. Spg. (G. W.) u. Eig. (G. W.), zgl. 2 F. Fag., u. r. Ur. Kf. afw. Keg. (m. r. Hd.)

2) Hb. kl. w. schu. stzd., Wch. Rf. V. Dh. (G. W.) u. Rc. Dh. (G. W.), zgl. kl. Hd. u. 2 Kn. Fag. (r. kl., r. w.)

3) H. fa. sth., Kn. Er. (G. W.), (i. v. E.), zgl. Kn. u. Kz. Fag.

4) Hb. spr. (hb. str.) hb. lgd., A. Wch. Sw. Afw. Füg. (G. W.) u. Sw. Abw. Füg. (G. W.), zgl. spr. Hd. Fag., u. r. Ur. Kf. afw. Keg. (m. r. Hd.)

5) Rh. ng. schu. stzd., Rf. Rc. Bu. (G. W.), (i. v. E.), zgl. Ebg. Wch. Fag., u. 2 Kn. Fag.

6) Wr. tf. ng. schu. sch. gg. sth., Wch. 2 Or. u. Ur. A. Strg. (G. W.) u. Bu. (G. W.), zgl. 2 Hd. Fag., u. 2 Slbt. Dü.

7) H. fa. sg. hc. sth., B. Wch. V. Z. (G. W.) u. Rc. Z. (G. W.), zgl. R. Sfe. Hak. (m. r. Hd.), u. sg. F. Fag.

8) Kl. fa. k. sf. schu. sth., K. Wch. S. Bu. (G. W.), zgl. K. u. Ach. Fag., u. r. Ur. Kf. Keg. afw. (m. r. Hd.)

9) Rh. kl. w. ng. stzd., Wch. Rf. V. Dh. (G. W.) u. Rc. Dh. (G. W.), zgl. kl. Hd. Fag. (r. kl., r. w.)

10) Smm. k. kmm. lgd., K. Rc. Bu. (G. W.), zgl. Hrk. Fag.

§. 624. Heilorganische Recepte, anwendbar bei Tic douloureux in der Nervenbahn des zweiten Astes des rechten Trigeminus.

1. Recept.

1) Rhe. klwr. fl. sp. sch. lh. sth., Wch. Rf. V. Ngg. (G. W.) u. Rc. Bu. (P. W.), zgl. 2 Ebg. Fag., u. 2 Hf. Fag.

2) R. spr. (r. str.) hb. lgd., R. A. Wch. Vw. Afw. Füg. (G. W.) u. Sw. Abw. Füg. (G. W.), zgl. r. Hd. Fag., zgl. R. Sn. Hä. r. Ag. u. r. Be. abw. Hak. (m. l. Hd.)

3) Str. rh. w. li. sth., Wch. Rf. V. Dh. (G. W.) u. Rc. Dh. (P. W.), zgl. rh. Ebg. Fag. (r. str., l. rh., l. w.)

4) Str. ng. (fl.) sp. fr. sth., Wch. Rf. Rc. Bu. (G. W.) u. V. Bu. (G. W.), zgl. 2 Hd. Fag.

5) K. l. w. hb. lgd., B. Wch. Er. (G. W.) u. Sen. (P. W.), zgl. R. Sn. Hä. r. Ag. u. r. Be. abw. Hak. u. Seg. (m. l. Hd.), zgl. F. Fag.

6) H. 2 or. a. inw. 2 ebg. sü. schu. stzd., Wch. 2 Or. A. Asw. Dh. (G. W.) u. (P. W.), zgl. 2 Hd. u. 2 Or. A. Fag.

7) Hb. kl. sf. sp. sth., Wch. Rf. S. Bu. (G. W.) u. (P. W.), zgl. kl. Hd. Fag. [r. kl., r. sf., L. S. Bu. (G. W.) u. (P. W.)]

8) H. fa. spr. fa. so. f. asw. sth., B. Wch. Rc. Z. (G. W.) u. (P. W.), zgl. so. F. Fag. (r. h. fa., l. spr. fa., r. so., r. f. asw.)

9) Hb. str. hb. lgd., ps. A. Fic., zgl. str. Hd. Fag., u. Ach. Fag.

10) Sr. bg. b. vw. lgd., Ha., zgl. K. Dü. (l. K. S. Dü., m. r. Hd.; r. K. S. Dü., m. l. Hd.)

§. 625. 2. Recept.

1) Snp. bgd., Or. Sch. Er. (G. W.) u. Sen. (P. W.), zgl. Kn. Fag., u. Kz. Dü.

2) Rh. sf. tf. ng. schu. sch. gg. sth., Wch. Rf. S. Bu. (G. W.) u. (P. W.), zgl. 2 Ebg. Fag., 2 Slbt. Dü., u. 2 Hf. Fag. [r. sf., L. S. Bu. (G. W.) u. (P. W.)]

3) Hb. kl. w. sp. knd., Wch. Rf. V. Dh. (G. W.) u. Rc. Dh. (P. W.), zgl. kl. Hd. Fag., 2 Ur. Sch. Fag., u. R. Gt. Hä. abw. Hak. u. Seg. (m. l. Hd.)

4) Str. schu. stzd., 2 A. ps. Fie., zgl. 2 Hd. Fag., Kn. Rn. Dü., u. 2 Kn. Fag.

5) Ö. fa. zh. fa. hk. hc. sth., Or. Sch. Wch. Strg. (G. W.) u. (P. W.), zgl. Kn. Fag. (r. zh. fa., l. hk., l. Kn. Fag.)

6) 2 klwr. ng. sp. hc. stzd., Wch. Rf. Sf. Fl. Hb. Ro. (G. W.) u. (P. W.), zgl. Ebg. Wch. Fag., u. K. Fag. (ng. stzd., Rf. R. Sf. Fl. Hb. Ro.)

7) H. fa. so. hc. sth., B. Wch. Sb. Sg. Hb. Ro. (G. W.) u. (P. W.), zgl. so. F. Fag., u. R. Gt. Hä. abw. Hak. (m. l. Hd.)

8) Str. wr. tf. ng. schu. sch. gg. sth., Wch. Or. u. Ur. A. Strg. (P. W.) u. Bu. (G. W.), zgl. wr. Hd. Fag., u. 2 Slbt. Dü.

9) Hb. rh. w. lg. stzd., Wch. Rf. Sf. W. Fl. Hb. Ro. (G. W.) u. (P. W.), zgl. rh. Ebg. Fag., u. Slbt. Dü., u. 2 Ur. Sch. rs. Fag. (r. rh., l. w., Rf. R. Sf. R. W. Fl. Hb. Ro.)

10) Str. rhe. sf. schu. sth., act. Rf. S. Bu. (3 M. nach jeder S.), (r. str., l. rhe., r. sf., L. S. Bu.)

7. Lähmung einer Gesichtshälfte.

§. 626. Bei den Nervenlähmungen (Paralysen oder Retractionszuständen der Zellen der motorischen Nervenfäden und Ganglien) hat die Heilorganik noch am meisten und am frühesten von allen medicinischen Krankheiten etwas zu bedeuten gehabt. Wenn es nun auch klar ist, dass diese Curmethode bei Lähmungen bessere Erfolge erzielt; und namentlich nicht leicht schädlich wirkt, wie dieses der jetzt so sehr beliebten, electrischen Heilart wohl in manchem Falle nachgesagt werden muss: so ist es doch auch der Heilorganik nicht möglich, weder pathologisch ganz desorganisirte, noch durch zu starke Electrisirung ihrer Erregbarkeit ganz beraubte Nerven wieder herzustellen. — Bei den Lähmungen in der Bahn des Facialnerven kann daher eine vollkommen leblos herabhängende Wange, zumal wenn der Patient im Alter vorgeschritten ist und Jahre lang schon an dem Uebel in gleicher Weise leidet, auch nicht durch Heilorganik gehoben werden. Doch aber vermag dieselbe auch bei solchen an sich unheilbaren Paralysen, die aus denselben secundär hervorgehenden Retractions- und Relaxationszustände in den näher und weiter liegenden Muskeln und visceralen Organen zu heben; und daher auch hier noch grosse Hülfe zu leisten (§. 691 fgde.).

§. 627. Die folgenden heilorganischen Recepte können zunächst bei einer Lähmung des rechten Facialnerv, die mit Herabhängen der rechten Backe und erschwertem Schliessen des rechten Auges verbunden ist, gebraucht werden.

1. Recept.

1) H. fa. sg. hc. sth., B. Wch. V. Z. (G. W.) u. Rc. Z. (P. W.), zgl. sg. F. Fag.

2) Str. schu. fl. stzd., Wch. 2 Or. u. Ur. A. Bu. (G. W.) u. (P. W.), zgl. 2 Hd. u. 2 Kn. Fag.

3) Hb. spr. hb. lgd., A. Wch. Sw. Afw. Füg. (G. W.) u. (P. W.), zgl. spr. Hd. Fag., u. L. Facial-N. Dü. [zwischen dem rechten Aste des Unterkiefers und dem Zitzenfortsatze des Schläfenbeins, (m. l. Hd.)]

4) H. fa. k. sf. sth., K. Wch. S. Bu. (G. W.) u. (P. W.), zgl. K. S. u. Ach. Fag. [r. k. sf., K. L. S. Bu. (G. W.) u. K. R. S. Bu. (P. W.), L. K. S. u. r. Ach. Fag.]

5) Sr. hb. lgd., 2 B. Wch. Spg. (G. W.) u. Eig. (P. W.), zgl. 2 Hd. Nr. Dü., u. 2 F. Fag.

6) H. fa. spr. fa. hk. sth., Or. Sch. Strg. (P. W.) u. Bu. (G. W.), zgl. Kn. u. Kz. Fag., zgl. L. Gt. Hä. afw. Hak., u. afw. Seg. (m. l. Hd.), (r. h. fa., l. spr. fa., l. hk.)

7) Wr. w. sp. sch. lh. sth., Wch. 2 Or. u. Ur. A. Strg. (G. W.) u. (P. W.), zgl. wr. Hd. Fag. (r. w., r. wr. Hd. Fag.)

8) Str. sf. schu. sth., act. Rf. S. Bu. (nach jeder Seite 2 M.)

9) Sp. hb. lgd., 2 F. Ro., zgl. 2 F. u. 2 Ur. Sch. Fag. (24 M.)

10) Sr. smm. k. bg. sp. lgd., Ha., zgl. K. V. Bu. (P. W.) u. Rc. Bu. (G. W.), zgl. Hrk. Fag.

§. 628. 2. Recept.

1) Rh. w. hb. lg. stzd., Wch. Rf. Sf. Rc. Bu. (G. W.) u. (P. W.), zgl. Ebg. Wch. Fag., u. 2 Kn. Fag., u. Ur. Sch. rs. Fag. (r. w., l. hb. lg., r. Ebg. Fag., l. Ur. Sch. rs. Fag.)

2) Str. rf. lf. f. fa. sg. lgd., B. Wch. Er. (G. W.) u. Sen. (P. W.), zgl. 2 Hd. Z., sg. F. u. lt. Kn. Fag., u. l. Gt. Hä. afw. Hak. (m. l. Hd.), (r. sg., l. lt., l. f. fa.)

3) Wr. w. sp. sch. lh. sth., Wch. 2 Or. u. Ur. A. Strg. (G. W.) u. Bu. (P. W.), zgl. 2 Hd. Fag.

4) H. fa. hk. bgd., Or. Sch. Strg. (G. W.) u. (P. W.), zgl. Kn. u. Kz. Fag. (r. hk., r. Kn. Fag.)

5) Spr. ö. fa. ng. sp. sth., A. Wch. Sw. Afw. Füg. (G. W.) u. (P. W.), zgl. spr. Hd. Fag., u. Rn. ls. q. afw. Hak. u. Seg. (m. l. Hd.).

6) Hb. kl. sf. fs. sü. sth., Wch. Rf. S. Bu. (G. W.) u. (P. W.), zgl. kl. Hd., F. u. Kn. Fag. [r. kl., r. sf., l. fs. sü. sth., L. S. Bu. (G. W.) u. R. S. Bu. (P. W.), r. F. u. r. Kn. Fag.]

7) Snn. so. sth., B. Rc. Z. (P. W.), (i. v. E.), zgl. so. F. Fag., u. l. Gt. Hä. afw. Hak. u. Seg. (m. r. Hd.)

8) Str. kl. ng. b. vw. lgd., act. Rf. Er. (6 M.), zgl. 2 Ur. Sch. rs. Fag.

9) Kl. rf. ng. or. sch. ng. sp. knd., Wch. Rf. Rc. Bu. (G. W.) u. (P. W.), zgl. 2 Ach. Fag., Kz. 2 Fag., u. 2 Ur. Sch. Fag.

10) Sz. 2 snn. sth., Ha.

§. 629. 3. Recept.

1) K. r. w. hb. lgd., B. Wch. Er. (G. W.) u. Sen. (P. W.), zgl. F. Fag., zgl. l. Facial-N. (Pes anserinus) Dü. (m. l. Hd.)

2) Rk. snn. ga. sth., A. Wch. Strg. (G. W.) u. (P. W.), (i. v. E.), zgl. rk. Hd. Fag. (r. rk., l. snn., r. ga.)

3) Sr. w. sp. knd., Rf. V. Dh. (G. W.) u. (P. W.), zgl. sr. Hd. Fag., 2 Ur. Sch. Fag., u. L. Gt. Hä. afw. Hak. u. Seg. (m. l. Hd.) (r. w., r. sr. Hd. Fag.)

4) Sr. hb. lgd., 2 A. Ruw. Eü., zgl. 2 Hd. Fag., u. 2 Ach. Fag.

5) Str. kl. fl. (ng.) sp. fr. sth., Wch. Rf. V. Ngg. (P W.) u. Rc. Ngg. (P. W.), zgl. str. Hd. u. kl. Hd. Wch. Fag.

6) Ö. fa. zh. fa. sth., B. Wch. Sw. Er. (G. W.) u. Sw. Sen. (P. W.), zgl. F. Fag. (r. zh. fa., L. B. Sw. Er., l. F. Fag.)

7) 2 wrkl. rf. b. hb. lgd., ps. K. Ro. (24 M.), u. ps. K. V. u. Rc. Bu. (6 M.), zgl. Sel. 2 Fag., u. 2 Ebg. Fag.

8) Hb. kl. bg. sp. hc. stzd., Wch. Rf. V. Bu. (G. W.) u. (P. W.), zgl. kl. Hd. Fag., u. l. Gt. Hä. afw. Hak. u. Seg. (m. l. Hd.)

9) Str. sp. rf. lgd., 2 B. Wch. Eig. (G. W.) u. (P. W.), zgl. 2 Hd. Z., u. 2 F. Fag.

10) H. fa. w. sth., Hf. V. Dh. (G. W.) u. (P. W.), zgl. 2 Hf. Fag.

11) Snn. sp. hgd., 2 B. Wch. Eig. (P. W.) u. Spg. (P. W.), zgl. 2 F. Fag., u. Rn. ls. afw. Kog. (m. r. Hd.)

§. 630. 4. Recept.

1) Snn. kl. sth., B. Wch. Sw. Er. (G. W.) u. Sw. Sen. (P. W.), zgl. F. Fag., u. kl. Hd. Nr. Dü. (r. snn., l. kl., L. B. Er., l. F. Fag.)

2) Str. e. w. sf. stzd., Wch. Rf. Sf. V. Bu. (P. W.) u. Sf. Rc. Bu. (P. W.), zgl. str. Hd. Fag., u. l. Gt. Hä. afw. Hak. (m. l. Hd.), (r. str., l. e., r. w., r. sf., L. Sf. V. Bu. u. R. Sf. Rc. Bu.)

3) Str. vw. lgd., 2 Ur. Wch. Bu. (G. W. u. Strg. (P. W.), zgl. 2 Hd. Nr. Dü., u. 2 F. Fag.

4) Rk. fl. lg. stzd., 2 A. Wch. Kl. Str. Hb. Ro. (G. W.) u. (P. W.), zgl. 2 Hd. Fag., u. 2 Ur. Sch. rs. Fag.

5) H. fa. k. sf. sth., K. Wch. S. Bu. (P. W.), zgl. K. u. Ach. Fag., u. l. Gt. Hä. afw. Hak. u. Seg. (m. l. Hd.)

6) Su. tf. ng. tp. f. fa. sch. gg. sth., Rf. Rc. Bu. (G. W.), zgl. Hrk. Fag., u. tp. Kn. Fag., u. 2 Hf. Fag. (r. tp., r. f. fa.)

7) Sr. hb. lgd., ps. 2 A. Ro., zgl. 2 Hd. Z.

8) K. w. rf. b. hb. lgd., K. Wch. Dh. (P. W.), zgl. L. Gt. Hä. afw. Hak. (m. l. Hd.), zgl. K. Fag.

9) Smm. sb. lgd., B. Wch. Eig. (G. W.) u. (P. W.), zgl. sb. F. Fag.

10) Spr. b. lgd., act. 2 A. Sw. Afw. Füg. (4 M.), zgl. 2 Ur. Sch. rs. Fag.

II. Medicinische Rumpfkrankheiten.

§. 631. Es sind hier folgende pathologische Processe zu besprechen: 1) Halsentzündung; 2) Tuberculose der Lunge; 3) Asthma; 4) organische Herzleiden; 5) Leibesverstopfung; 6) Diarrhoe; 7) Milz-

Hypertrophie; 8) und 9) Menstruation und Hämorrhoidalkrankheit; 10—13) Samenfluss, Impotenz, Lähmung der Blase und Gonorrhoe.

1. Halsentzündung.

§. 632. Die bedeutenderen acut-entzündlichen Affectionen der Halsorgane, also namentlich des Zäpfchens, der Mandeln, der Schleimhaut des Pharynx, des Larynx und Oesophagus, welche meistentheils den Patienten das Bette zu hüten zwingen, verbieten auch die heilorganische Behandlung. Dagegen geringere, kaum fieberhafte, als rheumatisch gewöhnlich bezeichnete, plötzlich auftretende, durch schmerzhaftes Schlingen, durch Heiserkeit, durch vermehrte Schleimabsonderung u. s. w. sich documentirende Halskrankheiten; so wie die meisten chronisch entzündlichen Leiden der innern Halsorgane (gewöhnlich mit Lungen-, Herz- und Unterleibskrankheiten verbunden), finden in der heilorganischen Behandlung zuweilen schnelle, meistentheils langsame, immer dauernde Hülfe.

§. 633. Es sind bei solchen Leiden duplicirt-concentrische Bewegungen des Kopfes und Halses, der Arme u. s. w. verbunden mit Hackungen, Punktirungen, Klatschungen, Klopfungen der Hals-, Kopf- und Rumpfregionen, zunächst indicirt, weil das Wesen solcher Leiden in Relaxationen der Blut- und Schleimhaut-Drüsen-Zellen meistentheils allein besteht. Dergleichen Bewegungen sind nun zum Beispiel:

1) Hb. spr. hb. lgd., Wch. Spr. A. Sw. Afw. Fûg. (G. W.) u. Sw. Abw. Fûg. (G. W.), zgl. Hs. S. abw. Hak. (m. ugn. Hd.)

2) Spr. hb. lgd., Wch. 2 A. Sw. Afw. Fûg. (G. W.) u. Vw. Abw. Fûg. (G. W.), zgl. 2 Hd. Fag., zgl. vordere Hs. Gd. abw. Hak. (m. r. Hd.)

3) Hb. str. sf. sp. hc. stzd., Wch. Rf. S. Bu. (G. W.), zgl. str. Hd. Fag., zgl. Hs. S. abw. Hak. (m. ugn. Hd.), [r. str., r. sf., Rf. R. u. L. S. Bu. (G. W.), l. Hs. S. abw. Hak.]

4) H. fa. k. w. schu. sth., K. Wch. Dh. (G. W.), zgl. Sel. u. Ach. Fag., zgl. 2 Hs. S. abw. Hak. (m. ugn. Hd.)

5) Hb. kl. k. sf. sp. hc. stzd., K. Wch. S. Bu. (P. W.) u. G. W.), zgl. Sel. u. Ach. Fag., kl. Hd. abw. Dü., zgl. Hs. S. abw. Hak. (m. ugn. Hd.) [r. kl., l. k. sf., K. R. S. Bu. (P. W.) u. L. S. Bu. (G. W.), r. Hs. S. abw. Hak. (m. l. Hd.)]

§. 634. Da, wie erwähnt, die Leiden der Halsorgane mit ähnlichen Leiden der Brust- und Unterleibsorgane verbunden zu sein pflegen, so werden die bei den letztern Uebeln aufgeführten heilorganischen Recepte mehr oder weniger auch hier ihre Anwendung finden können (§. 635 fgd.).

2. Tuberculose der Lungen.

§. 635. Wenn es einen medicinischen Krankheitsprocess giebt, der geeignet ist, deutlich das Fortschreiten der Retractionen und Relaxationen von den visceralen auf die Bewegungsorgane, und namentlich die Muskeln, zu zeigen: so ist es die Lungen-Tuberculose. Wenn nämlich durch das Stethoskop und das Plessimeter schon längst die Tuberkeln im Lungengewebe nachgewiesen werden können: so zeigen doch öfters noch nicht oder nur in unbedeutender Weise die Muskeln, so wie die Knochen und Knorpel der Brust, pathologische Veränderungen. Wenn dagegen die Tuberculose sich weiter ausgebildet hat; wenn namentlich durch Schmelzung der Tuberkeln Cavernen entstanden sind: so pflegt der Rücken des Patienten sich zu krümmen und zu bücken; die Schultern pflegen nach vorn hin einander sich zu nähern; ja die Schlüsselbeine selbst sich mehr oder weniger zu krümmen; die Pectoral- und vorderen Halsmuskeln also stark retrahirt, die Rücken- und Schulterblattmuskeln also stark relaxirt zu werden u. s. w.

§. 636. Wer diese Umgestaltung des Körpers in den visceralen und Bewegungsorganen bei der Lungen-Tuberculose sich recht vergegenwärtigt: dem muss es auch einleuchten, dass die Heilorganik vor allem und obenan ein Heilmittel dieses Uebels sein müsse, da diese Curmethode doch nur allein allen den Indicationen zu entsprechen vermag, die die bei der Lungentuberculose so mannigfaltigen inneren und äusseren Retractionen und Relaxationen zu erfordern pflegen.

§. 637. Es findet jedoch in Bezug auf die Anwendungszeit der Heilorganik bei diesem Uebel gerade ein umgekehrtes Verhältniss als bei entzündlichen Leiden anderer Organe statt. Schliessen diese bekanntlich zuerst jene Behandlungsweise aus; erlauben sie aber im Verlaufe des Krankheitsprocesses, und namentlich wenn derselbe chronisch geworden ist: so erfordert die Lungentuberculose gerade gleich beim Beginn die heilorganische Curmethode, dagegen verbietet sie dieselbe, wenn der Patient bettlägerig geworden ist und überhaupt Symptome der Colliquation zeigt.

§. 638. Natürlich kann auch durch diese Curart kein Tuberkel entfernt, keine Caverne mit gesundem Lungengewebe wieder gefüllt werden. Doch, frage ich, welche Medicamente, welche andere Curmethode überhaupt vermag dieses? Erinnern wir uns dagegen der Retractionen und Relaxationen der Knochen, der Muskeln, die bei der vorgeschrittenen Lungentuberculose jedesmal gefunden werden: so ist es klar, dass diese durch Heilorganik (bei längerem Gebrauche) bestimmt gehoben werden können. Ja, es unterliegt keinem Zweifel, dass dadurch wieder die Nachschübe der Tuberkelsucht verhütet; die Verkreidung der Tuberkelmasse, die Cicatrisation der Cavernen u. s. w. unterstützt; und der Fortschritt des Lungenleidens überhaupt retardirt werden kann; und zwar bedeutend besser, als durch Landaufenthalt, Bergsteigen, Reisen in südliche Klimate, Curarten, die jetzt bei tuberculösen Patienten so sehr in der Mode sind.

§. 639. Aber, wird man mir einwenden, erweise erst durch Messungen mittelst Tasterzirkel, Spiro- oder Manometer, dass die Brusthöhle der tuberculösen Patienten während der heilorganischen Behandlung geräumiger geworden ist, dass also deine Curmethode in Wahrheit geholfen habe? — Gern gebe ich zu, dass namentlich durch Messungen nach Zollen und Linien ich dieses nicht zu leisten vermag. Denn nach meinen schon bei den Gliederverkrümmungen (§. 209) geäusserten Ansichten ist jede, während des Verlaufs der Krankheit vorgenommene, vergleichende Messung der Brusthöhle so unsicher, dass nur die grössten Abweichungen, und zwar so grosse, wie sie bei tuberculösen Patienten durch die heilorganische Cur kaum jemals hervorgebracht werden dürften, sich hierdurch würden constatiren lassen.

§. 640. Es ist nur die tadelnswerthe, mechanische Anschauungsweise, wie sie jetzt in der Medicin überhaupt vorherrscht, welche den durchaus unsicheren Messungen auch bei Lungenkrankheiten das Wort redet. Wägungen der ganzen Körpermasse des tuberculösen Patienten, und bedeutende Zu- oder Abnahme des Gewichts, die dabei gefunden würde, dürfte ein etwas sicherer Maassstab der Verschlimmerung oder Heilung des Uebels abgeben; vollkommen sicher auch nicht, da aus den verschiedenartigsten, ausserhalb des Krankheitsprocesses liegenden Gründen, das Körpergewicht des Patienten auch in geringem Maasse ab- oder zunehmen kann.

§. 641. Die folgenden Recepte werden nur ein unvollkommenes Bild geben können, wie an Lungentuberculose Leidende heilorganisch behandelt werden müssen, da bei solchen Patienten oft

20*

die verschiedenartigsten Indicationen zu erfüllen sind, so dass das Meiste hiebei doch der Casuistik vorbehalten bleiben muss.

1. Recept.

1) Lt. hb. lgd., Wch. Ur. Sch. Strg. (P. W.) u. Bu. (P. W.), zgl. Kn. u. F. Fag. (R. lt., r. Ur. Sch. Strg. u. Bu., r. Kn. Fag., r. F. Fag.)

2) 2 wrkl. 2 ebg. sü. sp. stzd., Wch. 2 Ur. A. Strg. (P. W.) u. Bu. (P. W.), zgl. 2 Hdst. Fag., u. 2 Or. A. Fag.

3) Hb. lgd., B. Er. (G. W.), (i. v. E.), zgl. F. Fag. (r. B. Er., r. F. Fag.)

4) Hb. spr. sp. sch. lh. sth., A. Wch. Sw. Afw. Füg. (G. W.) u. Vw. Afw. Füg. (G. W.), zgl. spr. Hd. Fag.

5) Sp. hb. lgd., ps. 2 F. Ro. (24 M.), zgl. 2 F. u. 2 Ur. Sch. Fag.

6) Hb. kl. w. schu. sch. lh. sth., Wch. Rf. V. Dh. (G. W.) u. Rc. Dh. (G. W.), zgl. kl. Hd. u. fü. Ebg. Fag., u. 2 Hf. Fag. (r. kl., r. w.)

7) H. fa. so. (sg.) hc. sth., B. Wch. Rc. Z. (G. W.) u. V. Z. (G. W.), zgl. so. (sg.) F. Fag.

8) Wr. sp. hc. stzd., Wch. 2 Or. u. Ur. A. Strg. (P. W.) u. Bu. (G. W.), zgl. 2 Hd. Fag., u. Kn. Rn. Dü.

9) Rh. sf. ga. hf. lh. sth., Wch. Rf. S. Bu. (G. W.), zgl. 2 Ebg. Fag., u. 2 Hf. Fag. [r. sf., l. ga., l. hf. lh., Rf. L. S. Bu. (G. W.) u. Rf. R. S. Bu. (G. W.)]

10) Spr. sp. knd., act. 2 A. Sw. Afw. Füg. (4 M.)

§. 642. 2. Recept.

1) Ö. fa. zh. fa. sg. hc. sth., B. Wch. V. Z. (G. W.) u. Rc. Z. (P. W.), zgl. sg. F. Fag.

2) H. fa. schu. sth., Ha., zgl. 2 Br. Hä. 2 Rp. S. u. 2 Rn. Hä. Kla. u. Seg. (m. ugn. Hd.)

3) Rh. w. sp. hc. stzd., Rf. Wch. Dh. (G. W.), zgl. 2 Ebg. Fag.

4) H. fa. lt. hc. sth., Ur. Sch. Wch. Strg. (P. W.) u. Bu. (P. W.), zgl. lt. Kn. u. lt. F. Fag.

5) Rk. sch. lh. sp. sth., 2 A. Strg. (G. W.), (i. v. E.), zgl. 2 Hd. Fag., u. 2 Hf. Fag.

6) Hb. str. fl. (ng.) schn. sch. gg. sth., Wch. Rf. V. Ngg. (G. W.) u. Rc. Bu. (G. W.), zgl. str. Hd. u. K. Fag., u. 2 Hf. Fag.

7) Hb. rk. hb. lgd., A. Kl. Str. Hb. Ro. (G. W.), zgl. rk. Hd. Fag., zgl. Br. Hä. abw. Kla. u. Seg. (m. ugn. Hd.), (r. rk., l. Br. Hä. Kla., m. r. Hd.)

8) H. sp. 2. f. inw. hb. lgd., Weh. 2 B. Asw. Dh. (G. W.) u. (P. W.), zgl. 2 F. Fag., 2 Kn. Fag., u. 2 Hd. Nr. Dü.

9) H. fa. k. kmm. bg. sp. sth., K. Rc. Bu. (G. W.), (i. v. E.), zgl. Hrk. u. Ach. Fag.

10) Str. sf. schu. sth., act. Rf. S. Bu. (r. sf., Rf. L. S. Bu.) (Im Ganzen 6 M.)

§. 643. 3. Recept.

1) Rk. sp. hc. stzd., Wch. 2 A. Kl. Str. Hb. Ro. (G. W.) u. (P. W.), zgl. 2 Hd. Fag., u. Kn. Rn. Dü.

2) Str. kl. fl. sp. sch. gg. sth., Wch. Rf. V. Ngg. (P. W.) u. Rc. Bu. (G. W.), zgl. str. u. kl. Hd. Wch. Fag., K. Fag., u. 2 Hf. Fag.

3) Rh. kl. w. sp. sch. lh. sth., Wch. Rf. V. Dh. (G. W.) u. Rc. Dh. (P. W.), zgl. kl. Hd. Fag., u. 2 Hf. Fag. (r. rh., l. kl., l. w.)

4) Kl. hb. lgd., ps. 2 A. Ro., zgl. 2 Hd. Fag., u. 2 Ach. Fag.

5) Str. sp. hb. lgd., Wch. 2 B. Eig. (P. W.) u. Spg. (G. W.), zgl. 2 Hd. Nr. Dü., u. 2 F. Fag.

6) Str. sf. sp. hc. stzd., Wch. Rf. S. Bu. (G. W.) u. (P. W.), zgl. 2 Hd. Fag. (r. sf., L. S. Bu.)

7) H. fa. sg. hc. sth., B. Wch. V. Z. (G. W.) u. Rc. Z. (P. W.), zgl. sg. F. Fag., zgl. 2 Br. Hä. 2 Rp. S. u. 2 Rn. Hä. abw. Kla. u. Seg. (m. ugn. Hd.)

8) Rh. bg. w. ur. sch. lh. schu. sth., Wch. Rf. Rc. Dh. (G. W.) u. (P. W.), zgl. 2 Ebg. Fag. (Der Gymnast steht bei Ausführung dieser Bewegung hinter dem Patienten.)

9) Snn. hgd., Wch. 2 B. Spg. (G. W.) u. Eig. (P. W.), zgl. 2 F. Fag.

10) Sr. smm. k. bg. sp. lgd., Wch. K. V. Bu. (P. W.) u. Rc. Bu. (G. W.), zgl. Hrk. u. Ach. Fag.

§. 644. 4. Recept.

1) H. fa. sg. f. inw. hc. sth., B. Wch. Asw. Dh. (G. W.) u. (P. W.), zgl. sg. F. u. sg. Ur. Sch. Fag. (r. sg., r. f. inw.)

2) Sr. hb. lgd., ps. 2 A. Ro., zgl. 2 Hd. Z. (24 M.)

3) Kl. fa. so. hc. sth., B. Rc. Z. (P. W.), (i. v. E.), zgl. so. F. Fag.

4) Rk. hb. lgd., Wch. 2 A. Kl. Str. Hb. Ro. (G. W.) u. (P. W.), zgl. 2 Br. Hä. u. 2 Rp. S. abw. Kla. u. Seg. (m. ugn. Hd.), zgl. 2 rk. Hd. Fag.

5) Hb. kl. w. fs. sü. sth., Wch. Rf. V. Dh. (G. W.) u. Rc. Dh. (P. W.), zgl. kl. Hd. Fag., Kn. u. F. Fag. (r. kl., r. w., l. fs. sü., l. Kn. u. l. F. Fag.)

6) Hb. str. hb. lgd., ps. A. Fie., zgl. str. Hd. u. fü. Ach. Fag.

7) Dk. bg. vw. lgd., Wch. 2 Ur. Sch. Bu. (G. W.) u. Strg. (P. W.), zgl. 2 F. Fag.

8) H. fa. 2 or. a. klv. schn. sth., Wch. 2 Or. A. Strg. (G. W.) u. (P. W.), zgl. 2 Vsl. u. 2 Rcsl. Wch. Fag.

9) Hb. spr. k. sf. hb. lgd., Wch. Spr. A. Sw. Afw. Füg. (G. W.) u. (P. W.), zgl. spr. Hd. Fag., zgl. Hs. S. abw. Hak. (m. ugn. Hd.), (r. spr., k. r. sf., L. Hs. S. Hak., m. r. Hd.)

10) Sz. sth., Ha., zgl. Rn. fs. abw. Hak. (m. l. Hd.)

§. 645. 5. Recept.

1) H. fa. bg. sth., Or. Sch. Wch. Er. (G. W.) u. Sen. (P. W.), zgl. Kn. u. Kz. Fag.

2) Rk. w. sp. knd., Wch. 2 A. Kl. Str. Hb. Ro. (G. W.) u. (P. W.), zgl. rk. Hd. Fag. (r. w., l. rk. Hd. Fag.)

3) Rh. w. fs. sü. sth., Wch. Rf. Rc. Dh. (G. W.) u. (P. W.), zgl. rh. Ebg. Fag., u. Kn. u. F. Fag. (r. w., r. fs. sü., l. Ebg. Fag., r. Kn. u. r. F. Fag.)

4) Hb. rk. hb. lgd., Wch. A. Strg. (G. W.) u. (P. W.), zgl. rk. Hd. Fag., zgl. Vagus-N. Dü. (m. ugn. Hd.), (r. rk., r. Vagus-N. Dü., m. l. Hd.)

5) Snn. sp. hgd., Wch. 2 B. Eig. (G. W.) u. (P. W.), zgl. 2 F. Fag.

6) Rh. w. tf. ng. schn. sth., Rf. Wch. Dh. (G. W.), zgl. 2 Ebg. Fag., zgl. 2 Rn. Hä. 2 Rp. S. u. 2 Br. Hä. abw. Kla. u. Seg. (m. ugn. Hd.)

7) Str. w. sp. hc. stzd., ps. 2 A. Fie., zgl. 2 Hd. Fag., u. Kn. Rp. Dü.

8) Hb. rh. w. b. lgd., Wch. Rf. Rc. Dh. (P. W.) u. V. Dh. (G. W.), zgl. rh. Ebg. Fag., u. fü. Slbt. Dü. (r. rh., l. fü., l. w.)

9) Str. smm. bg. sg. hc. sth., B. Wch. V. Z. (G. W.) u. Rc. Z. (P. W.), zgl. 2 obere Br. Hä. Hak. (m. ugn. Hd.), zgl. sg. F. Fag. (r. B. V. Z., r. F. Fag.)

10) H. 2 or. a. inw. sp. sch. Hb. sth., ps. 2 A. Pu. (24 M.), zgl. 2 Hd. Fag.

§. 646. 6. Recept (diätetisches).

1) Str. rk. sp. sth., act. Rk. A. Kl. Str. Hb. Ro. (Im Ganzen 6 M.)

2) Rk. ng. sp. sth., act. Rf. Rc. Bu., zgl. act. 2 A. Strg. (4 M.)

3) H. fa. kl. fa. hc. sth., act. B. Sw. Er. (i. v. E.), (im Ganzen 6 M.), (r. h. fa., l. kl. fa., L. B. Er.)

4) Str. fl. w. sp. hc. stzd., act. 2 Or. u. Ur. A. Bu. (4 M.)

5) Str. kl. w. tf. ng. sp. sth., act. Rf. Rc. Bu. (Im Ganzen 6 M.), (r. str., l. kl., l. w.)

6) H. w. schu. sth., act. Rf. Rc. Dh. (Im Ganzen 6 M.)

7) Str. so. hc. sth., act. B. Rc. Z. (i. v. E.) (Im Ganzen 12 M.)

8) Hb. spr. hb. lgd., act. Spr. A. Wch. Sw. Afw. Füg., u. Vw. Afw. Füg., zgl. Br. abw. Kla. u. Seg. (durch die andere Hand des Patienten).

9) H. fa. sp. rf. lgd., act. 2 B. Eig. (4 M.)

10) Sz. sth., Ha.

3. Asthma.

§. 647. Das Asthma, in bedeutender Ausbildung meistentheils mit Lungen-Emphysem verbunden, ist eine Krankheit, die die Ehre gehabt hat, schon längere Zeit zu den wenigen gezählt zu werden, von denen man annahm, dass die heilorganische Behandlung nicht nur dabei anwendbar sei, sondern dass sie sogar ihre vollkommene und baldige Heilung herbeizuführen vermöge. Da das Emphysem der Lunge auf vorwaltender Relaxation in den Zellen des Lungenparenchyms beruht; da der Brustkasten und besonders dessen vorderer Theil sehr bald auf ähnliche Weise durch den pathologischen Process dieses Uebels umgestaltet wird, so dass namentlich die Brüstigen, die Zwischenrippigen, der grosse Säger und andere Rumpfmuskeln gewöhnlich schnell auch in Relaxation verfallen: so unterliegt es keinem Zweifel, dass die heilorganische Behandlung für die meisten Fälle von Lungenemphysem angezeigt sei, und auch Erleichterung verschaffen könne. — Jedoch ist es jedenfalls ein Irrthum, oder doch eine Uebertreibung, dass diese Curmethode hier mehr, als in der Lungentuberculose zu leisten vermöge. — Es scheint beinahe, dass die bei Lungenemphysem so bald geänderten räumlichen Verhältnisse des Brustkastens die (der mechanischen Anschauung des Lebensprocesses huldigenden) Aerzte für die Anwendung der Heilorganik bei diesem Uebel so bald einnahmen; während dieselben wohl kaum den hier wirkenden pathologischen Process als Muskelrelaxation erkannten; noch die Verwandtschaft desselben mit der im Lungengewebe und in Muskeln bei der Lungentuberculose herrschenden Retraction ahndeten.

§. 648. Die folgenden heilorganischen Recepte werden nur im Allgemeinen eine Anweisung geben können, wie dergleichen für an Asthma und Lungenemphysem Leidende zu componiren sind, da als Folge dieser Uebel sich wieder so sehr mannigfaltige Störungen (Retractionen und Relaxationen) in den Geweben des Herzens, der grossen Gefässe, der Leber, Milz und der übrigen Unterleibsorgane auszubilden pflegen, welche ebenfalls mehr oder weniger bei der heilorganischen Behandlungsweise berücksichtigt sein wollen. Zum Verständniss der folgenden Recepte ist es noch nöthig, der eigenthümlichen synergischen Wirkung der Brustmuskeln sich bewusst zu sein. (S. Muskelleben S. 101 fgd.)

§. 649. 1. Recept.

1) Spr. fa. sg. hc. sth., B. Wch. V. Z. (G. W.) u. (P. W.), zgl. sg. F. Fag.

2) Str. ng. schu. sch. lh. sth., Wch. 2 Or. u. Ur. A. Bu. (G. W.) u. (P. W.), zgl. 2 Hd. Fag., u. 2 Hf. Fag.

3) 2 wrkl. fl. schu. sch. lh. sth., Rf. V. Ngg. (G. W.), (i. v. E.), zgl. 2 Ebg. Fag., u. 2 Hf. Fag.

4) Wr. fa. so. hc. sth., Wch. B. Rc. Z. (P. W.) u. V. Z. (G. W.), zgl. so. F. Fag.

5) Hh. h. or. a. asw. hb. lgd., Wch. Or. A. Inw. Dh. (G. W.) u. (P. W.), zgl. Hd. u. Ebg. Fag., zgl. Br. Hä. afw. Kla. [r. h., r. or. a. asw., r. Ebg. u. r. Hd. Fag., R. Or. A. Inw. Dh., r. Br. Hä. Kla., m. r. Hd.)]

6) Str. w. ng. knd., Wch. 2 A. Sw. Abw. Füg. (G. W.) u. Vw. Abw. Füg. (G. W.), zgl. 2 Hd. Fag., u. 2 Ur. Sch. Fag.

7) Rk. w. schu. sch. lh. sth., Rf. V. Dh. (G. W.) u. (P. W.), zgl. 2 Hd. Fag., u. 2 Hf. Fag.

8) Fg. fa. hc. sth., Wch. Or. Sch. Bu. (G. W.) u. (P. W.), zgl. Kn. u. Kz. Fag.

9) Hb. fg. or. a. asw. hb. lgd., Wch. Or. A. Inw. Dh. (G. W.) u. (P. W.), zgl. Hd. u. Ebg. Fag., zgl. Br. Hä. afw. Kla. (r. fg., r. or. a. asw., r. Hd. u. r. Ebg. Fag., R. Or. A. Inw. Dh., L. Br. Hä. Kla., m. l. Hd.)

10) 2 wr. fa. sz. sth., Ha.

§. 650. 2. Recept.

1) H. fa. spr. fa. sg. hc. sth., B. Wch. V. Z. (G. W.) u. (P. W.), zgl. sg. F. Fag. (r. h. fa., l. spr. fa., l. sg.)

2) Dk. ng. w. sch. gg. sth., Rf. Wch. Dh. (G. W.), zgl. 2 Ach. Fag., zgl. 2 Rn. Hä. afw. Kog. (m. gn. Hd.)

3) Fg. ng. sp. hc. stzd., Wch. 2 Or. A. Strg. (P. W.) u. Bu. (G. W.), zgl. 2 Ebg. Fag.

4) Wr. fa. kl. fa. sth., Or. Sch. Er. (G. W.), (i. v. E.), zgl. Kn. u. Kz. Fag. (r. wr. fa., l. kl. fa., r. Or. Sch. Er., r. Kn. Fag.)

5) Wr. hb. lgd., Wch. 2 Or. u. Ur. A. Fg. Strg. (P. W.) u. 2 Or. u. Ur. A. Fg. Bu. (G. W.), zgl. 2 Hd. Fag.

6) Dk. 2 lt. hb. lgd., 2 Or. Sch. Er. (G. W.), zgl. 2 Ach. Nr. Dü., u. 2 Kn. Fag.

7) Kl. w. schu. ur. sch. lh. sth., Wch. 2 A. Sw. Afw. Füg. (bis zur Str. Stg.), (P. W.) u. 2 A. Sw. Abw. Füg. (bis zur Spr. Stg.) (G. W.), zgl. 2 Hd. Fag., zgl. 2 Br. Hä. afw. Hak. (m. gn. Hd.)

8) Snn. sp. bgd., Wch. 2 B. Eig. (G. W.) u. (P. W.), zgl. 2 F. Fag.

9) Hb. str. hb. lgd., Wch. Or. u. Ur. A. Fg. Bu. (G. W.) u. (P. W.), zgl. str. Hd. Fag., zgl. Vagus-N. Dü. (r. str., l. Vagus-N. Dü., m. l. Hd.)

10) Wr. b. lgd., Ha., zgl. 2 Br. Hä. afw. Kla. (m. gn. Hd.)

§. 651. 3. Recept.

1) Fg. fa. w. schu. sth., Hf. Wch. Dh. (G. W.), zgl. 2 Hf. Fag.

2) 2 wrkl. bg. b. lgd., Rf. Er. (G. W.) u. (P. W.), zgl. 2 Ebg. Fag., u. 2 Ur. Sch. rs. Fag.

3) Kl. schu. sch. lh. sth., Wch. 2 Or. u. Ur. A. Dk. Bu. (G. W.) u. (P. W.), zgl. 2 Hd. Fag.

4) Spr. fa. so. f. asw. hc. sth., B. Wch. Inw. Dh. (G. W.) u. (P. W.), zgl. so. F. Fag. (r. so., r. f. asw., R. B. Inw. Dh., r. F. Fag.)

5) Dk. w. b. vw. lgd., Rf. Wch. V. Dh. (G. W.) u. (P. W.),

zgl. 2 Ach. Fag., u. 2 Ur. Sch. rs. Fag., zgl. 2 Rn. Hä. afw. Kog. (m. gn. Hd.)

6) Wr. rf. sp. lgd., Wch. 2 B. Eig. (G. W.) u. (P. W.), zgl. 2 Hd. Nr. Dü., u. 2 F. Fag.

7) Str. lgd., 2 Or. u. Ur. A. Fg. Bu. (G. W.), zgl. 2 Or. u. Ur. Sch. Bu. (G. W.), zgl. 2 Hd. Fag., u. 2 F. Fag.

8) Hb. rk. hd. asw. sp. knd., Wch. A. Inw. Dh. (G. W.) u. (P. W.), zgl. Br. Hä. Rp. S. u. Rn. Hä. afw. Kla. (r. rk., r. hd. asw., R. A. Inw. Dh., L. Br. Hä. l. Rp. S. L. Rn. Hä. afw. Kla., m. l. Hd.)

9) Wrkl. fg. w. li. sth., Wch. Rf. V. Dh. (G. W.) u. (P. W.), zgl. wrkl. Ebg. Fag. (r. wrkl., l. fg., r. w.)

10) Snn. sp. hgd., Wch. 2 B. Eig. (G. W.) u. (P. W.), zgl. 2 F. Fag., zgl. Rn. ls. afw. Kog. (m. r. Ft.)

§. 652. 4. Recept (diätetisches).

1) Kl. schu. sth., act. 2 A. Bu. (i. v. E.) (Im Ganzen 9 M.)
2) Wr. sg. hc. sth., act. B. V. Z. (Im Ganzen 6 M.)
3) H. 2 or. a. inw. fl. schu. sth., act. Rf. V. Ngg. (4 M.)
4) Dk. sp. rf. lgd., act. 2 B. Eig. (4 M.)
5) Wr. w. schu. sth., act. Rf. V. Dh. (Im Ganzen 6 M.)
6) Fg. sg. lt. hc. sth., act. Or. Sch. V. Z. (bis zur Spu. Stg.) (Im Ganzen 6 M.), (r. sg., r. lt., R. Or. Sch. V. Z.)
7) Wr. w. sf. schu. sth., act. Rf. Sf. V. Bu. (Im Ganzen 6 M.) (r. w., r. sf., Rf. L. Sf. V. Bu.)
8) Bk. sg. hc. sth., act. B. Sb. So. Hb. Ro. (Im Ganzen 6 M.)
9) Str. lg. stzd., act. 2 Or. u. Ur. A. Fg. Bu. (4 M.)
10) 2 wr. la. sz. sth., Ha.

4. Organische Herzkrankheiten.

§. 653. „Von gymnastischen Methoden passen fast nur die passiven und einige duplicirte besonders zur Ableitung an die Gliedmaassen", sagt Richter (Grundriss der innern Klinik. 3. Aufl. I. B. S. 69), als er von der Behandlung der Herzkrankheiten spricht. Dieser Ausspruch hat nur seine Richtigkeit für entzündliche Herzkrankheiten, nicht aber für chronische, meistentheils mit Schwächezuständen verbundene. Bei den letzteren Uebeln ist die heilorganische Behandlung in ihrer ganzen Ausdehnung angezeigt, und bringt jedenfalls bessere Erfolge, als eine medicinische, namentlich schwächende Curart.

§. 654. Die genaue Constatirung der Herzaffection durch Plessimeter und Stethoskop, Messung des Thorax u. s. w. hat für die heilorganische Behandlung nur in so weit Wichtigkeit, als man auch auf diese Weise, wenn auch unvollständiger, dazu gelangen kann, festzustellen, ob überhaupt im Herzen und den grossen Gefässen mehr die Relaxationen, oder mehr die Retractionen vorherrschen.

§. 655. Will man aber hiebei sicherer gehen, so muss man duplicirte Bewegungen mit den Brustmuskeln des Patienten vornehmen, und auf solche Weise die Retractionen und Relaxationen zunächst dieser feststellen. Hierauf fussend, kann man mit grösserer Sicherheit auf ähnliche Zustände der visceralen Brustorgane, und namentlich des Herzens, schliessen. — So ist z. B. zwar meistentheils mit der Hypertrophie der Herzwände Relaxation, mit der Atrophie Retraction verbunden; doch aber nicht durchweg, zumal es eine excentrische Hypertrophie giebt, die mit Retraction sehr wohl sich vereinigen kann.

§. 656. Wenn noch immer so viele Aerzte, und namentlich ärztliche Schriftsteller (§. 653), die heilorganische Cur bei Herzkrankheiten so sehr beschränken wollen, wenn sie namentlich nur ableitende Beinbewegungen als passend angeben: so liegt dieser Ansicht wohl zum Grunde, dass sie sich die Ableitung durch Beinbewegungen als eine mechanische Auspumpung des Blutes aus dem Unterleibe vorstellen. Es wurde nun aber schon oben (§. 131 fgd.) auseinander gesetzt, dass eine solche mechanische Ansicht (der Bewegungen mit kleineren Gliedern) vor einer ächten, physiologischen Forschung nicht bestehen könne. Man irrt daher gewaltig, wenn man glaubt der Gefahr zu entgehen, bei der heilorganischen Behandlung der Herzkrankheiten Schaden anzurichten, wenn man den Rumpf, und namentlich den Thorax des Patienten, mit Bewegungen verschont. Ist die Beinbewegung dem Retractions- oder Relaxationszustand in den Brustorganen nicht entsprechend, so wird sie theils durch die ihr eigenthümliche physiologische Einwirkung, noch mehr aber durch die mit ihr verbundene, feste Haltung (s. Lehrbuch der Leibesübung II. B., S. 54 fgd.), die sich ja auf den ganzen Körper, und also auch auf den Brustkorb erstreckt, bestimmt schaden. Es ist daher keineswegs so leicht, wie man gewöhnlich glaubt, eine unschädliche, heilorganische Behandlung der Herzkrankheiten einzuleiten. Denn wenn irgend eine medicinische Krankheit, so erfordern diese einmal ein genaues Verständniss der Retractionen und Relaxationen, und ein andermal genaues Studium der physiologischen Wirkung der heilorganischen Bewegungsformen. Nur wer auf beide Weisen gehörig gerüstet ist, wage es, organische Herzkrankheiten heilorganisch zu behandeln.

§. 657. Da diese Uebel, ähnlich wie die Lungentuberculose und das Asthma, nach den äusseren Retractionen und Relaxationen des Brustkorbes zunächst beurtheilt werden: so können die bei Lungentuberculose und Asthma gegebenen Beispiele heilorganischer Recepte im Allgemeinen auch als solche, für Herzkranke dienende angesehen werden. Es ist dabei nur noch zu erwähnen, dass die Rein-Passivbewegungen, wie die Punktirungen, Hackungen, Klatschungen, Klopfungen, hier speciell auf die Herzgegend, ja selbst auf einzelne Kammern oder Vorkammern des Herzens applicirt, und zugleich zur Erhöhung der Wirkung mit duplicirten Bewegungen verbunden werden können. Die letzteren sind nun natürlich sehr genau nach dem vorwaltenden Retractions- (duplicirt-excentrisch) oder Relaxationszustande (duplicirt-concentrisch) auszuwählen. Nervendrückungen bei Herzkranken werden zunächst den Vagus, und dann auch die Herzgeflechte betreffen, und in Anwendung kommen. — Um alle Specialitäten der heilorganischen Behandlung bei Herzkrankheiten darzulegen, dazu würde eine grössere monographische Arbeit nur Raum gewähren, die zu ihrer Zeit wohl auch kommen wird; weshalb das hier Gegebene genügen möge.

5. und 6. Leibesverstopfung und Diarrhoe.

§. 658. Die Krankheiten des Verdauungscanals und seiner Anhänge, wie der Leber, der Milz u. s. w., werden zum Theil acute, namentlich entzündliche sein, den Patienten meistentheils bettlägerig machen; und schon deshalb die heilorganische Behandlung vollkommen ausschliessen, oder auf unbedeutende Hülfeleistungen, wie z. B. Kneten, Reiben des Unterleibes u. s. w. beschränken.

§. 659. Zum Theil werden die Krankheiten des Verdauungscanals chronische Uebel sein, die, wenn auch als entzündlich von den anatomischen Pathologen angesehen, doch mit wenigen Ausnahmen in der heilorganischen Behandlung die sicherste Hülfe finden. Bei allen diesen so verschiedenartig benannten Krankbeiten, wie z. B. Verdauungsschwäche, Flatulenz, Magencatarrh, Colik, Magengeschwür, Ueblichkeit, Erbrechen, organische Magen- und Darmkrankheiten überhaupt, Leberatrophie und Hypertrophie, Gallensteine, organische Leberübel, Hämorrhoiden, Milzhypertrophie und Atrophie, Mastdarmkrankheiten u. s. w., — bei allen diesen, wie es scheint, so verschiedenartigen Leiden, sind doch mit sehr wenigen Ausnahmen nur zwei Grundzustände, nämlich Vorwalten der Retractionen oder der Relaxationen der Zellen und Gewebe der Unterleibs-, und zunächst der Verdauungsorgane, vorhanden.

§. 660. Diese beiden Grundzustände geben sich durch zwei sehr deutlich, subjectiv von Seiten des Patienten, und zugleich objectiv von Seiten des Arztes zu unterscheidende Symptome kund, nämlich durch das der Leibesverstopfung (Retraction) oder das der Diarrhoe (Relaxation). — Entsprechend diesen Zuständen sind aber in Hinsicht der heilorganischen Behandlung bei Leibesverstopfung retractionswidrige, also duplicirt-excentrische; bei Diarrhoe relaxationswidrige, also duplicirt-concentrische Bewegungen (die natürlich zunächst die Verdauungsorgane betreffen müssen) indicirt. Es wäre zu wünschen, dass bei andern Krankheitsarten, z. B. bei denen der Lunge, des Herzens, der grossen Gefässe, auch ein solches durchgreifendes Symptom der vermehrten oder verminderten Absonderung, und also des vorwaltenden Relaxations- oder Retractions zustandes gegeben sei.

§. 661. Um jedoch die speciell-passenden heilorganischen Bewegungsformen für die Retractions- oder Relaxationszustände der Verdauungsorgane finden zu können, dazu ist nöthig, den Verlauf der Muskelfasergruppen in der Nähe der Verdauungsorgane sich gehörig zu vergegenwärtigen. Man kann, ausser der Eintheilung in Längs-, Spiral-, Stern- und Flächenmuskelfasergruppen, die Rumpfmuskeln auch noch, in sofern sie die Unterleibsorgane zunächst umgeben, in drei grosse Muskelgruppen eintheilen. Die erste derselben umfasst die an der hinteren Fläche des Rumpfs, der Schenkel und der Oberarme gelegenen (die eigentlichen Rückenmuskeln), wozu gehören[1]): die Rückenplatte, die Kappe, das Delta, die Rau-

1) So wie am Himmelszelt der Astronom Sternbilder sich bildet, und dadurch sich orientirt in der Lage der einzelnen Sterne; wohl wissend jedoch, dass keinesweges die zusammen zu liegen scheinenden Sterne auch durchaus etwas Gemeinsames haben müssen; vielmehr in ihrem Zwecke, in ihrer Function gar sehr weit von einander entfernt sein können. Ebenso mussten die Anatomen dem

ten, der Sammtrückenstrecker, die Dornigen, Halbdornigen, Zwischendornigen, der grosse Säṣsige, der Schenkelzweikopf, der Halbbändrige und Halbsehnige, der Vieltheilige, der untere Säger, der Langrückige, der Lendenrippige u. s. w. Die zweite Muskelgruppe (die eigentlichen Bauchmuskeln) besteht aus: der äussern, geraden, innern und queren Bauchplatte, dem Brustdreieck, der Bauchpyramide, dem Kammmuskel, den Schenkelanziehern u. s. w. Die dritte Muskelgruppe, die man innere Bauchmuskeln nennen könnte, besteht aus: den Lendenrunden, dem Inhüftigen, dem Lendenviereck, der Birne, dem inneren Stopfer. — Die erste Muskelgruppe (die Rückenmuskeln), duplicirt-concentrisch erregt, bewirkt doch Excentricität in den Unterleibsorganen; und duplicirt-excentrisch erregt, gerade Concentricität. Die zweite Muskelgruppe (die eigentlichen Bauchmuskeln) wirkt, durchaus entsprechend ihrer Con- oder Excentricität, auch con- oder excentrisch auf die Unterleibsorgane. Die dritte Muskelgruppe (die inneren Bauchmuskeln) theilt sich in ihren Muskelfasern und nimmt partiell an den duplicirten Bewegungen der Rücken-, partiell an denen der eigentlichen Bauchmuskeln Antheil. Genau genommen, muss sie also zur Hälfte zu den Rücken-, zur Hälfte zu den Bauchmuskeln gerechnet werden.

Diese Auseinandersetzung war zum Verständniss der folgenden heilorganischen Recepte dem geneigten Leser in das Gedächtniss zurückzurufen nöthig. (Mehr hierüber s. Muskelleben S. 87 und S. 111 fgd.)

§. 662. **Heilorganische Recepte, bei Leibesverstopfung besonders dienlich.** Während des Gebrauchs derselben muss der Patient die bisher angewendeten Laxirmittel entweder ganz aussetzen, oder doch darin die Abänderung treffen, dass er nur höchstens an jedem dritten Tage, wofern die heilorganische Behandlung bis dahin noch nicht Stuhleröffnung bewirkt haben sollte, mit Vor-

---

Augenschein (in der Leiche entnommen) gemäss die Muskelfasern in Muskelfaserbilder (anatomische Muskeln) zusammenfassen, und diese mit Namen: Delta (Deltoideus), äussere Bauchplatte (Abdominalis obliquc descendens), Inhüftiger (Iliacus internus) u. s. w. bezeichnen. Sehr gut wäre es aber gewesen, wenn die Anatomen, der Weisheit der Astronomen folgend, keineswegs aus der zufälligen und nur dem Augenschein nach (in der Leiche) angrenzenden Lage der Muskelfasern auf gleichen Zweck, gleiche Function derselben im Leben geschlossen hätten. In diesem Irrthum liegt die Erklärung, warum die physiologische Muskellehre mit geringer Ausnahme bis auf die Neuzeit nur eine Irrlehre war. (S. Ausführlicheres hierüber: Muskelleben S. 71 fgd.)

sicht von den Laxanzen wieder Gebrauch macht. Zuweilen ist es auch hinreichend, dass der Patient nur Clysmata von Wasser jeden dritten Tag sich applicire. Nach vierwöchentlicher Anwendung der Heilorganik kann meistentheils jede medicamentöse oder operative Unterstützungscur ausgesetzt werden, und der Patient sich auf die heilorganische allein beschränken.

§. 663. 1. Recept.

1) Ö. fa. zh. fa. so. hc. sth., B. Rc. Z. (P. W.), (i. v. E.), zgl. so. F. Fag.

2) Rh. ng. sp. sch. lh. sth., Rf. Rc. Bu. (G. W.) u. (P. W.), zgl. 2 Ebg. Fag., u. 2 Hf. Fag.

3) Spr. sp. sch. lh. sth., Wch. 2 A. Sw. Afw. Füg. (P. W.) u. Vw. Afw. Füg. (P. W.), zgl. 2 Hd. Fag.

4) H. fa. so. hc. sth., B. Wch. Rc. Z. (G. W.) u. (P. W.), zgl. so. F. Fag.

5) Rh. sp. ng. knd., Rf. Rc. Ngg. (P. W.), (i. v. E.), zgl. Ebg. Wch. Fag., u. 2 Ur. Sch. Fag.

6) Sp. hb. lgd., ps. 2 F. Ro. (24 M.), zgl. 2 F. u. 2 Ur. Sch. Fag.

7) Wr. fl. sp. hc. stzd., Wch. 2 Or. u. Ur. A. Strg. (P. W.) u. (G. W.), zgl. 2 Hd. Fag.

8) So. hb. lgd., B. Sen. (P. W.), (i. v. E.), zgl. so. F. Fag., zgl. Utb. Kla. (m. l. Hd.)

9) Rh. w. ng. sp. sch. lh. sth., Wch. Rf. Rc. Bu. (P. W.) u. (G. W.), zgl. Ebg. Fag., K. Fag., u. 2 Hf. Fag. (r. w., r. Ebg. Fag.)

10) Str. fl. lg. stzd., Ha.

§. 664. 2. Recept.

1) H. hb. lgd., Wch. B. Er. (G. W.) u. Sen. (P. W.), zgl. 2 Hd. Nr. Dü., zgl. F. Fag.

2) Str. e. fl. sp. sch. lh. sth., Wch. Rf. V. Ngg. (G. W.) u. Rc. Bu. (P. W.), zgl. str. Hd. Fag., K. Fag., u. 2 Hf. Fag.

3) Spr. w. fl. sp. hc. stzd., Wch. 2 A. Sw. Afw. Füg. (G. W.) u. (P. W.), zgl. spr. Hd. Fag. (r. w., l. spr. Hd. Fag.)

4) Snn. lh. bg. sp. sth., conc. Utb. Seg., zgl. Kz. 2 Fag., u. 2 F. Stg.

5) Ö. fa. sg. hc. sth., B. Wch. V. Z. (G. W.) u. Rc. Z. (P. W.), zgl. sg. F. Fag., zgl. Utb. Kla. (m. l. Hd.)

6) Sr. sp. fl. sp. sch. gg. sth., Wch. Rf. V. Ngg. (P. W.) u. Rc. Bu. (G. W.), zgl. sr. Hd. Wch. Fag., K. Fag., u. 2 Hf. Fag.

7) Wr. bg. sp. hc. stzd., 2 Or. u. Ur. A. Strg. (G. W.), zgl. Hd. Wch. Fag.

8) Snn. bg. sth., Wch. Or. Sch. Bu. (G. W.) u. Strg. (P. W.), zgl. Kn. Fag. u. Kz. Dü., u. F. Süg. (r. Or. Sch. Bu., r. Kn. Fag., l. F. Süg.)

9) Sr. bg. sp. hc. stzd., spiralige Utb. Seg. (m. gn. Hd.), zgl. 2 Hd. Nr. Dü.

10) Rh. b. lgd., Ha.

§. 665. 3. Recept.

1) Kl. fa. so. hc. sth., B. Rc. Z. (P. W.), (i. v. E.), zgl. so. F. Fag.

2) Str. rh. fl. sp. hc. stzd., Rf. Wch. V. Ngg. (G. W.) u. Rc. Bu. (P. W.), zgl. str. Hd. u. rh. Ebg. Fag.

3) Snn. lh. bg. sp. sth., Wch. Utb. Seg., zgl. Kz. 2 Fag., u. 2 F. Süg.

4) Rk. fl. sp. hc. stzd., 2 A. Strg. (P. W.), (i. v. E.), zgl. 2 Hd. Fag.

5) Str. lt. f. fa. sg. hc. lgd., Wch. B. Er. (G. W.) u. Sen. (P. W.), zgl. 2 Hd. Fag., sg. F. Fag., u. lt. Kn. Fag. (r. lt., r. f. fa., l. sg.), zgl. Utb. Kla. (m. l. Hd.)

6) Rh. lg. stzd., Wch. Rf. Sen. (G. W.) u. (P. W.), zgl. 2 Ebg. Fag., u. 2 Ur. Sch. rs. Fag.

7) Sr. fa. fs. fa. so. sth., B. Wch. Sen. (P. W.) u. (G. W.), zgl. so. F. Fag., zgl. Utb. Hä. afw. Hak. (m. gn. Hd.) (r. fs. fa., l. so., L. B. Sen., l. F. Fag., l. Utb. Hä. Hak., m. l. Hd.)

8) Rh. sgl. end. sp. 2. sg. stzd., Wch. 2 B. Er., zgl. Eig. (G. W.) u. Sen., zgl. Spg. (P. W.), zgl. 2 F. Fag., 2 Kn. Fag., u. 2 Achh. Fag.

9) Snn. spr. sp. bgd., Wch. Spr. A. Sw. Afw. Füg. (P. W.) u. Vw. Afw. Füg. (P. W.), zgl. spr. Hd. Fag., Kz. Fag. u. 2 F. Süg., zgl. Utb. afw. Dü., zgl. Seg. (m. l. Hd.)

10) Spr. b. lgd., act. 2 A. Sw. Afw. Füg. (4 M.), zgl. 2 Ur. Sch. rs. Fag.

§. 666. 4. Recept.

1) Str. rf. ng. or. sch. ng. sp. knd., Wch. Rf. Rc. Bu. (G. W.) u. (P. W.), zgl. 2 Hd. Fag., Kz. 2 Dü., u. 2 Ur. Sch. Fag.

2) Snn. hk. bgd., Or. Sch. Strg. (P. W.), (i. v. E.), zgl. Kn. Fag., Kz. 2 Fag., u. F. Süg. (r. hk., r. Or. Sch. Strg., r. Kn. Fag., l. F. Süg.)

3) H. fa. ng. sp. sth., Wch. Hf. V. Bu. (G. W.) u. (P. W.), zgl. 2 Hf. Fag.

4) Sr. lt. f. fa. sg. ku. hc. stzd., Wch. B. Er. (G. W.) u. Sen. (P. W.), zgl. sg. F. Fag., lt. Kn. Fag., 2 Hd. Nr. Dü., zgl. Utb. afw. Kog. (m. l. Ft.), (r. lt., r. f. fa., l. sg.)

5) Rh. sr. w. sp. knd., Wch. Rf. V. Dh. (G. W.) u. Rc. Dh. (P. W.), zgl. rh. Ebg. Fag., sr. Hd. Fag., u. Kn. Kz. Dü.

6) Rh. sf. w. sp. hc. stzd., Rf. Wch. Fl. Sf. W. Hb. Ro. (G. W.) u. (P. W.), zgl. 2 Ebg. Fag. (r. sf., l. w., Rf. Fl. L. Sf. R. W. Hb. Ro.)

7) Ö. fa. ng. hg. sp. sth., Lnd. u. Kz. abw. Seg., zgl. Dü. (m. r. Hd.)

8) Rh. fl. tp. f. fa. sth., Wch. Rf. V. Ngg. (G. W.) u. Rc. Bu. (P. W.), zgl. 2 Ebg. Fag., u. tp. Kn. u. Hf. Fag. (r. tp., r. f. fa., l. Hf. Fag.)

9) Sz. sth., Hf. Sen. (P. W.), zgl. Kz. Fag.

§. 667. 5. Recept.

1) Rh. hg. w. sp. ur. sch. lh. sth., Wch. Rf. V. Dh. (G. W.) u. Rc. Dh. (P. W.), zgl. 2 Ebg. Fag. (Am besten durch einen hinter dem Patienten stehenden Gymnasten auszuführen.)

2) Str. smm. hg. sth., B. Wch. Er. (G. W.) u. Sen. (P. W.), zgl. F. Fag., zgl. Utb. Kog. (m. l. Hd.)

3) Spr. str. b. lgd., Wch. Spr. A. Sw. Afw. Füg. (G. W.) u. (P. W.), zgl. spr. Hd. Fag., u. 2 Ur. Sch. rs. Fag.

4) Rh. b. lgd., Wch. Rf. Er. (G. W.) u. Sen. (P. W.), zgl. 2 Ebg. Z., u. 2 Ur. Sch. rs. Fag.

5) Str. hb. lgd., 2 B. Wch. Er. (G. W.) u. Sen. (P. W.), zgl. 2 F. Fag., u. 2 Hd. Z.

6) Str. rf. lgd., ps. Bk. Ro., zgl. 2 Hd. Z., 2 Hf. Fag., u. 2 F. Z.

7) Hb. spr. 2 hk. hb. lgd., Wch. A. Sw. Afw. Füg. (P. W.) u. Vw. Afw. Füg. (P. W.), zgl. spr. Hd. Fag., zgl. Utb. q. Keg. (m. l. Hd.)

8) Sr. ng. sp. fr. sth., Rf. Wch. Rc. Bu. (G. W.) u. (P. W.), zgl. 2 Hd. Z., u. 2 Hf. Fag.

9) Str. rf. 2 sg. lgd., Wch. 2 B. Er. (G. W.) u. 2 B. Sen. (P. W.), zgl. 2 Hd. Z., u. 2 F. Fag.

10) Kl. tf. bg. sp. hc. stzd., Wch. Rf. Er. u. V. Ngg. (G. W.) u. Rc. Bu. u. Sen. (P. W.), (bis zur tf. bg. Stg.), zgl. 2 Hd. Fag.

§. 668. 6. Recept (diätetisches).

1) Str. tf. ng. sp. sth., act. Rf. Rc. Bu. (4 M.)

2) Spr. bg. sp. hc. stzd., Wch. act. 2 A. Sw. Afw. Füg., u. act. 2 A. Vw. Afw. Füg. (Im Ganzen 6 M.)

3) Kl. so. hc. sth., act. B. Rc. Z. (i. v. E.) (Im Ganzen 6 M.)

4) Str. kl. w. hb. lg. stzd., act. Rf. Rc. Dh. (Im Ganzen 6 M.), (r. str., l. kl., r. w., r. hb. lg.)

5) Str. w. ng. sp. sth., act. Rf. Rc. Bu. (Im Ganzen 6 M.)

6) H. fa. 2. so. rf. lgd., act. 2 B. Sen. (4 M.)

7) Str. tf. ng. spz. stzd., act. Rf. Rc. Bu. (bis zur. tf. bg. Stg.) (4 M.)

8) Snn. bg. so. hc. sth., act. B. Rc. Z. (i. v. E.) (Im Ganzen 6 M.)

9) Str. fl. w. sp. sch. lh. sth., act. Rf. Rc. Dh. (Im Ganzen 6 M.)

10) Spr. b. lgd., act. 2 A. Sw. Afw. Füg. (4 M.), zgl. 2 Ur. Sch. rs. Fag.

11) Spr. bg. hc. sp. stzd., act. A. Wch. Sw. Afw. Füg. u. Vw. Afw. Füg., zgl. Utb. Kla. (durch die zweite Hand des Patienten selbst.)

§. 669. Heilorganische Recepte, bei Diarrhoe dienlich. Ist dieses Leiden sehr habituell geworden, in welchem Falle der anatomische Befund folliculäre Catarrhe oder selbst Darmgeschwüre, namentlich in der Schleimhaut des Dickdarms, ergiebt, so ist besonders die obere Halbkörpercur (§. 101) indicirt, und wird auch allein vom Patienten vertragen.

§. 670. 1. Recept.

1) Rh. fl. schu. stzd., Rf. V. Ngg. (G. W.), (i. v. E.), zgl. 2 Ebg. Fag., u. 2 Kn. Fag.

2) E. kl. w. schu. stzd., Wch. Rf. V. Dh. (G. W.) u. (P. W.), zgl. kl. Hd. Fag., u. 2 Kn. Fag. (r. e., l. kl., l. w.)

3) Str. w. schu. knd., Wch. 2 Or. u. Ur. A. Bu. (G. W.),

u. 2 Or. u. Ur. A. Fg. Bu. (G. W.), zgl. 2 Hd. Fag., u. 2 Ur. Sch. Fag.

4) Dk. fl. w. schu. sch. lh. sth., Rf. Wch. V. Ngg. (G. W.) u. (P. W.), zgl. 2 Ach. Fag., u. 2 Hf. Fag., zgl. Utb. Kla. (m. r. Hd.)

5) Rh. w. ng. sp. hc. stzd., Rf. Wch. Dh. (G. W.), zgl. 2 Ebg. Fag.

6) Str. tf. ng. sch. gg. schu. sth., 2 A. Wch. Sw. Abw. Füg. (G. W.) u. (P. W.), zgl. spr. Hd. Wch. Fag., u. 2 Slbt. Dü.

7) Rh. b. lgd., Wch. Rf. Er. (G. W.) u. (P. W.), zgl. 2 Ebg. Z., u. 2 Ur. Sch. rs. Fag.

8) Kl. ng. schu. knd., 2 A. Bu. (G. W.), (i. v. E.), zgl. 2 Hd. Fag., u. 2 Ur. Sch. Fag.

9) Hb. str. 2 hk. hb. lgd., Wch. Or. u. Ur. A. Bu. (G. W.) u. Or. u. Ur. A. Fg. Bu. (G. W.), zgl. Solar-N. Gfl. Dü. (m. ugn. Hd.)

10) Str. smm. schu. lgd., Ha., zgl. Rn. ls. abw. q. Hak. (m. l. Hd.)

§. 671. 2. Recept.

1) Str. e. sf. sp. hc. stzd., Wch. Rf. S. Bu. (G. W.), zgl. str. Hd. u. K. Fag.

2) Str. tf. ng. schu. sch. gg. sth., Wch. 2 Or. u. Ur. A. Bu. (G. W.) u. (P. W.), zgl. 2 Hd. Fag., u. 2 Slbt. Dü.

3) Rh. w. b. vw. lgd., Rf. Wch. Dh. (G. W.), zgl. 2 Ebg. Fag., u. 2 Ur. Sch. rs. Fag.

4) Hb. kl. hb. lgd., A. Wch. Bu. (G. W.) u. Strg. (G. W.) zgl. kl. Hd. Fag., zgl. Utb. q. abw. Keg. u. Seg. (m. r. Hd.)

5) Rhe. e. w. fl. schu. sch. lh. sth., Wch. Rf. V. Bu. (G. W.) u. (P. W.), zgl. rhe. Ebg. u. e. Ach. Fag., u. 2 Hf. Fag. (r. rhe., l. e., r. w.), zgl. Utb. Kog. (m. r. Hd.)

6) Hb. kl. w. hb. lg. schu. stzd., Wch. Rf. V. Dh. (G. W.) u. (P. W.), zgl. kl. Hd. Fag., 2 Kn. Fag., u. Ur. Sch. rs. Fag. (r. kl., r. w., l. hb. lg., l. Ur. Sch. rs. Fag.)

7) Hb kl. sf. sp. hc. stzd., Wch. Rf. S. Bu. (P. W.) u. (G. W.), zgl. kl. Hd. Fag. [r. kl. r. sf., Rf. L. S. Bu. (P. W.) u. Rf. R. S. Bu. (G. W.)]

8) Hb. spr. 2 hk. hb. lgd., A. Wch. Sw. Afw. Füg. (G. W.) u. Sw. Abw. Füg. (P. W.), zgl. spr. Hd. Fag., zgl. tf. Utb. N. Dü. (m. ugn. Hd.)

9) Str. 2 so. rf. lgd., Ha., zgl. Utb. Kla.

§. 672. 3. Recept.

1) Hb. kl. w. fs. sü. sth., Wch. Rf. V. Dh. (G. W.) u. (P. W.), zgl. kl. Hd. Fag., Kn. u. F. Fag. (r. kl., r. w., l. fs. sü., l. Kn. Fag., u. l. F. Fag.)

2) Str. kl. sf. schu. knd., Wck. Rf. S. Bu. (G. W.), zgl. kl. Hd. Fag., u. 2 Ur. Sch. Fag.

3) Rh. str. w. sf. schu. stzd., Wch. Rf. Sf. V. Bu. (G. W.) u. (P. W.), zgl. str. Hd. Fag., u. 2 Kn. Fag. (r. rh., l. str., r. w., r. sf., Rf. L. Sf. V. Bu.)

4) Str. ng. schu. stzd., Wch. Or. u. Ur. A. Bu. (G. W.) u. Or. u. Ur. A. Fg. Bu. (G. W.), zgl. Hd. Fag. (R. Or. u. Ur. A. Bu., R. Or. u. Ur. A. Fg. Bu., r. Hd. Fag.; l. A. bleibt in Str. Stg.)

5) Kl. ng. w. sp. hc. stzd., Wch. Rf. Dh. (G. W.), zgl. 2 Hd. Fag.

6) Rh. w. sf. sp. hc. stzd., Wch. Rf. Ng. W. Sf. Hb. Ro. (G. W.) u. (P. W.), zgl. 2 Ebg. Fag. (r. w., r. sf., Rf. Ng. L. W. L. Sf. Hb. Ro.)

7) Hb. kl. w. sf. schu. sch. lh. sth., Wch. Rf. Sf. Rc. Bu. (P. W.) u. Sf. V. Bu. (G. W.), zgl. kl. Hd. Fag. [r. kl., l. w., r. sf., Rf. L. Sf. Rc. Bu. (P. W.) u. R. Sf. V. Bu. (G. W.)]

8) Str. fl. schu. sch. lh. sth., 2 A. Vw. Abw. Füg. (G. W.), zgl. Rf. V. Bu. (G. W.), zgl. 2 Hd. Fag., u. 2 Hf. Fag.

9) Str. bg. b. lgd., act. Rf. Er. (4 M.), zgl. 2 Ur. Sch. rs. Fag.

10) Rk. b. lgd., Ha., zgl. Utb. Kla. (m. r. Hd.), zgl. 2 Ur. Sch. rs. Fag.

§. 673. 4. Recept.

1) Ö. fa. zh. fa. sg. hc. sth., B. V. Z. (G. W.), (i. v. E.), zgl. sg. F. Fag.

2) 2 wrkl. bg. sp. hc. stzd., Wch. Rf. V. Ngg. (G. W.) u. (P. W.), zgl. Ebg. Wch. Fag., u. K. Fag.

3) H. fa. sth., Or. Sch. Bu. (G. W.), (i. v. E.), zgl. Kn. Fag. u. Kz. Fag.

4) Hb. kl. w. schu. sch. lh. sth., Rf. Wch. Rc. Dh. (P. W.) u. V. Dh. (G. W.), zgl. kl. Hd. Fag., u. 2 Hf. Fag. (r. kl., l. w.)

5) Spr. fa. sg. hc. sth., B. Wch. V. Z. (G. W.) u. (P. W.), zgl. sg. F. Fag., zgl. Utb. Kla. u. Seg. abw. (m. r. Hd.)

6) Sr. fl. hk. f. fa. sth., Rf. Wch. V. Bu. (G. W.) u. (P. W.), zgl. sr. Hd. Wch. Fag., K. Fag., u. Kn. u. F. Fag. (r. hk., r. f. fa., r. Kn. u. r. F. Fag.)

7) H. hb. lgd., B. Er. (G. W.), (i. v. E.), zgl. 2 Hd. Nr. Dü. u. F. Fag., zgl. Uth. Kog. (m. r. Ft.)

8) Hb. kl. sf. schu. fr. sth., Wch. Rf. S. Bu. (P. W.) u. (G. W.), zgl. kl. Hd. Fag. [r. kl., r. sf., Rf. L. S. Bu. (P. W.) u. Rf. R. S. Bu. (G. W.)]

9) Str. lt. f. fa. sg. ku. stzd., Wch. Sg. B. Er. (G. W.), (i. v. E.), zgl. sg. F. Fag., lt. Kn. Fag., u. 2 Hd. Nr. Dü. (r. lt., r. f. fa., l. sg.)

10) 2 hk. sp. hb. lgd., Wch. 2 B. Eig. (G. W.) u. (P. W.), zgl. 2 Kn. Fag., u. 2 F. Fag.

§. 674. 5. Recept.

1) Str. hh. lgd., 2 B. Er. (G. W.), zgl. 2 F. Fag., u. 2 Hd. Z.

2) Sp. hb. lgd., 2 F. Ro. (24 M.), zgl. 2 F. Fag., u. 2 Ur. Sch. Fag.

3) Snn. bg. hk. hc. sth., Wch. Or. Sch. Strg. (P. W.) u. Bu. (G. W.), zgl. Kn. u. Kz. Fag. (r. hk., r. Or. Sch. Strg., r. Kn. Fag.)

4) Hb. kl. w. tp. f. fa. sch. lh. sth., Wch. Rf. Rc. Dh. (P. W.) u. V. Dh. (G. W.), zgl. kl. Hd. Fag., u. tp. Kn. u. Hf. Fag. [r. kl., l. w., l. tp., l. f. fa., l. Kn. u. r. Hf. Fag.]

5) Str. 2 so. rf. lgd., Wch. 2 B. Sen. (P. W.) u. 2 B. Er. (G. W.), zgl. 2 Hd. Z., u. 2 F. Fag.

6) Snn. hk. or. sch. asw. sth., Wch. Or. Sch. Inw. Dh. (G. W.) u. (P. W.), zgl. Kn. u. F. Fag. (r. hk., r. or. sch. asw., r. Kn. u. r. F. Fag.)

7) Hb. rk. hb. lgd., A. Wch. Strg. (G. W.) u. Bu. (G. W.), zgl. rk. Hd. Fag., zgl. Uth. abw. Wk. (m. l. Hd.)

8) Sgl. end. 2 so. stzd., Wch. 2 B. Sen., zgl. Spg. (P. W.) u. Er., zgl. Eig. (G. W.), zgl. 2 F. Fag., 2 Kn. Fag., u. 2 Achh. Fag.

9) Str. smm. hk. hc. sth., Or. Sch. Strg. (P. W.) u. Bu. (G. W.), zgl. Kn. u. Kz. Fag.

10) Rh. schu. lh. sth., Wch. Rf. V. Bu. (G. W.) u. (P. W.), (bis zur. st. kmmd. Stg.), zgl. 2 Ebg. Fag., u. 2 Hf. Fag.

§. 675. 6. Recept (diätetisches).

1) Kl. fa. sg. hc. sth., act. B. V. Z. (i. v. E.) (Im Ganzen 6 M.)

2) Rh. kl. w. schu. sth., act. Rf. Rc. Dh. (Im Ganzen 6 M.), (r. rh., l. kl., r. w.)

3) Str. w. sf. schu. sth., act. Rf. Sf. V. Bu. (Im Ganzen 6 M.), (r. w., r. sf., Rf. L. Sf. V. Bu.)

4) H. fa. 2 sg. rf. lgd., act. 2 B. Er. (4 M.)

5) Str. tf. bg. sp. hc. stzd., act. Rf. V. Ngg. (bis zur. tf. ng. Stg.), (4 M.)

6) Str. w. schu. sth., act. Rf. V. Dh. (Im Ganzen 6 M.)

7) Str. sg. hc. sth., act. B. Sb. So. Hb. Ro. (Im Ganzen 6 M.)

8) Str. rf. sp. lgd., act. 2 B. Eig. (4 M.)

9) Kl. w. fl. schu. sth., act. Rf. V. Ngg. (bis zur tf. ng. Stg.) (Im Ganzen 6 M.)

10) Smm. sb. lgd., act. B. Eig. (i. v. E.) (Im Ganzen 6 M.)

7. Milzhypertrophie.

§. 676. Ein Fall von bedeutender Vergrösserung der Milz, welche in der Länge 13 C. M. und in der Breite 7 C. M. mass, wurde mit Vortheil heilorganisch von mir behandelt. Die Messung, welche nach dem Percussionstone, so wie auch mit Hülfe des zufühlenden Fingers angestellt wurde, da die Bauchdecken sehr dünne waren, konnte als eine ziemlich richtige angenommen werden. Der Patient stand in einem Alter von 50 Jahren, und sein Milzleiden hatte sich sehr allmählig ohne besonders nachweisbare Krankheit ausgebildet. Die hypertrophische (relaxirte) Milz fühlte sich sehr eben, nicht höckerig, aber prall, glatt und ziemlich hart an. Im Verlaufe der Leiden hatte sich eine Anschwellung (Relaxation) in den Lymphgefässen des linken Beines und besonders Fusses, verbunden mit einer starken Schmerzhaftigkeit im Fussgelenke, ausgebildet. — Die Gesichtshaut des Patienten zeigte eine gelbliche, kränkliche Färbung; und die Gemüthsstimmung etwas sehr Melancholisches, Mürrisches.

§. 677. Patient brauchte ein halbes Jahr lang die heilorganische Cur; verlor dadurch den Schmerz aus dem linken Fusse; die Anschwellung des linken Beines und die melancholische Gemüthsstimmung; erhielt ein gesundes und sogar blühendes Aussehen; und selbst die Milzhypertrophie verringerte sich um ein Weniges. Es wurden zunächst Knetungen, Hackungen und Klopfungen, verbunden mit duplicirt-concentrischen Bewegungen gegen die Milzgeschwulst, angewandt. Zum Beispiel:

1) Hb. spr. 2 hk. hb. lgd., A. Weh. Sw. Afw. Füg. (G. W.) u. Sw. Abw. Füg. (G. W.), zgl. spr. Hd. Fag., zgl. Milz Gd. Keg. (m. r. Hd.)

2) Hb. rk. 2 hk. hb. lgd., A. Weh. Strg. (G. W.) u. Bu. (G. W.), zgl. rk. Hd. Fag., zgl. Milz Gd. Hak. abw. (m. r. Hd.)

3) Hb. str. hb. lgd., Weh. Or. u. Ur. A. Bu. (G. W.) u. Or. u. Ur. A. Fg. Bu. (G. W.), zgl. Milz Gd. Kog. (m. r. Hd.)

4) Rk. 2 hk. hb. lgd., Weh. 2 A. Kl. Str. Hb. Ro. (G. W.) u. (P. W.), zgl. 2 Hd. Fag., zgl. Milz Gd. abw. Keg. (m. r. Hd.)

5) Rk. hb. lgd., 2 A. Strg. (G. W.), (i. v. E.), zgl. rk. Hd. Weh. Fag., zgl. Milz Gd. Kog. (m. r. Ft.)

8. und 9. Menstruation und Hämorrhoidalkrankheit.

§. 678. Der unregelmässige Monatsfluss des weiblichen Geschlechts, wenn er durch pathologische Retractionszustände in den Blutzellen, in den Wänden der Blutgefässe, in den Geweben der Gebärmutter und anderer Unterleibsorgane überhaupt, so wie auch in denen der unteren Extremitäten, und namentlich der Oberschenkel, unterdrückt ist, lässt sich durch heilorganische Behandlung meistentheils bald wieder herstellen. Ebenso ist es umgekehrt durch diese Curmethode möglich, bei den durch Relaxation der Zellen der erwähnten Organe übermässig, zu oft und zu stark eintretenden Catamenien auch bald Hülfe zu schaffen.

§. 679. Der an sich schon pathologische Hämorrhoidalzustand der Blutgefässe, namentlich des Mastdarms, die Erweiterung derselben, und der also auf Relaxation primär beruhende Krankheitsprocess, kann in seinem Verlaufe durch hinzutretende noch stärkere Relaxation der Zellen, der Haut der Mastdarmvenen, oder durch Zurückgehen einzelner Gruppen derselben zur Retraction zweierlei sehr verschiedene Erscheinungen darbieten, die man als fliessende oder blinde Hämorrhoiden zu bezeichnen pflegt.

§. 680. Die heilorganische Cur der unterdrückten Menstruation und der blinden Hämorrhoiden wird der der Leibesverstopfung (§. 662) sehr ähnlich sein, während die des zu starken Menstruations- und Hämorrhoidalflusses der der habituellen Diarrhoe (§. 669) entsprechen wird. Die also dort angegebenen heilorganischen Recepte können im Allgemeinen als Anleitung dienen, wie man dergleichen auch für die hier in Rede stehenden pathologischen Verhältnisse zu componiren habe.

§. 681. Sollte, was zufolge der heilorganischen Casuistik zu den Seltenheiten gehört, unterdrückte Menstruation gerade mit Diarrhoe, oder zu starker Hämorrhoidalfluss mit Leibesverstopfung sich verbinden; so dass also in den Geweben der dünnen und dicken Gedärme (ausser dem Mastdarme) ein den Geweben des Mastdarms oder denen der Geschlechtstheile entgegengesetzter Retractions- oder Relaxationszustand der Zellen vorhanden wäre: so würde die heilorganische Cur grösseren Schwierigkeiten unterliegen; und überhaupt alle pathologischen Veränderungen im Körper des Patienten zufolge des Prüfsteins der Retractionen und Relaxationen genau zu specificiren sein.

§. 682. Im Allgemeinen kann man etwa annehmen, dass wenn habituelle Leibesverstopfung mit zu starker Menstruation verbunden ist, man namentlich die passive Rumpf- und Beckenwinklung, und zugleich duplicirt-excentrische Bewegungen der Arme, des Kopfes, des Rumpfes in Lieg-, Sitz-, Kniestellung (also die obere Halbkörpercur, aber duplicirt-excentrisch) anwenden muss.

Wäre dagegen Diarrhoe mit unterdrückter Menstruation verbunden: so würde man die passive Becken-, Bein-, Fussrollung mit der oberen Halbkörpercur, aber duplicirt-concentrisch, verbinden müssen.

10.—13. Samenfluss, Impotenz, Lähmung der Blase und Gonorrhoe.

§. 683. Die zu häufigen Pollutionen, die daraus entstehende Impotenz, Sterilität und Lähmung der Geschlechtstheile, namentlich aber der Harnblase, eignen sich für die heilorganische Behandlung; ja, es lehrt die Casuistik, dass diese Uebel noch am ersten durch diese Curmethode gemässigt und selbst geheilt werden. — Stärkende Medicamente (nicht aber schwächende, und eben so wenig die electrische Curmethode) können zugleich gebraucht werden.

§. 684. Bei sehr häufigen Pollutionen ist die obere Halbkörpercur (§. 101) anzuwenden; sind dieselben nicht so stark, so können auch Beinbewegungen, aber namentlich duplicirt-concentrische, vorgenommen werden. Denn zu häufige Pollutionen werden immer in Relaxationen der Samenbläschen und ihrer Ausführungsgänge begründet sein. — Treten diese Excretionen auch bei Tage ein, so pflegt Impotenz und Lähmung der Blase ihnen bald zu folgen; d. h. es werden die Muskeln des Penis, so wie die der Blase nebst den übrigen Geweben dieser Organe, auch in Relaxation, häufiger aber in Retraction verfallen. Wirkliche Lähmung ist nämlich immer in Retraction der Zellen der gelähmten Organe und zunächst ihrer Nerven begründet (§. 626).

Es ist schwer, für jeden Fall von Samenfluss und Impotenz im Allgemeinen die passende heilorganische Behandlung anzugeben; und es wird hauptsächlich der Retractions- oder Relaxationszustand der Bauch- und Schenkelmuskeln die einzuschlagende Behandlung bestimmen.

§. 685. Veraltete Gonorrhoe (Nachtripper) ist in Relaxation der Zellen der Schleimhaut der Geschlechts- und Harnwege begründet, und findet in der heilorganischen Behandlung, und namentlich in den duplicirt-concentrischen Bewegungen, ein sicheres Verbesserungs- und selbst Heilmittel. — Es war ein Missgriff von Ling, Branting und dem Arzte Sonden in Stockholm, acute Gonorrhoe mit Heilorganik behandeln zu wollen; und es hat dieser Missgriff den Feinden der Heilorganik gar viel Stoff zur Verunglimpfung derselben gegeben. Es ist klar, dass die acute Gonorrhoe einmal schon als acute Krankheit (§. 56) sich für die heilorganische Behandlung nicht eignet; und andererseits mit so absonderlichen, topischen Bewegungsformen nach Branting behandelt werden sollte, dass dadurch die Heilorganik zu einem obscönen Gaukelspiel herabgewürdigt sein würde; nicht zu gedenken, dass die praktische Ausführung solcher Bewegungsformen den Reiz in den Geschlechtsorganen nicht mildern, nein, gerade steigern müsste. — Die veraltete Gonorrhoe ist nun aber mit sehr ähnlichen Bewegungsformen wie die veraltete und habituelle Diarrhoe zu behandeln, und es kann daher darauf verwiesen werden (§. 669).

§. 686. In Hinsicht der Lähmung der Blase, die durch langsamen oder auch unwillkürlichen Harnabfluss sich zu documentiren pflegt, mögen hier noch einige heilorganische Recepte folgen.

1. Recept.

1) Ö. fa. zh. fa. sg. hc. sth., B. Wch. V. Z. (G. W.) u. (P. W.), zgl. sg. F. Fag.

2) Hk. hb. lgd., Tf. Uth. N. Dü. (m. gn. Hd.)

3) Spr. sp. sch. lh. sth., act. 2 A. Sw. Afw. Füg. (6 M.)

4) Rh. wrkl. w. sp. sch. lh. sth., Wch. Rf. Re. Dh. (G. W.) u. (P. W.), zgl. wrkl. Ebg. Fag. (r. rh., l. wrkl., r. w.)

5) Sp. hb. lgd., 2 B. Wch. Eig. (G. W.) u. (P. W.), zgl. 2 F. Fag.

6) Rh. bg. sp. hc. stzd., Wch. Rf. V. Bu. (G. W.) u. (P. W.), zgl. 2 Ebg. Fag., u. Uth. Kla. (m. l. Hd.)

7) Snn. so. f. asw. sth., B. Wch. Inw. Dh. (G. W.) u. (P. W.), zgl. so. F. Fag. (r. so., r. f. asw.)

8) Rh. sf. w. schu. sch. lh. sth., Wch. Rf. Sf. V. Bu. (G. W.) u. (P. W.), zgl. 2 Ebg. Fag., u. 2 Hf. Fag. (r. sf., r. w., L. Sf. V. Bu.)

9) Rh. w. tf. ng. schu. sch. gg. sth., Rf. Wch. Dh. (G. W.), zgl. 2 Ebg. Fag., 2 Slbt. Dü., u. Kz. Kog. (m. r. Hd.)

10) Sr. smm. schu. lgd., Ha.

§. 687. 2. Recept.

1) Str. hb. lgd., Wch. 2 Or. u. Ur. A. Fg. Bu. (G. W.) u. (P. W.), zgl. 2 Hd. Fag.

2) H. fa. bg. hk. sth., Or. Sch. Wch. Strg. (P. W.) u. Bu. (G. W.), zgl. Kn. u. Kz. Fag. (r. hk., r. Or. Sch. Strg., r. Kn. Fag.)

3) Hb. kl. w. schu. stzd., Wch. Rf. V. Dh. (G. W.) u. Re. Dh. (G. W.), zgl. kl. Hd. Fag. (r. kl., r. w.)

4) Hb. spr. 2 hk. hb. lgd., A. Wch. Sw. Afw. Füg. (P. W.) u. Sw. Abw. Füg. (P. W.), zgl. tf. Uth. N. Dü. (m. gn. Hd.)

5) Hb. str. b. lgd., Rf. Wch. Er. (G. W.) u. (P. W.), zgl. str. Hd. u. fü. Ach. Fag., u. 2 Ur. Sch. rs. Fag.

6) Sn. w. b. vw. lgd., Rf. Wch. Dh. (G. W.), zgl. 2 Hd. u. 2 Ur. A. Fag., u. 2 Ur. Sch. rs. Fag.

7) Snn. sp. hgd., Wch. 2 B. Eig. (G. W.) u. (P. W.), zgl. 2 F. Fag., u. Rn. ls. afw. Hak. u. Seg. (m. r. Hd.)

8) Str. e. sf. schu. knd., Wch. Rf. S. Bu. (G. W.), zgl. str. Hd. u. K. Fag., u. 2 Ur. Sch. Fag.

9) Str. hg. w. schu. sth., act. Rf. V. Bu. (6 M.)

10) Sr. fl. lg. stzd., Ha., zgl. 2 F. Fag., u. Uth. Kla. (m. l. Hd.)

§. 688. 3. Recept.

1) Str. rf. lgd., ps. Bk. Ro. (16 M.), zgl. 2 Hd. Z., 2 Hf. Fag., u. 2 F. Fag.

2) Wr. schu. stzd., Wch. 2 Or. u. Ur. A. Strg. (P. W.) u. Bu. (G. W.), zgl. wr. Hd. Wch. Fag., u. 2 Kn. Fag.

3) Ö. fa. zh. fa. sb. hc. sth., B. Wch. Sw. Sen. (G. W.) u. (P. W.), zgl. Kz. Kog. (m. r. Hd.), zgl. sb. F. Fag.

4) Sr. sp. fl. (ng.) fr. sth., Wch. Rf. V. Ngg. (G. W.) u. Rc. Bu. (G. W.), zgl. 2 Hd. Fag., u. 2 Hf. Fag.

5) 2 hk. sp. hb. lgd., Wch. 2 Kn. Eig. (G. W.) u. (P. W.), zgl. 2 Kn. Fag., 2 F. Süg., u. tf. Utb. N. Dü. (m. gn. Hd.)

6) Rh. bg. w. sp. hc. stzd., Wch. Rf. V. Dh. (G. W.) u. Rc. Dh. (P. W.), zgl. 2 Ebg. Fag., u. tf. Utb. q. Hak. (m. l. Hd. in der Blasengegend.)

7) H. lt. f. fa. sg. ku. stzd., B. Wch. Er. (G. W.) u. Sen. (P. W.), zgl. sg. F. Fag., lt. Kn. Fag., u. 2 Hd. Nr. Dü. (r. sg., l. lt., l. f. fa.)

8) Kl. snn. ga. sth., Wch. A. Bu. (G. W.) u. Strg. (P. W.), zgl. kl. Hd. Fag. (r. snn., l. kl., l. ga.)

9) Str. rh. fl. fs. sü. sth., Wch. Rf. V. Ngg. (G. W.) u. (P. W.), zgl. str. Hd. u. rh. Ebg. Wch. Fag., Kn. u. F. Fag. (r. str., l. rh., r. fs. sü., r. Kn. u. r. F. Fag.)

10) Str. b. lgd., Ha., zgl. 2 Ur. Sch. rs. Fag.

§. 689. 4. Recept.

1) Snn. kl. fa. so. hc. sth., B. Wch. Rc. Z. (G. W.) u. (P. W.), zgl. so. F. Fag. (r. snn., l. kl. fa., l. so.)

2) Str. ng. sp. sch. lh. sth., Rf. Rc. Ngg. (P. W.), (i. v. E.), zgl. 2 Hd. Fag., 2 Hf. Fag., u. tf. Utb. Kog. (m. l. Ft. in der Blasengegend.)

3) Sr. bg. hb. lg. stzd., Wch. Rf. Er. (G. W.) u. (P. W.), zgl. 2 Hd. Z., u. 2 Kn. Fag., u. Ur. Sch. rs. Fag. (r. hb. lg. stzd., r. Ur. Sch. rs. Fag.)

4) Spr. w. schu. sch. lh. sth., act. Rf. Rc. Dh. (mit jeder Seite 3 M.), zgl. Rn. ls. afw. Kog. (m. r. Hd.)

5) Str. ku. 2 so. stzd., Wch. 2 B. Spg. (G. W.) u. Eig. (P. W.), zgl. 2 F. Fag., u. 2 Hd. Nr. Dü.

6) Rh. b. lgd., ps. Rf. Ro., zgl. 2 Ebg. u. 2 Slbt. Fag., 2 Hf. Fag., u. 2 Ur. Sch. rs. Fag.

7) Str. s. lgd., B. Wch. Sw. Er. (G. W.) u. Sw. Sen. (P. W.), zgl. 2 Hd. Nr. Dn., u. F. Fag. (r. s. lgd., L. B. Er., l. F. Fag.)

8) H. fa. k. bg. sth., K. Wch. V. Bu. (P. W.) u. Rc. Bu. (G. W.), zgl. Hrk. u. Ach. Fag.

9) Sr. lib. lgd., B. Wch. Er. (G. W.) u. Sen. (P. W.), zgl. F. Fag., 2 Hd. Nr. Dn., u. tf. Utb. Kog. (m. l. Ft. in der Blasengegend.)

10) Sz. sth., Wch. Hf. Er. (G. W.) u. Sen. (P. W.), zgl. Kz. Fag.

III. Medicinische Gliederkrankheiten.

§. 690. Hier sind abzuhandeln: 1) Rückendarre, verbunden mit halbseitiger Lähmung, mit der eines Arms, eines Beins; 2) und 3) Kälte der Hände und der Füsse.

I. Rückendarre (Tabes dorsualis).

§. 691. Unter diesem Krankheitsnamen werden sehr verschiedene Zustände zusammengefasst, die die pathologischen Anatomen und die reinen Pathologen auch wohl mit den Namen: Spinalirritation (ein schmerzhaftes Leiden des Rückenmarks), Erweichung (rothe, gelbe, breiartige), Verhärtung, Atrophie, Hypertrophie, Wassersucht, Tuberculose, Carcinom des Rückenmarks u. s. w. bezeichnen. Alle diese, wie es nach anatomischen Leichenbefunden den Anschein hat, so verschiedenartige Processe lösen sich doch in die beiden (nur mehr oder weniger ausgebildeten) Zustände der vorwaltenden Retraction oder Relaxation der Zellen des Rückenmarks auf. Waltet die erstere mehr vor, so zeigen sich gereizte, schmerzhafte, vom Rückenmark ausgehende Symptome; ist die Retraction mehr vorwaltend, so erscheint das Uebel in paralytischer, lähmungsartiger Form. Nehmen die nach der Peripherie der Glieder vom Rückenmarke ausgehenden Nerven gleich beim Beginne des Uebels Antheil durch Retractionen und Relaxationen der Zellen des Neurilems, der Ganglien u. s. w., so nennt man das Uebel eine peripherische Nervenkrankheit, Lähmung; ist dagegen das Rückenmark in der Medulla oblongata und selbst der Gehirnknoten schon stärker umgestaltet, ohne dass die peripherischen Nerven in gleichem Maasse leiden, so nennt man das Uebel centrale Nervenkrankheit, Lähmung, Neuralgie u. s. w. — Eine rein peripherische Nervenkrankheit. oder eine solche, bei der nur allein die peripherischen Nerven, nicht aber das Rückenmark, an Retractionen und Relaxationen der Zellen leiden sollte, giebt es nicht. Es ist daher bei der heilorganischen Behandlung sogenannter peripherischer Lähmungen stets auf den leidenden Zustand des Rückenmarkes die Cur auszudehnen.

§. 692. Es sollen hier nun noch heilorganische Recepte folgen: 1) die bei deutlich ausgesprochener gleichmässiger Lähmung der Glieder (Tabes dorsualis) zunächst anzuwenden sind; 2) solche, die bei einseitiger Lähmung; 3) solche, die bei Lähmung eines Armes; und 4) solche, die bei Lähmung eines Beines anzuwenden sind. — Manche der in den folgenden Recepten aufgeführten Bewegungsformen werden, wenn der Lähmungszustand, dessen wegen sie verordnet sind, bedeutend ist, von dem Patienten entweder gar nicht, oder doch nur unvollkommen ausgeführt werden können. Deshalb ist es zuweilen nöthig, nur die leichtesten Bewegungsformen auszuwählen; ja, es kommt vor, dass es nur möglich ist, auf das gelähmte Glied einzuwirken, indem ein Gymnast daran zieht, es so in Excentricität versetzt, und nun Hackungen, Klopfungen, Klatschungen darauf applicirt werden.

§. 693. Heilorganische Recepte, bei ziemlich gleichmässig ausgesprochener Lähmung der Glieder (Tabes dorsualis) anwendbar.

1. Recept.

1) Hb. lgd., B. Wch. Er. (G. W.) u. Sen. (G. W.), zgl. F. Fag.

2) Hb, kl. w. schu. stzd., Wch. Rf. V. Dh. (G. W.) u. Rc. Dh. (P. W.), zgl. kl. Hd. Fag. (r. kl., r. w.)

3) Spr. hb. lgd., 2 A. Wch. Vw. Afw. Fūg. (G. W.) u. Sw. Afw. Fūg. (G. W.), zgl. 2 Hd. Fag.

4) Ö. fa. ng. schu. sth., Rn. ls. afw. q. Hak. u. Seg. (m. r. Hd.)

5) Sp. hb. lgd., ps. 2 F. Ro. (24 M.), zgl. 2 F. u. 2 Ur. Sch. Fag.

6) H. fa. sg. hc. sth., B. Wch. V. Z. (G. W.) u. Rc. Z. (P. W.), zgl. sg. F. Fag.

7) K. bg. sp. hc. stzd., K. Wch. V. Bu. (P. W.) u. Rc. Bu. (G. W.), zgl. Hrk. u. Acb. Fag.

8) Rh. fl. (ng.) sp. sch. lh. sth., Wch. Rf. V. Ngg. (G. W.) u. Rc. Bu. (G. W.), zgl. 2 Ebg. Fag., u. 2 Hf. Fag.

9) Hb. lgd., Wch. 2 B. Spg. (G. W.) u. 2 B. Eig. (G. W.), zgl. 2 F. Fag.

10) Rh. sf. schu. sth., act. Rf. S. Bu. (nach jeder S. 3 M.), (r. sf., L. S. Bu.)

§. 694. 2. Recept.

1) Hb. spr. w. sp. hc. stzd., A. Wch. Sw. Afw. Füg. (G. W.) u. (P. W.), zgl. spr. Hd. Fag. (r. spr., r. w.)

2) H. fa. sg. hc. sth., B. Wch. V. Z. (G. W.) u. (P. W.), zgl. sg. F. Fag., u Hrk. q. Hak. (m. r. Hd.)

3) Rh. kl. w. sp. sch. lh. sth., Wch. Rf. V. Dh. (G. W.) u. Rc. Dh. (P. W.), zgl. kl. Hd. u. rh. Ebg. Fag. (r. rh., l. kl., l. w.)

4) Hb. kl. hd. inw. hb. lgd., A. Wch. Asw. Dh. (G. W.) u. (P. W.), zgl. Hd. Z., u. Ach. Fag. (r. kl., r. hd. inw., r. A. asw. Dh., r. Hd. Z., r. Ach. Fag.)

5) Vw. lgd., Ur. Sch. Bu. (P. W.) u. Strg. (P. W.), zgl. F. Fag., u. Ischiadisch-N. Dü. (m. gn. Hd.), (r. Ur. Sch. Bu., r. F. Fag., r. Ischiadisch-N. Dü., m. r. Hd.)

6) Rh. sf. ga. hf. lh. sth., Wch. Rf. S. Bu. (G. W.) u. (P. W.), zgl. rh. Ebg. Wch. Fag., 2 Hf. Fag. (r. sf., l. ga., l. hf. lh., Rf. L. S. Bu.)

7) H. fa. k. w. schu. sth., K. Wch. Dh. (G. W.), zgl. Hrk. u. Kun. Fag., u. 2 Ach. Fag.

8) Str. sp. hc. stzd., Wch. 2 Or. u. Ur. A. Bu. (G. W.) u. Strg. (P. W.), zgl. 2 Hd. Fag., u. Kn. Rn. Dü.

9) Rh. w. fl. schu. sch. gg. sth., Wch. Rf. V. Ngg. (P. W.) u. Rc. Bu. (G. W.), zgl. Ebg. Wch. Fag., 2 Hf. Fag., u. Rn. ls. afw. Hak. (m. r. Hd.)

10) Str. fl. lg. stzd., Ha., zgl. 2 F. Fag.

§. 695. 3. Recept.

1) Snn. kl. fa. sth., B. Wch. Sw. Er. (G. W.) u. Sw. Sen. (P. W.), zgl. F. Fag. (r. snn., l. kl. fa., L. B. Er., l. F. Fag.)

2) Rk. schu. stzd., 2 A. Wch. Kl. Str. Hb. Ro. (G. W.) u. (P. W.), zgl. 2 Hd. Fag., 2 Slbt. Dü., u. 2 Kn. Fag.

3) Sr. snn. sp. lgd., Ha., zgl. Rn. ls. afw. Hak. (m. r. Hd.)

4) Str. e. fl. sp. sch. gg. sth., Wch. Rf. V. Ngg. (P. W.) u. Rc. Bu. (G. W.), zgl. str. Hd. u. K. Fag., u. 2 Hf. Fag.

5) H. vw. lgd., Wch. 2 Ur. Sch. Bu. (G. W.) u. Strg. (P. W.), zgl. 2 F. Fag., u. 2 Hd. Nr. Dü.

6) Hh. kl. hb. lgd., A. Wch. Bu. (G. W.) u. Strg. (P. W.), zgl. kl. Hd. Fag., u. Br. Hä. Kla. afw. (m. gn. Hd.), (r. kl., l. Br. Hä. Kla., m. l. Hd.)

7) Rh. sr. w. sp. knd., Wch. Rf. V. Dh. (G. W.) u. Rc. Dh. (P. W.), zgl. rh. Ebg. u. sr. Hd. Fag., u. Kn. Kz. Dü. (r. rh., l. sr., l. w.)

8) Snn. bg. sth., Kn. Wch. Er. (G. W.) u. Sen. (G. W.), zgl. Kn. u. Kz. Fag., u. K. ls. Hak. (m. r. Hd.)

9) Rh. sf. w. sp. hc. stzd., Wch. Rf. Sf. V. Bu. (P. W.) u. Sf. Rc. Bu. (P. W.), zgl. 2 Ebg. Fag. (r. sf., r. w., Rf. L. Sf. V. u. R. Sf. Rc. Bu.)

10) Str. rf. lgd., act. 2 B. Spg. (6 M.), zgl. 2 Hd. Fag., u. 2 Or. Sch. afw. Hak. (l. Or. Sch., m. l. Hd.; r. Or. Sch., m. r. Hd.)

§. 696. 4. Recept.

1) Rh. str. w. fl. sch. lh. sth., Wch. Rf. V. Ngg. (P. W.) u. Rc. Bu. (G. W.), zgl. rh. Ebg. u. str. Hd. Wch. Fag., K. Fag., u. 2 Hf. Fag. (r. rh., l. str., r. w.)

2) H. sf. rf. lgd., 2 B. Wch. S. Füg. (G. W.) u. (P. W.), zgl. 2 Hf. Fag., u. F. Wch. Fag. (r. sf., L. S. Füg.)

3) Sr. hb. lgd., ps. 2 A. Ro., zgl. 2 Hd. Z., u. 2 Ach. Fag.

4) H. fa. k. sf. sth., K. Wch. S. Bu. (P. W.), zgl. K. S. u. Ach. Fag., u. K. ls. Hak. (m. r. Hd. vom Hrk. nach der Sn.)

5) Rh. sf. b. lgd., Rf. Wch. S. Bu. (G. W.) u. (P. W.), zgl. 2 Ebg. Z., 2 Hf. Fag., u. 2 Ur. Sch. rs. Fag.

6) Str. sp. hc. stzd., Wch. 2 Or. u. Ur. A. Bu. (G. W.) u. 2 Or. u. Ur. A. Fg. Strg. (P. W.), zgl. 2 Hd. Fag., u. Kn. Rn. Dü.

7) Spr. bg. b. vw. lgd., act. 2 A. Sw. Afw. Füg. (4 M.), zgl. 2 Ur. Sch. rs. Fag.

8) Snn. spr. fa. so. hc. sth., B. Wch. Rc. Z. (P. W.) u. (G. W.), zgl. so. F. Fag. (r. snn., l. spr. fa., r. so.)

9) Snn. kl. bg. w. sp. sth., Wch. Rf. V. Dh. (G. W.) u. Rc. Dh. (P. W.), zgl. kl. Hd. Fag., Kz. 2. Fag., u. 2 F. Süg. (r. snn., l. kl., l. w.)

10) Sz. sth., Ha., zgl. Rn. ls. afw. Kog., u. Seg. (m. r. Hd.)

§. 697. Heilorganische Recepte, bei halbseitiger Lähmung (der rechten Körperseite) zunächst anwendbar.

1. Recept.

1) Ö. fa. l. zh. fa. hc. sth., R. B. Wch. Sw. Er. (G. W.) u. Scn. (P. W.), (i. v. E.), zgl. r. F. Fag.

2) Rh. fl. sp. sch. lh. sth., Wch. Rf. V. Ngg. (P. W.) u. Rc. Bu. (G. W.), zgl. r. Ebg. Fag.

3) Snn. r. so. hc. sth., R. B. Wch. Rc. Z. (G. W.) u. (P. W.), zgl. Rn. ls. afw. Hak. (m. r. Hd.)

4) Spr. sp. sch. lh. sth., Wch. 2 A. Sw. Afw. Fdg. (G. W.) u. (P. W.), zgl. r. Hd. Fag.

5) Rh. w. vw. h. lgd., Wch. Rf. Dh. (P. W.), zgl. 2 Ebg. Fag., u. 2 Ur. Sch. rs. Fag.

6) Snn. r. so. r. f. inw. sth., R. B. Wch. Asw. Dh. (G. W.) u. (P. W.), zgl. r. F. Fag.

7) Wr. sp. hc. stzd., Wch. 2 Or. u. Ur. A. Strg. (P. W.) u. Bu. (P. W.), zgl. 2 Hd. Fag.

8) H. fa. k. bg. schu. sth., Wch. K. V. Bu. (P. W.) u. Rc. Bu. (G. W.), zgl. Hrk. u. Ach. Fag.

9) R. sr. r. hd. inw. hb. lgd., R. A. Wch. Asw. Dh. (G. W.) u. (P. W.), zgl. r. Hd. Z., zgl. R. A. afw. Hak. u. Seg. (m. r. Hd.)

10) Str. schu. sf. sth., act. Rf. S. Bu. (nach jeder Seite 3 M.) (r. sf., Rf. L. S. Bu.)

§. 698. 2. Recept.

1) H. fa. r. sg. hc. sth., R. B. Wch. V. Z. (G. W.) u. (P. W.), zgl. r. F. Fag.

2) Hb. str. sf. sp. hc. stzd., Wch. Rf. S. Bu. (G. W.) u. (P. W.), zgl. str. Hd. u. K. Fag. [r. str., r. sf., L. S. Bu. (G. W.) u. R. S. Bu. (P. W.)]

3) R. h. r. or. a. inw. hb. lgd., R. Or. A. Wch. Asw. Dh. (G. W.) u. (P. W.), zgl. r. Hd. u. r. Or. A. Fag.

4) Klwr. kl. w. sp. sch. lh. sth., Wch. Rf. Rc. Dh. (G. W.) u. (P. W.), zgl. kl. Hd. Fag., zgl. r. Or. A. afw. Hak. u. Seg. (m. r. Hd.), (r. kl., l. klwr., l. w.)

5) Str. sp. hb. lgd., Ha., zgl. ps. 2 F. Ro. (24 M.), zgl. 2 F. u. 2 Ur. Sch. Fag.

6) Dk. vw. lgd., 2 Ur. Sch. Bu. G. W.) u. Strg. (P. W.), zgl. 2 F. Fag., u. Rn. ls. afw. q. Hak. u. Seg. (m. r. Hd.)

7) Str. (spr.) w. sp. ur. sch. lh. sth., Wch. 2 A. Vw. Abw. Füg. (P. W.) u. Sw. Afw. Füg. (P. W.), zgl. 2 Hd. Fag. u. Hrk. u. Nk. q. Hak. (m. r. Hd.)

8) Snn. kl. hc. sth., B. Wch. Sw. Er. (G. W.) u. (P. W.), zgl. F. Fag., u. kl. Hd. Nr. Dü. (r. snn., l. kl., L. B. Sw. Er., l. F. Fag.)

9) H. fa. r. so. hc. sth., R. B. Wch. Sb. Sg. Hb. Ro. (G. W.) u. (P. W.), zgl. r. F. Fag.

10) Rh. bg. b. vw. lgd., Ha., zgl. 2 Ur. Sch. rs. Fag.

§. 699. 3. Recept.

1) Spr. tf. ng. schu. sch. gg. sth., Wch. 2 A. Sw. Afw. Füg. (G. W.) u. (P. W.), zgl. spr. Hd. Wch. Fag., u. 2 Slbt. Dü.

2) Str. kl. w. li. sth., Wch. Rf. V. Dh. (G. W.) u. Rc. Dh. (P. W.), zgl. kl. Hd. Fag. (r. str., l. kl., l. w.)

3) Dk. str. vw. lgd., A. Wch. Sw. Abw. Füg. (G. W.) u. (P. W.), zgl. str. Hd. Fag., u. R. Ischiadisch-N. Dü. (m. r. Hd. zwischen grossem Rollhügel und Sitzbeinknorren.)

4) Snn. spr. fa. so. hc. sth., B. Wch. Rc. Z. (G. W.) u. (P. W.), zgl. so. F. Fag. (r. snn., l. spr. fa., r. so.)

5) Str. c. fl. (ng.) hc. sp. stzd., Wch. Rf. V. Ngg. (P. W.) u. Rc. Ngg. (P. W.), zgl. str. Hd. u. K. Fag.

6) Hb. lgd., Wch. R. F. Asw. Hb. Ro. (G. W.) u. Inw. Hb. Ro. (G. W.), zgl. r. Fst. u. r. Ur. Sch. Fag., u. r. Frn. afw. Hak. (m. r. Hd.)

7) Str. sf. sp. knd., Wch. Rf. S. Bu. (G. W.) u. (P. W.), zgl. str. Hd. Wch. Fag., u. 2 Ur. Sch. Fag. [r. sf., L. S. Bu. (G. W.) u. (P. W.)]

8) Hb. str. hb. lgd., Wch. Or. u. Ur. A. Bu. (G. W.) u. Or. u. Ur. A. Fg. Bu. (G. W.), zgl. str. Hd. Fag., u. r. Crural-N. Dü. (m. r. Hd. auf dem horizontalen Aste des Schambeins.)

9) H. fa. bgd., Or. Sch. Wch. Bu. (G. W.) u. Strg. (P. W.), zgl. Kz. Dü., u. Kn. Fag. (r. Or. Sch. Bu., r. Kn. Fag.)

10) Rh. bg. b. vw. lgd., Ha., zgl. Hrk. q. Hak. (m. r. Hd.)

§. 700. 4. Recept.

1) Rh. w. sf. sp. hc. stzd., Wch. Rf. Sf. V. Bu. (P. W.) u. Sf. Rc. Bu. (P. W.), zgl. Ebg. Wch. Fag. (r. w., r. sf., L. Sf. V. u. R. Sf. Rc. Bu.)

2) Hb. lgd., B. Weh. Er. (G. W.) u. Sen. (P. W.), zgl. R. A. Gfl. N. Dü. (m. r. Hd. ober- und unterhalb des Schlüsselbeins.)

3) Rk. w. sp. knd., Weh. 2 A. Strg. (G. W.) u. (P. W.), zgl. 2 Hd. u. 2 Ur. Sch. Fag.

4) Sr. smm. sp. lgd., Ha., zgl. Rn. ls. afw. Kog. u. Seg. (m. l. Hd.)

5) H. fa. k. w. sth., K. Weh. Dh. (P. W.), zgl. K. u. Ach. Fag.

6) Kl. hb. lgd., 2 B. Weh. Spg. (G. W.) u. Eig. (P. W.), zgl. 2 F. Fag., u. r. A. afw. Hak. u. Seg. (m. r. Hd.)

7) Str. w. sf. sp. sth., act. Rf. Sf. Re. Bu. (3 M. nach jeder Seite), (r. sf., l. w., L. Sf. Re. Bu.)

8) Lt. hb. lgd., Or. Sch. Weh. Er. (G. W.) u. Sen. (P. W.), zgl. r. Median-N. Dü. (in der r. Armbeuge), (m. r. Hd.), zgl. Kn. Fag.

9) Sr. w. sp. sch. lh. sth., act. Rf. Re. Dh. (3 M. mit jeder Seite), zgl. r. A. abw. Hak. (m. r. Hd.)

10) Spr. bg. b. lgd., 2 A. Weh. Sw. Afw. Füg. (G. W.) u. (P. W.), zgl. 2 Hd. Fag., u. 2 Ur. Sch. rs. Fag.

§. 701. 5. Recept.

1) Snn. r. so. hc. sth., R. B. Re. Z. (P. W.), (i. v. E.), zgl. so. F. Fag.

2) R. spr. hb. lgd., R. A. Weh. Sw. Afw. Füg. (G. W.) u. (P. W.), zgl. spr. Hd. Fag., u. R. A. Afw. Hak. (m. r. Hd.)

3) Rh. sf. b. lgd., Weh. Rf. S. Bu. (P. W.), zgl. 2 Ebg. Fag., u. 2 Ur. Sch. rs. Fag.

4) Snn. sp. hgd., 2 B. Weh. Eig. (G. W.) u. Spg. (P. W.), zgl. Hrk. q. Hak. (m. r. Hd.), zgl. 2 F. Fag.

5) Str. kl. w. lg. sp. stzd., Weh. Rf. Sen. (P. W.) u. Er. (G. W.), zgl. str. Hd. u. kl. Hd. Weh. Fag., u. 2 Or. Sch. u. 2 Ur. Sch. Fag. (r. str., l. kl., l. w.)

6) Sr. hb. lgd., R. B. Weh. Er. (G. W.) u. (P. W.), zgl. R. B. afw. Hak. u. Seg. (m. r. Hd.), u. r. F. Fag.

7) Str. e. ng. sp. sch. lh. sth., Weh. Rf. Re. Bu. (G. W.) u. (P. W.), zgl. str. Hd. u. K. Fag., u. 2 Hf. Fag.

8) Dk. vw. lgd., R. Ur. Sch. Weh. Bu. (G. W.) u. (P. W.), zgl. r. Tibial-N. Dü. (in der Kniekehle, m. r. Hd.), zgl. r. F. Fag.

9) H. k. bg. sp. hc. stzd., Weh. K. V. Bu. (P. W.) u. K. Re. Bu. (G. W.), zgl. 2 Hd. Nr. Dü., Hrk. u. Ach. Fag.

10) Kl. fa. r. hk. r. or. sch. inw. sth., R. Or. Sch. Wch. Asw. Dh. (G. W.) u. (P. W.), zgl. r. F. u. r. Kn. Fag.

§. 702. 6. Recept.

1) Str. sf. ga. hf. lh. sth., Wch. Rf. S. Bu. (G. W.) u. (P. W.), zgl. 2 Hd. u. 2 Hf. Fag., u. R. Rf. S. Afw. Hak. u. Seg. (m. r. Hd.), [r. sf., l. ga., l. hf. lh. sth., L. S. Bu. (G. W.) u. (P. W.)]

2) H. fa. r. sg. hc. sth., R. B. Wch. Sb. So. Hb. Ro. (G. W.) u. (P. W.), zgl. r. F. Fag.

3) Spr. bg. b. vw. lgd., 2 A. Wch. Sw. Afw. Füg. (G. W.) u. (P. W.), zgl. r. Hd. Fag., u. 2 Ur. Sch. rs. Fag.

4) Sz. sp. sth., Ha., zgl. Ru. ls. q. afw. Hak. u. Seg. (m. r. Hd.)

5) Hb. str. w. sf. hk. f. fa. sth., Wch. Rf. Sf. Rc. Bu. (G. W.) u. (P. W.), zgl. str. Hd. Fag., K. Fag., u. Kn. Fag. (r. str., r. w., l. sf., l. hk., l. f. fa., l. Kn. Fag., Rf. R. Sf. Rc. Bu.)

6) R. spr. bb. lgd., R. A. Wch. Sw. Afw. Füg. (G. W.) u. (P. W.), zgl. r. Hd. Fag., u. R. A. N. Gfl. Dü. (m. r. Hd.)

7) Sr. fa. bg. fs. fa. so. w. sth., Wch. Rf. V. Dh. (G. W.) u. Rc. Dh. (P. W.), zgl. so. F. Fag. (r. fs. fa., l. so., l. w.)

8) Dk. vw. lgd., Ur. Sch. Wch. Bu. (P. W.) u. Strg. (P. W.), zgl. F. Fag., u. R. Ischiadisch-N. Dü. (zwischen grossem Rollhügel und Sitzbeinknorren), (l. Ur. Sch. Bu., R. N. Dü., m. l. Hd.; r. Ur. Sch. Bu., R. N. Dü., m. r. Hd.)

9) Str. kl. fl. sch. lh. sp. sth., Wch. Rf. V. Ngg. (P. W.) u. Rc. Bu. (G. W.), zgl. str. Hd. u. kl. Hd. Wch. Fag., K. Fag., 2 Hf. Fag., zgl. Ru. ls. afw. Kog. (m. r. Hd.)

10) Str. rf. sf. lgd., 2 B. Wch. S. Füg. (P. W.) u. (G. W.), zgl. 2 Hd. Z., 2 Hf. Fag., u. F. Wch. Fag. [r. sf., 2 B. L. S. Füg. (P. W.) u. (G. W.)]

§. 703. Heilorganische Recepte, bei Lähmung des linken Armes anwendbar.

1. Recept.

1) Kl. fa. so. hc. sth., B. Wch. Rc. Z. (G. W.) u. (P. W.), zgl. so. F. Fag.

2) L. sr. l. hd. inw. hb. lgd., L. A. Wch. Asw. Dh. (G. W.) u. (P. W.), zgl. l. Hd. Z., u. l. A. Afw. Hak. (m. l. Hd.)

3) R. snn. l. kl. sth., L. B. Wch. Sw. Er. (G. W.) u. Sw. Sen. (P. W.), zgl. l. Hd. afw. Dü., u. l. F. Fag.

4) Str. wr. tf. ng. schu. sch. gg. sth., Or. u. Ur. A. Strg. (G. W.) u. (P. W.), zgl. wr. Hd. Fag., 2 Hf. Fag., u. 2 Slbt. Dü.

5) Str. sf. sp. hc. stzd., Wch. Rf. S. Bu. (P. W.), zgl. str. Hd. Wch. Fag.

6) Ö. fa. zh. fa. sg. hc. sth., B. Wch. V. Z. (G. W.) u. Rc. Z. (P. W.), zgl. sg. F. Fag. (r. zh. fa., l. sg.)

7) L. kl. hb. lgd., L. A. ps. Ro., zgl. L. Hd. Z., r. Ach. Fag., u. l. A. N. Gfl. Dü. (m. l. Hd., ober- und unterhalb des Schlüsselbeins.)

8) Rh. w. sf. sp. hc. stzd., Wch. Rf. Fl. Sf. W. Hb. Ro. (G. W.) u. (P. W.), zgl. 2 Ebg. Fag. (r. w., l. sf. stzd., Fl. L. W. R. Sf. Hb. Ro.)

9) L. h. l. or. a. inw. hb. lgd., L. Or. A. Asw. Dh. (G. W.) u. (P. W.), zgl. L. Hd. u. l. Ebg. Fag.

10) Str. sf. schu. sth., act. Rf. S. Bu. (3 M. nach jeder Seite), (r. sf., L. S. Bu.)

§. 704. 2. Recept.

1) Snn. sg. hc. sth., B. Wch. V. Z. (G. W.) u. (P. W.), zgl. sg. F. Fag.

2) L. rk. hb. lgd., L. A. Wch. Strg. (G. W.) u. Bu. (G. W.), zgl. l. A. afw. Hak. u. Seg. (m. l. Hd.), zgl. l. Hd. Fag.

3) H. w. sp. sch. lh. sth., Wch. Rf. V. Dh. (G. W.) u. Rc. Dh. (P. W.), zgl. 2 Hd. u. 2 Hf. Fag.

4) Snn. hgd., Wch. 2 B. Spg. (G. W.) u. Eig. (P. W.), zgl. 2 F. Fag., u. Rn. ls. q. afw. Hak. u. Seg. (m. r. Hd.)

5) Str. fl. sp. sch. gg. sth., Wch. Rf. V. Ngg. (P. W.) u. Rc. Bu. (P. W.), zgl. l. Hd. u. K. Fag., u. 2 Hf. Fag.

6) L. spr. r. kl. w. schu. stzd., act. L. A. Sw. Afw. Füg. (6 M.), zgl. r. Hd. abw. Dü.

7) Rh. sr. w. sf. sp. sch. lh. sth., Wch. Rf. Sf. V. Bu. (G. W.) u. Sf. Rc. Bu. (P. W.), zgl. sr. Hd. u. K. Fag., u. 2 Hf. Fag. [r. rh., l. sr., l. w., l. sf., Rf. R. Sf. V. Bu. (G. W.) u. L. Sf. Rc. Bu. (P. W.)]

8) L. spr. sp. hc. stzd., L. A. Wch. Sw. Afw. Füg. (P. W.) u. Vw. Abw. Füg. (P. W.), zgl. l. Hd. Fag., u. l. Vsl. u. l. Resl. Kog. (m. l. Hd.)

9) H. fa. kl. hc. sth., B. Sw. Er. (G. W.), (i. v. E.), zgl. F. Fag., u. kl. hd. abw. Dü. (r. h., l. kl., L. B. Sw. Er., l. F. Fag.)

10) Wr. b. lgd., Wch. 2 Or. u. Ur. A. Strg. (G. W.) u. (P. W.), zgl. l. u. r. Hd. Wch. Fag., u. 2 Ur. Sch. rs. Fag.

§. 705. 3. Recept.

1) Ö. fa. zh. fa. lt. hc. sth., Or. Sch. Wch. Bu. (G. W.) u. Strg. (P. W.), zgl. Kn. Fag. (r. zh. fa., l. lt., l. Or. Sch. Bu., l. Kn. Fag.)

2) L. sprc. r. str. sp. knd., Wch. L. A. Rk. Str. Hb. Ro. (G. W.) u. (P. W.), zgl. spr. Hd. Fag., u. L. A. Afw. Hak., u. Seg. (m. l. Hd.)

3) Kl. sf. schu. sth., Wch. Rf. S. Bu. (G. W.) u. (P. W.), zgl. kl. Hd. Wch. Fag. [r. sf., Rf. L. S. Bu. (G. W.) u. Rf. R. S. Bu. (P. W.)]

4) L. spr. hb. lgd., B. Wch. Er. (G. W.) u. Sen. (P. W.), zgl. F. Fag., u. L. Median-N. Dü. (in der linken Armbeuge, m. l. Hd.)

5) H. rf. lgd., 2 B. Wch. Spg. (G. W.) u. Eig. (P. W.), zgl. 2 Hd. u. 2 F. Z.

6) L. kl. hb. lgd., L. A. ps. Ro., zgl. l. Hd. u. l. Ach. Fag.; l. b. hb. lgd., ps. L. Ur. A. Bu. u. Strg., u. ps. L. Ur. A. Asw. u. Inw. Dh., zgl. L. Hd. u. L. Or. A. Fag.; l. kl. hb. lgd., ps. L. Hd. Ro., zgl. L. Fist. u. l. Ur. A. Fag.

7) Str. e. w. sf. sp. hc. stzd., Wch. Rf. Sf. Rc. Bu. (G. W.) u. (P. W.), zgl. str. Hd. u. K. Fag. (r. str., l. e., r. w., l. sf., Rf. R. Sf. Rc. Bu.)

8) L. str. l. w. sp. sch. lh. sth., Wch. L. Or. u. Ur. A. Fg. Bu. (G. W.) u. Fg. Strg. (P. W.), zgl. l. Hd. u. r. Ach. Fag.

9) Rh. schu. sch. lh. sth., Wch. Rf. V. Bu. (G. W.) (bis zur st. kmmd. Stg.) u. Rf. Er. (G. W.), zgl. 2 Ebg. Fag., u. 2 Hf. Fag.

10) Str. schu. sf. sth., act. Rf. S. Bu. (nach jeder Seite 3 M.), (r. sf., L. S. Bu.)

§. 706. 4. Recept.

1) Sr. so. hb. lgd., B. Wch. Sen. (G. W.) u. (P. W.), zgl. so. F. Fag., u. 2 Hd. Nr. Dü.

2) L. rk. bg. b. vw. lgd., L. A. Strg. (G. W.) u. (P. W.), zgl. l. Hd. Fag., u. 2 Ur. Sch. rs. Fag.

3) Kl. wrkl. w. sp. knd., Wch. Rf. Rc. Dh. (G. W.) u. (P. W.), zgl. kl. Hd. Fag.., u. l. Or. A. afw. Hak. u. Seg. (m. l. Hd.), (r. kl., l. wrkl., l. w.)

4) Hb. lgd., ps. F. Ro. (m. jedem Fusse 24 M.), zgl. F. u. Ur. Sch. Fag. (r. F. Ro., r. F. u. r. Ur. Sch. Fag.)

5) L. h. l. or. a. inw. sp. sch. lh. sth., L. A. Pu. (18 M.), zgl. l. Hd. Fag., u. 2 Hf. Fag.

6) Rh. sf. sp. sch. lh. sth., Wch. Rf. Fl. Sf. Hb. Ro. (G. W.) u. (P. W.), zgl. 2 Ebg. Fag., u. 2 Hf. Fag. (r. sf. sth., Fl. L. Sf. Hb. Ro.)

7) Sr. hb. lgd., 2 A. ps. Ro., zgl. 2 Hd. u. 2 Ach. Fag.

8) Smm. sb. lgd., B. Wch. Eig. (G. W.) u. (P. W.), zgl. sb. F. Fag.

9) L. str. sp. knd., L. A. Sw. Abw. Fūg. (P. W.), (i. v. E.), zgl. l. Hd. Fag., u. L. A. Afw. Hak. Sä. u. Seg. (m. l. Hd.)

10) Str. e. w. lg. stzd., Rf. Sf. W. Hb. Ro. (G. W.) u. (P. W.), zgl. str. Hd. u. Slbt. Fag., u. 2 Ur. Sch. rs. Fag. (r. str., l. e., l. w. lg. stzd., Rf. R. Sf. R. W. Hb. Ro., r. Hd. u. L. Slbt. Fag.)

§. 707. Heilorganische Recepte, bei Lähmung des rechten Beines anwendbar.

1. Recept.

1) Ö. fa. r. so. hc. sth., R. B. Wch. Rc. Z. (P. W.) u. V. Z. (G. W.), zgl. so. F. Fag.

2) Hb. kl. w. li. sth., Wch. Rf. V. Dh. (G. W.) u. Rc. Dh. (P. W.), zgl. kl. Hd. Fag. (r. kl., r. w.)

3) Hb. lgd., Wch. R. B. Er. (P. W.) u. Sen. (P. W.), zgl. r. B. Afw. Hak. u. Seg. (m. r. Hd.), zgl. r. F. Fag.

4) Spr. w. r. fs. sū. sth., act. 2 A. Sw. Afw. Fūg. (6 M.)

5) H. r. hk. r. or. sch. inw. sth., R. Or. Sch. Wch. Asw. Dh. (G. W.) u. (P. W.), zgl. r. Kn. u. r. F. Fag., zgl. R. Or. Sch. Afw. Kog. (m. r. Hd.)

6) Snn. sp. hgd., 2 B. Wch. Eig. (G. W.) u. (P. W.), zgl. 2 F. Fag.

7) Dk. vw. lgd., Wch. R. Ur. Sch. Bu. (P. W.) u. Strg. (P. W.), zgl. R. Ischiadisch-N. Dü. (m. r. Hd.), zgl. r. F. Fag.

8) Sr. fl. (ng.) sp. fr. sth., Wch. Rf. V. Ngg. (G. W.) u. Rc. Bu. (G. W.), zgl. 2 Hd. Fag.

9) Str. hk. sp. hb. lgd., Wch. 2 Kn. Eig. (G. W.) u. (P. W.), zgl. 2 Kn. Fag., u. 2 F. Sūg.

10) Rh. kl. w. tp. f. fa. sth., Wch. Rf. Rc. Dh. (G. W.) u. (P. W.), zgl. kl. Hd. Fag., u. Kn. u. F. Fag. (r. rh., l. kl., r. w., r. tp., r. f. fa. sth., r. Kn. u. r. F. Fag.)

§. 708. 2. Recept.

1) Snn. r. so. r. f. inw. sth., R. B. Wch. Asw. Dh. (G. W.) u. (P. W.), zgl. so. F. Fag., zgl. Rn. ls. afw. Kog. (m. r. Hd.)

2) Hb. kl. w. hb. lg. stzd., Wch. Rf. V. Dh. (G. W.) u. Rc. Dh. (P. W.), zgl. kl. Hd. Fag. (r. kl., r. w., l. hb. lg. stzd.)

3) Hb. lgd., R. Sp. Ro., zgl. 2 Ach. Fag., r. Kn. u. r. F. Fag., u. l. Or. u. Ur. Sch. Fag.

4) R. lt. r. f. fa. hb. spr. hb. lgd., A. Wch. Sw. Afw. Füg. (G. W.) u. (P. W.), zgl. spr. Hd. Fag., u. R. Tibial-N. Dü. (in der r. Kniekehle, m. r. Hd.)

5) H. l. lt. l. f. fa. r. sg. kn. stzd., R. B. Wch. Er. (G. W.) u. Sen. (P. W.), zgl. 2 Hd. Nr. Dü., lt. Kn. u. sg. F. Fag., u. Utb. Kla. (m. r. Hd.)

6) H. fa. hc. sth., Wch. R. B. Sw. Er. (G. W.) u. Sw. Sen. (P. W.), (i. v. E.), zgl. r. F. Fag. (Im Ganzen 6 M.)

7) Hb. kl. r. hk. hb. lgd., A. Wch. Bu. (P. W.) u. Strg. (G. W.), zgl. kl. Hd. Fag., u. R. Crural-N. Dü. (m. r. Hd. auf dem r. horizontalen Schambeinaste.)

8) H. fa. ng. r. hk. hc. sth., Wch. Hf. V. Bu. (G. W.) u. (P. W.), zgl. 2 Hf. Fag., zgl. Kz. Kog. (m. r. Hd.)

9) R. f. bg. hb. lgd., R. F. Asw. Str. Hb. Ro. (G. W.) u. (P. W.), zgl. r. Fst. u. r. Ur. Sch. Fag.

10) L. lt. l. f. fa. r. so. hb. lgd., R. B. Ruw. Eü., zgl. 2 Ach. Fag., l. Kn. Fag., u. r. F. Fag.

§. 709. 3. Recept.

1) K. kmm. sp. knd., K. Rc. Bu. (G. W.), (i. v. E.), zgl. Hrk. u. Ach. Fag., zgl. R. Tibial-N. Dü. (m. r. Hd. in der r. Kniekehle.)

2) Spr. ö. fa. ng. sp. sth., A. Wch. Sw. Afw. Füg. (G. W.) u. (P. W.), zgl. spr. Hd. Fag., u. Kz. Kog. (m. r. Hd.), (r. spr., l. ö. fa.)

3) Sr. r. so. l. lt. l. f. fa. hb. lgd., R. Ur. Sch. Wch. Bu. (P. W.) u. Strg. (P. W.), zgl. 2 Hd. Nr. Dü., r. F. u. r. Kn. Fag.

4) Str. r. so. hc. sth., act. R. B. Sb. Sg. Hb. Ro. (6 M.)

5) Str. rf. 2 sg. sp. lgd., 2 B. Wch. Eig. (G. W.) u. (P. W.), zgl. 2 F. Fag., 2 Hf. Fag., u. 2 Hd. Z.

6) H. fa. w. sth., Wch. Hf. V. Dh. (G. W.) u. (P. W.), zgl. 2 Hf. Fag.

7) Str. sp. 2 f. inw. hb. lgd., 2 B. Weh. Asw. Dh. (G. W.) u. (P. W.), zgl. 2 Hd. Nr. Dü., 2 F. u. 2 Kn. Fag., u. R. B. Afw. Hak. (m. r. Hd.)

8) Str. e. w. sp. lg. stzd., Weh. Rf. Sf. Rc. Bu. (G. W.) u. (P. W.), zgl. str. Hd. u. K. Fag., u. 2 Or. u. Ur. Sch. Fag. (r. str., l. e., r. w., Rf. R. Sf. Rc. Bu.)

9) H. fa. bgd., Weh. R. Or. Sch. Bu. (G. W.) u. Strg. (P. W.), zgl. R. Kn. u. Kz. Fag.

10) Str. sp. rf. lgd., act. 2 B. Eig. (6 M.), zgl. 2 Hd. Z.

2. u. 3. Kälte der Hände und Füsse.

§. 710. Kälte der Hände und Füsse, namentlich den letzteren Zustand, betrachtet Richter (Grundriss der innern Klinik. 3. Aufl. Bd. I, S. 8) als ein häufiges Curobject des praktischen Arztes, und empfiehlt dagegen gymnastische Uebungen. Dieselben sind auch bestimmt hiebei wirksamer, als alle andern bisher deshalb empfohlenen Mittel, z. B. warme Bekleidung, spirituöse Reibungen u. s. w. Doch ist es keineswegs für den Erfolg gleichgültig, welche Uebungen gewählt werden. — Da eine beständige, niedrigere Temperatur in Händen und Füssen zunächst in Retractionen der Capillaren dieser Körpertheile begründet ist; da bei längerer Andauer dieses Zustandes eine grössere Anzahl von Capillaren unwegsam für die Blutsäule werden, ja wohl gänzlich verwachsen und verschwinden: so ist es klar, dass nur neubildende, also zunächst duplicirt-excentrische Bewegungen, passive Rollungen, active excentrische Halbbewegungen, und diese sämmtlich zur Verstärkung mit Hackungen, Klopfungen, Punktirungen, Schlagungen verbunden, hier zum Ziele führen können. Es ist klar, dass diese Bewegungen längere Zeit anzuwenden, und selbst während der wärmeren Sommermonate, wo der Temperaturunterschied der Hände und Füsse nicht so deutlich wahrgenommen wird, fortzusetzen sind, wenn man dauernde Verbesserung durch Wegsammachung der verödeten, durch Neubildung der verwachsenen Capillaren in Händen und Füssen erzielen will.

§. 711. Zufolge des Localisirungsgesetzes (Lehrbuch der Leibesübung. B. II. S. 91) kann man nun entweder allgemeiner, aber nicht so tief eindringend, oder tiefer, aber dann auch nur sehr local wirken, je nachdem man mit grösseren Körpergliedern, die an die Hände und Füsse angrenzen oder sie umfassen, wie z. B. mit den

Unterarmen, den ganzen Armen, mit den Unterschenkeln, den ganzen Beinen, dem Rumpfe, dem Kopfe Bewegungen macht; oder je nachdem man speciell nur die Hände und Füsse, ja bei den Händen selbst einzelne Finger allein bewegen lässt (§. 103.) Es ist daher bei der Componirung von heilorganischen Recepten, speciell zur Heilung der kalten Hände und Füsse, ein Wechsel zwischen den mehr allgemein und den mehr local wirkenden Bewegungsformen anzubringen.

§. 712. Ausser, wie erwähnt, durch Hackungen, Klopfungen und überhaupt Rein-Passivbewegungen können die duplicirt-excentrischen Uebungsformen auch noch durch damit verbundene Haltungen, namentlich durch Stemmhaltungen, verstärkt werden. Auf solche Weise ist es möglich, die höchste Intensität in die Excentricität der Bewegung zu bringen.

Es dürfte wohl nicht nöthig sein, noch besondere Beispiele heilorganischer Recepte, für kalte Füsse und Hände passend, zu geben, da die meisten der im Buche angeführten Recepte, in denen die Excentricität vorwaltet, mehr oder weniger auch bei diesen Uebeln brauchbar sein möchten.

ANHANG.

I. Kurzer Abriss der Odlehre nach Reichenbach, so wie nach eigenen Beobachtungen und Erfahrungen;

und

II. Kurzer Abriss der heilorganischen Bewegungslehre des Menschenleibes.

I. Kurzer Abriss der Odlehre nach Reichenbach, so wie nach eigenen Beobachtungen und Erfahrungen.

§. 1. Freiherr Carl v. Reichenbach, Dr. phil. und art. liber. Magister, wohnhaft auf dem Gute Reisenberg bei Wien, als Geognost und Chemiker schon sehr lange berühmt, ist der Entdecker des Ods und der Begründer einer systematischen Odlehre. Hauptsächlich in zwei Schriften hat er diese Doctrin dargelegt, nämlich: 1) in derjenigen, welche, in einzelne Aufsätze vertheilt, in den Liebigschen Annalen der Chemie schon 1845 abgedruckt wurde, und gesammelt und zusammengestellt in zweiter Auflage unter dem Titel erschien: Physikalisch-physiologische Untersuchungen über die Dynamide des Magnetismus, der Electricität, der Wärme, des Lichtes, der Krystallisation, des Chemismus in ihren Beziehungen zur Lebenskraft. II Bände, 1850. Braunschweig bei Vieweg; und 2) in dem Werke, betitelt: Der sensitive Mensch und sein Verhalten zum Ode. Eine Reihe experimenteller Untersuchungen über ihre gegenseitigen Kräfte und Eigenschaften u. s. w. II Bände. 1854 u. 1855. Stuttgart und Tübingen bei Cotta.

§. 2. Der Name Od ist nicht aus dem Griechischen, auch namentlich nicht von Electroden, wie Carus in seiner Abhandlung über Lebensmagnetismus irrthümlich angiebt, abgeleitet, sondern er ist aus der Stammsylbe des Wortes Odin, des altdeutschen Gottes, des alldurchdringenden und allgegenwärtigen, entnommen. Es soll also Od eine Naturkraft, eine Dynamide, ein Imponderabile bezeichnen, das das ganze Weltall und zunächst den Erdkörper durchdringt, und das sich an Electricität, Magnetismus, Licht, Wärme,

Cohäsion, Schwere, Schall u. s. w. anreiht; ein Etwas, von dem wir eben so wenig, wie von jenen Naturkräften wissen, ob es stofflicher Natur, oder nur, wie Carus sagt, „eine Handlung des Weltäthers" sei (§. 34). Das Od, obwohl stets mit jenen Naturkräften verbunden, unterscheidet sich aber doch von allen, und namentlich von Electricität und Magnetismus, wie wir gleich sehen werden, so sehr, dass es jedenfalls einen besonderen Namen verdient, der nach der Ableitung nicht unpassend gewählt zu sein scheint.

§. 3. Zugleich will v. Reichenbach das Od, in sofern es sich im thierischen Leibe zeigt, als Biod, in den Krystallen als Krystallod, in der Wärme als Thermod, in der Electricität als Elod, in den Stahlmagneten als Magnetod, in der Erde mit dem Erdmagnetismus verbunden als Erdod, im Lichte als Photod, bei jedem chemischen Processe als Chymod, in den Sonnen- und Mondstrahlen als Heliod und Artemod, durch Reibung erzeugt als Tribod u. s. w. benennen und unterscheiden.

§. 4. Das die ganze Welt und namentlich die Erde überall durchdringende Od wird vom Menschen durch alle seine Sinne wahrgenommen, am stärksten und allgemeinsten durch das Gefühl und Gesicht. Reichenbach nennt das Vermögen des Menschen, odische Einwirkungen wahrzunehmen, „Sensitivität", und unterscheidet hiernach die Menschen in Hoch-, Mittel-, Niedrig- und Nicht-Sensitive, je nachdem sie in hohem Grade weniger und weniger oder nicht dieses Vermögen besitzen. — Da das Od Alles durchdringt, und daher zu jeder Zeit von so verschiedenen Seiten und auf so mannigfaltige Art auf den Menschen einwirkt, so steht namentlich das Gemeingefühl (Coenaesthesis) des Menschen stets unter dem Einfluss des Ods. In sofern giebt es also Nichtsensitive nicht. Die Eintheilung der Sensitiven nach Reichenbach ist eigentlich nur richtig, wenn man die Sensitivität definirt, als das Vermögen des Menschen die Einwirkung einer besonderen Strahlung des Ods gesondert wahrzunehmen, und sich nicht durch die zugleich stattfindenden, anderartigen Odeinwirkungen darin stören zu lassen.

§. 5. Man kann den Hochsensitiven nach Reichenbach (in Hinsicht seines Wahrnehmungsvermögens der gesonderten Odeinwirkung) betrachten: als von der Natur so construirt für das Od, wie von Menschenhänden ein gut gebautes Electroskop, eine gute Declinationsbussole, ein gutes Thermo- oder Barometer für die gesonderte Einwirkung der Electricität, des Magnetismus, der Wärme, des Luftdruckes. Daher kann man den Hochsensitiven, in sofern man ihn zum Experimentiren auf Od gebraucht, wohl ein Odskop oder ein Odmeter nennen.

§. 6. Es kann zwar jeder verständige Mensch mit einem Electrometer, mit einem Compass, Thermometer u. s. w. experimentiren, und dadurch objectiv die Gesetze jener Imponderabilien, deren Einwirkungen durch diese Werkzeuge gemessen werden, sich veranschaulichen. Dagegen giebt es wohl nicht leicht Menschen, deren subjectives Gefühl der Feinheit dieser Instrumente gleich käme.

Der Hochsensitive stellt nun, wie erwähnt, ein Instrument für Odmessungen vor, und zwar ein solches, welches an subjectiver Feinheit alle jene von Menschenhänden zur Messung anderer Naturkräfte gemachten übertrifft, leider aber in objectiver Hinsicht doch wieder unvollkommener, als sie ist. Jene Werkzeuge beruhen nämlich mehr oder weniger auf dem Principe der Isolirung eines Imponderabile und der Darstellung seiner gesonderten Einwirkung auf diese Weise. Das Od lässt sich nun aber nicht isoliren, oder es ist wenigstens bis jetzt noch kein isolirender Körper für dasselbe gefunden worden. Alle Körper auf dieser Erde, wie wir gleich sehen werden (§. 12 fgd.), enthalten Od und werden durch Od geladen, sind also durchweg gute Odleiter, aber nicht Odisolatoren. Wollen wir also die Gesetze des Ods kennen lernen, so bleibt uns nichts übrig, als den Hochsensitiven, der die einzelnen Strahlungen des Ods subjectiv wenigstens mit der höchsten Feinheit und Gewissheit zu isoliren versteht, zu befragen.

§. 7. Da nämlich das zu Odversuchen gebrauchte Odmeter (der Hochsensitive) ein belebtes Wesen, ja ein mit Vernunft begabter Mensch ist, so giebt derselbe als Odinstrument objective und subjective Merkmale, aus denen man die Odeinwirkung und deren Gesetze kennen lernen kann. Zu den objectiven Merkmalen gehören z. B. Erbrechen, Congestionen des Blutes nach dem Kopfe, und namentlich Gesichte, durch Röthe der Gesichtshaut sich zeigend, Krämpfe und unwillkürliche Muskelwirkungen überhaupt u. s. w. Zu den subjectiven Merkmalen, die man also durch Befragung des Hochsensitiven erfährt, gehören: kühles, angenehmes, und laues unangenehmes Gefühl (§. 29), Wahrnehmung eines blasenden Windes, Gefühl eines aufsteigenden Etwas, Beengung der Brust, des Athems, Ueblichkeit, Schläfrigkeit u. s. w.

§. 8. Dass die Sensitivität, allgemein als Wahrnehmungsvermögen von Odwirkungen genommen, keinem Menschen abgeht, ergiebt sich unter vielen Anderem z. B. auch daraus, dass es Niemanden giebt, der nicht ein mehr oder weniger unangenehmes, beengendes Gefühl durch das Zusammensein mehrerer Menschen in einem geschlossenen, besonders erwärmten Raume empfindet. Wir sagen dann gewöhnlich: die Luft ist verdorben, d. h. in Wahrheit durch zu viele Odausströmungen, nicht durch Kohlensäure- oder schädliche Gasbildung überhaupt, die die Chemie nur in seltenen Fällen in solcher Luft nachweisen konnte.

Ebenso giebt es nicht leicht einen Menschen, dem nicht die Wärme, die ein geheizter eiserner Ofen ausströmt, unangenehm wäre im Vergleich zu der, die ein geheizter thönerner Kachelofen abgiebt. Nicht Chemie, nicht Physiologie giebt hierüber irgend einen Aufschluss, nur die Odlehre, durch das in der ersteren Wärme enthaltene positive, in der letzteren negative Od (§. 14).

§. 9. Die Sensitivität lässt sich durch verschiedene Zustände steigern, durch andere schwächen, so dass das gute Odmeter (der Hochsensitive) bald ein sehr vollkommenes Instrument, bald ein bedeutend weniger vollkommenes darstellen wird. Ebenso kann der nach Reichenbachscher Definition Nichtsensitive durch eine Verknüpfung von besonderen Zuständen doch wenigstens einigermaassen zur Sensitivität gelangen. Steigernde Zustände für Odmeter sind: früher Morgen, Nüchternheit, Vermeidung des Sonnenscheins (bei weiblichen Odmetern die Menstruation) u. s. w.; schwächende Zustände: die Zeit nach der Mahlzeit, voller Magen, Sonnenschein, Lichtzutritt überhaupt, körperliche Ermüdung u. s. w.

§. 10. Auf solche Weise unterliegt also leider auch der Hochsensitive, wenn er als Odmeter gebraucht wird, grossen Schwankungen in Hinsicht seiner Brauchbarkeit. Hierdurch aber wird natürlich das Experimentiren auf Od um so schwieriger. Dieses ist nun wohl der Hauptgrund, welcher noch immer viele Menschen an der Existenz des Ods zweifeln lässt.

§. 11. Um die Odwirkungen, die sich unter der Form von Lichterscheinungen darstellen, wahrzunehmen, dazu ist ein womöglich absolut dunkler Raum, eine Dunkelstube nöthig. Je besser sie eingerichtet ist, d. h. je genauer die Thüre schliesst, je weniger sie Fenster und Thüren überhaupt besitzt, und je dicker und fester selbst die Wände gegen das Durchdringen der Lichtstrahlen verwahrt sind, um so besser wird jeder Mensch, der sich Stunden lang in einer solchen Stube aufhält, einzelne Od-Lichterscheinungen wahrnehmen; der Hochsensitive schon nach kurzer Zeit des Aufenthalts und in viel vollkommnerem Maasse. Dieser wird sogar in einer keineswegs absoluten Finsterniss, sondern sogar in einem auf gewöhnliche Weise verfinsterten Zimmer öfters Odlichterscheinungen schon percipiren. — Will man also auf Od auch in Hinsicht der Lichterscheinungen experimentiren, so ist ausser einem Hochsensitiven als Odmeter auch noch eine sorgsam eingerichtete Dunkelstube als Odlichtmaschine dringend nöthig.

§. 12. Es giebt zwei Arten des Ods, positives und negatives. Es giebt nun auf unserer Erde, dann auch in unserem Planetensysteme, endlich im Weltenraume Körper, die eine oder die andere Art des Ods, als mit ihrer innersten Wesenheit verbunden, stets enthalten. Ausserdem aber können sie für kurze Zeit durch Verladung (§. 31) auch eine oder die andere Art von Od, die sie überhaupt oder in einem bestimmten Theile ihres Ganzen nicht enthalten, aufnehmen.

§. 13. Die beiden den Körpern innewohnenden Arten des Ods sind nun, was zuerst die Erde und die darauf befindlichen Menschen, Thiere, Pflanzen betrifft, folgendermaassen vertheilt. Der ganze Erdball ist vorwaltend odpositiv, ausserdem aber hat er den magnetischen Polen gemäss in der südlichen Hemisphäre negatives, in unserer nördlichen positives Od. Die Mineralien, sowohl wenn sie als einfache Körper, als auch wenn sie zusammengesetzt, gemengt auftreten, aber nicht in Krystallform sich befinden, haben ein einfaches entweder positives, oder negatives Od, welches mit ihrer Wesenheit so innig verknüpft ist, dass es ihnen eine bestimmte Stelle in der bisher nach Berzelius „electrochemisch", nun richtiger „odchemisch" benannten Reihe anweist. So sind z. B. nicht krystallisirte Metalle, und namentlich Kalium, Natrium, Gold, Eisen, stark odpositiv, Schwefel amorph odnegativ.

§. 14. Ein gutes Odmeter (Hochsensitiver) unterscheidet nach seinem Gefühl die einfachen amorphen Körper, je nachdem sie odpositiv oder odnegativ sind (§. 29), ja er vermag sogar durch noch genauere Gefühlsunterschiede sie in eine odchemische Reihe zu bringen, die mit der von Berzelius zusammengestellten electrochemischen meist übereinstimmt. Ein von Chemie durchaus nichts wissender Hochsensitiver ordnete, indem er Fläschchen mit amorphen, einfachen Körpern in die linke Hand nahm, und je nachdem er dabei sehr starke Wärme, weniger starke und endlich grössere und grössere Kühle empfand, eine Reihe, von der Odpositivität (Electropositivität) zur Odnegativität (Electronegativität) fortschreitend, folgendermaassen: Kalium, Natrium, Osmium, Rhodium, Gold, Silber, Platin, Irid, Pallad, Quecksilber, Kupfer, Zinn, Wismuth, Blei, Cadmium, Kobalt, Mangan, Eisen, Nickel, Silicium, Paracyan, Titan, Graphit, Diamant, Kohle, Antimon, Chrom, Wolfram, Molybdän, Arsen, Tellur, Phosphor (rother, gelber), Jod, Brom, Selen, Schwefel, Ueberchlorsäure (O^7 U^2).

Gemischte und gemengte Körper sind nach ihren vorwaltenden Bestandtheilen odpositiv oder odnegativ; so die alkalischen Basen, wie Kali, Natron, Barythydrat u. s. w. odpositiv; ebenso Ammoniak, Morphin, Strychnin und überhaupt Körper, in denen der Wasserstoff überwiegt. Die Verbindungen des Sauerstoffs, des Kohlenstoffs, des Schwefels, des Jods, Broms, Chlors, Fluors sind vorwaltend odnegativ, z. B. Zink-, Quecksilberoxyd, Braunstein, Zucker, Gummi, Stärke, Cellulose, Zinnober, Schwefelbarium, Kochsalz, Chlorkalk, Jodkalium, Silberbromid, Flussspath, Schwefelsäure, Kohlensäure, Weinsteinsäure, Citronensäure.

Frisch aufgemauerte Mauern sind wegen des vorwaltenden Alkalischen (Aetzkalk) odpositiv, alte Mauern wegen Vorwalten des kohlen- und kieselsauern Kalks odnegativ; eiserne Stubenöfen wegen des Metalles odpositiv, thönerne odnegativ (§. 8).

§. 15. Sobald Mineralien in Krystallform erscheinen, so bekommen sie ausser dem ihnen an sich beiwohnenden entweder negativen oder positiven Ode noch ein duales Od, so dass z. B. die Basis des Krystalls, wo er angewachsen ist, odpositiv, die Spitze aber, der Punkt der Anziehung für weitere Auflagerung von Molekeln odnegativ, sich zeigt. Deshalb ist also z. B. ein Schwefelkrystall, obschon in der odchemischen Reihe als stark odnegativ auftretend, doch an der am Boden festkrystallisirten Spitze odpositiv.

§. 16. Mit dem im Erdboden überhaupt und in einzelnen Metallen, z. B. im Eisen, Stahl, Nickel, Mangan, Titan, Kobalt, Chrom u. s. w. befindlichen Magnetismus ist stets Od verbunden, und zwar dem negativen Nordpole des Magnets ist negatives Od, und dem positiven Südpole positives Od beiwohnend (§. 44). Darum ist aber Od und magnetische Kraft doch nicht identisch. — Mit der in und auf der Erde so weit verbreiteten Electricität ist Od stets verbunden, und zwar mit der negativen negatives, mit der positiven positives Od. Darum ist aber doch das Od von der Electricität gar sehr verschieden, namentlich schon in der Langsamkeit der Fortpflanzung u. s. w. (§. 48.)

§. 17. Alle leblosen Körper, sobald sie eine längliche Form haben und vertical auf den Erdboden gestellt sind, werden durch das Erdod geladen, und zeigen dann an dem oberen Ende positives, an dem unteren negatives Od (§. 31). Die Pflanzen haben ein duales Od, und zwar ist der aufsteigende Stamm odnegativ, der absteigende odpositiv; das Blatt zeigt noch untergeordnete Odpolaritäten, so dass der Rücken desselben odnegativ, die Oberseite odpositiv, die Spitze odnegativ, das Stielende odpositiv; das Blatt vom Rücken betrachtet an der rechten Seite odnegativ, an der linken odpositiv ist.

§. 18. Was die Thiere betrifft, so zeigen sie ebenfalls doppelte Odpolaritäten. Schon das Ei, z. B. ein Hühnerei, verhält sich am breiten Ende odpositiv, am spitzen odnegativ. Die ausgewachsenen Thiere zeigen ähnlich wie der Mensch (§. 19) das Kopfende odnegativ, das Schwanzende odpositiv, den Rücken odnegativ, den Bauch odpositiv, die rechte Körperseite odnegativ, die linke odpositiv.

§. 19. Der Mensch hat sehr vielfache Odpolaritäten, theils nach der Längen-, Dicken- und Breitenachse seines ganzen Leibes, theils an einzelnen Gliedern, namentlich den Händen und Armen, theils in einzelnen visceralen Organen. — Die Haupt- und stärkste Odpolarität des Menschenleibes, die der Breitenachse, ergiebt rechts negatives, links positives Od. In allen Körpertheilen, die die rechte und linke Körperhälfte zusammensetzen, zeigen sich diese verschiedenen Odpolaritäten, am stärksten aber in den Händen. Deshalb werden diese bei den Hochsensitiven besonders als Odmeter gebraucht. Die zweite Polarität des ganzen Menschenleibes ist die der Längenachse, welche im Kopfende als odnegativ, in dem Fussende als odpositiv sich ergiebt. Die dritte Polarität, die der Dickenachse, zeigt die Bauchfläche und namentlich die eigentliche Bauchgegend, odpositiv, die Rückenfläche und namentlich den Verlauf des Rückgrats, odnegativ. — An den Armen ergiebt sich die innere Hälfte von der Achselhöhle bis zur Handweiche als odpositiv, die äussere Hälfte von der Schulter über Ellenbogen bis zum Handrücken als odnegativ.

An der Hand und den Fingern finden sich ausser der Hauptpolarität (der ganzen rechten Hand als odnegativ, der linken Hand als odpositiv) noch untergeordnete Polaritäten. So ist der Kleinfingerrand an jeder Hand odpositiv, der Zeigefingerrand im Verhältniss dazu odnegativ; der Daumen im Gegensatz zu den vier

Fingern odpositiv, diese odnegativ; die Handweiche, wie schon erwähnt, odpositiv, der Handrücken odnegativ. Auf solche Weise ist also z. B. der Dammen, der Kleinfingerrand, so wie die Weiche der linken Hand, stärker odpositiv, weil die ganze linke Hand schon odpositiv ist; der Dammen, der Kleinfingerrand, die Weiche der rechten Hand schwächer odpositiv, weil die ganze rechte Hand odnegativ ist.

§. 20. Beide Füsse sind, als das Fussende des Körpers zur Longitudinalachse gehörig, im Ganzen und im Verhältniss zum Kopfende odpositiv. Ausserdem aber ist der linke Fuss und dessen Zehen im Verhältniss zu dem rechten odpositiv, dieser aber odnegativ (als zur Breitenachse des Leibes gehörig). Ausserdem ist die Fusssohle odpositiv im Verhältniss zum Fussrücken, der odnegativ ist; und zwar dieses an beiden Füssen. In den Beinen herrscht noch ein untergeordneter Dualismus, wodurch das Innere odpositiv wird, und zwar im Verhältniss zum Aeusseren, das mehr odnegativ erscheint.

§. 21. Der Schlund, die Speiseröhre, der Magen und der ganze Darmcanal ist vorwaltend odpositiv; das Herz nebst dem Arterienblut odpositiv, im Gegensatz das Venenblut odnegativ. Das Solargeflecht zeigt eine Polarität nach der Breitenachse des Leibes, so dass die rechte Hälfte desselben odnegativ ist, im Verhältniss zur linken, die mehr odpositiv erscheint. — Ueberhaupt sind die Nerven zunächst die Träger des Ods, und es unterliegt keinem Zweifel, dass der bisher gebrauchte Ausdruck: Innervation, Nervenäther, Nervenfluidum, besser durch Od oder Nervenod bezeichnet wird. Die Nerven der rechten Körperhälfte sind vorwaltend odnegativ im Verhältniss zu den Nerven der linken Körperhälfte, die mehr odpositiv sind. Das Gehirn ist vorwaltend odnegativ, das Rückenmark ebenso, mit Ausnahme der Cauda equina, die im Verhältniss odpositiv erscheint. Ausserdem ist noch das ganze Gehirn im Verhältniss zum Solargeflecht odnegativ, dieses odpositiv.

§. 22. Der Kopf ist im Ganzen und im Gegensatz zu den Füssen, wie erwähnt, odnegativ, ausserdem aber nimmt er mit seinen Hälften an der Breitenachse Antheil, so dass er rechts odnegativ, links odpositiv ist. Wegen der Dickenachse ist aber zugleich der Hinterkopf odnegativ im Verhältniss zur Stirn, die odpositiv ist.

§. 23. Ausser der oben schon erwähnten (§. 16) Hervorrufung odischer Einflüsse durch Electricität und Magnetismus geschieht dieses noch durch viele andere Kräfte, die zum Theil in der Erde liegen, zum Theil auch aus weiter Ferne zu ihr erst gelangen. — Diese odischen Effecte sind aber, je nachdem die Kraft zu wirken aufhört, meistentheils in kürzerer Zeit wieder verschwunden. — So giebt die Wärme, die warme Körper ausstrahlen, im Allgemeinen positives Od, und wirkt zugleich rückstrichartig, Od anhäufend (§. 35). Daher wirkt ein warmes Fussbad besonders odpositiv und unangenehm auf den linken Fuss eines Odmeters, weniger auf den rechten. — Mitgetheilte Wärme, die z. B. durch einen längeren Stab von Porzellan, Glas, Kupfer, Eisen, welcher an dem entgegengesetzten Ende durch eine Flamme erwärmt wird, der Hand des Odmeters sich mittheilt, zeigt negatives Od. Ebenso wirkt auch strahlende Wärme, sowohl von der Flamme der Kerzen, als von der der Argandischen Lampen, oder von freiem Holzfeuer herrührend, stets odnegativ.

§. 24. Durch die Reibung wird positives Od frei, und zwar sowohl wenn feste Körper gerieben werden, als wenn flüssige geschüttelt, gegossen werden, überhaupt fliessen; ebenso wenn luftförmige geblasen werden, z. B. die Luft durch einen Blasebalg. Sobald menschliche Glieder, z. B. zwei Hände, gerieben werden, so entwickelt sich positives Od, was in der linken Hand des Odmeters unangenehme, laue Empfindungen, in der rechten angenehme, kühle hervorruft (§. 29). — Durch den Druck sowohl von menschlichen Gliedern, als durch den Schlag eines Hammers auf Eisen u. s. w. wird positives Od frei. —

§. 25. Der vollständige Sonnenstrahl führt vorwaltend negatives Od mit sich. Unter einem Winkel von 35° polarisirtes Sonnenlicht zeigt, dass der odische Antheil der Sonnenstrahlen sich polarisiren lässt, und dass das durchgelassene Licht vorwaltend odpositive, das reflectirte vorwaltend odnegative Eigenschaft besitzt; dass demnach das Sonnenlicht odisch nicht einfach, sondern aus zweierlei Odstrahlen zusammengesetzt ist. — Wenn die Odstrahlen, die mit den Sonnenstrahlen zu uns kommen, durch durchsichtige Körper hindurch gehen, so erleiden sie Brechung darin, und treten mit dem Farbenspectrum in ähnlicher Weise auf, wie Wärmestrahlen und chemische Strahlen dieses thun. Ihre Brechbarkeit ist aber ungleich, und es findet im Spectrum eine Trennung positiver und negativer Odstrahlen statt. Sie sind in der blauen Hälfte des Spectrums odnegativ, in der gelben odpositiv, und ragen auf beiden Seiten weit über das Farbenbild hinaus.

§. 26. Das Mondlicht ist vorwaltend odpositiv. Es lässt

sich, obgleich es nur reflectirtes und daher meist schon polarisirtes Licht ist, doch noch einmal theilweise odisch polarisiren. Dann ist das durchgelassene odpositiv, das zurückgeworfene odnegativ. Beim Mondspectrum nehmen die positiven Odstrahlen die Abtheilung der gelben und rothen Strahlen ein, und die negativen die Abtheilung der grünen, blauen und darüber. — Das Feuerlicht ist, wie erwähnt, odnegativ. —

§. 27. Der Schall erscheint als ein Odquell, und zwar ein negativer. Eine angeschlagene metallene Glocke, obwohl als Metall odpositiv, giebt doch, so lange sie schallt, negatives Od aus, das, sobald das Schwingen und Schallen der Glocke aufhört, in positives Od sich wieder verwandelt, oder eigentlich durch positives Od verdrängt wird.

§. 28. Die Winde bringen Od mit sich; und zwar bei uns gewöhnlich der Nordwind odnegative Ladung. Der Ostwind steht ihm, mit einiger Modification hierin nahe. Der Südwind ist odpositiv, und der Westwind (ebenfalls mit einiger Abänderung) übertrifft ihn fast noch. In dem Odquell der Winde allein kann die Heilkunde den Schlüssel finden zur Erklärung des mit dunklem Ausdrucke bezeichneten Krankheitscharakters der Zeit.[1])

§. 29. Ausser der schon erwähnten Vertheilung des Ods auf dem Erdkörper und in seinen Bewohnern, und ausser den daran sich knüpfenden odischen Gesetzen, sind nun noch gar viele dergleichen, so wie überhaupt Beobachtungen, in Bezug auf das Experimentiren mit Od u. s. w., durch Reichenbach gemacht, und namentlich in dem Werke: „Der sensitive Mensch u. s. w.“ niedergelegt worden. Da ich nun viele seiner Beobachtungen nicht nur durch Experimentiren mit guten Odmetern bestätigt gefunden habe, sondern auch, weil ich selbst ein schwaches Odmeter bin, Vieles davon aus eigener Wahrnehmung constatiren kann: so will ich von diesem so sehr grossen Material nur einiges auslesen und hier kurz zusammenfassen.

1) Alle Körper dieser Erde, und namentlich auch der Mensch, strömen das ihnen eigenthümliche, entweder einfache, oder duale Od stets aus, und zwar strahlenförmig und abnehmend mit der Entfernung; jedoch nicht vollkommen gleichmässig, sondern mehr oder weniger nach Zonen variirend.

---

1) Siehe: Buchmann, die Hydrometeore in ihrer Beziehung zur Reizung der sensitiven Nervenfaser. Magdeburg 1855.

2) Es giebt, wie schon erwähnt, zweierlei Arten von Od, positives und negatives. Die Berührung ungleichnamiger Odpole bringt ein angenehmes und kühliges, die Berührung gleichnamiger ein laues und unangenehmes Gefühl im Odmeter hervor. Das erstere kann sich so steigern, dass es in Schläffrigkeit und selbst tiefen Schlaf übergeht; das letztere so weit sich erhöhen, dass es Beklemmung, Benommenheit des Kopfes, Ueblichkeit, Magen- oder Kopfweh, Erbrechen, Krämpfe, tonische und klonische, folgen lässt. Alle diese zum Theil objectiven Erscheinungen können bei guten Odmetern (Hochsensitiven) genau nach den Gesetzen der angewandten Odpolaritäten hervorgerufen und wieder weggenommen werden; und zwar dieses, so oft der Experimentirende es will, und so lange das gute Odmeter, ohne verdorben zu werden (der Hochsensitive, ohne wirklich und dauernd krank zu werden), es aushält.

§. 30. 3) Beim Menschen greifen die Haupt- und untergeordneten Odpolaritäten in einander hinein; sind gleichsam in einander gesteckt, theilen stellenweise die Räume mit einander und verstärken oder schwächen sich wechselseitig.

4) Darum kann aber doch positives und negatives Od sich kreuzen, vermengen, vereinigen, aber aufheben, zerstören nicht. Sie nehmen Juxtaposition an und verharren darin selbst im gemeinschaftlichen Fortfluss mit einander durch ein und denselben Körper.

§. 31. 5) Die linke odpositive Hand des Hochsensitiven hat eine grössere Reizbarkeit und Empfindlichkeit, als die rechte, und ist daher besser als Odmeter zu gebrauchen, denn jene (§. 19).

6) Das den Körpern innewohnende Od, sowohl positives, als negatives, lässt sich auf andere Körper, z. B. auf Wasser, Luft, Eisen verladen, und bleibt denselben kurze Zeit anhaftend, worauf es verschwindet. Jeder Mensch ladet daher Alles, was er mit der linken Hand ergreift und einige Zeit darin hält, oder indem er auch nur die linke Hand einem Körper nahe bringt, mit positiven, durch die rechte Hand mit negativen Ode. Es ist daher beim Experimentiren auf Od genau hierauf zu achten, damit die zufällige und später wieder verschwindende Odladung das Experiment nicht trübe. Selbst die Luft kann odisch geladen werden, und daher ist der Hauch des Menschen vorwaltend odnegativ. Der Magnet ladet mit seinem positiven und negativen Pole das Futteral, in dem er sich befindet, stellenweise positiv, stellenweise negativ; der Mensch den Sitz, auf dem er sitzt, mit der rechten Hälfte des Gesässes odnegativ, mit der linken odpositiv.

§. 32. 7) Bei der länger fortgesetzten Verladung von Od auf menschliche Glieder durch die anderer Menschen, durch Krystalle, Magnete u. s. w., tritt leicht eine Ueberladung oder Sättigung ein, wodurch der Odausfluss in dem Gliede gehemmt, und durch diese Anstauung des Ods eine unangenehme, lauliche, also der odpositiven ähnliche Empfindung hervorgerufen wird, obwohl man es doch mit negativem Ode zu thun haben kann.

8) Durch Metalle, Holz, Seide und andere Körper lässt sich Od, ähnlich wie die Electricität am Kupferdraht, hindurchleiten, und noch in ziemlicher Ferne auf einen dritten Körper reagiren, als ungleichnamiger Pol in der Hand des Odmeters eine angenehme, kühle, als gleichnamiger Pol eine laue, unangenehme Empfindung erregend.

§. 33. 9) Odnegative Körper der verschiedensten Art (und daher auch menschliche Glieder, ja die des Odmeters selbst) wirken auf die linke Handweiche des Odmeters abstossend, auf die rechte anziehend; umgekehrt wirken odnegative Körper der verschiedensten Beschaffenheit (und also auch menschliche Glieder, ja die des Odmeters selbst) auf die rechte hohle Hand des Odmeters abstossend, auf die linke dagegen anziehend. In geringerem Grade giebt sich die Anziehung durch Schwer-, die Abstossung durch Leichtgefühl in der Hand des Odmeters, in stärkerem Grade aber durch eine unwillkührliche Locomotion derselben zu erkennen.

§. 34. 10) Wenn man von odischen Strömungen, Stauungen, Hemmungen, Entleerungen u. s. w. spricht, so sind diese Ausdrücke von der Vorstellung eines odischen Fluidums im materiellen Sinne entlehnt. Es ist dieses eine Sprachweise, wie man von einem electrischen, einem magnetischen Fluidum spricht, obschon man nicht weiss, ob alle diese Dinge Materien, Undulationen oder was Anderes seien (§. 2).

§. 35. 11) Der Strich, der mit der Hand eines anderen Menschen, oder auch mit der des Odmeters selbst, mit Krystallpolen, mit Magnetpolen, durch Anhauchen, durch einen Blasebalg u. s. w., in einiger Entfernung, oder ganz in der Nähe unter Berührung über Körpertheile, namentlich entblösste eines Odmeters, geführt wird, bringt Gefühlsveränderungen, die sich durch Kühle und Wärme andeuten; und in der gut eingerichteten Dunkelstube für den Odmeter wahrnehmbare Lichterscheinungen hervor. Aus diesen (Gefühlen und Lichterscheinungen) ergiebt sich nun Folgendes. Auf das zu streichende Glied (dem Centrum nahe, also z. B.

auf die Schulter) aufgesetzte Finger üben vom Augenblicke des Contactes an eine mächtige odische Einwirkung nicht blos auf die Körperstelle aus, die berührt wird, sondern auf das ganze Glied von seiner Wurzel an bis zu seiner Endspitze hinaus. Sie besteht in unmittelbarer Odverladung von den aufgesetzten Fingerspitzen auf das Glied, so dass noch vor Beginn des Streichens das zu streichende Glied im Ganzen schon odisch verändert ist. Im Allgemeinen kann man sagen: dass überall, wo durch Striche odische Gefühle erregt werden, auch Lichterscheinungen für das Gesicht der Sensitiven auftreten; dass, wie die Gefühle vor dem Striche lauwidrig und hinter ihm kühl sind, ebenso gleichen Schrittes die Leuchten dort roth und gelb, hier blau und grau erscheinen; dass der Strich nach Gefühlen, wie nach correspondirenden Leuchten den Charakter einer wahren Odverladung trägt; dass diese Verladung im Striche vor sich her soretisch (häufend), hinter sich her nemetisch (wegführend) wirkt; dass der Streicher wie der Gestrichene beide gleichzeitig beim Striche in Gegenwirkung treten, und beide in odische Bewegung gerathen; dass, wo gleichnamige Odpole im Striche unmittelbar aufeinander oder gegeneinander in Conflict kommen, sie sich einander zurückstossen und ihr beiderseitiges Licht löschen, wo aber ungleichnamige Pole zusammentreffen, sie gegenseitig einander wecken, beleben und im Lichte steigern; dass, wo ausserhalb der Pole Strichverladung vor sich geht, positive und negative Ode sich an den Polen gesellen, und ohne Neutralisation gemengt mit einander leuchten und mengartig in die Luft ausströmen; dass Ueberladung mit Strichen Odlicht erzeugt u. s. w.

§. 36. 12) Vereinigung ungleichnamiger Glieder zweier Menschen (z. B. der rechten Hand des einen mit der linken des anderen), welche ein kühles Gefühl erregen, erfahren bei rascher Trennung lauwidrige Empfindungen, während Vereinigung von gleichnamigen Gliedern, welche lauwidrig empfunden werden, bei rascher Trennung kühlangenehme Gefühle erregen. Es entsteht nämlich auf solche Weise in der Odverladung eine Art Rückschlag (Anstauung von Od).

13) Wenn Finger zur Faust geballt, oder wenn sie auch nur so umgeschlagen werden, dass sie in den letzten Gliedern gestreckt sich an die Handweiche anlegen, so stauen sie das aus ihnen ausströmende Od in der eigenen Hand, im eigenen Unterarm und so weiter an, wirken gleichnamig auf Gleichnamiges und bringen in dem Odmeter (Hochsensitiven) unangenehme Empfindungen hervor.

Daher ist beim Experimentiren (und namentlich, wenn das Odmeter etwas mit seiner Hand umfassen soll) nöthig, dass das Odmeter, damit das Experiment nicht getrübt werde, mit der Hand den zu prüfenden Körper nur so umlasse, dass das letzte Glied seiner Finger abstehe. So'l die Hand des Odmeters nur dem zu prüfenden Gegenstand nahe gebracht werden, so ist es am gerathensten, dieselbe mit nicht festgeschlossenen Fingern, gleichsam hängend, darüber zu halten.

§. 37. 14) Um durch die Einwirkung des Erdods die Experimente nicht zu trüben, ist es nöthig, das Odmeter ungleichnamig in den magnetischen Meridian zu bringen, d. h. mit dem Rücken (im Stehen, Knieen, Sitzen) nach Norden, mit dem Bauch nach Süden; mit dem Kopfende (im Liegen) nach Norden, mit dem Fussende nach Süden (§. 13). Experimentirt man mit Stahlmagneten, so sind dieselben, um das Experiment durch das Erdod nicht zu trüben, in die magnetische Declinations- und Inclinationsebene zu bringen.

15) Da alle Körper Od enthalten, ausströmen, und mit fremdem Ode noch für kürzere Zeit geladen sein können, so ist das Odmeter (der Hochsensitive), welcher das Od eines bestimmten Gegenstandes anzeigen soll, möglichst gesondert nur diesem Gegenstande allein zu nähern. Da nun aber ein Experimentator bei den Versuchen doch wenigstens zugegen sein muss, um die Beobachtungen aufzuzeichnen, um die Fragen an das Odmeter zu stellen, um die Experimente überhaupt einzurichten; und da der Experimentator aber selbst eine starke Odmaschine ist, die mit dualem Od auf Gefühls- und Lichterscheinungen einwirkt: so hat der Experimentator selbst für seine eigene Person die grösste Vorsicht nöthig, will er nicht durch seine eigenen Odausgaben das Odmeter irre führen.

§. 38. 16) Die odische Ladung, die Fortleitung des Ods durch die Körper und das Entweichen desselben aus den geladenen Substanzen erfolgt nicht augenblicklich, sondern bedarf einer messbaren Zeit. Sie ist geringer als die, welche die Wärme bedarf, aber grösser als die, welche die Electricität hiezu nöthig hat.

17) Alle metallischen und electropositiven, also auch odpositiven Körper zeigen sich in der Dunkelstube dem Odmeter in einer Leuchte mit Rauch umgeben, und selbst als flammend. Aehnlich ist es mit den odnegativen, so dass man überhaupt sagen kann: alle Körper auf dem ganzen Erdballe, einfache, zusammengesetzte,

amorphe wie krystallisirte wirken auf den Gesichtssinn des Odmeters in der Dunkelstube mehr oder weniger Odlicht ausstrahlend, oder leuchtend.

§. 39. 18) Das Odlicht erscheint dem Mittelsensitiven, wie dem Verf. dieses Buches, weisslich, wahren Odmetern in verschiedenen Farben, besonders bläulich oder röthlich. Es ist durch die Beständigkeit und Gleichheit seiner Erscheinung sehr wohl von den subjectiven Gesichtsbildern (Illusionen), wie sie an Hyperästhesie der Augennerven Leidenden besonders im Dunkeln vorzuschweben pflegen, so wie auch von wahren Hallucinationen sehr wohl zu unterscheiden. Das Odlicht hat mit einem schwach phosphorescirenden Lichte die meiste Aehnlichkeit.

§. 40. 19) Obwohl das Odlicht an sich etwas Beständiges hat, so kommen doch bei seiner Wahrnehmung zeitweise Remittenzen und Intermittenzen vor. Dieselben treten besonders ein, sobald der beobachtende Sensitive noch ein Neuling ist und sich sehr anstrengt, um Odlicht zu sehen; daher z. B. die Augen sehr aufsperrt und dergleichen. Ruhiges Verhalten und Abwarten, bis das Odlicht zur Wahrnehmung kommt, ist das sicherste Mittel nach des Verfs. Erfahrung, um die Intermittenzen möglichst zu vermeiden.

§. 41. 20) Wenn das Odmeter chemische Präparate aller Art mit den Fingern der rechten und dann der linken Hand überstreicht, so sieht es sie durch den Strich heller oder dunkler werden, je nachdem die Stoffe odpositiver oder odnegativer Natur sind, und je nachdem das Odmeter mit den rechten oder linken Fingern darüber streicht. (§. 35 und 43.)

21) Der menschliche Leib wird in der Dunkelstube, und von sehr guten Odmetern selbst schon in gewöhnlicher Finsterniss, im Ganzen leuchtend oder umhüllt von odischer leuchtender Atmosphäre gesehen, welche ihn zu vergrössern scheint, und ihm das Ansehen eines weissen, geisterhaften Ungeheuers zu geben pflegt. Als ich zum ersten Male in der Dunkelstube ein solches Ungethüm, einen solchen grossen Schneemann, auch einem grossen, mit Mehl bestreuten Müllergesellen ähnlich, neben mir gewahrte, und durch Zugreifen mit der Hand mich überzeugte, dass es ein mir bekannter, nur vergrössert erscheinender Mensch sei, konnte ich doch eines Schauers mich nicht erwehren. Jetzt habe ich nun schon so oft eine solche Geistererscheinung gesehen, dass sie mir nun nicht mehr Furcht, sondern nur immer von Neuem Freude über die grosse Entdeckung Reichenbachs zu Wege bringt. Es möge hier

eine unvollkommene Abbildung, wie mir ein Mensch in der Dunkelstube etwa erscheint auf Taf. I, Fig. b, beigegeben werden. Taf. I, Fig. c giebt die natürliche Grösse und Dimensionen desselben Menschen an.

§. 42. 22) Die Magengrube mit dem dort liegenden Solargeflechte, so wie der Kopf eines Menschen, erscheint mir (in der Dunkelstube) gewöhnlich sehr leuchtend; auch das Arm-Nervengeflecht in der Achselhöhle sehe ich öfters bei entblösstem Körper als röthliche Streifen besonders leuchtend. Es ist dieses der einzige Körpertheil des Menschen, den ich nicht blos weisslich, sondern sogar gefärbt leuchtend sehe. Gute Odmeter (Hochsensitive) sehen, wie erwähnt (§. 41), meistentheils alles, je nach der Odpolarität, in doppelten Farben.

§. 43. 23) Wenn ein gutes Odmeter (ein Hochsensitiver) in der Dunkelstube sich nahe an eine Mauerwand stellt, so sieht er, zumal wenn er sich langsam hin und her bewegt, auf der Wand einen helleren und dunkleren Schatten, den Umrissen seines Körpers ähnlich, sich hin und her bewegen. Diese Schatten habe ich, obwohl nur schwach-sensitiv, so wie viele andere Menschen, in meiner Dunkelstube öfters gesehen (wenn auch nur als einfache, nicht Doppelschatten). Dieselben sind nach odchemischen Gesetzen leicht zu erklären und beliebig in Bezug auf Helligkeit und Dunkelheit zu bilden. Sie beruhen darauf, dass zwei gleichnamige Odpole, die sich nähern, das Odlicht schwächen, zwei ungleichnamige es heller machen (§. 35). Da nun eine Mauerwand (eine alte, aus kohlen- und kieselsaurem Kalk zunächst bestehende) vorwaltend odnegativ ist (§. 14), so wird die rechte Menschenleibhälfte (odnegativ) verdunkelnd, die linke (odpositiv) erhellend auf die Mauer wirken, und dadurch dunklere oder hellere Abbildungen des menschlichen Körpers auf der Wand bilden. — Diese Schattenbilder, da sie nach odchemischen Gesetzen entstehen, durchdringen natürlich die ganzen Wände, und wenn daher ein Mensch an der einen Seite einer Wand (im Dunkeln) steht, und ein gutes Odmeter an der anderen Seite der Wand (aber auch im Dunkeln) sich befindet: so kann das Letztere die vorgenommenen Bewegungen des ersteren Menschen aus den Bewegungen des Mauer-Schattenrisses erkennen.

§. 44. 24) Einen Hufeisenmagnet, einen dreiblättrigen, habe ich öfters, und mehrere Sensitive bei mir in der Dunkelstube der Art leuchten gesehen, wie die Figur a auf Tafel I angiebt. Das

Leuchten der Magnetpole möchte ich noch am meisten mit dem ersten Anglimmen eines angezündeten Phosphor-Streichhölzchens vergleichen. Diese Leuchten sind bei grossen Magneten aber so stark, dass der Ungläubigste von der Existenz des Odlichts leicht überzeugt werden kann. Ein gutes Odmeter sieht den Nordpol des Magneten in der Dunkelstube blau, den Südpol roth leuchtend.

§. 45. Das Od und die Medicin. Da das Od im Menschenleibe in den verschiedensten Haupt- und Nebenpolaritäten thätig; da es zugleich mit allen Körpern dieser Erde entweder als ihrer Wesenheit nach dauernd verbunden ist, oder doch ihnen durch Verladung für einige Zeit beigegeben werden kann: so leuchtet ein, dass für die Medicin, die einerseits mit dem Menschenleibe, andererseits mit sehr verschiedenen Körpern, die sie in denselben hineinführt (mit Medicamenten) zu thun hat, die Odlehre schon deshalb von grosser Wichtigkeit sein muss. Nur durch diese und mit dieser wird es möglich sein, eine wissenschaftliche Pharmacologie zu begründen. Die bisherige chemische Theorie allein wird dieses niemals vermögen, oder nur dann, wenn sie die Odlehre zu Hülfe nimmt. — Sollten die kleinen homöopathischen Gaben der Arzneimittel Sinn haben, sollte ihre gepriesene Wirksamkeit eine Wahrheit sein, so würde sie nur aus der Odlehre, und namentlich durch die Odverladungen, wenn irgend, erklärt werden, und auf solche Weise erst etwas Vernunftgemässes erlangen können.

§. 46. Da das Od nun einmal, trotz aller Protestationen der Physiologen, in so verschiedenen Haupt- und Nebenpolaritäten im Menschenleibe auftritt, so wird jede Physiologie desselben, die nicht auf die Odlehre Rücksicht nimmt, immer mangelhaft bleiben, und wirkliche Fortschritte kaum machen können.

Auch der specielle Theil der Physiologie, der der physiologischen Muskelwirkung, und namentlich der der duplicirten Muskelbewegungen, wird ohne die Odlehre stets unerklärbar und unerklärt bleiben.

§. 47. Da bei jedem Kranksein des Menschen die Odpolaritäten seines Leibes Veränderungen, Ausgleichungen, Umstimmungen erfahren, und da die nächste Ursache der Krankheit überhaupt in einer Störung der Odströmungen besteht: so wird die ganze Pathologie (mit Einschluss der pathologischen Anatomie, der pathologischen Chemie u. s. w.) stets etwas sehr Mangelhaftes bleiben, so lange auch hier die Odlehre zur vollkommenen Geltung nicht gekommen ist.

§. 48. Da mit der Electricität sich stets Od, und zwar in bedeutendem Grade verbindet: so kann die Anwendung der Electricität zu Heilzwecken, trotz aller Versuche, nie auf einen grünen Zweig kommen, so lange die stets mit ihr verbundene Odbeigabe bei solchen Versuchen ausser Rechnung gelassen wird. Es ist diese bisher geschehene Unterlassung um so schädlicher gewesen, da das Od zu dem Menschenleibe in weit innigeren polaren Beziehungen steht, als die Electricität an sich. Deshalb möchte es viel eher angehen, dass man die Electricität nur als Odträger betrachtete; das Odische also dabei den Polaritäten des Menschenleibes gemäss anzuwenden suchte, und um die Electricität sich weiter nicht kümmerte, als dass es jetzt umgekehrt geschieht, dass das Odische nicht beachtet, aber die Electricität allein experimentell angewandt wird. Um besser verstanden zu werden, diene noch Folgendes.

Die gegenwärtig in Gebrauch stehende Inductions-Electrik und Magnetik der Medicin verdient wohl kaum den Namen „physiologische", sondern muss „pathologische" oder wenigstens „innormale" heissen. Würden die die Electricität bei ihren Patienten anwendenden Aerzte es so machen, wie v. Reichenbach (Sensitiver Mensch. Bd. I, S. 602 fgd.) vorgeschlagen und bei seinen Sensitiven ausgeführt hat, so würden sie zu wahren physiologischen Einwirkungen gelangen. Sie müssten nämlich den Leib des Patienten nicht (wie es bisher wohl immer geschah) in die galvanische Kette als Glied einschalten, sondern sie müssten ihn zu einem Electromagneten machen, oder wenigstens als solchen betrachten. Hiezu wäre es nöthig, dass die Drähte der Magnetisirungsspirale um den Leib oder einzelne Glieder des Patienten gewickelt und dort gehörig befestigt würden. Dadurch kann man, je nachdem die Drähte schraubenrechts oder schraubenlinks liegen, und je nachdem der Zink- oder Kupfer- (Kohlen) Pol des galvanischen Stroms mit den beiden Drahtenden auf verschiedene Weise verbunden wird, einen Nord- (negativen) oder Süd- (positiven) Magnet- und zugleich Odpol in die Glieder des Patienten induciren. Von den innormalen, pathologischen, das Publicum blendenden Muskelcontractionen, wie sie die jetzt in Gebrauch stehende, unphysiologische Electrisirungscurmethode zu Wege bringt, würde man alsdann natürlich nichts zu sehen bekommen. Dagegen würde das Gefühl des Patienten als kühl und angenehm, oder lau und unangenehm auf sehr mannigfaltige Weise erregt werden, und dem electrisirenden Arzte einen Fingerzeig für den zu verfolgenden Curplan geben. — Die jetzt im

Gebrauche stehende Electrisirungsmethode kann, den menschlichen Körper als Leiter betrachtet, noch zu vielen physikalischen Aufschlüssen über das Wesen der Electricität und speciell über das der hydroelectrischen und inducirten magnetischen Ströme führen; für die Therapie der Krankheiten des Menschenleibes kann aber diese Art zu electrisiren nie ein festes Ergebniss geben; wohl aber jene Reichenbach'sche, bei der der Menschenleib als Electromagnet betrachtet, und wo also das Od nicht ausgeschlossen wird. Da nämlich das Od zwar mit dem galvanischen Strome, aber viel langsamer als derselbe sich bewegt (v. Reichenbach, sensitiver Mensch. Bd. II, S. 292): so ist die odische Einwirkung, wenn der Menschenleib nur als Glied der galvanischen Kette betrachtet wird, beinahe gleich Null, jedenfalls nur sehr unvollkommen. Wird dagegen im Menschenleibe ein besonderer kreisförmiger, magnetischer Strom inducirt, so wird natürlich ein gleicher Odstrom auch miterregt, der, wenn der magnetische nur von entsprechender Dauer ist, dem langsamen Odstrome Zeit gewähren wird, sich auch vollständig zu entwickeln. — Doch ich will hievon abbrechen, da ich diesen Gegenstand noch in einer besonderen Schrift zu entwickeln gedenke. Vielleicht genügen diese wenigen Worte schon, um die electrisirenden Aerzte aufmerksam zu machen, wo es ihnen eigentlich fehlt.

§. 49. Was die Heilorganik betrifft, ja, was das Turnen selbst anlangt, so ist auch hier die Odlehre von grosser Wichtigkeit. Die Heilorganik hat in ihren duplicirten Bewegungen es sogar immer mit zwei Menschen, zwei Odmaschinen, zu thun, die auf die mannigfaltigste Weise auf einander reagiren. Vernachlässigt sie die Odlehre, so muss sie immer unvollkommen bleiben, immer eine Stümperei, die mit Recht von den Aerzten als ebenbürtig nicht anerkannt wird. Nur gestützt auf die Odlehre kann sie den Platz erringen, der ihr eigentlich gebührt. — Aber auch das Turnen, obwohl dasselbe sich zunächst und meistentheils nur mit einzelnen Menschen beschäftigt, muss doch, sobald es vernunft- und naturgemäss auf die Physiologie des Menschenleibes sich stützen will, schon weil, wie oben erwähnt (§. 46), eine wahre physiologische Muskellehre nicht ohne Odlehre existiren kann, auch die letztere Doctrin als normgebend anerkennen. Ausserdem wird aber zugleich das Zusammensein mehrerer und vieler Turner, und die odischen Einwirkungen derselben auf einander, so wie die odischen Einwirkungen aller sie umgebenden Erd- und zum Theil Weltkörper (z. B. Sonnenlicht) nur gehörig gewürdigt werden können, eben wenn man die Odlehre recht begriffen hat.

§. 50. Epidemische und endemische Krankheiten, klimatische Verhältnisse überhaupt werden, da das Od im Erdkörper, bei den Winden, bei den Sonnen- und Mondstrahlen, in Pflanzen, Thieren und dem Menschenleibe eine so wichtige Rolle spielt: ohne ein genaues Studium und ohne eine specielle Anwendung der Odlehre durchaus unerklärlich bleiben (§. 28). Denn selbst Physik, Chemie, Botanik erwarten eigentlich erst die wahren Aufschlüsse durch die Odlehre, und sind ohne sie trotz aller Forschungen doch höchst mangelhaft.

So wenig wie die Wahrheit sich dauernd unterdrücken lässt, so wenig wird dieses bei der Odlehre geschehen, denn sie ist die Wahrheit. Sie setzt das Organische über das sogenannte Unorganische und ist zugleich eine Brücke zwischen beiden. Das Od durch seine Strahlung als polares Biod adelt die Nervenkraft als das Höchste und Allgemeinste in der Natur, verbindet sie aber zugleich mit allen Körpern der Erde und der Welt, ohne doch ihren Adel zu schmälern. Während das Streben vieler Naturkundigen darauf gerichtet ist, die roheren Kräfte des Mechanischen, Physikalischen, Chemischen zur Geltung zu bringen, und ihnen das Organische zu unterwerfen, kommt die Odlehre und bietet jenen Naturforschern einen Ausweg, um aus dem Irrsaal, in das ihr blindes Streben sie versetzt, hinaus zu gelangen. Leider stossen sie diese rettende Hand zurück, und werden darin vielleicht bestärkt durch das Beispiel der wenigen Naturkundigen, die das Organische als das Höchste anerkannten, die daher als Vitalisten verspottet wurden, und die leider aber auch verblendet genug sind, um gleichgültig oder feindlich gegen die Odlehre aufzutreten, gegen diese Lehre, die, wenn sie den eigenen Vortheil erkennen möchten, sie mit aller Kraft schützen müssten.

II. Kurzer Abriss der heilorganischen Bewegungslehre des Menschenleibes.

---

§. 51. Die Bewegungslehre zerfällt in zwei Theile, in die Stellungs- und die eigentliche Bewegungslehre. Die erstere umfasst die activen und passiven Körperstellungen. Jene werden auch Haltungen genannt, und bestehen in festem unverrückten Verharren des Körpers durch Muskelkraft in einer bestimmten Lage. Bei den passiven Stellungen ruhen die Muskeln, und der Körper erhält sich in einer bestimmten Lage nur durch Schwer-, Adhäsions-, Frictions- u. s. w. Kraft, indem er eine mehr oder weniger breite, ihn tragende Unterlage hat.

§. 52. Ehe die gewöhnlichsten Haltungen durch Figuren erläutert und mit den gebräuchlichen Abbreviaturen (s. Lehrbuch der Leibesübungen und Tabelle A. in diesem Buche) bezeichnet hier aufgeführt werden, mögen erst noch einige, in diesem Buche grösstentheils zum ersten Male gebrauchte Ausdrücke erklärt werden. Im Allgemeinen ist wegen der Haltungen und wegen der Bewegungsnamen, die überhaupt in den heilorganischen und diätetischen Recepten dieses Buches vorkommen, zu bemerken, dass die den Stellungsnamen bezeichnenden Abbreviaturen mit kleinen Buchstaben durchweg geschrieben und gedruckt sind, und dass das erste Komma (,) im Verlaufe der Abbreviaturen andeutet, dass mit ihm der Stellungsname ein Ende hat. Von da an, meistentheils mit grossen Buchstaben bezeichnet, beginnt der Haltungs- oder Bewegungsname. Die Zusätze zu demselben (z. B. in Hinsicht der Anlage der Hand des Gymnasten, in Hinsicht der zugleich oder danach stattfindenden Bewegung, namentlich Rein-Passivbewegung, u. s. w.) sind wieder durch Kommata getrennt. Jede Parenthese im Stellungsnamen bedeutet eine doppelte Stellung eines Körpertheils. Die Parenthesen im Bewegungsnamen beziehen sich entweder auf den Widerstand „(G. W.) u. (P. W.)", oder sie sind länger und enthalten mehr Buchstaben. Alsdann kommt es darauf an, ob die Buchstaben klein oder gross geschrieben sind; im ersteren Falle wird dadurch eine doppelte Stellung, im zweiten auch noch eine zweite Bewegung angedeutet. (Mehr hierüber s. Lehrbuch der Leibesübung.)

§. 53. Neue Ausdrücke, die noch nicht in meinem „Lehrbuch der Leibesübungen" aufgeführt, sondern hier erst gebraucht wurden, sind: 1) 2 Ur. Sch. rs. Fag. Dieser Ausdruck ist schon S. 122 erklärt worden. 2) Hd. Wch. Fag.; Ebg. Wch. Fag.; Str. Hd. Wch. Fag.; Hd. Wch. afw. u. abw. Dü. Diese Ausdrücke finden sich S. 122, 123 und 125 schon erklärt, und hienach wird der geneigte Leser ähnliche sich leicht deuten können. 3) (i. v. E.) Dieser Ausdruck findet sich erklärt S. 40 und 43. — Der Ausdruck „Süg." bedeutet Stützung und wird gebraucht, um zu bezeichnen, dass der Fuss oder ein anderer Körpertheil durch den Fuss oder das Knie des Gymnasten gestützt wird, so dass kein Wanken eintreten kann. Der Fuss des Gymnasten wird nicht besonders bezeichnet, das Knie des Gymnasten, welches stützt, aber wohl durch „Kn." Daher kommen die Ausdrücke vor: 2 F. Süg. Dieses bedeutet: die Füsse eines oder zweier Gymnasten sollen vor die beiden Füsse des Patienten gesetzt werden, damit diese nicht ausgleiten können. — 2 Kn. 2 Slbt. Süg. Dieses bedeutet: dass die beiden Knie der Gymnasten gegen die beiden Schulterblätter des Patienten angedrückt werden, und so der Rumpf des Patienten gestützt werde. (Siehe auch Tabelle A. unter den angeführten Abbreviaturen.)

§. 54. Die gebräuchlichsten Haltungsnamen sind nun folgende:

9. 
10. 
11. 
12. 
13. 

1) Fü. sth., Ha. (Fig. 9.)
2) K. kmm. fü. sth., Ha. (Fig. 10.)
3) K. bg. fü. sth., Ha. (Fig. 11.)
4) K. l. sf. fü. sth., Ha. (Fig. 12.)
5) K. l. w. fü. sth., Ha. (Fig. 13.)

14. 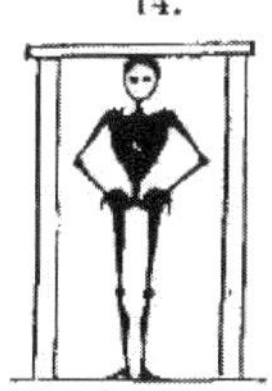
15. 
16. 
17. 

6) K. smm. fü. sth., Ha. (Fig. 14.)
7) Fü. ngd., Ha., zgl. K. Dü. (Fig. 15.)
8) Fü. ng. sth., Ha. (Fig. 16.)
9) Fü. kmm. sth., Ha. (Fig. 17.)

18. 
19. 
20. 

10) Fü. tf. ng. sch. gg. schu. sth., Ha. (Fig. 18.)
11) Fü. st. kmm. lh. sth., Ha., zgl. K. Fag. (Fig. 19.)
12) Fü. zh. gg. fld., Ha., zgl. K. Fag. (Fig. 20.)

21. 
22. 
23. 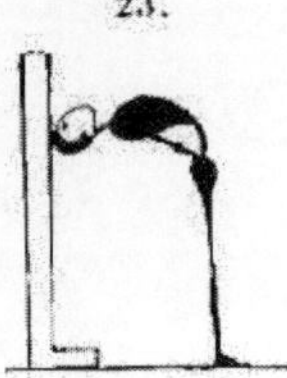
24. 

13) Fü. fl. sth., Ha. (Fig. 21.)
14) Fü. bg. sth., Ha. (Fig. 22.)
15) Fü. k. lh. bgd., Ha. (Fig. 23.)
16) Fü. k. lh. r. s. fld., Ha. (Fig. 24.)

25. 
26. 
27. 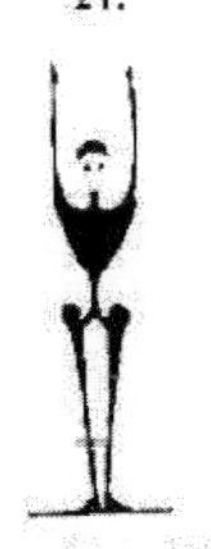
28. 
29. 

17) Fü. r. sf. sth., Ha. (Fig. 25.)
18) Fü. r. w. sth., Ha. (Fig. 26.)
19) Str. sth., Ha. (Fig. 27.)
20) Snn. sth., Ha. (Fig. 28).
21) Snn. lh. sth., Ha. (Fig. 29.)

30.
31. 
32. 
33. 

22) Sr. sth., Ha. (Fig. 30.)
23) Kl. sth., Ha. (Fig. 31.)
24) Spr. sth., Ha. (Fig. 32.)
25) Rk. sth., Ha. (Fig. 33.)

34.

35

36.

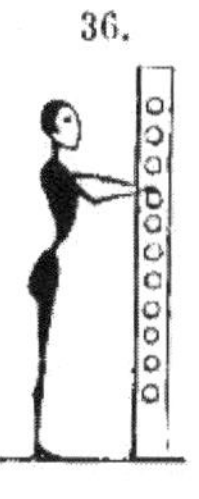

37.

38.

26) 2 srrk. sth., Ha. (Fig. 34.)
27) 2 sprrk. sth., Ha. (Fig. 35.)
28) Ö. fa. sth., Ha. (Fig. 36.)
29) H. sth., Ha. (Fig. 37.)
30) Su. sth., Ha. (Fig. 38.)

39.

40.

41.

42.

43.

44.

31) Fg. sth., Ha. (Fig. 39.)
32) D. sth., Ha. (Fig. 40.)
33) Rh. sth., Ha. (Fig. 41.)
34) Dk. sth., Ha. (Fig. 42.)
35) E. sth., Ha. (Fig. 43.)
36) 2 rhe. sth., Ha. (Fig. 44.)

45.

46.

47.

48.

37) Wr. sth., Ha. (Fig. 45.)
38) 2 wrkl. sth., Ha. (Fig. 46.)
39) 2 wrrk. sth., Ha. (Fig. 47.)
40) 2 wrsr. sth., Ha. (Fig. 48.)

49.

50.

51.

41) Sz. sth., Ha. (Fig. 49.)
42) 2 snn. sz. sth., Ha. (Fig. 50.)
43) Fü. r. sb. r. f. asw. sth., Ha. (Fig. 51.)

52.

53.

54.

55.

56.

44) Fü. l. wg. sth., Ha. (Fig. 52.)
45) Fü. r. so. sth., Ha. (Fig. 53.)
46) Fü. l. lt. sth., Ha. (Fig. 54.)
47) Fü. r. sg. sth., Ha. (Fig. 55.)
48) Fü. r. hk. sth., Ha. (Fig. 56.)

57.

58.

59.

60.

61.

49) Fü. r. spn. sth., Ha. (Fig. 57.)
50) Fü. r. tp. sth., Ha. (Fig. 58.)
51) Fü. r. so. fa. sth., Ha. (Fig. 59.)
52) Fü. 2 zh. schu. sth., Ha. (Fig. 60.)
53) Ö. fa. r. bk. r. zh. fa. hc. sth., Ha. (Fig. 61.)

54) Fü. 2 fs. schu. sth., Ha. (Fig. 62.)
55) Str. zh. gg. fld., Ha., zgl. 2 Hd. Fag. (Fig. 63.)
56) Fü. sp. sth., Ha. (Fig. 64.)
57) Fü. spz. sth., Ha. (Fig. 65.)

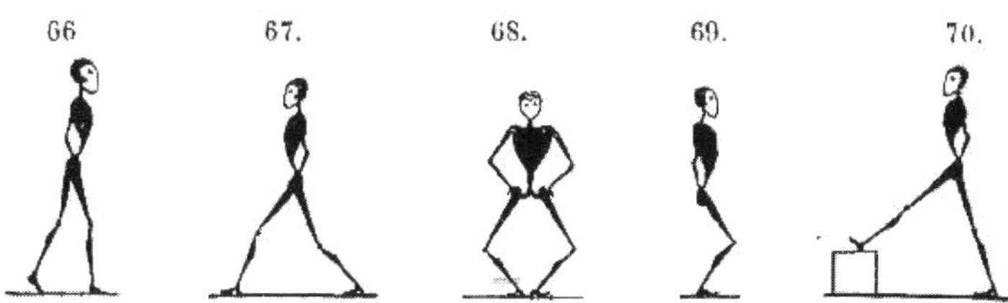

58) Fü. r. ga. l. zh. sth., Ha. (Fig. 66.)
59) Fü. r. asfld., Ha. (Fig. 67.)
60) Fü. ki. sth., Ha. (Fig. 68.)
61) Fü. ka. sth., Ha. (Fig. 69.)
62) Fü. r. fs. sü. sth., Ha. (Fig. 70.)

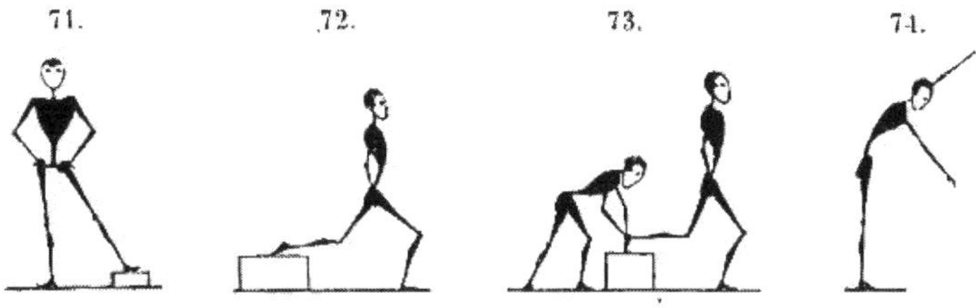

63) Fü. l. fkt. sü. l. f. asw. sth., Ha. (Fig. 71).
64) Fü. r. frn. sü. sth., Ha. (Fig. 72.)
65) Fü. r. zh. sü. sth., Ha., zgl. r. Fs. Dü. (Fig. 73.)
66) L. str. r. rk. kmn. schu. sth., Ha. (Fig. 74.)

67) R. str. l. kl. r. so. l. w. sth., Ha., zgl. r. F. Nr. Dü. (Fig. 75.)
68) Ö. fa. bg. ng. schu. sth., Ha. (Fig. 76.)
69) R. str. l. fü. r. sf. r. sb. r. f. asw. sth., Ha., zgl. r. Hd. Nr. Dü. (Fig. 77.)
70) Fü. l. w. ng. sth., Ha. (Fig. 78.)
71) Fü. r. w. fl. sth., Ha. (Fig. 79.)

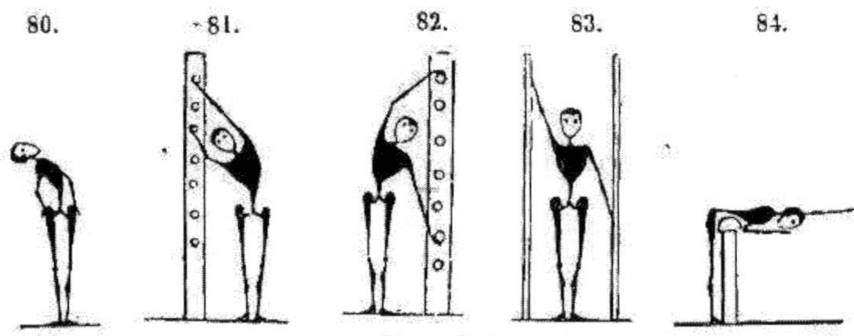

72) Fü. l. w. r. sf. sth., Ha. (Fig. 80.)
73) L. snn. r. h. fa. r. sf. sth., Ha. (Fig. 81.)
74) R. snn. l. spr. fa. l. sf. sth., Ha. (Fig. 82.)
75) R. sr. fa. l. spr. fa. sth., Ha. (Fig. 83.)
76) L. str. r. wr. tf. ng. sch. gg. schu. sth., Ha. (Fig. 84.)

77) Fü. schu. knd., Ha. (Fig. 85.)
78) 2 rhe. rf. ng. 2 or. sch. ng. sp. knd., Ha., zgl. 2 Ur. Sch. Fag. (Fig. 86.)
79) Str. ng. spz. knd., Ha. (Fig. 87.)

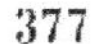

88. 89. 90.

80) L. str. r. kl. tf. ng. l. w. sch. lh. schu. knd., Ha. (Fig. 88.)
81) 2 rhe. rf. fl. 2 or. sch. fl. schu. knd., Ha. (Fig. 89.)
82) 2 rhe. fl. r. ga. knd., Ha. (Fig. 90.)

91. 92. 93.

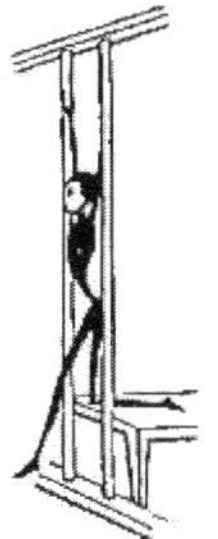

83) Fü. r. hb. knd., Ha. (Fig. 91.)
84) Fü. l. kn. r. stzd., Ha. (Fig. 92.)
85) Snn. r. so. l. knd., Ha. (Fig. 93.)

94. 95. 96. 97.

86) Fü. schu. stzd., Ha. (Fig. 94.)
87) L. str. r. spr. ng. sp. stzd., Ha. (Fig. 95.)
88) L. str. r. spr. tf. ng. spz. stzd., Ha. (Fig. 96.)
89) Sr. fl. sp. hc. stzd., Ha. (Fig. 97.)

90) Fü. ku. stzd., Ha. (Fig. 98.)
91) Str. ku. 2 so. stzd., Ha., zgl. 2 Hd. Fag. (Fig. 99.)
92) Fü. lg. stzd., Ha. (Fig. 100.)
93) Fl. ku. r. so. stzd., Ha. (Fig. 101.)

94) Fü. l. w. lg. sp. stzd., Ha., zgl. 2 Or. u. 2 Ur. Sch. Fag. (Fig. 102.)
95) Fü. 2 sg. sgl. end. stzd., Ha., zgl. 2 Ach. Fag. (Fig. 103.)
96) Fü. wm. q. stzd., Ha., zgl. 2 Ach. Fag. (Fig. 104.)

97) L. str. r. fü. l. hb. lg. stzd., Ha. (Fig. 105.)
98) Fü. r. spu. stzd., Ha. (Fig. 106.)
99) Fü. schu. lgd., Ha. (Fig. 107.)

100) Kl. l. so. lgd., Ha., zgl. 2 Hd. Nr. Dü. (Fig. 108.)
101) Fü. 2 so. lgd., Ha., zgl. 2 Ach. Dü. (Fig. 109.)

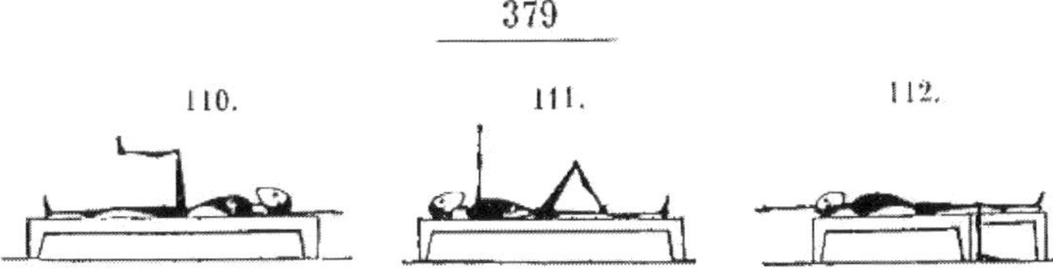

102) Str. l. hk. lgd., Ha. (Fig. 110.)
103) L. rk. r. fü. l. ka. lgd., Ha. (Fig. 111.)
104) Str. r. lt. r. f. fa. lgd., Ha. (Fig. 112.)

105) Str. 2 sg. rf. hc. lgd., Ha., zgl. 2 Hd. Z. (Fig. 113.)
106) Str. l. sf. rf. lgd., Ha., zgl. 2 Hd. Nr. Dü. (Fig. 114.)

107) Fü. b. lgd., Ha., zgl. 2 Ur. Sch. rs. Fag. (Fig. 115.)
108) Fü. hb. lgd., Ha. (Fig. 116.)
109) Fü. 2 lt. 2 f. fa. hb. lgd., Ha. (Fig. 117.)

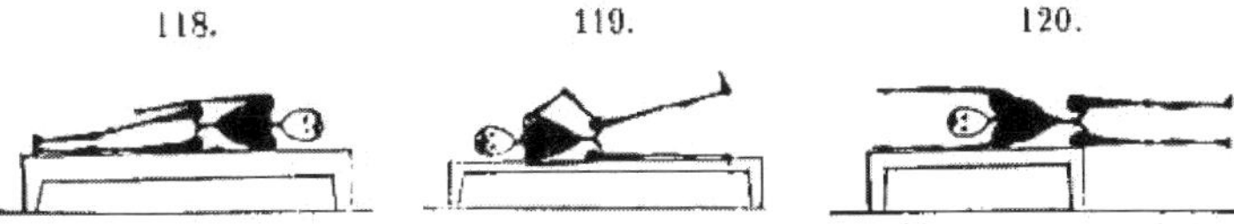

110) Spr. l. s. lgd., Ha. (Fig. 118.)
111) R. spr. l. fü. l. sb. l. f. asw. r. s. lgd., Ha. (Fig. 119.)
112) S r. r. s. rf. lgd., Ha. (Fig. 120.)

113) L. str. r. kl. l. sf. r. s. b. hc. lgd., Ha., zgl. 2 Ur. Sch. rs. Fag. (Fig. 121.)
114) Kl. b. vw. hc. lgd., Ha., zgl. 2 Ur. Sch. rs. Fag. (Fig. 122.)
115) Smm. hc. lgd., Ha. (Fig. 123.)

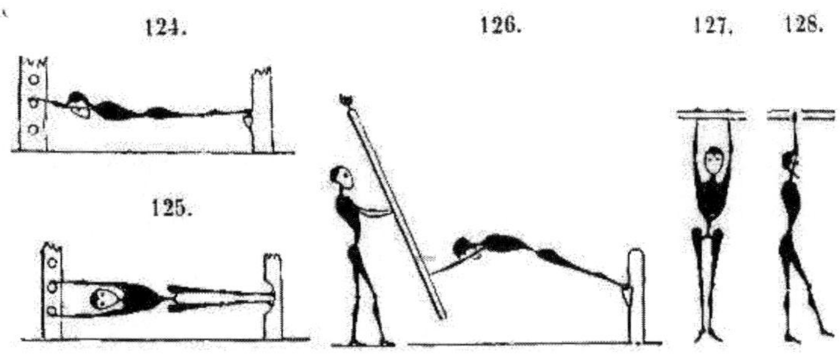

116) Snn. lgd., Ha. (Fig. 124.)
117) Smm. r. s. lgd., Ha. (Fig. 125.)
118) Str. smm. schu. lgd., Ha. (Fig. 126.)
119) Snn. hgd., Ha. (Fig. 127.)
120) Snn. r. so. hgd., Ha. (Fig. 128.)

121) L. ga. hgd., Ha. (Fig. 129.)
122) Si. hgd., Ha., zgl. 2 Hf. 2 Fag., u. 2 F. Fag. (Fig. 130.)
123) Wp. r. so. hgd., Ha. (Fig. 131.)

§. 55. Die Bewegungen der Heilorganik zerfallen in active, duplicirte und passive, je nachdem der Gymnast keinen Widerstand leistet, und der Patient die Bewegung also allein ausführt (activ); je nachdem der Gymnast oder der Patient bei der Bewegung einen Widerstand leistet (duplicirt), oder je nachdem der Patient sich bei der Bewegung seines Körpers passiv verhält.

§. 56. Der Form nach, und zugleich je nachdem Längs-, Spiral-, Stern- oder Flächen-Faser-Muskel-Hälften und deren Abtheilungen zur Contraction kommen, werden die Bewegungen eingetheilt: in Beugungen und Streckungen, in Drehungen, in Rollungen und in Bewegungen in verschiedenen Ebenen (i. v. E.).

§. 56a. Je nach den Gliedern, die dabei bewegt werden, zerfallen die Bewegungen in Kopf- oder Hals-, in Rumpf-, in Hüft- oder Becken-, in Arm-, in Oberarm, in Unterarm-, in Hand- und Finger-, in Bein-, in Oberschenkel-, in Unterschenkel-, in Fuss-Bewegungen.

§. 57. Die passiven Bewegungen werden noch eingetheilt in die gewöhnlichen Passiv-Bewegungen, die in der Form mit den activen und duplicirten übereinstimmen, und in die Rein-Passiv-Bewegungen, wozu die Streichungen, Hackungen, Klopfungen u. s. w. gehören. (Ausführlicheres s. Lehrbuch der Leibesübung.)

Tabelle A.

Erklärung der in der vorstehenden Schrift und namentlich in den darin enthaltenen 300 Recepten vorkommenden Abkürzungen.

Die Zahl 2 mitten unter anderen Abbreviaturen bedeutet: Doppelt, zum Beispiel: 2 B. bedeutet Doppelt-Bein oder beide Beine. 2 Hd. Fag., 2 Hd. Dü. bedeutet: Doppelt-Handfassung, Doppelt-Handdrückung, oder dass zwei Hände eines oder zweier Gymnasten die beiden Hände des Patienten fassen, drücken. Kz. 2 Fag. bedeutet: Kreuz-Doppelt-Fassung, das heisst, dass zwei Hände eines oder zweier Gymnasten über einander gelegt das Kreuzbein des Patienten fassen; ebenso Kz. 2 Dü., wobei die beiden Hände das Kreuzbein drücken. Hf. 2 Fag. bedeutet: Hüft-Doppelt-Fassung, das heisst, dass eine Hüfte des Patienten von zwei Händen eines oder zweier Gymnasten gefasst wird. Dagegen 2 Hf. Fag. bedeutet, dass die beiden Hüften des Patienten von zwei Händen eines oder zweier

Gymnasten gefasst werden. 2 Hf. 2 Fag. bedeutet, dass beide Hüften des Patienten, eine jede von zwei Händen eines oder zweier Gymnasten, gefasst werden. Ebenso 2 F. Süg. u. F. 2 Süg., und ähnliche Ausdrücke.

A.[1]) bedeutet Arm.
Abh. bed. Abführ.
Ach. bed. Achsel, der obere Theil der Schulter.
Achh. bed. Achselhöhle.
Af. bed. Auf.
Afw. bed. Aufwärts.
Ag. bed. Augen.
Act. oder Akt. bed. Activ.
Act. oder Akt. conc. bed. Activ-concentrisch.
Act. oder Akt. exc. bed. Activ-excentrisch.
As. bed. Aus.
Asfld. bed. Ausfallend.
Asw. bed. Auswärts oder Auswend.
B. bed. Bein.
Bch. bed. Bauch.
Bd. bed. Bind.
Bc. bed. Backe.
Bg. bed. Beug.
Bgd. bed. Beugend.
Bgfö. bed. Bogenförmig.
Bk. bed. Becken.
Bl. bed. Ball.
Br. bed. Brust.
Br. Hä., 2 Br. Hä. bed. Brust-Hälfte, Doppelt-Brust-Hälfte oder die ganze Brust (vordere Fläche des Brustkastens).
Br. Snng. bedeutet Brust-Spannung.
Bt. bed. Blatt.
Bu. bed. Beugung.
Cir. bed. Cirkel.
Conc. bed. Concentrisch.
D. bed. Denk.
Dc. bed. Denkeck.
Dh. bed. Drehung oder Dreh.
Dk. bed. Deck.
Dmgd. bed. Darmgegend.
Dn. bed. Daumen.
Dü. bed. Drückung.
2 Dü. bed. Drückung mit zwei Händen des Gymnasten.
Dup. bed. Duplicirt.
Dup. conc. bed. Duplicirt-concentrisch.
Dup. exc. bed. Duplicirt-excentrisch.
E. bed. Eck.
Ebg. bed. Ellenbogen (Olecranon) oder Ellenbogengelenk.
Eig. bed. Einung.
Er. bed. Erhebung.
Eü. bed. Erschütterung.
Exc. bed. Excentrisch.
F. bed. Fuss.
2 F. Süg. bedeutet, dass beide Füsse des Patienten durch die Füsse zweier Gymnasten, die

1) Ob die Buchstaben der Abkürzung gross oder klein geschrieben sind, ist für ihre Bedeutung in den meisten Fällen gleichgültig; nur einzelne Ausnahmen finden sich, die in der folgenden Tabelle besonders angegeben sind.

daran gesetzt werden, eine Stütze erhalten.

Fa. (ausser am Anfange stets mit kleinen Buchstaben geschrieben) bedeutet Fass.

Fä. bed. Fällung.

Fag. (immer mit grossem Anfangsbuchstaben geschrieben) bed. Fassung.

2 Fag. bed. Fassung mit zwei Händen.

Fbt. bed. Fussblatt.

Fg. bed. Flug.

Fg. fa. bed. Flugfass.

Fi. bed. Finger.

Fie. bed. Fliegung.

Fist. bed. Fingerspitze oder Ende der Hand.

Fkt. bed. Fusskante.

Fl. bed. Fall.

Fld. bed. Fallend.

Fle. bed. Fusssohle.

Fö. bed. Förmig.

Fr. bed. Frei.

Frn. bed. Fussrücken.

Fr. sth. bed. Frei stehend.

Fs. bed. Ferse.

Fst. bed. Fussspitze.

Ft. bed. Faust.

Fü. bed. Flügel.

Füg. bed. Führung.

Fürc. bed. Flügelrück.

Füv. bed. Flügelvor.

Ga. (gross geschrieben) bedeutet Gang, der (Substantivum).

Ga. (klein geschrieben ausser beim Anfange) bed. gang (adjectivum), zum Beispiel: ga. sth., gang stehend.

Gd. bed. Gegend.

Gf. bedeutet Greif.

Gfl. bed. Geflecht.

Gg. bed. Gegen.

Gk. bed. Gelenk.

(Gn. Hd. Fag.) bed. Gleichnamige oder gleich-odpolare Handfassung.

Gt. bed. Gesicht.

(G. W.) bed. Gymnast leistet Widerstand.

Gwö. bed. Gewölbt.

H. bed. Heb.

H. fa. bed. Hebfass.

(H. W.) bed. Helfer leistet Widerstand.

Ha. bed. Haltung.

Hä. bed. Hälfte.

Hak. bed. Hackung.

Hb. bed. Halb.

Hc. bed. Hoch.

Hd. bed. Hand.

2 Hd. Fag. bed. Fassung der beiden Hände des Patienten durch die Hände des oder der Gymnasten.

Hdst. bed. Handspitze oder Ende der ausgestreckten Finger.

Hf. bed. Hüfte.

Hf. 2 Fag. bed. Fassung einer Hüfte des Patienten mit zwei Händen des oder der Gymnasten.

2 Hf. Fag. bed. Fassung der Hüften des Patienten mit den Händen des oder der Gymnasten.

Hgd. bed. Hängend.

Hk. bed. Hock.

Hk. f. fa. bed. Hockfussfass, das heisst: das in Hockstellung befindliche Bein stützt den Fuss auf eine feste Unterlage.

Hn. bed. Hinten.

Hrb. bed. Herab.

Hrk. bed. Hinterkopf.

Hs. bed. Hals.

Ht. bed. Halt.

Hz. bed. Herz.

(I. g. A.) bed. In ganzer Ausdehnung.

(I. hb. A.) bed. In halber Ausdehnung.

(I. v. E.) bed. In verschiedenen Ebenen.

Inn. bed. Innen.

Inw. bed. Inwärts oder Inwend.

Ip. bed. Inspiration.

K. bed. Kopf.

Ka. bed. Kauer.

Ke. bed. Kehle.

Keg. bed. Knetung.

Kek. bed. Kehlkopf.

Kf. bed. Kiefer.

Ki. bed. Knick.

Kl. bed. Klafter.

Kla. bed. Klatschung.

Klrc. bed. Klafterrück.

Klv. bed. Klaftervor.

Klwr. bed. Klafterwehr, gleichbedeutend mit Wehrklafter. (wrkl.)

Kl. fa. bed. Klafterfass.

Kmm. bed. Krumm.

Kmmd. bed. Krümmend.

Kn. bed. Knie.

Kn. Kz. Dü. bedeutet, dass das Knie des Gymnasten gegen das Kreuzbein des Patienten gestemmt wird.

2 Kn. Fag. bed. Fassung beider Knie des Patienten durch die Hände des oder der Gymnasten.

2 Kn. 2 Slbt. Stüg. bedeutet, dass die Kniee zweier Gymnasten, die seitwärts und hinter dem Patienten stehen, an die Schulterblätter des Patienten, der sich darauf stützt, angedrückt werden.

Knd. bed. Knieend.

Knke. bed. Kniekehle.

Knn. bed. Kinn.

Knse. bed. Kniescheibe.

Kog. bed. Klopfung.

Kr. bed. Krall.

Kt. bed. Kante.

Ku. bed. Kurz.

Kz. bed. Kreuz oder Kreuzbein.

Kz. 2 Dü., Kz. 2 Fag. bedeutet Drückung, Fassung des Kreuzes des Patienten durch zwei Hände des oder der Gymnasten.

L. bed. Links.

Lb. bed. Leber.

Lei. bed. Leise.

Lg. bed. Läng.

Lgd. bed. Liegend.

Lh. bed. Lehn.

Li. bed. Leist.

Lnd. bed. Lenden.

Ls. bed. Längs.

Lt. bed. Luft.

Lt. f. fa. bed. Luftfussfass, das heisst, der in Luftstellung befindliche Fuss stützt sich auf eine feste Unterlage.

M. bed. Magen.

M. mit einer Zahl bed. Mal, zum Beispiel: 10 M., 10. Mal.

(6 M. im Ganzen) bedeutet bei activen Bewegungen, dass die Bewegung 6 Mal ausgeführt werden soll, obschon sie eigentlich aus zwei verschiedenen Bewegungen besteht, und daher jede Art doch nur 3 Mal gemacht wird.
(M. gn. Hd.) bed. Mit gleichnamiger (gleichodpolarer) Hand oder gleichnamigen Händen.
(M. l. Hd.) bed. Mit linker Hand.
(M. r. B.) bed. Mit rechtem Bein.
(M. r. Hd.) bed. Mit rechter Hand.
(M. ugn. Hd.) bed. Mit ungleichnamiger Hand oder ungleichnamigen Händen (ungleichodpolaren).
Md. bed. Mund.
Ml. bed. Muskel.
N. bed. Nerv.
Ng. bed. Neig.
Ngd. bed. Neigend.
Ngg. bed. Neigung.
Nh. bed. Nach.
Nh. inn. bed. Nach innen.
Nie. bed. Niedrig.
Nie. sth. bed. Niedrigstehend.
Nk. bed. Nacken.
Nr. bed. Nieder.
Ns. bed. Nase.
Ö. bed. Öhr.
Ö. fa. bed. Öhrfass.
Ög. bed. Oeffnung.
(O. U.) bed. Ohne Unterstützung.
Or. bed. Ober.
(P. W.) bed. Patient leistet Widerstand.
Pl. bed. Plan.
Ps. bed. Passiv.
Pu. bedeutet Pumpung.
Q. bed. Quer.
R. bed. Rechts.
(r. m. l., l. m. r. Hd.) bedeutet Rechts mit linker, links mit rechter Hand.
Rc. bed. Rück.
Rcsl. bed. Rückschulter, der hintere Theil der Schulter.
Rcw. bed. Rückwärts.
Rf. bed. Rumpf.
Rh. bed. Ruh.
Rhe. bed. Ruheck.
Rk. bed. Reck.
Rkwr. bed. Reckwehr, gleichbedeutend mit Wehrreck. (wrrk.)
Rn. bed. Rücken.
Ro. bed. Rollung.
Rp. bed. Rippe.
Rp. S. bed. Rippenseite, die seitliche Fläche der Rippen von der Achselhöhle bis zu der Hüfte.
Rs. bed. Rittlings, reitend.
Rs. Fag. bed. Rittlingsfassung, zum Beispiel: 2 Ur. Sch. rs. Fag. Befestigung der Unterschenkel des Patienten, indem der Gymnast darauf oder darüber reitend sitzt.
Rüw. bed. Ruckweise.
Ru. Eü. bed. Ruckweise Erschütterung.
S. bed. Seite des ganzen menschlichen Körpers.
Sä. bed. Sägung.
Sag. bed. Schlagung.
Sau. bed. Schrauben.
Sb. bed. Schweb.
Sbg. bed. Schiebung.

Sch. bed. Schenkel.
Schb. bed. Schienbein.
Schn. bed. Schluss mit beiden Füssen.
Schn. ga. bed. Schlussgang.
Schn. hd. bed. Schlusshand.
Se. bed. Sohle.
Seg. bed. Streichung.
Sel. bed. Scheitel.
Sen. bed. Senkung.
Sf. bed. Schief.
Sfe. bed. Schläfe.
Sff. bed. Schlaff.
Sg. bed. Schwung.
Sgl. bed. Schwingel.
Sgl. end. stzd. bed. Schwingelendsitzend.
Si. bed. Schwimm.
Sig. bed. Schliessung.
Sl. bed. Schulter.
Slbt. bed. Schulterblatt.
Slbtgd. bed. Schulterblattgegend.
Smm. bed. Stemm.
Smm. str. kl. sth. bed. Stemmstreckklafterstehend, d. h.: ein Arm in Streckstellung und zugleich angestemmt, der andere in Klafterstellung, freischwebend, nicht angestemmt. Soll das Letztere auch noch stattfinden, so muss es heissen: Smm. str. smm. kl. sth.
Sn. bed. Stirn.
Snn. bed. Spann.
Snng. bed. Spannung.
So. bed. Stoss.
Sp. bed. Spalt.
Spg. bed. Spaltung.
Spr. bed. Sprech.
Spraf. bed. Sprechauf.
Sprrc. bedeutet Sprechrück.
Sprrk. bed. Sprechreck.
Spu. bed. Sprung.
Spz. bed. Spreiz.
Sr. bed. Stern.
Srrk. bed. Sternreck.
Srwr. bed. Sternwehr, gleichbedeutend mit Wehrstern (wrsr.)
St. bed. Spitz oder Spitzen.
Stg. bed. Stellung.
Sth. bed. Stehend.
Str. bed. Streck.
Stras. bed. Streckaus.
Strg. bed. Streckung.
Strin. bed. Streckin.
Stzd. bed. Sitzend.
Su. bed. Schutz.
Sü. bed. Stütz.
Sü. sth. bed. Stützstehend.
Süd. bed. Stützend.
Süg. bed. Stützung. Zum Beispiel: F. Süg., 2 F. Süg., das heisst: dass der Gymnast oder die Gymnasten ihre Füsse vorden oder die Füsse des Patienten setzen, damit diese nicht ausgleiten.
Sw. bed. Seitwärts.
Swg. bed. Schwingung.
Sz. bed. Sturz.
Sz. sth. bed. Sturzstehend.
(T. W.) bed. Turner leistet Widerstand.
Tf. bed. Tief.
Tf. bg. stzd. bed. Tiefbeugsitzend.
Tf. ng. sth. bed. Tiefneigstehend.
Tf. ng. stzd. bed. Tiefneigsitzend.
Tp. bed. Trepp.
Tp. f. fa. sth. bed. Treppfussfassstehend, das heisst: das

eine Bein in Treppstellung, und zugleich mit dem Fusse auf einen festen Gegenstand aufgestemmt.

U. bedeutet Und.

U. s. w. bed. Und so weiter.

(U. W.) bed. Uebender leistet Widerstand.

(Ugn. Hd. Fag.) bed. Ungleichnamige oder ungleichodpolare Handfassung.

Ur. bed. unter.

Ur. A. bed. Unterarm.

Ur. Kf. bed. Unterkiefer.

Ur. Sch. bed. Unterschenkel.

Utb. bed. Unterleib.

V. bed. Vor.

Vn. bed. Vorn.

(Vn. m. r., hn. m. l. Hd.) bed. Vorn mit rechter, hinten mit linker Hand.

Vsl. bed. Vorschulter, der vordere Theil der Schulter.

Vw. bed. Vorwärts.

W. bed. Wend.

Wa. bed. Wade.

Wch. bed. Wechsel.

Wch. Dü. oder Fag. bedeutet, dass der Gymnast seine Hand abwechselnd während der verschiedenen Theile der Bewegung an verschiedene Körpertheile des Patienten anlegt und so Widerstand leistet. Von solchen Ausdrücken kommt vor: r. Hd. afw. u. abw. Wch. Dü.; oder: r. Hd. u. l. Ach. Wch. Fag.; oder: l. u. r. Hd. Wch. Fag.; oder: l. Hd. u. K. Wch. Fag., u. s. w.

We. bed. Weiche.

Wf. bed. Wurf.

Wg. bed. Wag.

Wg. sth. bed. Wagstehend oder in Balancestellung.

Wgd. bed. Wiegend.

Win. bed. Winklung.

Wk. bed. Walkung.

Wm. bed. Wolm.

Wp. bed. Wippe.

Wr. bed. Wehr.

Wrkl. bed. Wehrklafter. Siehe auch: klwr.

Wrrk. bed. Wehrreck. Siehe auch: rkwr.

Wrsr. bed. Wehrstern. Siehe auch: srwr.

Z. bed. Ziehung.

Z. B. bed. Zum Beispiel.

Zgl. bed. Zugleich.

Zh. bed. Zeh.

Zh. fa. sth. bed. Zehfassstehend, das heisst: mit dem Fusse auf einer Sprosse stehend, so dass nur die Zehen nebst dem Ballen des Fusses darauf ruhen.

Zh. sth. bed. Zehstehend.

Zu. bed. Zusammen.

Zuh. bed. Zuführ.

25 *

Register.

Anm. Die Zahlen bedeuten Seiten des Buches.

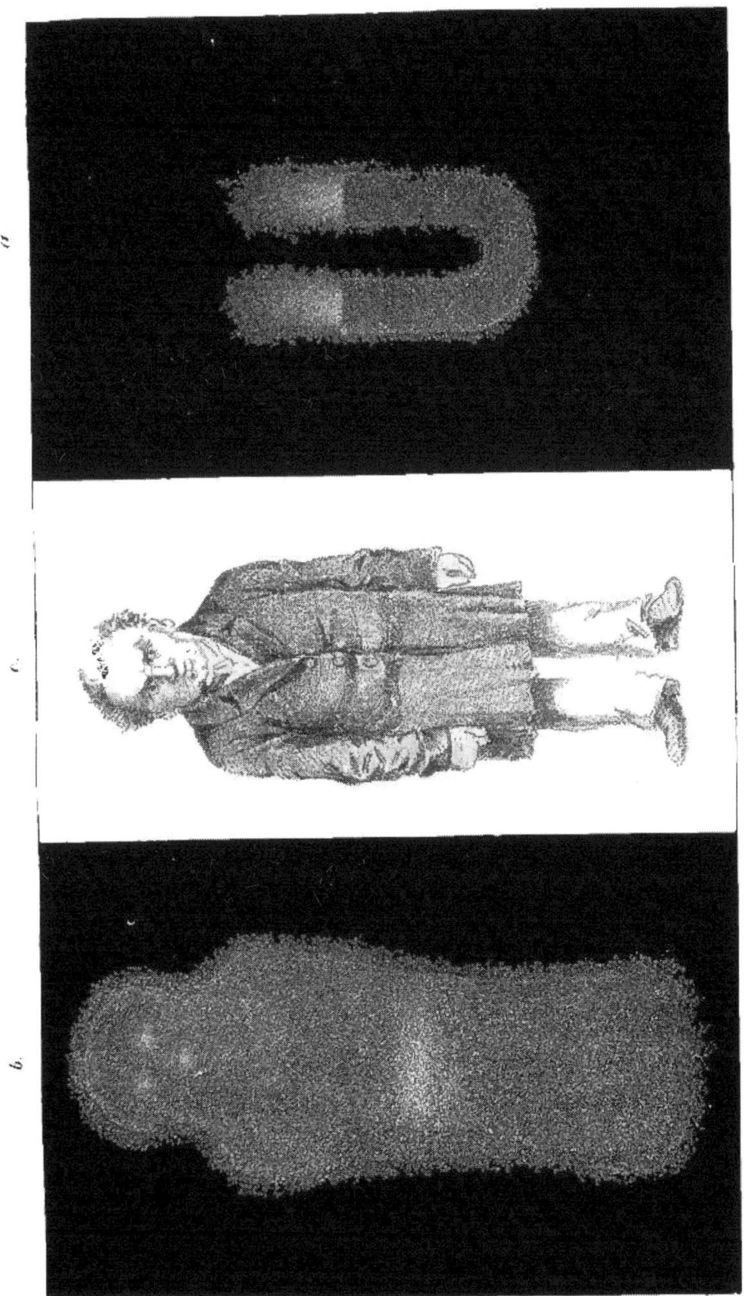
a.
c.
b.

Druckfehler.

Seite 114, Z. 3 v. o. lies: Relaxation statt Retraction.
- 122, 1. Rec., Bew. 7, lies: 2 F. Fag., u. 2 Hf. Fag.
- 127, 8. Rec., Bew. 7, lies: zgl. l. f. Fag., u. 2 Hd. Z. (stark), zgl. 2 Hf. Fag.
- 138, 6. Rec., Bew. 9, lies: r. Ach. Fag., u. 2 Hf. Fag.
- 162, 4. Rec., Bew. 6, lies: so. F. Fag. (r. so., l. lt., l. f. fa.)
- 167, 2. Rec., Bew. 10, lies: fla., zgl. 2 Ur. Sch. rs. Fag.
- 192, 2. Rec., Bew. 1, lies: 1) Dk. vw. lgd.,
- 206, 4. Rec., Bew. 2, lies: Kla., m. l. Hd.)
- 209, 2. Rec., Bew. 9, lies: 9) Rh. w. tf. ng. schu. sch. gg. sth,
- 209, 3. Rec., Bew. 5, lies. (P. W.) u. L. Sf. V. Bu. (G. W.)]
- 234, 3. Rec., Bew. 2, lies: H. ng. w.
- 238, 3. Rec., Bew. 4, lies: (k. r. sf., k. r. w.,
- 262, 3. Rec., Bew. 7, lies: 2 Hd. Z., 2 F. Fag.
- 291, 4. Rec., Bew. 10, lies: 10) Hb. klwr sf. w. sp. hc.
- 298, 1. Rec., Bew. 9, lies: (r. sg., l. lt., l. f. fa.)
- 303, 2. Rec., Bew. 2, lies: 2) Str. rf. lt. f. fa.
- 320, 3. Rec., Bew. 5, lies: 5) Str. lt. f. fa. sg. rf. hc.
- 336, 1. Rec., Bew. 2, lies: r. Ebg. Fag., u. 2 Hf. Fag.
- 336, 1. Rec., Bew. 3, lies: (m. r. Hd.), zgl. r. F. Fag.
- 350, Z. 21 v. o. lies: Sensitivität statt Sensibilität.

Druck von J. B. Hirschfeld in Leipzig.